ΣBEST
シグマベスト

物理の
考え方解き方

物理基礎収録版

土屋 博資　著

文英堂

本書のねらい

物理は，高校生には敬遠されがちな教科であるらしい。その原因は，物理には覚えなければならない公式がたくさんあり，むずかしい計算をしなければならないと思い込んでいるところにあるようだ。しかし，**物理の問題の解法には一定の型のようなものがあって，それを会得しさえすれば，問題を解くことはそんなにむずかしいものではない**。具体的にいうと，問題を見て，これにはどんな法則があてはまり，どんな関係式がなりたつかを考えて，いくつかの式をつくり，数学的演算を行って，求める量を導き出すのである。

本書は，いわばこの方法をいろいろな**TYPE**の問題について，くり返し示したようなものである。問題の**TYPE**はちがっても，問題の解法のスタイルはよく似ていることにすぐに気がつくであろう。これが物理問題解法の型なのである。

本書のねらいは，次の 4 点にまとめることができる。

1 **問題をTYPE別に分類し，TYPEごとにその解法のキーポイントを示す。**

2 **それぞれの問題について，解法のすじ道を示し，式のつくり方がマスターできるようにする。**

3 **基礎的な問題をくり返し練習することで，中間・期末テスト程度の問題から入試問題まで確実に解けるようにする。**

4 **さらに，比較的骨のある長文の問題にも取り組み，それを解決することで大学入試にも対応できる応用力を養う。**

最後に，この本を用いて，物理問題の解法のコツをつかみ，希望する大学に進学して物理を学んでもらえる人が多数出てくれることを期待します。

著者しるす

本書の構成と使用法

◆ 問題を解くことに徹した解説で，すぐに役立つ。

本書は高等学校の物理の学習内容を能率よく理解するために全体を 5 つの章に分けた。各章はさらにいくつかの節に分け，各節のはじめには，**問題を解くのに必要な重要事項の解説をつけた**。ここでは，おもに公式の説明をしているので，問題に入る前に必ず読んでおいてほしい。

◆ 問題解法の急所がわかり，思考力が確実に身につく。

TYPE 着眼	物理の問題を，その解法のパターンによって，141 の **TYPE** にまとめた。同じ **TYPE** に属する問題は同じような方法で解くことができる。また，出題頻度の高いほうから重要度 A，B，C で示した。**「着眼」**は，その考え方や解き方のキーポイントとなるもので，ここから，**問題解法の糸口をつかむ**ことができる。
例題	それぞれの **TYPE** に属する典型的な問題を選んだ。解き方 には，例題の**オーソドックスな解法**を示した。また，**解法のすじ道や解法の糸口**となることがらも適宜示したので，応用力を養うことができる。これらの例題をマスターすれば，物理の得点力は飛躍的に増大する。
〈類題〉 練習問題	**「類題」**は例題と同じ考え方で解ける問題を選んだ。ほとんど中間・期末テスト程度の問題であるが，大学入試レベルの問題もいくつか含まれている。**例題の解き方が理解できたかどうかを知る**ために，必ず解いてもらいたい。 **「練習問題」**はすべて大学入試問題で，各節末にのせた。複数の **TYPE** にまたがる問題もある。ここで**実力を確かめてほしい**。

◆ くわしい別冊解答で，正しい解き方がマスターできる。

「類題」「練習問題」の解答は別冊にまとめた。必ず自力で問題を解いた後，「別冊解答」を見て，自分の考え方が合っているかどうかを確認すること。

もくじ

3 波

4 電気と磁気

5 原子と原子核

物理の計算問題を解くにあたって

1 有効数字

1 有効数字の表し方　たとえば，測定によって127 kgという値が得られたとき，この測定値の有効数字は3桁であるという。有効数字の桁数をはっきり示すために，整数部分を1桁の小数にし，それに10の累乗をかけて表す方法がとられる。この方法を用いると，127 kgは1.27×10^2 kgと表される。

2 測定値の計算　有効数字の末尾は誤差を含んでいるから，それ以下の値をくわしく求めても意味がない。有効数字を用いる計算では次のようにする。

① **加法・減法**　四捨五入によって，末尾を最も高い位にそろえてから計算する。たとえば，$1.2+2.16$は，末尾を小数第1位にそろえてから，

$$1.2+2.2=3.4$$

と計算する。

② **乗法・除法**　計算結果を，計算に用いた測定値のうち，有効数字の桁数が最小のものの桁数に合わせる。途中の計算は，その桁数より1桁多い値を用いる。たとえば，$1.31\times2.6\times1.64$の計算をするとき，まず，

$$1.31\times2.6=3.406$$

となるが，これを四捨五入により3桁の3.41として，

$$3.41\times1.64$$

の計算をする。この結果は5.5924となるが，これを2桁にするために，3桁目を四捨五入して5.6とする。

2 単位・次元と近似計算

1 MKSA単位系　高校物理ではMKSA単位系を用いる場合がほとんどなので，公式に代入する値は，長さは〔m〕，質量は〔kg〕，時間は〔s〕など，MKSA単位系で表した数値を用いる。しかし，なかには熱の関係の単位のように，質量に〔g〕を用いるものもある。これは与えられた比例定数の単位による。たとえば，比熱の単位としては〔J/(g·K)〕が用いられることが多いが，この単位で表された比熱の値を用いるときは，熱は〔J〕，質量は〔g〕，温度は〔K〕で表された値を用いなければならない。

2 次元（ディメンション） 物理量はいくつかの基本的な量をもとにして表すことができる。基本的な量として，長さ，質量，時間の 3 つをとれば，力学で扱う物理量を表すのには必要十分である。長さを[L]，質量を[M]，時間を[T]で表し，物理量を$[\mathrm{L}^p\mathrm{M}^q\mathrm{T}^r]$の形で表したものを**次元**という。たとえば，速度は[長さ]/[時間]で表されるので，$[\mathrm{LT}^{-1}]$という次元をもつ。

物理の公式は両辺が同じ次元をもつことを利用すると，公式を度忘れしたときに，次元を調べることで確認できる。たとえば，弦を伝わる波の速さは $v=\sqrt{\dfrac{S}{\rho}}$ であるが，根号の中が $\dfrac{S}{\rho}$ であったか，$\dfrac{\rho}{S}$ であったか，忘れたとしよう。このとき，両辺の次元を調べると，次のようになる。

$$\sqrt{\frac{S}{\rho}}=\left\{\frac{[\mathrm{LMT}^{-2}]}{[\mathrm{L}^{-1}\mathrm{M}]}\right\}^{\frac{1}{2}}=[\mathrm{LT}^{-1}],\quad \sqrt{\frac{\rho}{S}}=\left\{\frac{[\mathrm{L}^{-1}\mathrm{M}]}{[\mathrm{LMT}^{-2}]}\right\}^{\frac{1}{2}}=[\mathrm{L}^{-1}\mathrm{T}]$$

速度 v の次元は$[\mathrm{LT}^{-1}]$であるから，$v=\sqrt{\dfrac{S}{\rho}}$ のほうであることがわかる。

3 平方根を用いた計算 1 桁の数の平方根は覚えておくとよい。

$\sqrt{2}=1.41421356$ （一夜一夜に人見頃）（ひとよひとよにひとみごろ）
$\sqrt{3}=1.7320508$ （人並におごれや）（ひとなみ）
$\sqrt{5}=2.2360679$ （富士山麓オウム鳴く）（ふじさんろく，な）
$\sqrt{6}=2.44949$ （二夜しくしく）（ふたよ）
$\sqrt{7}=2.64575$ （〔菜〕に虫いない）（な，むし）
$\sqrt{8}=2.828$ （にやにや。$\sqrt{8}=2\sqrt{2}$ で計算してもよい。）

4 近似計算・近似式

① **近似計算** 物理計算では有効数字の桁数に合わせて答えを求めるので，たとえば，有効数字 3 桁なら，答えの $\dfrac{1}{1000}$ 以下の値は無視してよい。したがって，$\Delta x \leqq \dfrac{1}{1000}x$ ならば，$x+\Delta x \fallingdotseq x$ と考えてよい。

② **近似式** 物理計算でよく用いられる近似式には，次のようなものがある。
$|\theta|$ が 0 に近い値のとき，$\sin\theta \fallingdotseq \theta$，$\tan\theta \fallingdotseq \theta$，$\cos\theta \fallingdotseq 1$
$|x|$ が 1 に比べて小さいとき，$(1+x)^n \fallingdotseq 1+nx$
特に $n=\dfrac{1}{2}$ のとき，$\sqrt{1+x}=(1+x)^{\frac{1}{2}} \fallingdotseq 1+\dfrac{1}{2}x$

1 力と運動

1 物体の運動

1 速さと速度

1 平均の速さ　物体が時間 t〔s〕の間に距離 x〔m〕を移動したとき，この物体の平均の速さ v〔m/s〕は，$\boldsymbol{v = \frac{x}{t}}$

2 瞬間の速さ　物体が非常に短い時間 Δt〔s〕間に移動した距離が Δx〔m〕であったとすれば，この物体の瞬間の速さ v〔m/s〕は，$\boldsymbol{v = \frac{\Delta x}{\Delta t}}$

3 速度　速さと方向をあわせて考えた量（ベクトル）が**速度**である。

2 加速度

単位時間あたりの速度の変化を**加速度**という。一直線上を運動する物体の速さが，時刻 t_1〔s〕から t_2〔s〕までの間に，v_1〔m/s〕から v_2〔m/s〕に変わったとすれば，そのときの物体の平均の加速度 a〔m/s²〕は，$\boldsymbol{a = \frac{v_2 - v_1}{t_2 - t_1}}$

3 等加速度直線運動

一定の加速度で直線上を運動する物体の運動を**等加速度直線運動**という。いま，物体が初速度（時刻 0 s における速度）v_0〔m/s〕，加速度 a〔m/s²〕で等加速度直線運動をはじめたとすると，

① 時刻 t〔s〕における速度 v〔m/s〕は，

$$\boldsymbol{v = v_0 + at} \qquad (1\cdot1)$$

② 時刻 t〔s〕における変位 x〔m〕は，

$$\boldsymbol{x = v_0 t + \frac{1}{2}at^2} \qquad (1\cdot2)$$

③ (1·1) と (1·2) から t を消去すると，

$$\boldsymbol{v^2 - v_0{}^2 = 2ax} \qquad (1\cdot3)$$

4 相対運動

速度 $\overrightarrow{v_A}$ で運動している物体 A から速度 $\overrightarrow{v_B}$ で運動している物体 B を見たとき，A に対する B の相対速度 $\overrightarrow{v_{AB}}$ は，$\boldsymbol{\overrightarrow{v_{AB}} = \overrightarrow{v_B} - \overrightarrow{v_A}}$

TYPE 1 運動のグラフ

A 重要度

v-t のグラフの傾きは加速度，面積は変位を表す。
x-t グラフの傾きは速さを表す。

着眼 v-t グラフ(縦軸に速さ v，横軸に時間 t をとったグラフ)では，**グラフの傾きが加速度**を表す。したがって，**直線のグラフは等加速度運動**を表し，**等速直線運動(加速度 $a=0$)のグラフは，t 軸に平行な直線**となる。

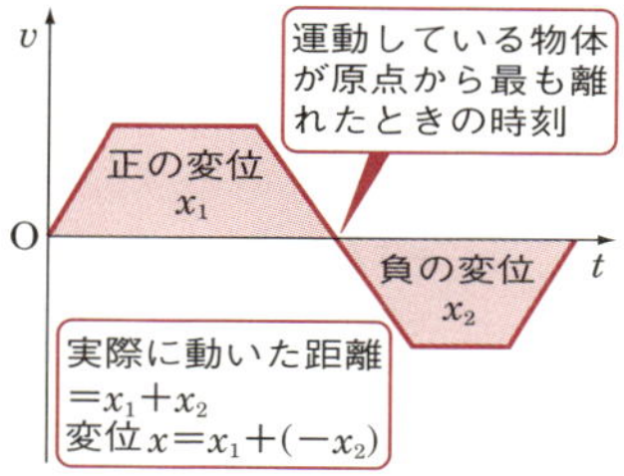

v-t グラフの曲線と t 軸に囲まれた部分の**面積は変位**を表す。このとき，v の正の側の面積は正の変位，負の側の面積は負の変位を表す。

x-t グラフ(縦軸に変位 x，横軸に時間 t をとったグラフ)では，**グラフの傾きが速さ v** を表す。グラフが曲線のときは，接線の傾きを考える。

例題 v-t グラフ

右の図は，エレベーターが1階から屋上まで上昇するときの運動を v-t グラフで表したものである。

(1) このエレベーターの加速度 a は時間 t とともにどのように変化したか。a-t グラフ(縦軸が加速度 a，横軸が時間 t)で表せ。

(2) 1階から屋上までの高さはいくらか。

(3) このエレベーターの平均の速さを求めよ。

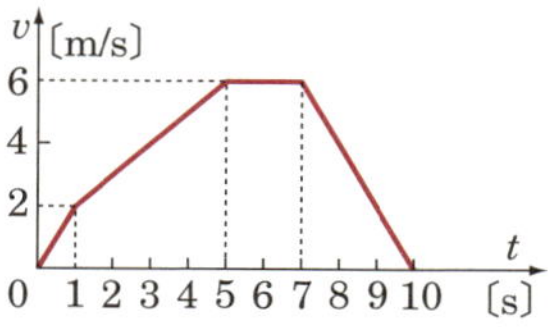

解き方 (1) 傾きの等しい区間ごとに，その傾きを求めると，次のようになる。

$$0\sim1\,\mathrm{s}：a_1=\frac{2.0}{1.0}=2.0\,\mathrm{m/s^2}$$

$$1\sim5\,\mathrm{s}：a_2=\frac{6.0-2.0}{5.0-1.0}=1.0\,\mathrm{m/s^2}$$

$$5\sim7\,\mathrm{s}：a_3=\frac{6.0-6.0}{7.0-5.0}=0\,\mathrm{m/s^2}$$

$$7\sim10\,\mathrm{s}：a_4=\frac{0-6.0}{10.0-7.0}=-2.0\,\mathrm{m/s^2}$$

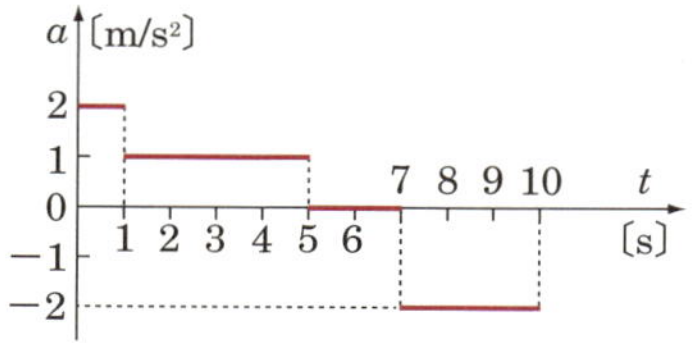

以上より，a-t グラフは右図のようになる。

(2)　エレベーターの変位は，v-t グラフの折れ線と t 軸に囲まれた部分の面積で与えられるから，右の図のように分割して考えると，

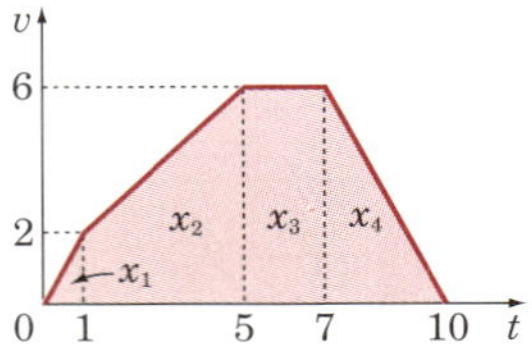

$$x_1 = \frac{1}{2} \times 1.0 \times 2.0 = 1.0\ \mathrm{m}$$

$$x_2 = \frac{1}{2} \times (2.0 + 6.0) \times (5.0 - 1.0) = 16\ \mathrm{m}$$

$$x_3 = (7.0 - 5.0) \times 6.0 = 12\ \mathrm{m}$$

$$x_4 = \frac{1}{2} \times (10.0 - 7.0) \times 6.0 = 9.0\ \mathrm{m}$$

よって，エレベーターの変位は，

$$x = x_1 + x_2 + x_3 + x_4 = 1.0 + 16 + 12 + 9.0 = 38\ \mathrm{m}$$

(3)　38 m 移動するのに 10 s かかったのであるから，平均の速さ $\overline{v}$ は，

$$\overline{v} = \frac{38}{10} = 3.8\ \mathrm{m/s}$$

答　(1) **前ページの図**　(2) **38 m**　(3) **3.8 m/s**

類題 1　右の v-t グラフで表される運動をしている物体がある。運動をはじめてから 10 秒後の物体の位置は，はじめの位置からどれだけ離れているか。

(解答➡別冊 *p.2*)

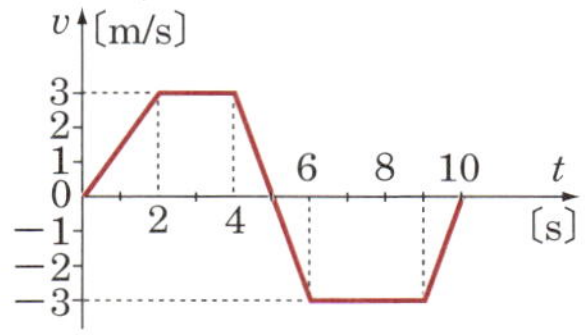

類題 2　図は一直線上を移動する物体の速度－時間グラフである。以下の問いの答えは有効数字 2 桁として求めよ。

(1)　出発してから $t = 60$ s までに進んだ物体の距離は何 km か。

(2)　$t = 40$ s における加速度は何 m/s^2 か。

(3)　出発してから $t = 200$ s までの物体の平均速度は何 m/s か。

(解答➡別冊 *p.2*)

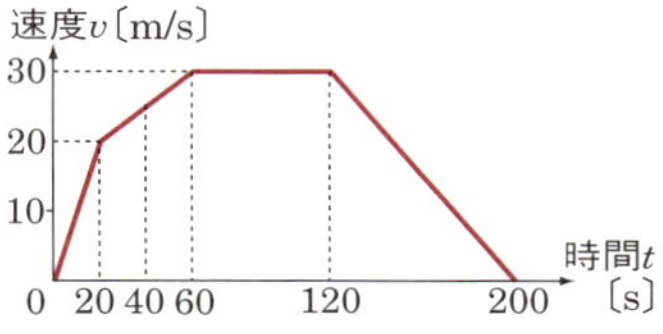

TYPE 2 等加速度直線運動

重要度 A

$v = v_0 + at$ と $x = v_0 t + \frac{1}{2}at^2$ を駆使せよ。

着眼　公式に数値を代入するとき，符号に注意すること。**初速度の向きを正の向き**にするとよい。時間 t が与えられていない場合は，

$$v^2 - v_0^2 = 2ax$$

の式を利用するとよい。

補足　v-t グラフから公式を導き出せるようにしておこう。**v-t グラフでは，傾きが加速度を表す**ので，等加速度直線運動のグラフは直線によって表される。

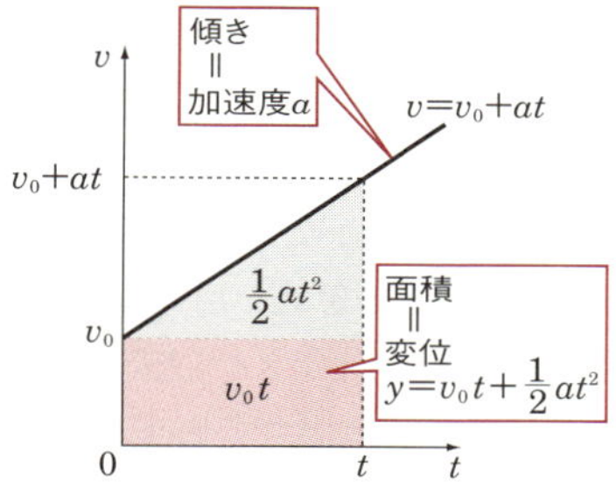

例題　変位・加速度・時間

次の各問いに答えよ。

(1) 静止物体が，動き出してから一定の割合で速さを増し，0.40 s 後に 2.0 m/s の速さになった。物体の変位と加速度を求めよ。

(2) 車が動き出してから，一定の割合で速さを増し，4.0 s 間に 24 m 進んだ。このときの加速度を求めよ。

(3) 36 km/h で進んでいた電車が，ブレーキをかけてから 25 m 進んで止まった。一定の割合で減速したとして，このときの加速度と，ブレーキをかけてから止まるまでの時間を求めよ。

(4) 8.0 m/s で進んでいた車が，一定の割合で速さを増し，5.0 m 進む間に 10 m/s になった。このときの加速度を求めよ。

(5) 7.0 m/s の速さで右向きに運動していた物体が，等加速度直線運動をして，10 s 後には左向きに 13 m/s の速さになった。このときの加速度と 10 s 後の位置を求めよ。

解き方　それぞれ等加速度直線運動のどの式を使うかを考えればよい。

(1) 静止物体が動き出したのだから，初速度 $v_0 = 0$ である。

(1·1)式より，$2.0 = a \times 0.40$

ゆえに，$a = 5.0\ \mathrm{m/s^2}$

この a の値を(1·2)式に代入して，変位 x を求めると，次のようになる。

$$x = \frac{1}{2} \times 5.0 \times 0.40^2 = 0.40\ \mathrm{m}$$

(2)　この場合も，初速度 $v_0 = 0$ である。(1·2)式により，

$$24 = \frac{1}{2} \times a \times 4.0^2 \qquad \text{ゆえに,}\ a = 3.0\ \mathrm{m/s^2}$$

(3)　初速度 $v_0 = 36\ \mathrm{km/h}$ を m/s になおすと，

$$36\ \mathrm{km/h} = \frac{36000\mathrm{m}}{3600\ \mathrm{s}} = 10\ \mathrm{m/s}$$

電車が止まったのは，$v = 0$ になったということである。時間 t が与えられていないので，(1·3)式を用いると，

$$0^2 - 10^2 = 2 \times a \times 25 \qquad \text{ゆえに,}\ a = -2.0\ \mathrm{m/s^2}$$

ブレーキをかけてから止まるまでの時間を t とすると，(1·1)式より，

$$0 = 10 - 2.0t \qquad \text{ゆえに,}\ t = 5.0\ \mathrm{s}$$

(4)　時間 t が与えられていないので，(1·3)式を用いると，

$$10^2 - 8.0^2 = 2 \times a \times 5.0 \qquad \text{ゆえに,}\ a = 3.6\ \mathrm{m/s^2}$$

(5)　初速度の向きを正として，(1·1)式を用いると，

$$-13 = 7.0 + a \times 10 \qquad \text{ゆえに,}\ a = -2.0\ \mathrm{m/s^2}$$

10 s 後の位置は，上で求めた a の値を(1·2)式に代入して，

$$x = 7.0 \times 10 + \frac{1}{2} \times (-2.0) \times 10^2 = -30\ \mathrm{m}$$

答　(1) 変位：**0.40 m**，加速度：**5.0 m/s²**　(2) **3.0 m/s²**
(3) 加速度：**−2.0 m/s²**，時間：**5.0 s**　(4) **3.6 m/s²**
(5) 加速度：**−2.0 m/s²**，位置：**左に 30 m**

! 注意　速さが〔km/h〕で与えられたら，1 km = 1000 m，1 h = 3600 s として，〔m/s〕にする。

$$1\ \mathrm{km/h} = \frac{1000\ \mathrm{m}}{3600\ \mathrm{s}} = \frac{1}{3.6}\ \mathrm{m/s}$$

類題 3　右向きに 10 m/s の速さで走っていた物体が，等加速度直線運動をして，5.0 秒後にはじめの位置にもどった。

(1)　このときの加速度を求めよ。

(2)　折り返し点に達するまでの時間を求めよ。

(3)　折り返し点までに動いた距離を求めよ。

(4)　5.0 秒後の速さを求めよ。

(解答➡別冊 ***p.*2**)

TYPE 3 鉛直方向の運動

重要度 A

加速度の大きさが g の等加速度直線運動。
物体の最初の運動方向を＋(正)として考える。
自由落下運動 ⇨ 初速度 0，加速度 g の等加速度直線運動。
投げ下ろしの運動 ⇨ 鉛直下向きを正とする。加速度は $+g$
投げ上げの運動 ⇨ 鉛直上向きを正とする。加速度は $-g$
最高点では $v=0$，元の高さでは $y=0$

着眼 初速度の向きを正として等加速度直線運動の式(1·1)～(1·3)を使えばよい。物体が静止状態(初速度0)から静かに落下をはじめる運動を**自由落下運動**といい，鉛直下向きに運動するので，**下向きを正**として考える。**加速度はつねに鉛直下向きに g (＝9.8 m/s²)であるから**，自由落下と投げ下ろしの場合は $+g$，投げ上げの場合は $-g$ とする。

自由落下運動	投げ下ろしの運動	投げ上げの運動
$v=gt$	$v=v_0+gt$	$v=v_0-gt$
$y=\frac{1}{2}gt^2$	$y=v_0t+\frac{1}{2}gt^2$	$y=v_0t-\frac{1}{2}gt^2$
$v^2=2gy$	$v^2-v_0{}^2=2gy$	$v^2-v_0{}^2=-2gy$

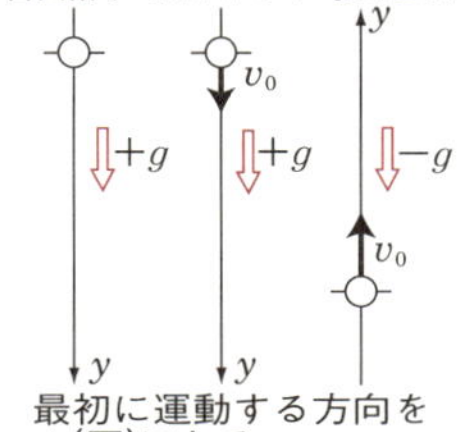

最初に運動する方向を＋(正)にとる。

投げ上げの運動では，最高点で速さが 0 になる。その後は落下運動に変わって加速し，**元の高さまで落下したときは，$y=0$** となる。

例題　自由落下運動

高さ 44.1 m のビルの屋上から小球を自由落下させた。重力加速度の大きさを 9.8 m/s² として，次の問いに答えよ。

(1) 小球が地面に衝突するまでに何秒かかるか。

(2) 小球が地面に衝突する直前の速さは何 m/s か。

解き方 (1) 小球が地面に衝突するのは落下距離 y が 44.1 m になったときであるから，上の自由落下運動の式に，$y=44.1$ を代入すると，

$$44.1=\frac{1}{2}\times 9.8\times t^2 \qquad ゆえに，t=3.0\,\mathrm{s}$$

(2)　(1)で求めた t の値を等加速度直線運動の式に代入すると，

$$v=9.8\times 3.0=29.4\,\mathrm{m/s}$$

答　(1) **3.0 s**　(2) **29 m/s**

〈類題 4〉 ある高さの所から物体Aが自由落下をはじめ，その2.0秒後に，同じ所から物体Bが自由落下をはじめた。物体Bが落下をはじめてから，1.0秒後のA，B間の距離はいくらか。 (解答➡別冊 *p.2*)

例題　投げ下ろしの運動

A，B 2個の球が同じ高さにある。Aが自由落下をはじめてから，4.0 s後にBを初速度60 m/sで真下に投げたとする。Bは，Aが落下しはじめてから何秒後にAに追いつくか。

解き方　Aが落下しはじめた時刻を $t=0$ とすると，時刻 t におけるAの落下距離 y_A は，$y_A=\frac{1}{2}\times 9.8\times t^2$

Bの落下距離 y_B は，$y_B=60\times(t-4.0)+\frac{1}{2}\times 9.8\times(t-4.0)^2$

BがAに追いつくのは，$y_A=y_B$ となるときだから，

$$\frac{1}{2}\times 9.8\times t^2=60\times(t-4.0)+\frac{1}{2}\times 9.8\times(t-4.0)^2$$

ゆえに，$t=7.8\,\mathrm{s}$

答　**7.8秒後**

！注意　重力加速度の値は覚えておかなければならない値なので，問題文に与えられないこともある。

〈類題 5〉 高さ19.6 mの建物の屋上から小球を鉛直下向きに投げ下ろしたところ，1.5秒後に地面に落ちた。小球に与えた初速度はいくらか。 (解答➡別冊 *p.2*)

例題　投げ上げの運動

ある物体を高さ24.5 mの塔の上から19.6 m/sの速さで鉛直上方に投げた。

(1)　この物体が投げた点より14.7 m上方にくるのは，投げてから何秒後か。

(2)　この物体は地上から最高何mの高さまで上がるか。

(3)　この物体が投げた点まで落ちてくるのは，投げてから何秒後か。

(4)　この物体が地面に落ちるのは，投げてから何秒後か。

解き方 p.12の等加速度直線運動の式を用いる。

(1) $x = 14.7$，$v_0 = 19.6$，$a = 9.8$ を代入すると，

$$14.7 = 19.6t - \frac{1}{2} \times 9.8 \times t^2$$

ゆえに，$t = 1.0\,\text{s}$，$3.0\,\text{s}$

補足 $t = 1.0\,\text{s}$ は上昇中，$t = 3.0\,\text{s}$ は下降中に通過する時刻である。

(2) $v = 0$ とし，v_0，a の値を代入すると，

$$0^2 - 19.6^2 = -2 \times 9.8 \times x$$

ゆえに，$x = 19.6\,\text{m}$

この値は塔の上から最高点までの高さであるから，地面からの高さは，

$$24.5 + 19.6 = 44.1\,\text{m}$$

(3) $x = 0$ とし，v_0，a の値を代入すると，

$$0 = 19.6t - \frac{1}{2} \times 9.8 \times t^2 \qquad t = 0\,\text{s},\ 4.0\,\text{s}$$

$t = 0\,\text{s}$ は投げ出した時刻だから，求める時刻は $t = 4.0\,\text{s}$ となる。

(4) $x = -24.5$ とし，v_0，a の値を代入すると，

$$-24.5 = 19.6t - \frac{1}{2} \times 9.8 \times t^2$$

ゆえに，$t = -1.0\,\text{s}$，$5.0\,\text{s}$

$t \geqq 0$ でなければならないから，$t = 5.0\,\text{s}$ となる。

答 (1) **1.0秒後，3.0秒後**　(2) **44 m**　(3) **4.0秒後**　(4) **5.0秒後**

〈類題 6〉 小石を地面から鉛直上方に投げ上げるとき，速さが初速度の半分になるのは，最高点の高さの何％の所を通過するときか。

（解答➡別冊 *p.2*）

〈類題 7〉 地上から鉛直に投げ上げられた物体が，2.0秒後および4.0秒後に同じ高さの点Pを通過した。

(1) 点Pの高さはいくらか。

(2) 初速度はいくらか。

(3) この物体が達した最高の高さはいくらか。

（解答➡別冊 *p.2*）

〈類題 8〉 4.6 m/sの一定の速さで鉛直方向に上昇する気球から，小石を真上に投げたら，小石は2.0秒後に気球とすれちがって落ちていった。地面に対する小石の初速度と，すれちがうときに気球内の人から見た小石の相対速度を求めよ。

（解答➡別冊 *p.3*）

TYPE 4 水平に投げ出した物体の運動

A 重要度

水平方向 ⇨ 等速直線運動　$v_x = v_0$　$x = v_0 t$

鉛直方向 ⇨ 自由落下　$v_y = gt$　$y = \frac{1}{2}gt^2$

着眼　水平方向，初速度の向きに x 軸，鉛直方向，下向きに y 軸をとり，水平方向の運動と鉛直方向の運動に分解して考える。**水平方向には初速度 v_0 で等速直線運動をする**ので，時刻 t における速さは $v_x = v_0$，変位は $x = v_0 t$ と表される。**鉛直方向では，初速度の鉛直成分が 0 だから，自由落下運動**をする。時刻 t における速さは $v_y = gt$，変位は $y = \frac{1}{2}gt^2$ と表される。

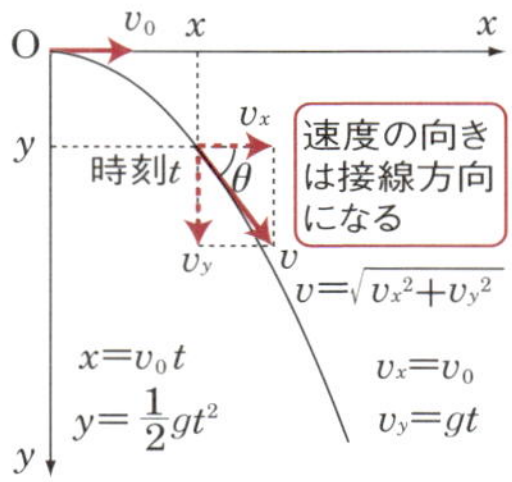

時刻 t における物体の速さは，

$$v = \sqrt{v_x^2 + v_y^2} = \sqrt{v_0^2 + (gt)^2}$$

で表され，**速度の向きは，水平となす角を θ とすると，$\tan\theta = \frac{gt}{v_0}$** で表される。

例題　水平投射

小球を，速さ 19.6 m/s で水平方向に投げ出した。重力加速度の大きさを 9.8 m/s² として，以下の問いに答えよ。

小球を投げ出してから，2.0 秒後を考える。

(1)　水平方向の速さはいくらか。

(2)　水平方向に移動した距離はいくらか。

(3)　鉛直方向の速さはいくらか。

(4)　鉛直方向に落下した距離はいくらか。

(5)　小球の速さはいくらか。

(6)　小球の速度は水平方向から何度の向きを向いているか。

解き方　水平投射では，**水平方向は等速直線運動，鉛直方向は自由落下運動**をしている。

(1)　水平方向は等速直線運動なので，水平方向の速さは時間に関係なく一定で，

$v_x = 19.6\ \mathrm{m/s}$

(2)　水平方向は速さ 19.6 m/s の等速直線運動を行うので,

$x = 19.6 \times 2.0 = 39.2$ m

(3)　鉛直方向は初速度が 0, 加速度が 9.8 m/s^2 の等加速度直線運動(自由落下)を行うので,

$v_y = 9.8 \times 2.0 = 19.6$ m/s

(4)　鉛直方向は初速度が 0, 加速度が 9.8 m/s^2 の等加速度直線運動(自由落下)を行うので,

$y = \frac{1}{2} \times 9.8 \times 2.0^2 = 19.6$ m

(5)　速さ v は,

$v = \sqrt{19.6^2 + 19.6^2} = 19.6\sqrt{2} = 27.7$ m/s

(6)　速度の水平方向とのなす角度を θ とすれば,

$\tan\theta = \frac{19.6}{19.6} = 1$

となるので,

$\theta = 45°$

となる。

答 (1) **19.6 m/s**　(2) **39.2 m**　(3) **19.6 m/s**
(4) **19.6 m**　(5) **27.7 m/s**　(6) **45°**

類題 9　高さ 490 m の上空を 360 km/h の速さで水平に飛んでいる飛行機から物体を落とした。空気による抵抗は無視できるものとして, 次の問いに答えよ。

(1)　物体は何秒後に地面に落下するか。

(2)　物体が落ちる場所は, 物体を落とした瞬間の飛行機の位置から水平方向に何 m へだたった点か。

(3)　物体が地面に衝突する直前の速さは何 m/s か。

(解答➡別冊 *p.3*)

類題10　ボールを O 点で初速度 v_0 で水平に投げ出すことを考える。O 点を原点とし, 図のように x 軸, y 軸を定める。重力加速度の大きさを g として, 次の問いに答えよ。

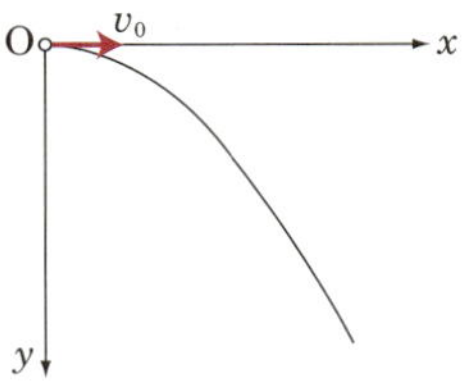

(1)　投げ出してから t 秒後のボールの x 座標を求めよ。

(2)　投げ出してから t 秒後のボールの y 座標を求めよ。

(3)　ボールの軌道を x と y の関係式で表せ。

(解答➡別冊 *p.3*)

TYPE 5 斜め上方に投げ出した物体の運動

A 重要度

水平方向 ⇨ 等速直線運動 $\begin{cases} v_x = v_{0x} \\ x = v_{0x}t \end{cases}$

鉛直方向 ⇨ 投げ上げ $\begin{cases} v_y = v_{0y} - gt \\ y = v_{0y}t - \dfrac{1}{2}gt^2 \end{cases}$

最高点 ⇨ $v_y = 0$

水平到達距離 ⇨ $y = 0$ のときの x の値

着眼 水平方向に投げ出した場合と同じように，運動を水平方向と鉛直方向に分解して考える。ただし，**y 軸は初速度の向きに合わせて，鉛直上向きにとる**。水平方向は等速直線運動，鉛直方向は投げ上げ運動になるから，それぞれの公式を用いて解く。

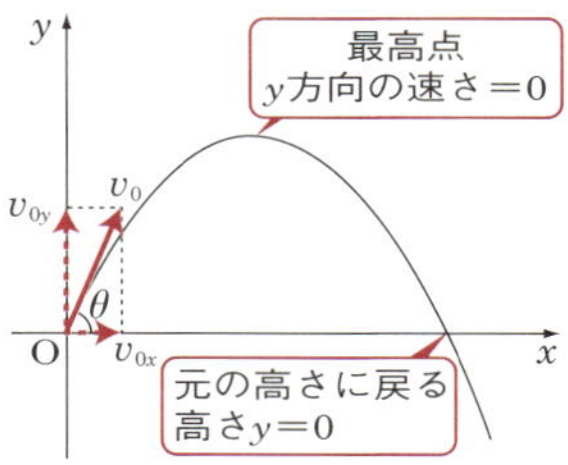

補足 初速度が水平方向と角 θ をなすとき，初速度の水平成分 v_{0x}，鉛直成分 v_{0y} は，

$$v_{0x} = v_0 \cos\theta,\quad v_{0y} = v_0 \sin\theta$$

と表される。

最高点では，速度の鉛直成分 $v_y = 0$ となるから，これを条件として解けばよい。最高点までの所要時間は，元の高さに戻るまでの時間の半分である。

水平到達距離を求めるときは，$y = 0$ になるときの x の値を求めればよい。

例題 斜方投射

水平面上から，仰角 θ の方向に初速度 v_0 で小球を投げ出した。重力加速度の大きさを g として，以下の問いに答えよ。

(1) 最高点に達するまでの時間を求めよ。

(2) 最高点の水平面からの高さを求めよ。

(3) 水平面に戻ってくるまでの時間を求めよ。

(4) 水平到達距離を求めよ。

解き方 **水平方向は等速直線運動，鉛直方向は等加速度直線運動**を行うので，初速度 v_0 を水平方向と鉛直方向に分解する。水平方向の初速度を v_{0x}，鉛直方向の初速度を v_{0y} とすれば，

$$v_{0x}=v_0\cos\theta \qquad v_{0y}=v_0\sin\theta$$

である。

(1) 最高点での，鉛直方向の速さは 0 になる。そこで，最高点に達するまでの時間を t_1 とすれば，

$$0=v_0\sin\theta-gt_1$$

となるので，

$$t_1=\frac{v_0\sin\theta}{g}$$

(2) 最高点の水平面からの高さを h とすれば，

$$0^2-(v_0\sin\theta)^2=2\times(-g)\times h$$

となるので，

$$h=\frac{v_0^2\sin^2\theta}{2g}$$

(3) 水平面に戻ってくるまでの時間を t_2 とすれば，水平面の高さは 0 と考えられるので，

$$0=v_0\sin\theta\times t_2-\frac{1}{2}gt_2^2$$

$$0=t_2(2v_0\sin\theta-gt_2)$$

これから，

$$t_2=\frac{2v_0\sin\theta}{g}$$

(4) 水平方向は等速直線運動なので，水平到達距離 x は，

$$x=v_0\cos\theta\times\frac{2v_0\sin\theta}{g}=\frac{2v_0^2\sin\theta\cos\theta}{g}=\frac{v_0^2\sin2\theta}{g}$$

答 (1) $\boldsymbol{\frac{v_0\sin\theta}{g}}$　(2) $\boldsymbol{\frac{v_0^2\sin^2\theta}{2g}}$　(3) $\boldsymbol{\frac{2v_0\sin\theta}{g}}$　(4) $\boldsymbol{\frac{v_0^2\sin2\theta}{g}}$

〈類題11〉 水平な地面上の点 A から斜め上方に物体を投げ出したところ，6.0 s 後に A と同一水平面上の B 点に落ちた。AB 間の距離は 120 m であったとして，次の問いに答えよ。

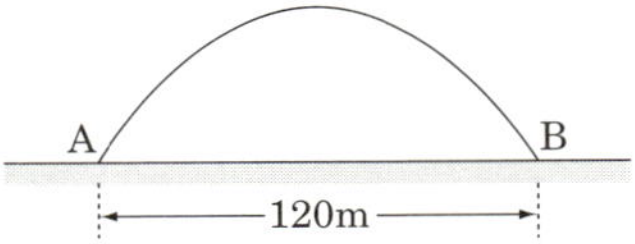

(1) 物体の通る最も高い所は地上何 m か。

(2) 初速度は何 m/s か。

（解答➡別冊 *p.3*）

TYPE 6 相対速度

B 重要度

（A から見た B の速度）＝（B の速度）－（A の速度）

着眼 A と B が運動しているとき，**A から見た B の運動は，B の運動から A の運動を差し引いた運動**に見える。この考え方は，変位，速度，加速度のどの場合にも使える。これらの量はベクトルなので，ベクトルの引き算を行わなければならない。

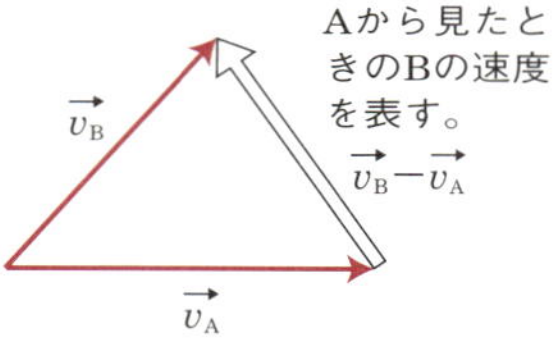

例題 雨滴の落下速度

電車が水平面上を 10 m/s で走っているとき，車外では鉛直に降っているはずの雨が，電車から見ると，鉛直方向に対して 30° の傾きをなして降っているように見えた。雨滴の落下速度を求めよ。

解き方 走っている電車から見た雨の相対速度が鉛直方向と 30° の角をなしていることになる。電車の速度を $\vec{v_A}$，雨滴の落下速度を $\vec{v_B}$ とすると，電車から見た雨滴の相対速度 $\vec{v_B}-\vec{v_A}$ は，右のように作図される。

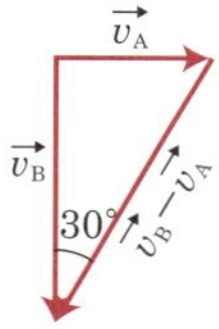

(a)

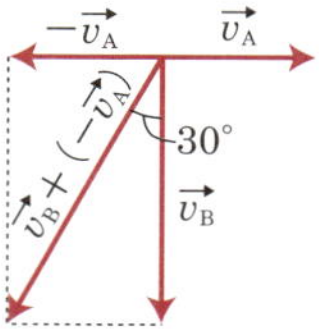

(b)

図より，$\dfrac{v_A}{v_B}=\tan 30°$

ゆえに，$v_B=\dfrac{v_A}{\tan 30°}=\dfrac{10}{\tan 30°}=17\ \text{m/s}$

答 **17 m/s**

補足 ベクトルの差 $\vec{v_B}-\vec{v_A}$ は，上図 (a) のように，$\vec{v_A}$ の先から $\vec{v_B}$ の先へ向けて引いた矢印で表される。
あるいは，
$\vec{v_B}-\vec{v_A}=\vec{v_B}+(-\vec{v_A})$
と考えて，上図 (b) のように，$\vec{v_B}$ と $-\vec{v_A}$ を合成して求めてもよい。

類題12 ある点から，2 つの物体 A，B が同時に運動をはじめた。A は 3.0 m/s の速さで真西へ，B は 4.0 m/s の速さで真北へ等速度で動くとき，A に対する B の相対速度の大きさを求めよ。

（解答➡別冊 *p.4*）

■練習問題

解答→別冊 p.48

TYPE

1　図は x 軸上を運動する物体が原点Oを通過したあとの速度 v〔m/s〕と時間 t〔s〕の関係を示している。次の各問いに答えよ。また，設問(2)を除いて，解答には単位をつけること。

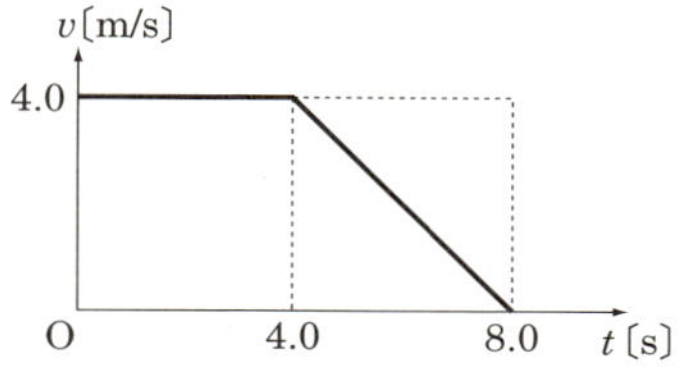

(1)　物体が原点を通過したあと，4.0 s までの間に進んだ距離はいくらか。

(2)　(1)は何と呼ばれる運動か。

(3)　図中の 4.0 s から 8.0 s までの加速度はいくらか。

(4)　図中の 4.0 s から 8.0 s までの間に進んだ距離はいくらか。

(5)　$t=8.0$ s での物体の位置（x 座標）を求めよ。

(6)　物体が原点を通過したあと，8.0 s 間の平均の速さを求めよ。　➔ 1, 2

（岩手医大）

2　図のように，高さが 29.4 m の崖の上の点Oから小石を仰角 30°，初速度の大きさ 9.8 m/s で投げ上げた。ただし，空気の抵抗を無視し，重力加速度の大きさを 9.8 m/s²，$\sqrt{3}=1.7$ とする。

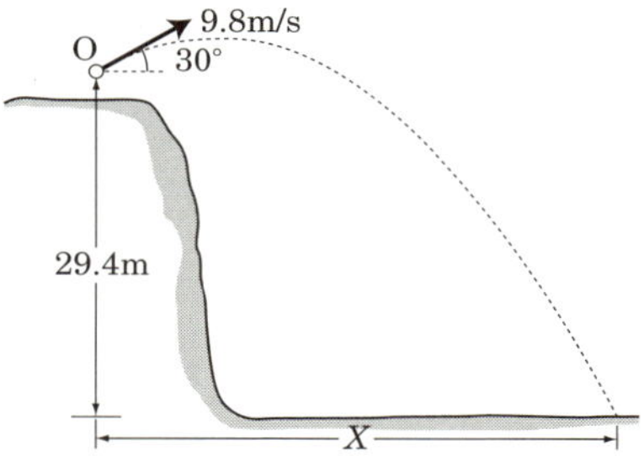

(1)　小石が最高の高さに達するのは，小石を投げてから何秒後か。

(2)　小石を投げてから 1 秒後の小石の速さは何 m/s か。

(3)　小石が，点Oから 29.4 m 下の地面に着くのは投げてから何秒後か。

(4)　小石が着地する直前の水平方向の速さは何 m/s か。

(5)　点Oから小石が着地したところまでの水平距離 X は何 m か。　➔ 5

（湘南工大 改）

ヒント　[1] (6) 8 秒間に移動した距離を時間で割ればよい。
[2] 鉛直方向の速さは変化するが，水平方向の速さは一定である。

TYPE

3 次の説明文を読み，あとの問いに答えよ。ただし，重力加速度の大きさを g〔m/s^2〕とする。

図のように水平な床から高さ h_0〔m〕の壁があり，その上部になめらかな水平面がある。いま，この面の端Bから l_0〔m〕離れたところのAを，質量 m〔kg〕の物体が速さ v_0〔m/s〕で矢印の方向に通過した。その後，物体はこの面の端Bから床に向かって落ち，Cに落ちた。

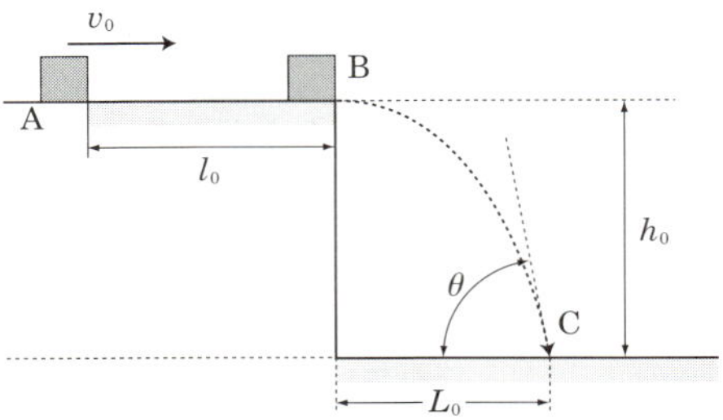

(1) Bから落ちていくときの運動を，水平方向と鉛直方向とに分けて考える。このとき，水平方向と鉛直方向ではどのような運動を行っているか。

(2) 物体が，BからCに落ちるまでの時間 T_1〔s〕を求めよ。そして，壁からCまでの距離 L_0〔m〕を求めよ。

(3) 物体がCに落下する際，速さの方向を床からの角度 θ で表現する。この角度が60°となるときの，初速度 v_0〔m/s〕を求めよ。 ➔ 4

（大分大 改）

4 一定の風が吹いているおだやかな海域で，北東に速さ 10 m/s で航行している船Aと，南東に速さ 10 m/s で航行している船Bがある。船の航行に波の影響はないと考え，$\sqrt{2}=1.4$ として以下の問いに答えよ。

(1) 船Aから見た船Bの速さと進む方向を求めよ。

(2) 船Aで観測される風が速さ 14 m/s の北風であった。実際の風の速さと風向を求めよ。

(3) 船Bで観測される風の速さを求めよ。 （日本獣医生命科学大） ➔ 6

ヒント
3 (3) Cでの水平方向，鉛直方向の速さを v_x，v_y とすると，$v_y=v_x \tan 60°$
4 それぞれの速度をベクトルで表して図をかくとわかりやすい。

2 力のつり合い

1 いろいろな力

力と運動の問題を考えるときは，物体にはたらく力を見つけることが解法の手がかりとなる。力には，大きく分けて**近接力**と**遠隔力**の 2 種類がある。

1 近接力 物体どうしが触れ合っている点にはたらくので，見つけやすい。
例 張力，弾性力，垂直抗力，摩擦力など。

2 遠隔力 離れた物体からはたらく力なので，見落としやすい。
例 重力，万有引力，電気力，磁気力など。

2 作用・反作用の法則

物体 A が物体 B に力を加えると，B も A に対して同じ大きさで反対向きの力を加える。

① 作用の力と反作用の力とは，それぞれ別の物体にはたらく。そのため，作用・反作用の力はつり合いの力にはならない。

② 力を加え合っている物体の両方を一体と考えるときは，作用・反作用の力は考えなくてよい。

③ 作用・反作用の法則は，運動している物体の間でもなりたつ。

3 力のつり合い

物体にはたらいているすべての力の合力が 0 のとき，物体にはたらいている力はつり合っている。

1 2 力のつり合い 物体に 2 つの力がはたらいているとき，それらの大きさが等しく，向きが反対で，作用線が一致すれば，この 2 力はつり合う。

2 3 力以上のつり合い 物体にはたらく力を順に合成し，2 力が残ったとき，この 2 力の間に上記の関係があれば，力はつり合う。

4 フックの法則

ばねの伸びの長さ x〔m〕とばねの弾性力 F〔N〕は比例する。$\boldsymbol{F = kx}$
k〔N/m〕は比例定数で，**ばね定数**または**弾性定数**と呼ぶ。

5 摩擦力

1 静止摩擦力 物体が静止しているときにはたらく摩擦力で，物体にはたらく他の力の合力とつり合うように大きさが変化する。

2 最大摩擦力　静止摩擦力の最大限界値 F_{max} を**最大摩擦力**（最大静止摩擦力）という。最大摩擦力は面の性質と垂直抗力 N〔N〕で決まり，$\boldsymbol{F_{max}=\mu N}$ の関係がある。μ を**静止摩擦係数**といい，面の性質により決まる量である。

3 動摩擦力　運動している物体にはたらく摩擦力で，物体の運動を妨げる向きにはたらく。$\boldsymbol{F'=\mu' N}$ で，μ' を**動摩擦係数**という。$\mu>\mu'$ である。

6 力のモーメント

図のように，剛体のA点を固定し，B点に力 $\vec{F}$ を加えたとき，点Aから力 $\vec{F}$ の作用線までの距離を l とすると，点Aのまわりの力のモーメント N は，

$$\boldsymbol{N=Fl} \qquad (1\cdot4)$$

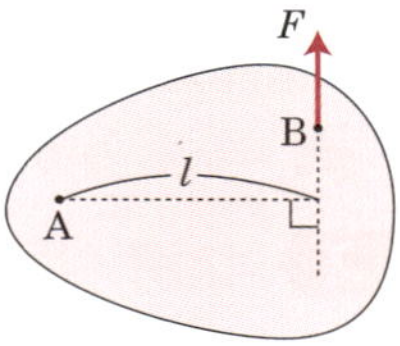

7 力のモーメントのつり合い

反時計まわり（左まわり）のモーメントを正，時計まわり（右まわり）のモーメントを負で表したとき，剛体にはたらくすべての力のモーメント N_1，N_2，…，N_n の和が0になれば，力のモーメントはつり合って剛体は回転しないか，等速回転を続ける。

$$\boldsymbol{N_1+N_2+\cdots+N_n=0}$$

8 剛体のつり合い

剛体が回転せず，静止しているとき，剛体はつり合っているという。剛体に力 $\vec{F_1}$，$\vec{F_2}$，…，$\vec{F_n}$ がはたらき，それらの力の，ある点のまわりの力のモーメントが N_1，N_2，…，N_n であるとき，剛体のつり合いの必要条件は，

$$\boldsymbol{\vec{F_1}+\vec{F_2}+\cdots+\vec{F_n}=\vec{0}} \qquad \boldsymbol{N_1+N_2+\cdots+N_n=0}$$

9 重　心

大きさのある物体では，物体の各部分に重力がはたらく。それらの重力の合力の作用点を**重心**という。質量 m_1，m_2，…，m_n の物体が座標 $(x_1,\ y_1)$，$(x_2,\ y_2)$，…，$(x_n,\ y_n)$ にあるとき，この系の重心の座標 $(x,\ y)$ は，

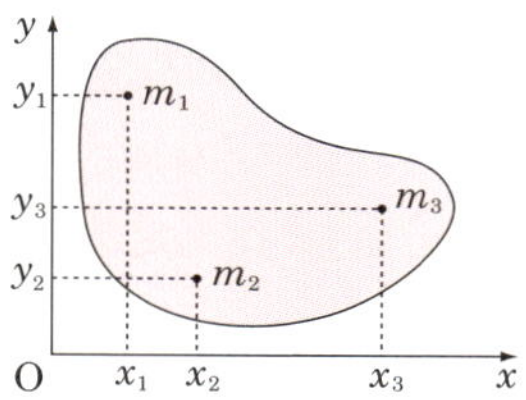

$$\boldsymbol{x=\frac{m_1x_1+m_2x_2+\cdots+m_nx_n}{m_1+m_2+\cdots+m_n},\quad y=\frac{m_1y_1+m_2y_2+\cdots+m_ny_n}{m_1+m_2+\cdots+m_n}} \qquad (1\cdot5)$$

▸力の見つけ方

力学の問題を解くにあたっては，まず物体にはたらく力を見つけることが大切である。次のような点に注意して，力をもれなく見つけ出し，図に正確にかき込むことができるように練習すること。

① 2つの物体が接している点には必ず**押し合ったり引き合ったりする力**がはたらく。どちらの力か考えて，力のベクトルの向きを決める。

② 2つの物体が接して互いにずれ動く場合は**摩擦力**がはたらく。摩擦力の向きは物体の運動の向きと反対である。摩擦力にも反作用がある。

③ 地球上では必ず**重力**がはたらく。重力は重心に鉛直下向きにはたらく。

④ 非慣性系では，**慣性力**がはたらく。

注意 力をかき込む順番を決めておくとよい。

例 下図のそれぞれの場合について，物体にはたらいている力を矢印でかき，それぞれの力の名前を書け。

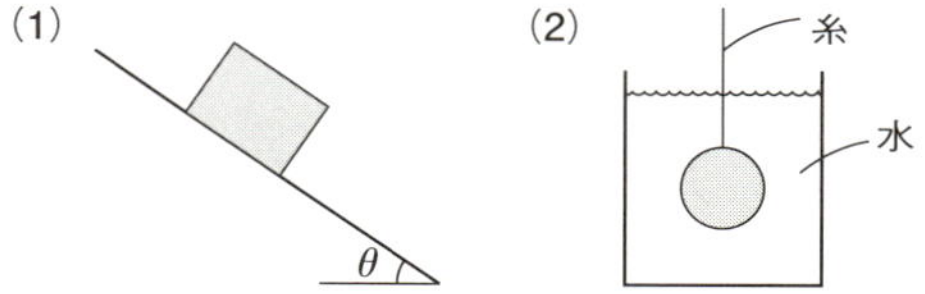

考え方 次のような順にかき入れるとよい。

(1) ① 物体は地球上にあるから，**重力**がはたらく。重力の矢印を重心から鉛直下向きにかく。

② 物体は斜面と接しているから，斜面から**垂直抗力**を受ける。垂直抗力は斜面に垂直で，斜面から押される向き。

③ 物体は斜面上で滑るから，**摩擦力**がはたらく。摩擦力は斜面に平行。物体は滑りおりるから，摩擦力は上向き。

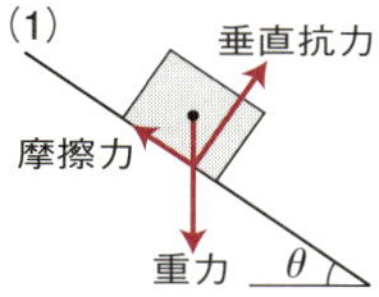

(2) ① 物体は地球上にあるから，**重力**がはたらく。重力の矢印を重心から鉛直下向きにかく。

② 物体は糸と接しているので，糸から**張力**を受ける。張力の矢印を糸に沿って物体を引く向きにかく。

③ 物体は水と接しているので，水から**浮力**を受ける。浮力の矢印を重心から鉛直上向きにかく。

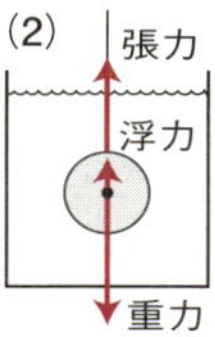

TYPE 7 糸でつり下げた物体のつり合い

A 重要度

斜めになった糸の張力を水平成分と鉛直成分に分解し，水平方向と鉛直方向のつり合いの式をつくる。

着眼　図のように，物体が 3 本の糸でつり下げられている場合，

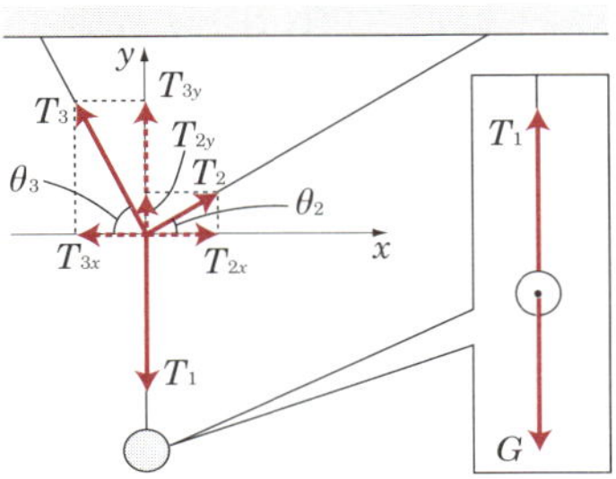

(1) **物体について，つり合いの式をつくる。**

$T_1 = G$　……①

(2) **糸の結び目について，つり合いの式をつくる。**斜めになった糸の張力は，水平成分と鉛直成分に分解し，水平方向と鉛直方向のそれぞれについて，つり合いの式をつくる。

〈水平方向〉 $T_2 \cos\theta_2 = T_3 \cos\theta_3$　……②

〈鉛直方向〉 $T_2 \sin\theta_2 + T_3 \sin\theta_3 = T_1$　……③

式①～③を連立して解けば，T_1，T_2，T_3 が求められる。

＋補足　軽い(質量が無視できる) 1 本の糸の張力はどの部分でも等しい。質量 m〔kg〕の物体にはたらく重力 G〔N〕は $G = mg$ である。

例題　糸の張力

長さ 42 cm の糸の両端を天井の 30 cm 離れた 2 点 A，B に固定し，B から 18 cm の点 C に質量 0.12 kg の物体をつるす。このとき，AC 間の糸の張力 T_1 と BC 間の糸の張力 T_2 は，それぞれいくらか。

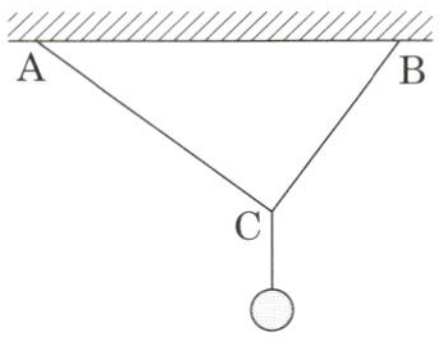

解き方　**1) 物体について：**

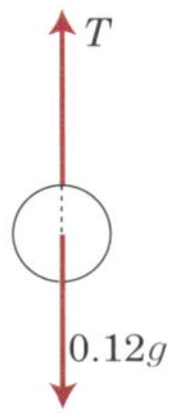

物体をつるしている糸の張力を T とする。物体にはたらいている力は，重力と糸の張力だけで，この 2 力は同一直線上にあるので，つり合いの式は，

$T = 0.12g = 0.12 \times 9.8 = 1.18\,\mathrm{N}$　……①

2) 糸の結び目について：

結び目にはたらいている力は，T，T_1，T_2 の 3 つの張力である。この 3 力は一直線上にないので，水平成分と鉛直成分に分解して，それぞれのつり合いを考える。

糸 AC，BC が水平方向となす角を θ_1，θ_2 とすると，

$$T_{1x} = T_1 \cos\theta_1 \qquad T_{1y} = T_1 \sin\theta_1$$

$$T_{2x} = T_2 \cos\theta_2 \qquad T_{2y} = T_2 \sin\theta_2$$

となるので，水平方向のつり合いの式は，

$$T_1 \cos\theta_1 = T_2 \cos\theta_2 \qquad \cdots\cdots②$$

鉛直方向のつり合いの式は，

$$T_1 \sin\theta_1 + T_2 \sin\theta_2 = T \qquad \cdots\cdots③$$

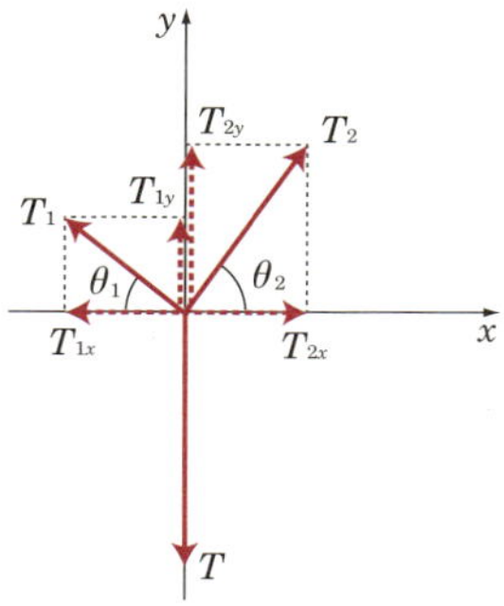

ここで，

AB = 30 cm，BC = 18 cm

AC = 42 − 18 = 24 cm

であるから，BC：AC：AB = 3：4：5 となり，△ABC は直角三角形である。

したがって，

$$\sin\theta_1 = \cos\theta_2 = \frac{18}{30} = \frac{3}{5}, \qquad \sin\theta_2 = \cos\theta_1 = \frac{24}{30} = \frac{4}{5} \qquad \cdots\cdots④$$

④を②と③に代入すると，$\frac{4}{5}T_1 = \frac{3}{5}T_2$ ……⑤　　$\frac{3}{5}T_1 + \frac{4}{5}T_2 = T$ ……⑥

⑤，⑥より，$T_1 = \frac{3}{5}T = \frac{3}{5} \times 1.18 = 0.71\,\mathrm{N}$

$$T_2 = \frac{4}{5}T = \frac{4}{5} \times 1.18 = 0.94\,\mathrm{N}$$

答 T_1：**0.71 N**　T_2：**0.94 N**

類題13 質量 2.0 kg のおもりを軽い糸でつるし，別の糸で水平に引っぱったところ，おもりをつるしている糸が鉛直線と 30° の傾きをなした。

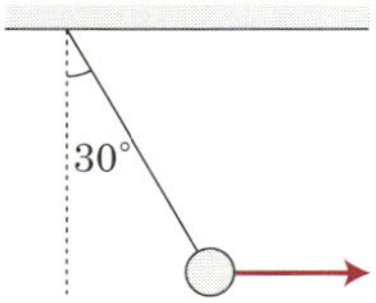

(1) 水平に引いている糸の張力を求めよ。

(2) おもりと天井とを結んでいる糸の張力はいくらか。

(解答➡別冊 *p.4*)

類題14 ばね定数 k〔N/m〕の質量の無視できるばねと，軽い糸を使って，質量 m〔kg〕の物体をつるした。このとき，ばねと糸はどちらも天井と 30° の角度をなしていた。重力加速度の大きさを g〔m/s²〕として，以下の問いに答えよ。

(1) 糸 1 の張力の大きさを求めよ。

(2) 糸 2 の張力の大きさを求めよ。

(3) ばねの伸びの長さを求めよ。

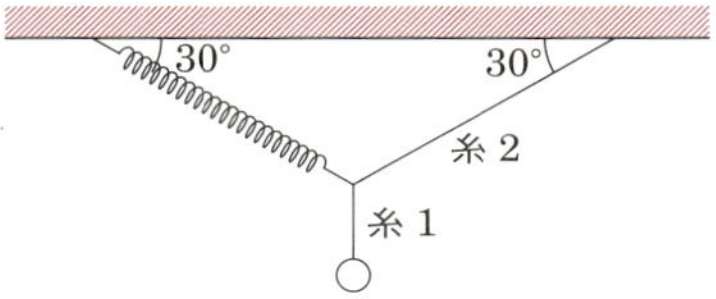

(解答➡別冊 *p.4*)

TYPE 8 斜面上の物体のつり合い

A 重要度

重力 { 斜面に平行な成分 ⇨ $mg\sin\theta$
　　　 斜面に垂直な成分 ⇨ $mg\cos\theta$ }

着眼 斜面上に置いた物体のつり合いを考えるときは，**物体にはたらいている力を斜面に平行な方向（x方向）と垂直な方向（y方向）に分解**し，それぞれの方向のつり合いの式をつくるとよい。

水平面と角θをなす斜面上に質量mの物体を置くと，重力$G(=mg)$と斜面に垂直な方向とのなす角がθになるので，重力の斜面に平行な成分G_x，垂直な成分G_yの大きさは，次のようになる。

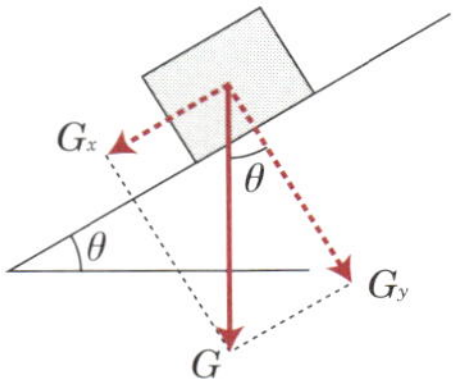

$$G_x=mg\sin\theta \qquad G_y=mg\cos\theta$$

例題　静止させるための張力

傾斜角θ〔rad〕の斜面上に，糸をつけた質量m〔kg〕の物体をのせ，糸と斜面のなす角をα〔rad〕にして上方に引っぱった。物体が動き出さないための張力T〔N〕の条件を求めよ。ただし，物体と斜面との静止摩擦係数をμ，重力加速度の大きさをg〔m/s²〕とする。

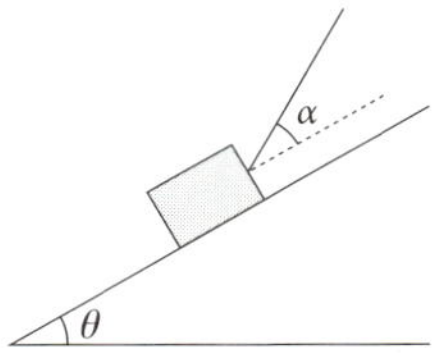

解き方 物体にはたらく垂直抗力をN〔N〕，摩擦力をf〔N〕とすれば，重力の斜面に平行な成分は$mg\sin\theta$，張力の斜面に平行な成分は$T\cos\alpha$であるから，斜面に平行な方向のつり合いの式は，

$$T\cos\alpha=mg\sin\theta+f \quad \cdots\cdots①$$

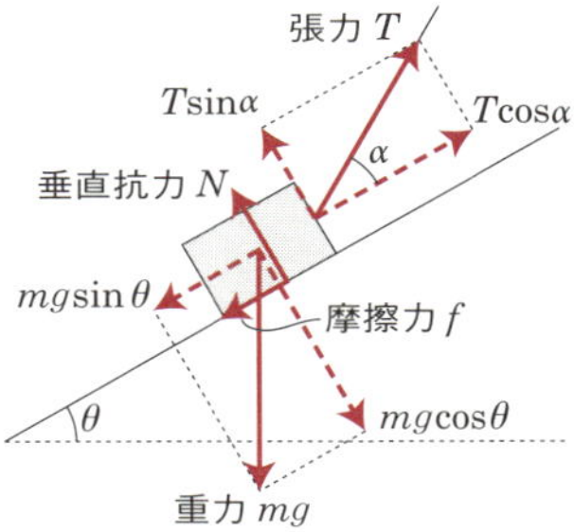

斜面に垂直な方向のつり合いの式は，

$$N+T\sin\alpha=mg\cos\theta \quad \cdots\cdots②$$

①，②からfとNを求めると，

$$f=T\cos\alpha-mg\sin\theta$$
$$N=mg\cos\theta-T\sin\alpha$$

物体が摩擦力によって静止しているための条件は，静止摩擦力≦最大摩擦力である。摩擦力が斜面平行下向きにはたらく場合と，上向きにはたらく場合を考慮すれば，

$|f| \leqq \mu N$である。よって，

$$|T\cos\alpha - mg\sin\theta| \leqq \mu(mg\cos\theta - T\sin\alpha)$$

絶対値をはずして，

$$\pm(T\cos\alpha - mg\sin\theta) \leqq \mu(mg\cos\theta - T\sin\alpha)$$

＋の場合について解けば，

$$T\cos\alpha - mg\sin\theta \leqq \mu(mg\cos\theta - T\sin\alpha)$$

より，$T(\cos\alpha + \mu\sin\alpha) \leqq mg(\sin\theta + \mu\cos\theta)$

ゆえに，$T \leqq \dfrac{\sin\theta + \mu\cos\theta}{\cos\alpha + \mu\sin\alpha}mg$

－の場合について解けば，

$$-(T\cos\alpha - mg\sin\theta) \leqq \mu(mg\cos\theta - T\sin\alpha)$$

より，$T(\cos\alpha - \mu\sin\alpha) \geqq mg(\sin\theta - \mu\cos\theta)$

ゆえに，$T \geqq \dfrac{\sin\theta - \mu\cos\theta}{\cos\alpha - \mu\sin\alpha}mg$

答 $\dfrac{\sin\theta - \mu\cos\theta}{\cos\alpha - \mu\sin\alpha}mg \leqq T \leqq \dfrac{\sin\theta + \mu\cos\theta}{\cos\alpha + \mu\sin\alpha}mg$

＋補足 摩擦力が斜面平行上向きにはたらく場合と下向きにはたらく場合の図を書いて，最初から場合分けして解くこともできる。慣れていない場合は，そのほうが考えやすい。

また摩擦係数μの値については，上記の左辺の不等式が意味をもつような範囲にあるものとして考えている。

類題15 質量m〔kg〕の物体を斜面にのせ，斜面の傾きを除々に増していったところ，斜面が水平と60°の傾きをなしたとき，物体が斜面上を滑り落ちはじめた。重力加速度の大きさをg〔m/s^2〕として，問いに答えよ。

(1) 斜面と水平面のなす角度が30°になったとき，物体にはたらいている摩擦力はいくらか。

(2) 物体と斜面との間の静止摩擦係数を求めよ。

（解答➡別冊 *p.4*）

類題16 傾斜角$\theta\left(\theta < \dfrac{\pi}{4}\right)$の摩擦のある斜面上に質量$m$〔kg〕の物体を置き，図のように水平方向に力$F$を加えて物体を静止させた。物体と斜面との静止摩擦係数をμ，重力加速度の大きさをgとしたとき，(a) $\mu < \tan\theta$のときと(b) $\tan\theta \leqq \mu < \dfrac{1}{\tan\theta}$のときで，物体を斜面上で静止させておくための力$F$の条件を記せ。

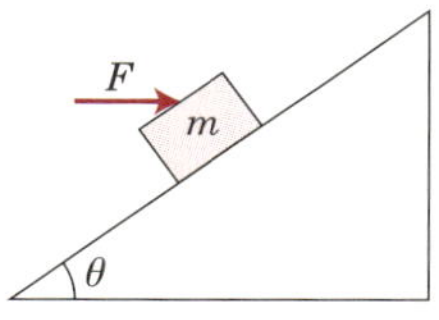

（解答➡別冊 *p.4*）

TYPE 9 糸で連結された2物体のつり合い

A 重要度

糸の張力を T とし，それぞれの物体のつり合いの式をつくる。

着眼 **糸の質量が無視できる場合，糸の張力はどこでも等しい**と考えてよい。したがって，2つの物体を糸でつないだ場合，それぞれの物体にはたらく糸の張力は等しいから，共通の記号で表してよい。

例題　動き出さないための条件

質量 m〔kg〕の物体Aと質量 M〔kg〕$(m>M)$ の物体Bが，図のように糸で連結されて，物体Aはなめらかな斜面上に置かれている。物体が動き出さないための M の条件を求めよ。

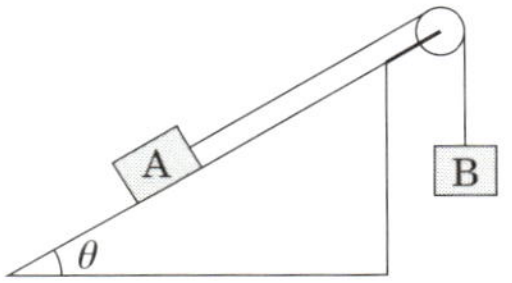

解き方 糸の張力を T〔N〕とすれば，斜面に平行な方向の力のつり合いの式は，

$$T = mg\sin\theta \quad \cdots\cdots ①$$

物体Bの力のつり合いの式は，

$$T = Mg \quad \cdots\cdots ②$$

となる。①，②より，T を消去して，

$$M = m\sin\theta$$

と求められる。　　**答** $M = m\sin\theta$

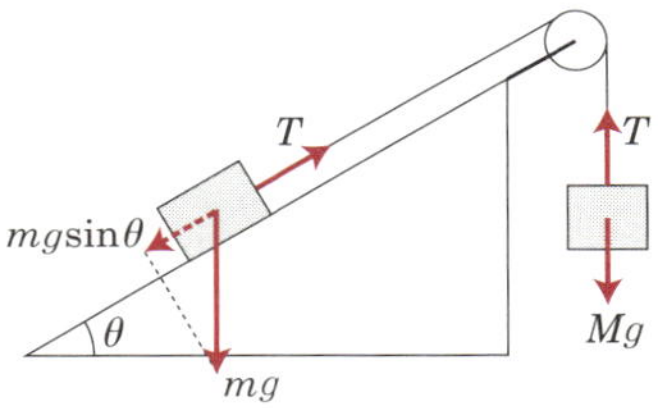

類題17 右図のような摩擦のないなめらかな斜面上に，糸でつないだ2つの物体A，Bをのせる。このとき，全体がつり合うためには，Aの質量 m_1 とBの質量 m_2 の間にどのような関係があればよいか。ただし，滑車には摩擦がないものとする。（解答➡別冊 p.5）

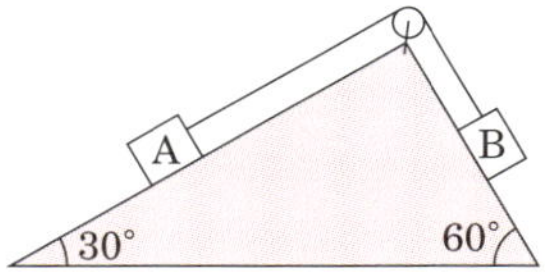

類題18 質量 m〔kg〕の物体Aと質量 M〔kg〕$(m>M)$ の物体Bが，図のように糸で連結されて置かれている。物体が動き出さないための M の条件を求めよ。ただし，物体Aと斜面との静止摩擦係数を μ とする。

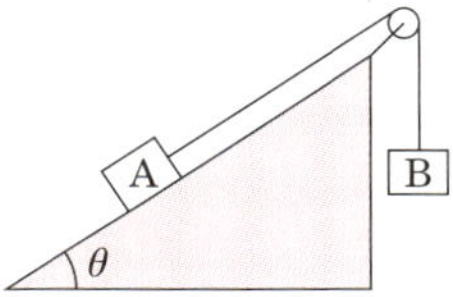

（解答➡別冊 p.5）

TYPE 10　2本のばねでつるされた物体

重要度 A

直列 ⇨ それぞれのばねの弾性力が等しい。
並列 ⇨ それぞれのばねの伸びが等しい。
上下にばねをつけた場合 ⇨ 上の伸びと下の縮みが等しい。

着眼　直列につないだばねでは，それぞれの**弾性力が等しい**から，これを共通の記号 F で表す。

並列の場合は，それぞれの**伸びが等しい**から，これを共通の記号 x で表す。

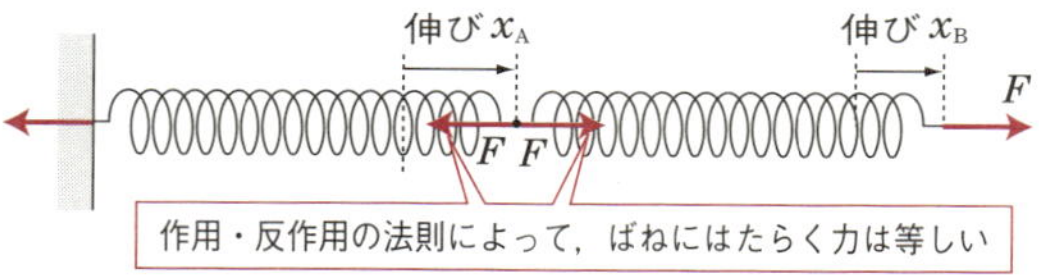

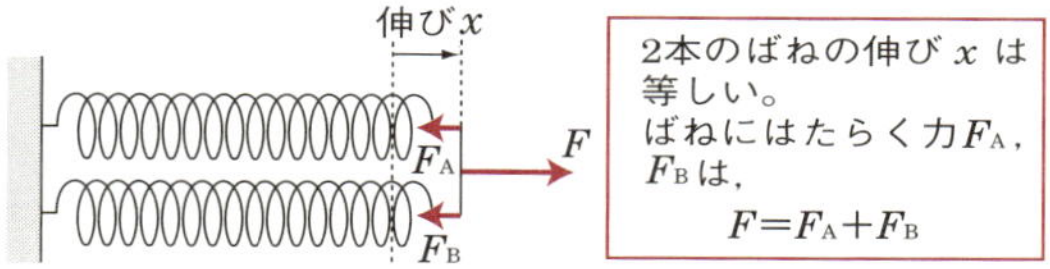

例題　ばねの伸び

自然の長さが l〔m〕で，ばね定数が k_1〔N/m〕，k_2〔N/m〕のばねがある。この2本のばねの両端を上下に $2l$ 離れた2点に固定し，上から l の所に質量 m〔kg〕の小球を結びつけたところ，小球は下がって静止した。このとき小球はいくら下がっているか。小球の大きさは無視し，重力加速度の大きさを g〔m/s²〕とする。

解き方　小球をつるしたとき，小球の下がった距離を x〔m〕とすれば，上側のばねの伸びは x，下側のばねの縮みは x である。小球にはたらく力のつり合いの式は，

$$k_1x+k_2x=mg$$

となるので，

$$(k_1+k_2)x=mg$$

よって，$x=\dfrac{mg}{k_1+k_2}$

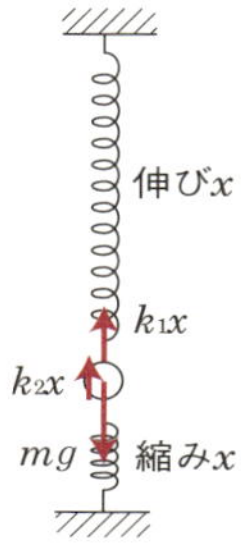

答　$\dfrac{mg}{k_1+k_2}$

類題19　長さ20 cmの軽いつるまきばねA，Bに，それぞれ質量2.0 kgの物体をつるしたところ，Aは3.0 cm，Bは5.0 cm伸びた。いま，A，Bを直列につないで1本にし，両端を56 cm離して固定すると，Aの長さはいくらになるか。

（解答➡別冊 p.6）

TYPE 11 圧　力

A 重要度

単位面積あたりにはたらく力を求める。

着眼 単位面積あたりにはたらく力を**圧力**という。面積 S〔m^2〕の面に，力 F〔N〕がはたらいているとき，この面にはたらく圧力 p〔Pa〕は，

$$p=\frac{F}{S}$$

である。

逆に，圧力 p〔Pa〕の気体が，面積 S〔m^2〕の面全体を押す力 F〔N〕は，

$$F=pS$$

と求められ，この式は圧力から力を考えるときによく使われる。

例題　床の受ける圧力

図のように，底面の半径 r〔m〕の円錐の上半分を切り取った質量 M〔kg〕の物体がある。重力加速度の大きさを g〔m/s^2〕とする。

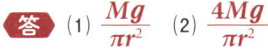

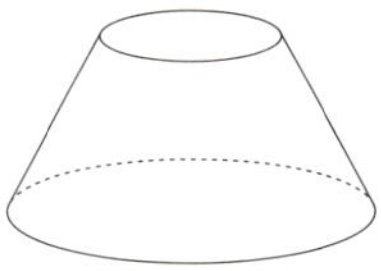

(1) 半径 r の面を下にして床に置いたとき，床の受ける圧力はいくらか。

(2) 半径 $\frac{r}{2}$ の面を下にして床に置いたとき，床の受ける圧力はいくらか。

解き方 (1) 床と接する面の面積は πr^2 で，床面全体の受ける力は Mg〔N〕であるから，床の受ける圧力 p_1〔Pa〕は，

$$p_1=\frac{Mg}{\pi r^2}$$

(2) 床と接する面の面積は $\pi\left(\frac{r}{2}\right)^2=\frac{\pi r^2}{4}$ であるから，床の受ける圧力 p_2〔Pa〕は，

$$p_2=\frac{Mg}{\frac{\pi r^2}{4}}=\frac{4Mg}{\pi r^2}$$

答 (1) $\frac{Mg}{\pi r^2}$　(2) $\frac{4Mg}{\pi r^2}$

類題20 高さ 0.760 m の水銀の柱が，下面に加える圧力が 1 気圧である。1 気圧は何 Pa か。ただし，水銀の密度を $1.36\times10^4\,kg/m^3$，重力加速度の大きさを $9.80\,m/s^2$ とする。

（解答➡別冊 p.6）

TYPE 12 水圧（液圧）

A 重要度

深さ d における水圧 p は $p = p_0 + \rho dg$

p_0：大気圧，ρ：水の密度

着眼 密度が ρ〔kg/m^3〕の液体の深さ d〔m〕における**液圧を求めるためには，高さ d，底面積 S〔m^2〕の液体の柱にはたらく力のつり合いを考える。**

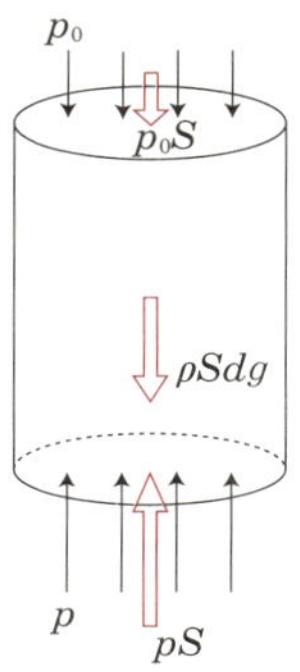

大気圧を p_0〔Pa〕，深さ d における液圧を p〔Pa〕とすれば，液体の柱にはたらく力のつり合いの式は，

$$pS = p_0S + \rho Sdg$$

となるので，

$$p = p_0 + \rho dg$$

例題　水　圧

水面からの深さが 5.0 m での水圧を求めよ。ただし，水の密度を 1.0×10^3 kg/m^3，大気圧を 1.0×10^5 Pa，重力加速度の大きさを 9.8 m/s^2 とする。

解き方 水面からの深さが 5.0 m での水圧 p〔Pa〕は，$p = p_0 + \rho dg$ より，

$$p = 1.0 \times 10^5 + 1.0 \times 10^3 \times 5.0 \times 9.8$$
$$= 1.0 \times 10^5 + 4.9 \times 10^4$$
$$= 1.49 \times 10^5$$

と求められる。

答 1.5×10^5 Pa

補足 水面（液面）の上部が真空の場合は，水圧（液圧）p〔Pa〕に大気圧 p_0〔Pa〕は含まれないので，$p = \rho dg$ である。

類題21 図のように，気体が入った底面積 S〔m^2〕の円筒形の容器を，底面が上になるようにして密度 ρ〔kg/m^3〕の液体の上に静かに浮かべた。容器内の液面は容器外の液面より d〔m〕だけ下方の位置となった。このとき，容器の外の大気圧は p_0〔Pa〕である。容器内の気体の圧力 p〔Pa〕を求めよ。

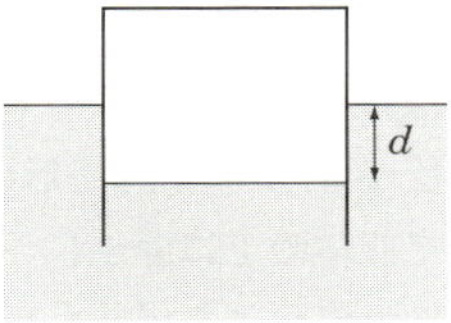

（解答➡別冊 p.6）

TYPE 13 浮　力

重要度 A

排除した液体(気体)にはたらく重力の大きさが浮力である。
$$F=\rho Vg$$

着眼 **液体(気体)から受ける力の合力を考えると，浮力を求めることができる。**

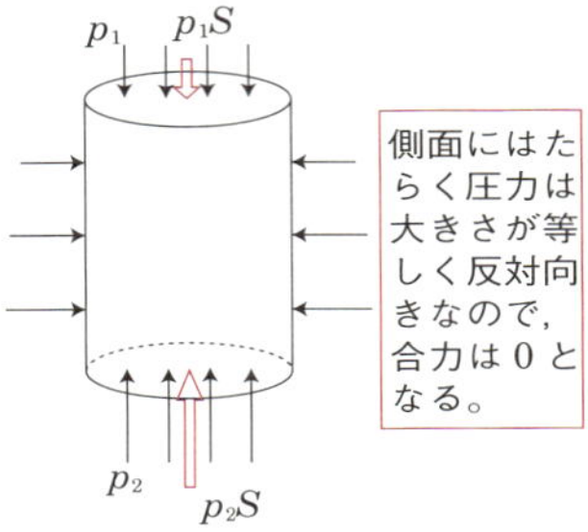

p_1
p_1S
側面にはたらく圧力は大きさが等しく反対向きなので，合力は0となる。
p_2
p_2S

底面積がS〔m²〕，高さh〔m〕の円柱形の物体(体積$V=Sh$〔m³〕)を，密度ρ〔kg/m³〕の液体中に沈めた。物体上面の液面からの深さをx〔m〕とすれば，上面の液圧p_1〔Pa〕は，

$$p_1=p_0+\rho xg$$

底面の液圧p_2〔Pa〕は，

$$p_2=p_0+\rho(x+h)g$$

よって，物体が液体から受ける力の合力F〔N〕は，

$$F=p_2S-p_1S=\{p_0+\rho(x+h)g\}S-(p_0+\rho xg)S=\rho Shg=\boldsymbol{\rho Vg}$$

例題　水面上の木片の高さ

1辺の長さがL〔m〕の立方体の形をした，質量M〔kg〕の木片を水に浮かべた。木片の，水面から出ている部分の高さh〔m〕を求めよ。ただし，水の密度をρ〔kg/m³〕，重力加速度の大きさをg〔m/s²〕とする。

解き方 水に沈んでいる木片の体積V〔m³〕は，$V=L^2(L-h)$であるから，木片が受ける浮力の大きさF〔N〕は，$F=\rho L^2(L-h)g$

よって，木片にはたらく力のつり合いの式は，$Mg=\rho L^2(L-h)g$

これから，$h=L-\dfrac{M}{\rho L^2}$

答 $L-\dfrac{M}{\rho L^2}$

類題22 図のように，気体が入った質量M〔kg〕，底面積がS〔m²〕の円筒形の容器を，底面が上になるようにして液体の上に静かに浮かべたところ，容器内の液面は容器外の液面よりd〔m〕だけ下方の位置となった。このとき，液体の密度ρ〔kg/m³〕を求めよ。 (解答➡別冊 p.6)

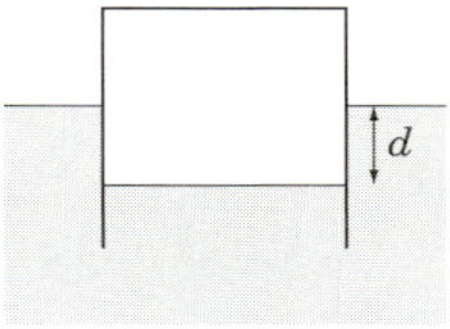

d

TYPE 14 糸で支えた棒のつり合い

A 重要度

力のつり合い ⇨ 合力＝0
力のモーメントのつり合い ⇨ モーメントの和＝0

着眼 **剛体がつり合うのは，剛体が並進運動も回転運動もしない**条件が満たされる場合である。剛体が並進運動をしない条件が，**合力＝0**であり，剛体が回転しない条件が，**力のモーメントの和＝0**である。

例題 張力と壁から受ける力

図のように，質量 m〔kg〕の一様な棒の一端Aをちょうつがいで壁に取りつけ，他端Bにつけた糸の端を壁のC点に固定した。

(1) 糸BCにはたらく張力の大きさを求めよ。

(2) 棒のA端が壁から受ける力の大きさを求めよ。

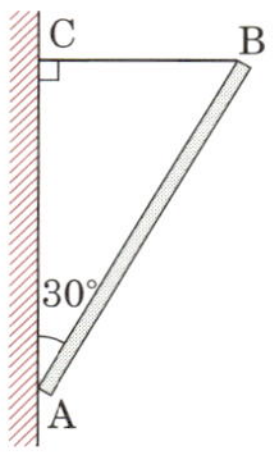

解き方 糸BCの張力を T，棒のA端が壁から受ける力の水平成分を f_x，鉛直成分を f_y とする。棒の重心は棒の中心で，そこに重力 mg がはたらく。

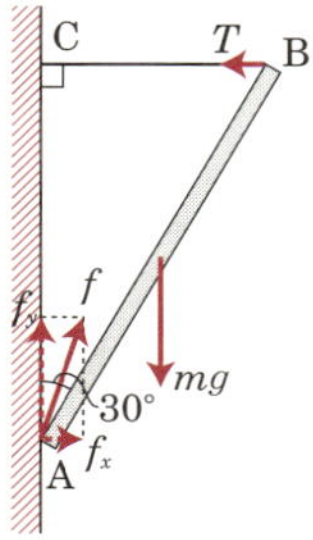

水平方向の力のつり合いの式は，$f_x=T$ ……①

鉛直方向の力のつり合いの式は，$f_y=mg$ ……②

棒の長さを l として，点Aのまわりの力のモーメントのつり合いの式をつくると，$T\times l\cos 30°=mg\times\dfrac{l}{2}\sin 30°$ ……③

③より，$T=\dfrac{mg}{2\sqrt{3}}$ ……④

よって，A端が壁から受ける力の大きさは，

$$f=\sqrt{f_x^2+f_y^2}=\sqrt{\left(\frac{mg}{2\sqrt{3}}\right)^2+(mg)^2}=\sqrt{\frac{13}{12}}\,mg$$

答 (1) $\dfrac{mg}{2\sqrt{3}}$　(2) $\sqrt{\dfrac{13}{12}}\,mg$

類題23 図のように，質量 m〔kg〕の一様な棒ABを天井からひもでつるし，B端を水平に F〔N〕の力で引いたところ，ひもが水平となす角度が θ_1，棒が水平となす角度が θ_2 となってつり合った。このとき，$\tan\theta_1$，$\tan\theta_2$ の値をそれぞれ求めよ。ただし，ひもの質量は無視してよい。

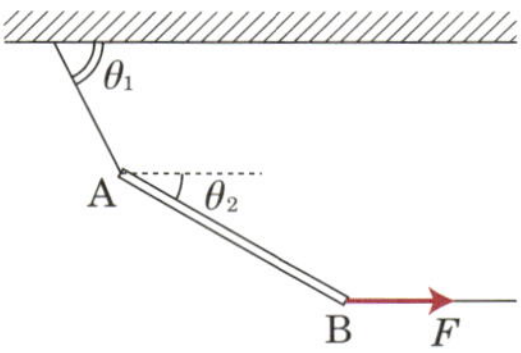

（解答➡別冊 *p.6*）

TYPE 15 物体が回転せずに運動する条件

重要度 A

物体が回転せずに運動 ⇨ 面に平行な力＞最大摩擦力で，力のモーメントがつり合う
物体が運動する前に回転 ⇨ 力のモーメントのつり合いがこわれる。面に平行な力(＝摩擦力)＜最大摩擦力

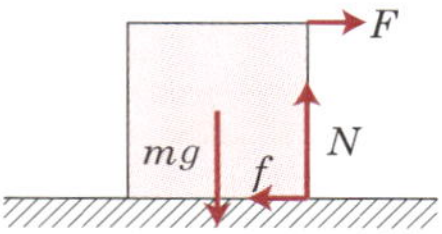

着眼 摩擦のある面上で大きさのある物体を動かそうとして，面に平行に力Fを加えると，摩擦力fを生じる。**Fとfとは偶力となり，物体を時計まわりに回転**させようとする。このとき同時に，**重力mgと垂直抗力Nとが偶力となり，物体を反時計まわりに回転**させようとする。この2つの偶力のモーメントがつり合っている間は，物体は回転しない。

力Fを大きくすると，時計まわりのモーメントが大きくなるが，それにつれて垂直抗力Nの作用点が中央から端へ移動し，反時計まわりのモーメントを増大させる。垂直抗力Nの作用点が物体の端に到達したとき，反時計まわりのモーメントは最大値に達する。それまでに摩擦力が最大摩擦力に達すれば，物体は回転せずに動き出す。

例題　物体が動き出す条件

図のように，高さh〔m〕，幅a〔m〕，質量m〔kg〕の直方体の物体の上端をT〔N〕の力で引っぱった。物体と床との静止摩擦係数をμとして，物体が倒れることなく動き出すための条件を求めよ。

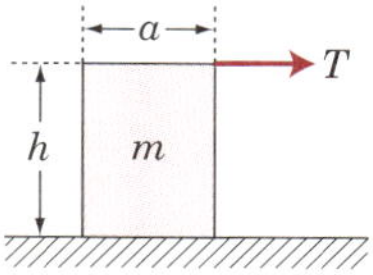

解き方 物体に床からはたらく垂直抗力をN〔N〕，摩擦力をF〔N〕とすると，物体がつり合っているとき，次式がなりたつ。

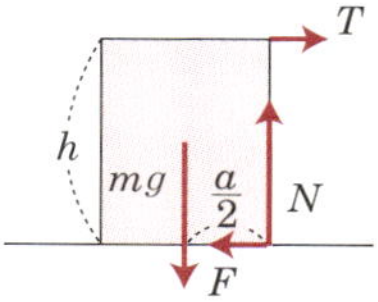

水平方向　$T=F$　……①

鉛直方向　$N=mg$　……②

物体が回転をはじめるときは，右図のように垂直抗力の作用点が物体の端に達している。このとき，物体の右下の角のまわりの力のモーメントのつり合いの式は，$mg\cdot\frac{a}{2}=Th$

ゆえに，　$T=\dfrac{mga}{2h}$　……③

Tの値をこれより大きくすると，物体は回転する。このとき摩擦力は，①，③より，

$$F=\frac{mga}{2h}$$

である。この値が最大摩擦力μNを越えていれば，物体は回転をはじめる前に動き出していることになるので，

$$\frac{mga}{2h}>\mu N \quad \cdots\cdots ④$$

が，物体が倒れることなく動き出すための条件となる。

$N=mg$であるから，これを④に代入してmgで割ると，

$$\frac{a}{2h}>\mu$$

答 $\dfrac{a}{2h}>\mu$

補足 物体が回転をはじめるときの力のモーメントのつり合いから求めた摩擦力の大きさが最大摩擦力より小さければ，物体は動き出すことなく回転する。

類題24 あらい板の上に，質量m〔kg〕，真横から見た高さと幅がそれぞれa〔m〕，b〔m〕の一様な直方体を静かに置いた後，板を少しずつ傾けていく。板と水平とのなす角度θ〔rad〕がある値を越えると，直方体は滑り出すか，あるいは，Pを支点として傾き出す。

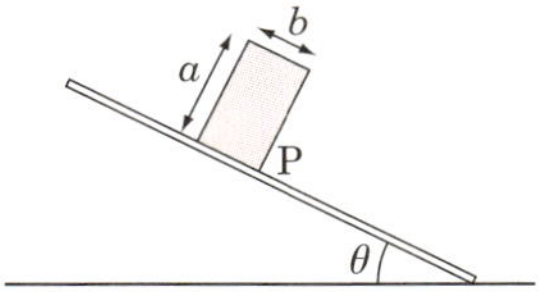

板の傾きを大きくしていったとき，直方体が滑り出す前に傾き出す条件を答えよ。ただし，板と直方体の間の静止摩擦係数をμ，重力加速度の大きさをg〔m/s^2〕とする。

（解答➡別冊 *p.6*）

類題25 図1のように，一様な密度分布で質量m〔kg〕の直方体を水平な机の面上に置く。直方体の底面は1辺a〔m〕の正方形，高さはb〔m〕である。直方体の右側面の中心に軽くて伸びないひもを水平につけ，これを机の端に固定した軽い滑車に通し，ひもの端に質量M〔kg〕の小球をつるす。机の面があらい状況で，さまざまなMの小球について静かに離す実験を行った。その結果，Mがある値M_0〔kg〕以下では直方体は動かず，$M>M_0$のときに，図2のように直方体は滑ることなく傾いた。ちょうど$M=M_0$のとき，直方体は傾かずにつり合いの状態にある。Aのまわりの力のモーメントのつり合い条件から，M_0を求めよ。重力加速度の大きさをg〔m/s^2〕とする。

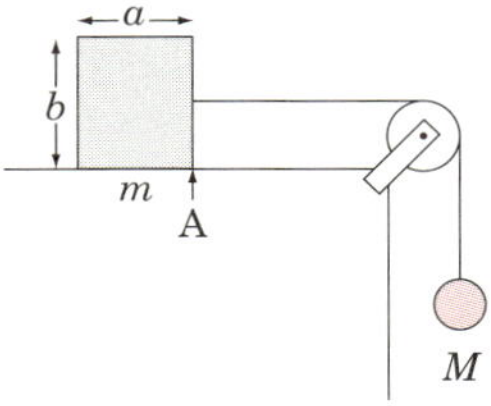

図1

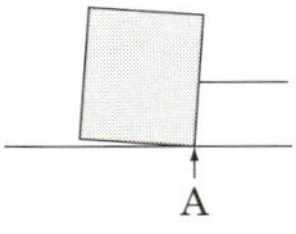

図2

（解答➡別冊 *p.6*）

TYPE 16 おもりのついた棒の重心

B 重要度

棒の両端に質量 m_1 と m_2 の物体をつけたものの重心は，棒を $m_2 : m_1$ に内分する点。

着眼 軽くてじょうぶな棒の両端に質量 m_1 と m_2 の物体をつけたものを考える。全体の重心の位置を，m_1 から距離 x_1，m_2 から距離 x_2 の点と考えると，**重心のまわりの力のモーメントのつり合い**から，

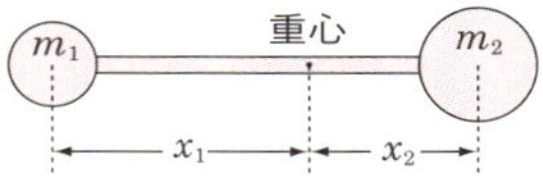

$$m_1gx_1 = m_2gx_2$$

ゆえに，$\dfrac{x_1}{x_2} = \dfrac{m_2}{m_1}$

これから，棒を質量 m_1 の物体をつけたほうから質量の逆比

$m_2 : m_1$ に内分した点

に重心があることになる。

補足 重心の位置は，両物体の中心よりも質量の大きい物体のほうによった点になると覚えておくとよい。

例題　重心の位置

長さ 0.50 m の軽い棒の両端に，質量 1.0 kg の物体 A と質量 3.0 kg の物体 B をつけた。重心の位置は，物体 A をつけた端から何 m の点か。

解き方 棒の，物体 A をつけた端から重心までの距離を x_A〔m〕，物体 B をつけた端から重心までの距離を x_B〔m〕とすると，これらの距離の比は物体 A，B の質量の逆比になるから，

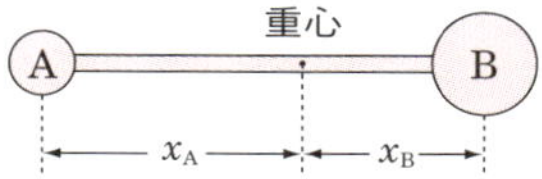

$$\frac{x_A}{x_B} = \frac{3.0}{1.0} \quad \cdots\cdots ①$$

また，$x_A + x_B = 0.50$ ……②

①，②から，$x_A = 0.38$ m

答 **0.38 m**

類題26 長さ l〔m〕，質量 m〔kg〕の太さが一様でない棒が床に置かれている。棒の A 端にばね定数 k〔N/m〕のばねをつけ，A 端を少しだけ持ち上げたところ，ばねは x〔m〕伸びた。

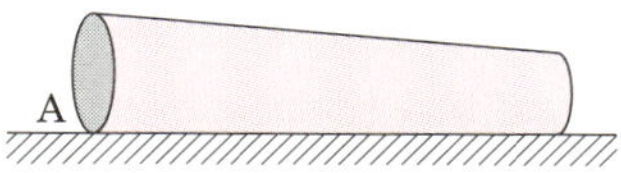

この棒の重心の位置は，A 端からいくらの所にあるか。

（解答➡別冊 *p.7*）

TYPE 17 穴のあいた板の重心

C 重要度

穴の部分を埋めて，元の重心に対する力のモーメントがつり合うことを利用する。

着眼　質量(m_1+m_2)の厚さの一様な円板から図のように質量m_2の円板を切り取るとする。切り取る前の重心をG，切り取った後の重心をG_1，切り取った部分の重心をG_2とする。**切り取った部分をもう一度元の所にはめ込むと，それぞれの部分にはたらく重力の元の重心に対する力のモーメントはつり合うから，**

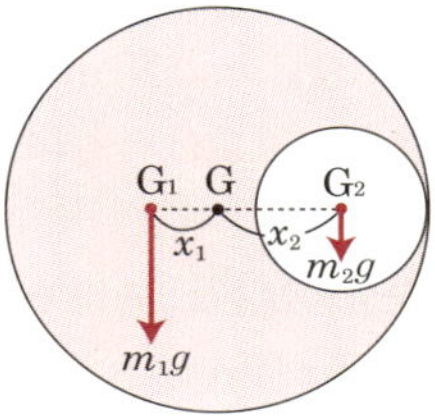

$$m_1gx_1=m_2gx_2 \qquad \text{ゆえに，} \quad \frac{x_1}{x_2}=\frac{m_2}{m_1}$$

例題　穴をあけた円板の重心

図のように，半径a〔m〕の均質な円板に，半径$\frac{a}{2}$〔m〕の穴をあけた。穴をあけた後の円板の重心の位置を求めよ。

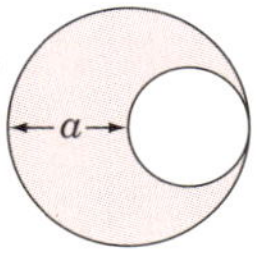

解き方　板の質量は面積に比例する。板の単位面積あたりの質量をm〔kg/m²〕とすると，最初の円板の質量は$\pi a^2 m$，切り抜いた円板の質量は$\frac{1}{4}\pi a^2 m$だから，切り抜いた後の円板の質量は，

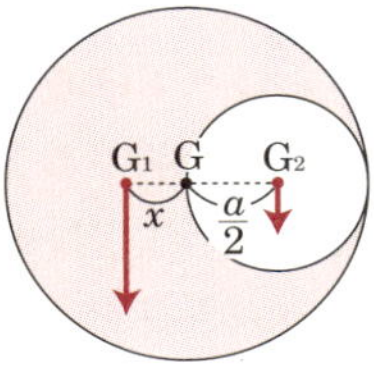

$$\pi a^2 m-\frac{1}{4}\pi a^2 m=\frac{3}{4}\pi a^2 m$$

求める重心から元の重心までの距離をx〔m〕とし，切り取った部分をはめ込んだとして，それぞれにはたらく重力の元の重心に対する力のモーメントのつり合いの式

$\frac{3}{4}\pi a^2 mgx=\frac{1}{4}\pi a^2 mg\cdot\frac{a}{2}$ より，$x=\frac{a}{6}$

答　元の重心から$\frac{a}{6}$ m 左側

類題27　1辺$2a$〔m〕の均質な正方形の板に図のような正方形の穴をあけた板の重心の座標を求めよ。

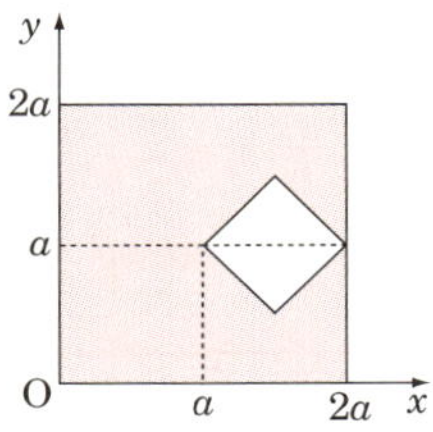

（解答➡別冊 p.7）

練習問題

解答→別冊 p.49

TYPE

5　図のように，質量 m〔kg〕のおもりの上下に自然長 L〔m〕の 2 本のばね A，B をつなぎ，全体の長さが $2L$ となるように，それぞれのばねの他端を固定した。おもりはつり合いの位置で静止し，ばね A，B の長さはそれぞれ L_A，L_B であった。ばね定数はそれぞれ k_A，k_B〔N/m〕とし，おもりの大きさとばねの質量はともに無視できるほど小さいものとする。また，鉛直下向きを正とし，重力加速度の大きさを g〔m/s²〕，空気の抵抗は無視できるものとして，以下の各問いに答えよ。

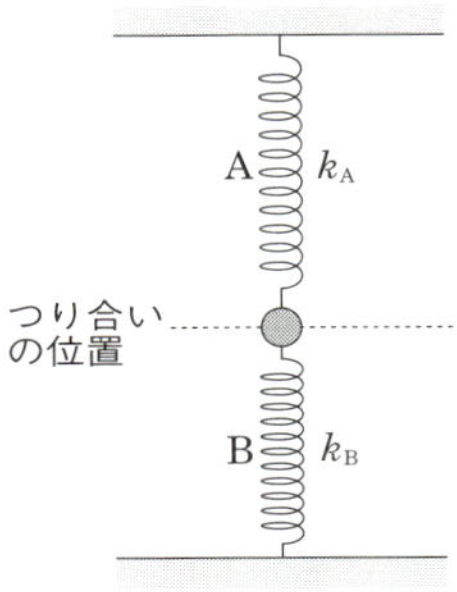

(1)　ばね A がおもりに及ぼす力を求めよ。

(2)　ばね B がおもりに及ぼす力を求めよ。

(3)　つり合いの位置では，おもりにはたらく力はつり合っている。おもりにはたらく力のつり合いの式を示せ。

(4)　(3)のつり合いの式と全体の長さが $2L$ であることから，L_A，L_B を求めよ。　（愛知教育大 改）

→ 7, 10

6　図のように，2 本の糸 1，2 で天井からつり下げられた質量 m〔kg〕の小球 P がある。糸 1 および糸 2 の鉛直線となす角は，それぞれ α，β であった。重力加速度の大きさを g〔m/s²〕とし，糸の質量は無視できるものとする。

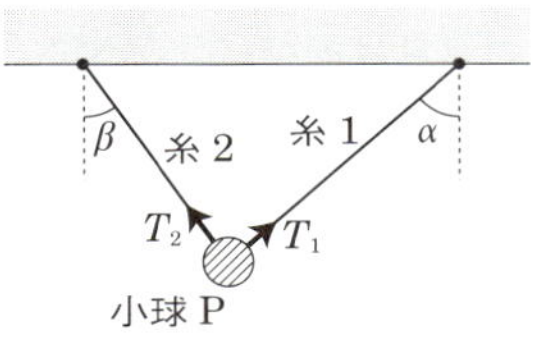

(1)　糸 1 の張力の大きさ T_1〔N〕と糸 2 の張力の大きさ T_2〔N〕の関係を考える。小球 P にはたらく力の鉛直方向のつり合いより，T_1 を，α，β，g，m，T_2 を用いて表せ。

(2)　小球 P にはたらく力の水平方向のつり合いより，張力の大きさの比 $\dfrac{T_1}{T_2}$ を，α，β を用いて表せ。

(3)　T_1 を，α，β，g，m を用いて表せ。　（山形大 改）

→ 7, 9

ヒント　5 (3) ばね A，B による力はどちらも上向きにはたらく。

TYPE

7　水を通さない密度ρの一様な物質でできた，断面積A，高さhの円柱がある。重力加速度の大きさをgとするとき，以下の問いに答えよ。ただし，解答には問題文中の記号を用いることとする。

(1)　この円柱を密度ρ_wの水に入れたとき，円柱が水に浮くための条件を求めよ。

(2)　(1)の条件を満たすとき，円柱は図1のような状態で静止した。円柱のうち水面から上に出ている部分の高さh_0を求めよ。

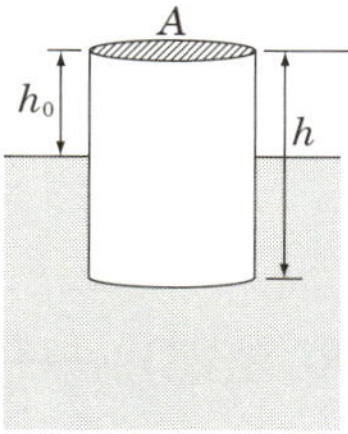

図1

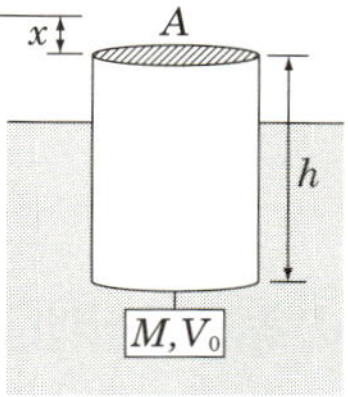

図2

(3)　(2)の状態から，円柱の下面中央に糸で質量Mの物体をつり下げたとき，図2のようにxだけ沈んで静止した。つり下げた物体の体積V_0を求めよ。ただし，糸の質量と体積を無視する。　（鳥取大 改）

➔ 12, 13

8　図のように長さ$2a$〔m〕，質量M〔kg〕の一様なはしごを水平な床から角度θで鉛直ななめらかな壁に立てかけ，θの値を小さくしていく。はしごの下端Aと床との間の静止摩擦係数をμ_A，Aが床から受ける静止摩擦力の大きさをF_A〔N〕，垂直抗力の大きさをN_A〔N〕，はしごの上端Bと壁との垂直抗力の大きさをN_B〔N〕とする。重力加速度の大きさをg〔m/s^2〕として以下の問いに答えよ。

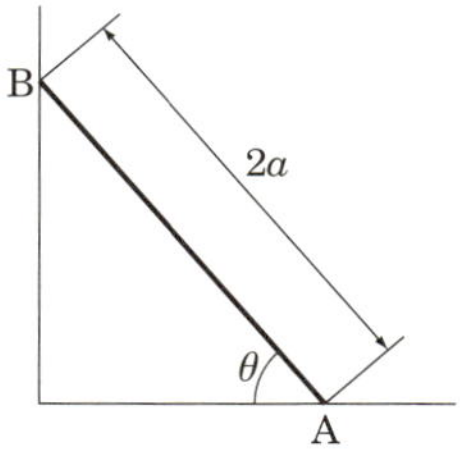

(1)　はしごがすべらないとき，μ_A，F_A，N_Aの間になりたつ不等式を書け。

(2)　鉛直方向の力のつり合いの式を，μ_A，F_A，N_A，N_B，M，a，g，θの中から必要なものを用いて表せ。

(3)　水平方向の力のつり合いの式を，μ_A，F_A，N_A，N_B，M，a，g，θの中から必要なものを用いて表せ。

(4)　点Aのまわりの力のモーメントのつり合いの式を，μ_A，F_A，N_A，N_B，M，a，g，θの中から必要なものを用いて表せ。

(5)　はしごがすべり出す直前の角度をθ_1とする。$\tan\theta_1$を，μ_Aを用いて表せ。　（兵庫県大 改）

➔ 14

ヒント　8 (4) 重力はABの中点にはたらく。

3 運動の法則

1 運動の第 1 法則（慣性の法則）

物体に外から力がはたらかなければ（物体にはたらく力の合力が 0 であれば），物体の運動は変化しない。

2 運動の第 2 法則（運動の法則）

質量 m〔kg〕の物体に $\vec{F}$〔N〕の力を加えたとき，物体に生じる加速度を $\vec{a}$〔m/s²〕とすれば，これらの間に，

$$m\vec{a}=\vec{F} \qquad (1\cdot6)$$

の関係がなりたつ。

この式を**運動方程式**という。

▶運動方程式のつくり方

運動方程式は次の順序にしたがってつくるとよい。

① 物体にはたらいているすべての力を図中に矢印でかき込み，それぞれの大きさをかき込む。

② 物体が加速度運動をする方向を x 方向，それに垂直な方向を y 方向とし，すべての力を x 方向と y 方向の成分に分解する。

③ x 方向のすべての力の成分の和を求め，

$ma=$（x 方向の力の成分の和）

という式をつくる。これが運動方程式である。

④ y 方向には物体は運動しないから，y 方向の力の成分については，つり合いの式をつくる。

＋補足 運動方程式を用いるときは，次の点にも留意すること。

(1) 運動方程式に用いる力の単位はニュートン〔N〕でなければならない。

(2) x 方向の運動方程式と y 方向のつり合いの式とから加速度を求めることができるので，あとは等加速度運動の公式を用いて問題を解いていく。

(3) 運動方程式の左辺を ma とおくのは，加速度の向きを $+x$ 方向と仮定していることによる。もし，計算の結果，$a<0$ になったときは，加速度の向きが $-x$ 方向であるということを意味する。

TYPE 18 摩擦のある水平面上の加速度運動

A 重要度

摩擦のある面上を物体が運動するときは，物体の運動方向と逆向きに動摩擦力 $\mu' N$ がはたらく。

着眼 **この摩擦力を忘れないようにする。**物体が加速度運動をするときは，**面と平行な方向については運動方程式**をつくり，**面と垂直な方向についてはつり合いの式**をつくる。

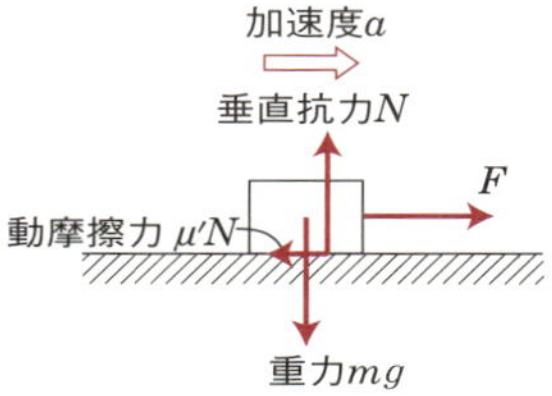

運動方程式　$ma = F - \mu' N$
つり合いの式　$N = mg$

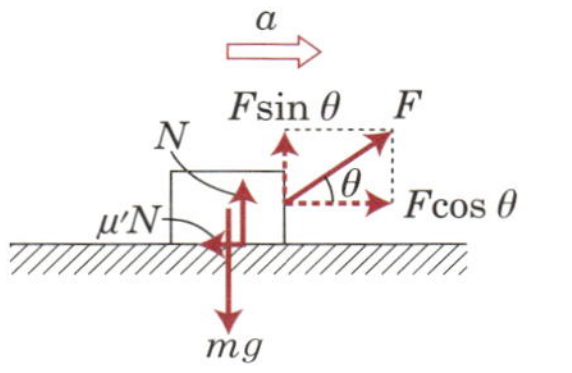

運動方程式　$ma = F\cos\theta - \mu' N$
つり合いの式　$N + F\sin\theta = mg$

例題　等加速度運動に必要な力

質量 2.0 kg の物体が水平な机の上に置いてある。この物体を水平に引いて 4.0 m/s² の等加速度運動をさせたい。いくらの力で引けばよいか。ただし，物体と机との間の動摩擦係数を 0.20，重力加速度の大きさを 9.8 m/s² とする。

解き方 物体にはたらく力は，重力，垂直抗力，摩擦力，物体を引く力の 4 つである。物体は引く力の向きに動くので，この方向を正方向として運動方程式をつくると，

$$2.0 \times 4.0 = F - 0.20N \quad \cdots\cdots①$$

鉛直方向には，つり合いの式をつくると，

$$N = 2 \times 9.8 \quad \cdots\cdots②$$

①，②より，$F = 11.92$ N

答 12 N

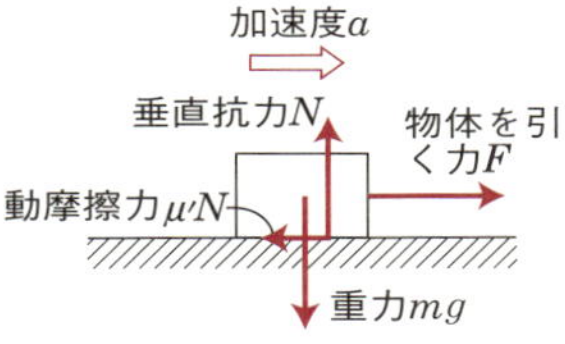

類題28 摩擦のある水平面上で，質量 500 g の物体を 19.6 m/s の初速度で滑らせる。物体と面との間の動摩擦係数が 0.40 のとき，この物体は何秒後に止まるか。また，止まるまでに何 m 移動するか。

（解答➡別冊 *p.7*）

類題29 質量 2.0 kg の物体が水平な机の上に置いてある。この物体に 20 N の力を水平方向から 30° 上向きに加えて引っぱった。物体に生じる加速度の大きさはいくらか。ただし，物体と机との間の動摩擦係数を 0.20，重力加速度の大きさを 9.8 m/s² とする。

（解答➡別冊 *p.7*）

TYPE 19 斜面上を運動する物体

重要度 A

斜面に，平行な方向は運動方程式，垂直な方向はつり合いの式

着眼 斜面上で加速度運動する物体については，加速度の方向が斜面に平行であるから，斜面に，平行な方向を x 方向，斜面に垂直な方向を y 方向として，物体にはたらくすべての力を x 成分，y 成分に分解し，**斜面に平行な方向については運動方程式を，斜面に垂直な方向についてはつり合いの式**をつくって解けばよい。

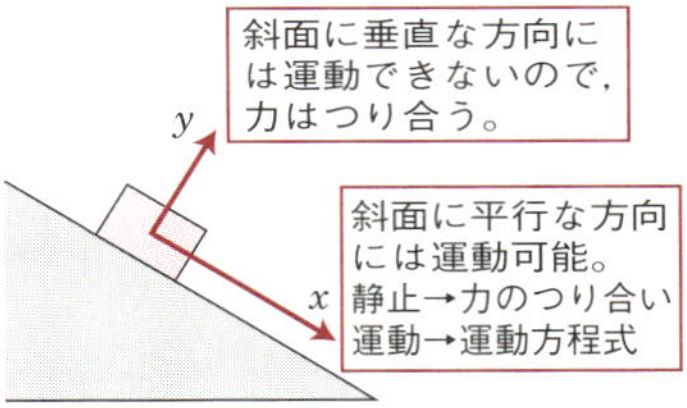

例題　斜面を滑り下りる加速度

水平面とのなす角度が θ の斜面がある。重力加速度の大きさを g とする。

(1)　この斜面がなめらかなとき，斜面上に質量 m の物体を置くと，物体はいくらの加速度で斜面を滑り下りるか。

(2)　この斜面があらく，斜面と物体との動摩擦係数が μ のとき，斜面上に質量 m の物体を置くと，物体はいくらの加速度で斜面を滑り下りるか。

解き方 (1)　物体は斜面に沿って下向きの加速度を生じるから，斜面に平行に x 軸をとり，下向きを $+x$ 方向として，運動方程式をつくると，

$ma = mg\sin\theta$　　よって，$a = g\sin\theta$

(2)　物体が斜面を滑りおりるとき，動摩擦力 μN が斜面に平行に上向きにはたらくから，斜面に沿って下向きを $+x$ 方向として運動方程式をつくると，

$ma = mg\sin\theta - \mu N$　　……①

y 方向について，つり合いの式をつくると，

$N = mg\cos\theta$　　……②

①，②より，$a = g(\sin\theta - \mu\cos\theta)$

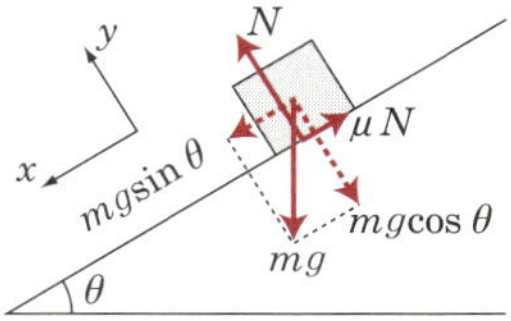

答 (1) $g\sin\theta$　(2) $g(\sin\theta - \mu\cos\theta)$

類題30 水平面と30°の角度をなす斜面上に糸をつけた質量400 gの物体を置き，図のように，斜面に沿って上向きに10 Nの力で糸を引っぱるとき，物体に生じる加速度はいくらか。ただし，物体と斜面との間の動摩擦係数を0.20とする。

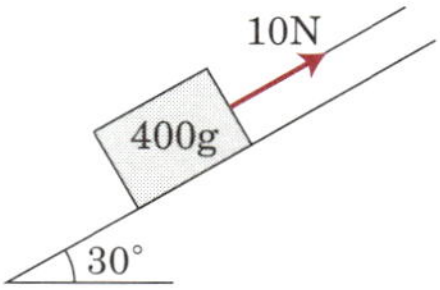

(解答➡別冊 p.7)

TYPE 20 糸でつながれた 2 物体の運動

A 重要度

糸の張力と加速度を共通の記号で表す。
それぞれの物体について運動方程式をつくる。

着眼　糸の質量が無視できる(「軽い糸」と表現される)場合は，**糸の張力はどこでも等しい**。したがって，糸の両端が物体を引く張力の大きさは共通の記号で表す。また，2 物体は，糸がピンと張った状態では同じ運動をするから，2 物体の加速度も共通の記号で表す。こうしておいて，それぞれの物体についての**運動方程式**をつくる。

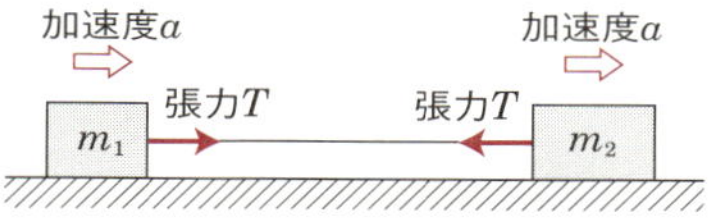

例題　滑車につり下げられた物体の運動

図のように，水平面と 30° の角度をなすなめらかな斜面上に質量 2.0 kg の物体 A があり，A に結びつけた細い糸はなめらかに回転できる滑車を経て質量 3.0 kg の物体 B をつるしている。糸の張力と物体 A，B の加速度の大きさを求めよ。糸と滑車の質量，滑車の摩擦や空気抵抗は無視し，重力加速度の大きさを 9.8 m/s² とする。

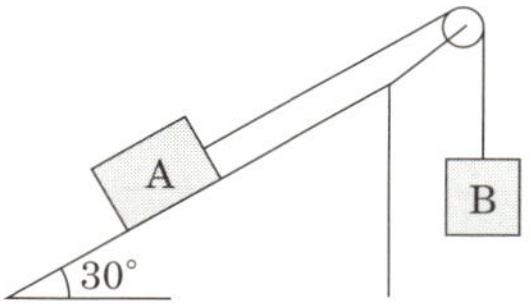

解き方　A，B にはたらく糸の張力を T〔N〕，A，B の加速度を a〔m/s²〕とする。A は斜面に沿って上向きに，B は鉛直下向きに運動する。斜面に平行上向きを正方向として，運動方程式をつくると，

$$2.0a = T - 2.0 \times 9.8 \times \sin 30° \quad \cdots\cdots①$$

B について，運動方程式をつくると，

$$3.0a = 3.0 \times 9.8 - T \quad \cdots\cdots②$$

①，②を a，T について解くと，

$$a = 3.92\ \mathrm{m/s^2},\quad T = 17.64\ \mathrm{N}$$

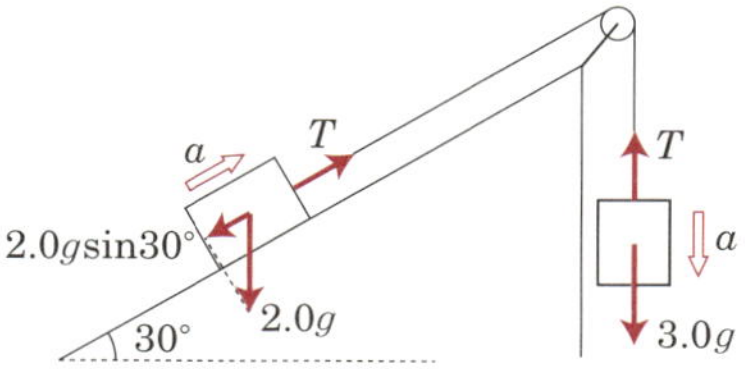

答　張力：**18 N**，加速度：**3.9 m/s²**

類題31　水平な机の上に置かれた質量 5.0 kg の物体 A に糸をつけ，机の端にある小滑車にかけて，他端に質量 10 kg のおもり B をつるし，静かに放した。次の場合について，物体 A の加速度と糸の張力を求めよ。重力加速度の大きさを 9.8 m/s² とする。

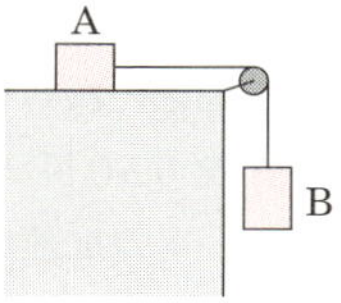

(1)　机と物体 A との間に摩擦がないとき。

(2)　机と物体 A との間の動摩擦係数が 0.40 のとき。

(解答➡別冊 p.8)

TYPE 21 接触している 2 物体の運動

重要度 A

物体どうしが押し合う力と加速度を共通の記号で表し，それぞれの物体について運動方程式をつくる。

着眼 2 物体が接触している点では互いに押し合う**抗力**がはたらく。この力は**作用・反作用の力なので，大きさが等しい**。また，**接触している 2 物体は同じ運動をするから，加速度も等しい**。

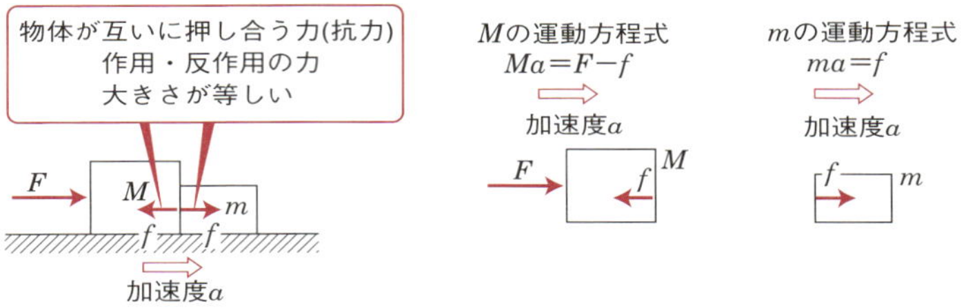

例題 接触物体の加速度と力

質量 20 kg の物体 A と質量 30 kg の物体 B とが接触して，なめらかな水平面上に置かれている。いま，物体 A に水平方向に 60N の力を加えて，物体 A，B を一体として動かすとき，

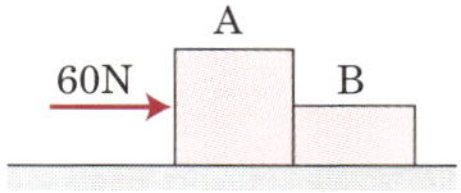

(1) 物体 A，B の加速度の大きさを求めよ。

(2) 物体どうしが押し合う力の大きさを求めよ

解き方 物体どうしが押し合う力を F〔N〕，物体 A，B の加速度を a〔m/s²〕とすれば，物体 A の運動方程式は，

$20a = 60 - F$ ……①

物体 B の運動方程式は，$30a = F$ ……②

①，②より，$a = 1.2\ \mathrm{m/s^2}$，$F = 36\ \mathrm{N}$

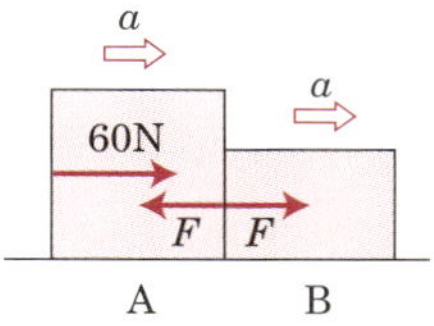

答 (1) **1.2 m/s²**　(2) **36 N**

類題32 あらい水平面上に質量 100 g と 80 g の物体 A，B を接触させておき，物体 A を 0.90 N の力で水平方向に押したところ，両物体は $1.08\ \mathrm{m/s^2}$ の加速度で運動した。重力加速度の大きさを $9.8\ \mathrm{m/s^2}$ として，以下の問いに答えよ。

(1) 物体 A および B と面との間の動摩擦係数が等しいとき，その値はいくらか。

(2) 物体 A と B が互いに押し合っている力の大きさを求めよ。

(解答➡別冊 *p.8*)

TYPE 22 抵抗力を受ける物体の終端速度

重要度 B

終端速度 v になったとき，(推進力) f = (抵抗力) kv

着眼　物体が空気中や水中で力を受けて運動する場合，速さはある限度までしか大きくなれない。これは，空気や水の抵抗力が物体の速さに比例(場合によっては速さの 2 乗に比例)して大きくなるので，**ある速さのところで，推進力と抵抗力とがつり合って，加速度が 0** になるため，それ以後等速運動をするからである。

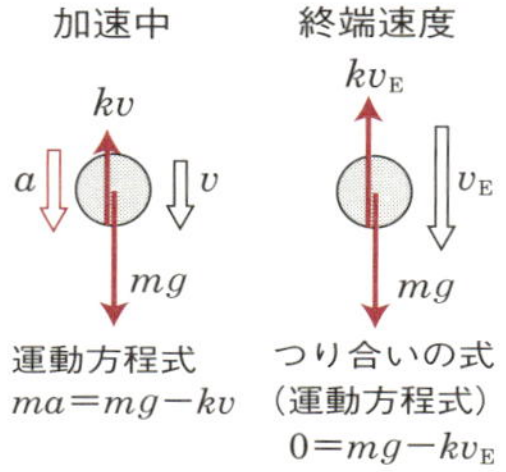

補足　液体中では浮力も無視できない。

例題　油滴の終端速度

半径 r の球にはたらく空気の粘性抵抗は $6\pi r\eta v$ (η は空気の粘性率，v は球の速度)で表される。半径 r，密度 ρ の小さな油滴が空気中を落下する場合の終端速度を求めよ。ただし，空気の浮力は無視する。

解き方　落下中の油滴には，重力と，重力と反対向きの空気の抵抗力とがはたらく。油滴の速度が終端速度 v になったときは，この重力と抵抗力とがつり合う。油滴の体積は $\frac{4}{3}\pi r^3$ だから，油滴にはたらく重力は，$\frac{4}{3}\pi r^3\rho g$ である。したがって，終端速度に達したときのつり合いの式は，

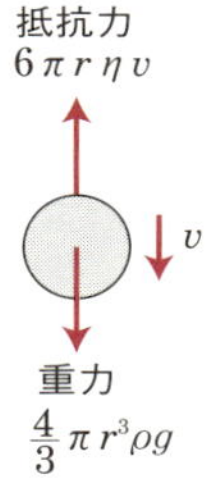

$$\frac{4}{3}\pi r^3\rho g=6\pi r\eta v$$

ゆえに，$v=\dfrac{2r^2\rho g}{9\eta}$

答 $\dfrac{2r^2\rho g}{9\eta}$

類題33　雨滴が小さい(半径 r が 1.0×10^{-5} m 以下)ときには，空気抵抗は雨滴の半径 r と落下速度 v〔m/s〕との積に比例する。その比例定数を k とし，雨滴の質量を m〔kg〕，雨滴の下向きの加速度を a〔m/s²〕とすると運動方程式は [①] のようになる。この式から v が大きくなるにつれて，下向きの加速度が小さくなり，加速度が 0 となると等速度運動になり一定の速度 v_s = [②]〔m/s〕で落下するようになる。この v_s を終端速度という。ここで，雨滴の質量 m は雨滴を半径 r の球と考え密度を ρ〔kg/m³〕とすると m = [③] で表されるから，終端速度 v_s は r の関数として表され，雨滴の半径 r の [④] に比例するということがわかる。

(解答➡別冊 p.8)

練習問題

解答→別冊 p.50

TYPE

9　図のように，質量 m_A の物体Aをあらい水平な机の上に置き，軽い糸でなめらかに回転できる滑車を通して，質量 m_B の物体Bをつり下げる。床から物体Bの下面までの高さを h とするとき，以下の問いに答えよ。

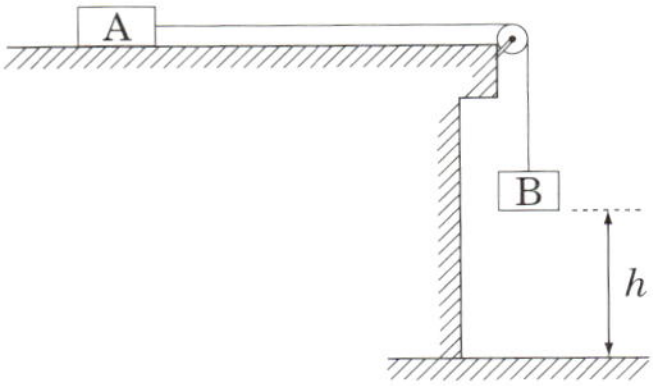

ただし，糸は伸び縮みせず，質量は無視できるものとする。なお，重力加速度の大きさを g とする。

(1)　$m_B = \frac{3}{4} m_A$ のとき，AとBは動き出した。机の面と物体Aとの間の静止摩擦係数 μ_0 を求めよ。

(2)　(1)の条件の下で，AとBが運動しているとき，Bが降下するときの加速度の大きさ a を求めよ。ただし，机の面と物体Aとの動摩擦係数を $\mu = \frac{1}{3}$ とする。

(3)　(2)のとき，糸の引く力の大きさ T を求めよ。

(4)　(2)の運動において，Bが床に達した瞬間の速さ v_B を求めよ。

(5)　(2)の運動において，Bが床に達した後もAは運動を続けた。Aははじめ静止していた位置からどれだけ動いて静止するか。その距離 l を求めよ。

(鳥取大)

→ 18, 20

10　図1のように，なめらかな水平面上に物体A，B，Cを接するように置いた。物体A，B，Cの質量はそれぞれ $3m$〔kg〕，m〔kg〕，$2m$〔kg〕である。物体Aの左端から水平方向右向きに大きさ F〔N〕の力を加えたとき，全体が右向きに大きさ a〔m/s^2〕の加速度で運動した。次の各問いに答えよ。

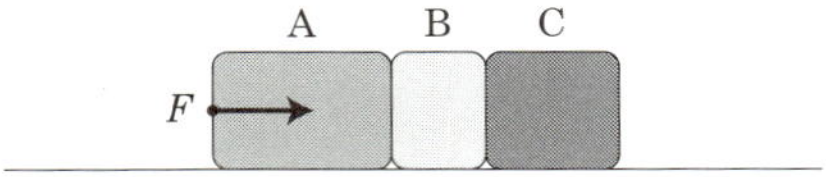

図1

(1)　運動中に物体AがBを押す力の大きさを f_1〔N〕，物体BがCを押す力の大きさを f_2〔N〕として，物体A，B，Cのそれぞれについて運動方程式をたてよ。

(2)　加速度の大きさ a を求めよ。

(3)　力の大きさ f_1 と f_2 を求めよ。

TYPE

次に物体A，B，Cを図2のように軽い糸でつなぎ，摩擦のあるあらい水平面上に一直線に置いた。物体Cの右端に水平方向右向きに力を加えたとき，全体が右向きに大きさ$\frac{g}{4}$〔m/s^2〕の加速度で運動した。次の各問いに答えよ。ただし，重力加速度の大きさをg，水平面と物体A，B，Cとの間の動摩擦係数を0.5とする。

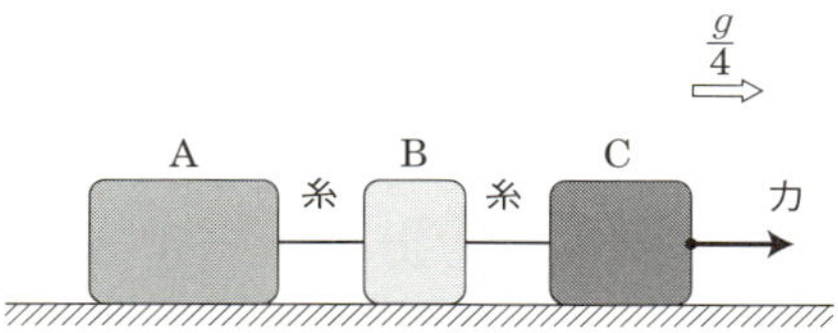

図2

(4)　物体Cの水平方向右向きに加えた力の大きさを求めよ。

(5)　物体AとBをつなぐ糸の張力の大きさと，物体BとCをつなぐ糸の張力の大きさをそれぞれ求めよ。　（愛知教育大 改）

➔ 20, 21

11　定滑車と動滑車を組み合わせ，質量m_1の物体Aと質量m_2の物体Bを図のようにつり下げる。糸や滑車の質量は無視でき，滑車は摩擦なく動き，糸はじゅうぶん長く物体や滑車は接触しないとして以下の問題に答えよ。重力加速度の大きさをgと表記する。また鉛直上向きを正方向とする。

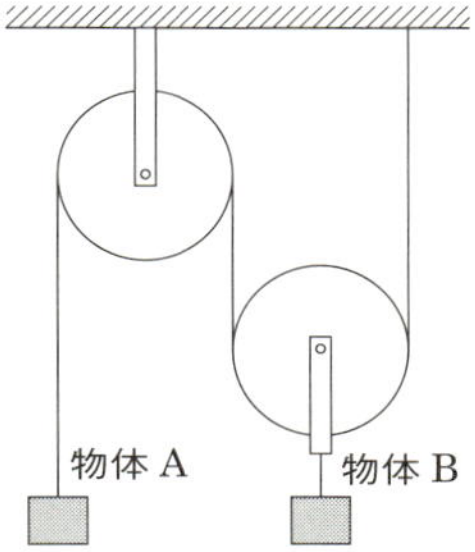

物体Aから手を離すと，2つの物体は鉛直方向の等加速度運動を始めた。

(1)　物体Bの加速度は，物体Aの加速度の何倍か。

(2)　物体Aの加速度と，物体Aが糸から受けている力をm_1，m_2，gを用いて表せ。　（東京医歯大 改）

➔ 20

12　図のように，傾きθのあらい斜面の上に質量M〔kg〕の物体を置き，滑車を通した糸を使って質量m_1〔kg〕のおもりをつるしたところ，物体は斜面をゆっくりと滑り降りていった。糸は伸び縮みせず，物体とおもりは一体となって運動するものとして，次の問いに答えよ。

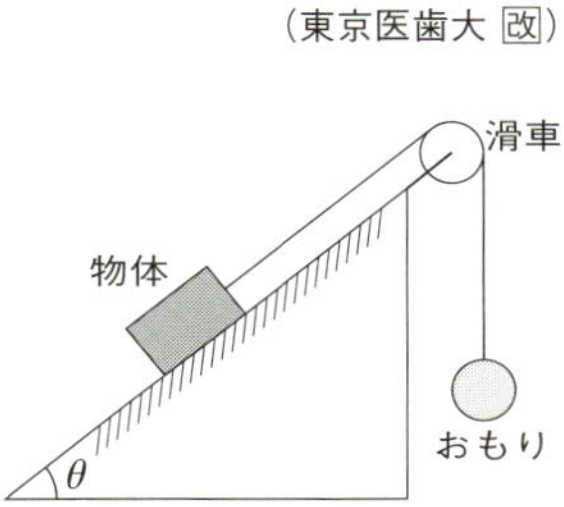

ヒント　11 (1) 物体Bがx動くと，物体Aは$2x$動く。

ただし，重力加速度の大きさを g〔m/s²〕，物体と斜面との間の静止摩擦係数を μ，動摩擦係数を μ' とし，滑車の回転はなめらかで，糸と滑車の質量や空気抵抗は無視できるものとする。

(1)　物体が斜面から受ける垂直抗力の大きさ N〔N〕を求めよ。

(2)　物体の加速度の大きさ a_1〔m/s²〕と糸の張力の大きさ T_1〔N〕を求めよ。

(3)　おもりを質量 m_2〔kg〕のものに取り替えて同じ実験を行ったところ，今度は物体が斜面に沿って上っていった。このときの物体の加速度の大きさ a_2〔m/s²〕と糸の張力の大きさ T_2〔N〕を求めよ。　(群馬大)

TYPE → 19, 20

13　図のように水平な床の上に質量 M の台車を置き，その上に質量 m の荷物をのせた。台車と床の間の摩擦や，台車と荷物にはたらく空気抵抗は無視できるものとする。また，荷物と台車の間の静止摩擦係数を μ，重力加速度の大きさを g とする。

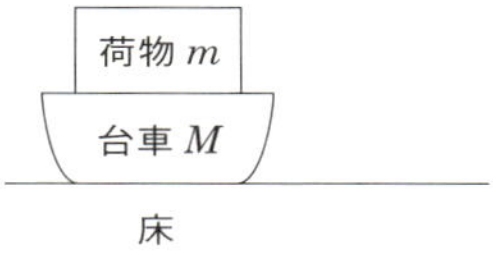

図の水平方向右向きに一定の力で台車を引くと，台車と荷物は一体となって動き出した。台車を引く力の大きさを F，荷物と台車の間にはたらく摩擦力の大きさを f とする。

(1)　台車にはたらくすべての力を，図中に明瞭な矢印で示せ。ただし，それぞれの矢印には，M，m，μ，g，F，f のうちで必要なものを用いて，力の大きさを記せ。

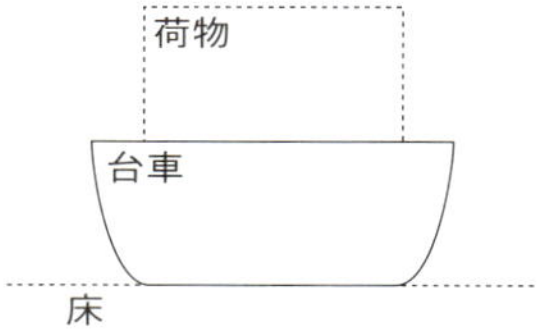

(2)　図の水平方向右向きを正の向きとし，荷物および台車の加速度の大きさを a とする。荷物と台車それぞれについての運動方程式を記せ。

(3)　前問の結果を利用して，摩擦力の大きさ f を M，m，F，μ，g のうちで必要なものを用いて表せ。

台車を引く力を大きくしたところ，引く力の大きさが F_1 になったときに荷物は台車の上を滑り出した。

(4)　力の大きさ F_1 を M，m，μ，g を用いて表せ。　(広島大 改)

→ 21

ヒント　13 (2) 摩擦力の向きに注意すること。

4 仕事と力学的エネルギー

1 仕　事

物体の移動する方向が力の向きと角 θ をなしているとき，力 F のした仕事 W〔J〕は，

$$W = Fs\cos\theta \tag{1·7}$$

2 仕事率

力が単位時間あたりにする仕事を**仕事率**という。単位はワット〔W〕である。時間 t〔s〕の間に W〔J〕の仕事をするときの仕事率 P〔W〕は，

$$P = \frac{W}{t} \tag{1·8}$$

3 エネルギー

物体が他の物体に対して仕事をすることができる状態にあるとき，その物体はエネルギーをもっているという。エネルギーの単位は仕事の単位と同じジュール〔J〕である。

1 運動エネルギー　質量 m〔kg〕の物体が速さ v〔m/s〕で運動しているとき，その物体のもつ運動エネルギー E_K〔J〕は，次の式で表される。

$$E_K = \frac{1}{2}mv^2$$

2 重力による位置エネルギー　質量 m〔kg〕の物体が基準点から h〔m〕の高さにあるとき，物体のもつ重力による位置エネルギー E_P〔J〕は，

$$E_P = mgh$$

3 弾性力による位置エネルギー（弾性エネルギー）　ばね定数 k〔N/m〕のばねが x〔m〕だけ伸びて（縮んで）いるとき，ばねのもつ弾性エネルギー E_P〔J〕は，

$$E_P = \frac{1}{2}kx^2$$

4 力学的エネルギーの保存

1 力学的エネルギー　運動エネルギー E_K と位置エネルギー E_P の和を**力学的エネルギー**という。

2 力学的エネルギー保存の法則　物体に保存力（重力や弾性力など）以外の力が仕事をしなければ，物体のもつ力学的エネルギーの総和は変わらない。単に**力学的エネルギー保存則**ともいう。

TYPE 23 仕事の計算

A 重要度

力 F のした仕事 ⇨ $W=Fs\cos\theta$　$(0°\leqq\theta\leqq180°)$
$\theta=90°$ ならば $W=0$　　$\theta>90°$ ならば $W<0$

着眼 仕事の大きさを求めるときは，力の方向と物体の移動方向とのなす角 θ に注意する。特に，$\theta=90°$ のとき，$\cos\theta=0$ であるから，$W=0$ となる。つまり，**物体の移動方向と垂直な方向にはたらく力は物体に仕事をしない**。$\theta>90°$ ならば，$\cos\theta<0$ となるので，$W<0$ となる。特に，$\theta=180°$ のとき(摩擦力など)は，$\cos\theta=-1$ となるので，$\boldsymbol{W=-Fs}$ となる。

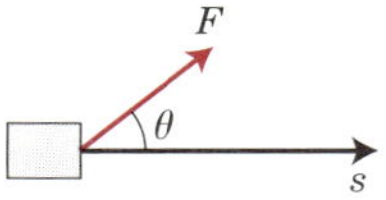

力Fのした仕事W
$W=Fs\cos\theta$

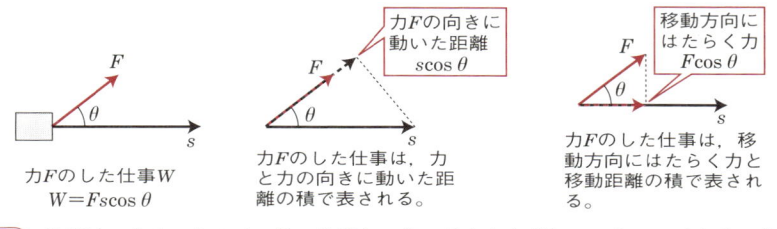

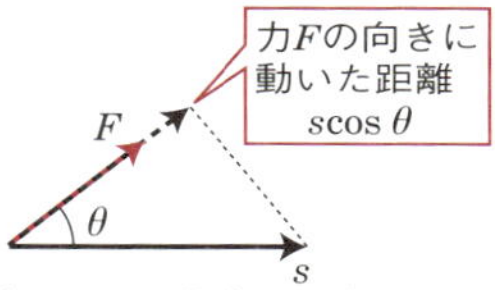

力Fのした仕事は，力と力の向きに動いた距離の積で表される。

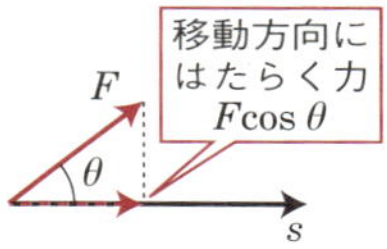

力Fのした仕事は，移動方向にはたらく力と移動距離の積で表される。

注意 仕事はスカラーなので，負の仕事というのは向きを表しているのではなく，負の値を意味している。したがって，解答を書くときに符号を落とさないようにする。

例題 いろいろな仕事

水平面と30°の角度をなす斜面上を質量4.0 kgの物体が，斜面の最大傾斜の方向に5.0 m滑り落ちた。物体と斜面との間の動摩擦係数が0.10，重力加速度の大きさが9.8 m/s^{2}のとき，次のものを求めよ。

(1)　重力のした仕事　　　(2)　垂直抗力のした仕事
(3)　摩擦力のした仕事　　(4)　物体のされた仕事

解き方 (1)　重力の向きと物体の移動方向とは60°の角をなしているから，仕事は，

$$W_1=mgs\cos60°$$
$$=4.0\times9.8\times5.0\times\frac{1}{2}=98\ \mathrm{J}$$

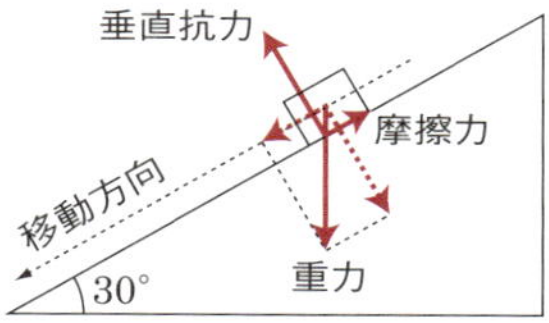

(2)　垂直抗力の向きは物体の移動方向と垂直になっているから，計算するまでもなく，仕事 $W_2=0$ である。

補足 $W=Fs\cos\theta$ を用いて，$W_2=mg\cos30°\times s\times\cos90°=0$ としてもよい。

(3)　摩擦力の大きさは，垂直抗力が $N=mg\cos 30°$ であることから，

$$\mu N=\mu mg\cos 30°$$
$$=0.10\times4.0\times9.8\times\frac{\sqrt{3}}{2}$$
$$=3.39\ \mathrm{N}$$

摩擦力と物体の移動方向は反対向きで，$\theta=180°$ の場合にあたるから，仕事は，

$$W_3=\mu Ns\cos 180°=3.39\times5.0\times(-1)=-17\ \mathrm{J}$$

(4)　物体のされた仕事は，物体にはたらく力のした仕事の和になる。

$$W_1+W_2+W_3=98+0+(-17)=81\ \mathrm{J}$$

補足　物体のされた仕事は，物体にはたらく力の合力のした仕事として求めることもできる。以下に**別解**としてその解法を示す。

(別解)　物体にはたらく力は，重力と垂直抗力，動摩擦力で，重力と垂直抗力の合力は斜面平行下向きに $mg\sin\theta$ である。垂直抗力の大きさは $mg\cos\theta$ であるから，動摩擦力の大きさは $\mu mg\cos\theta$ である。

よって，物体にはたらく力の合力の大きさ F〔N〕は，

$$F=mg\sin\theta-\mu mg\cos\theta=mg(\sin\theta-\mu\cos\theta)$$

で，向きは斜面平行下向きである。

したがって，物体のされた仕事 W〔J〕は，

$$W=mg(\sin\theta-\mu\cos\theta)\times s$$
$$=4.0\times9.8\times\left(\frac{1}{2}-0.10\times\frac{\sqrt{3}}{2}\right)\times5.0$$
$$=81\ \mathrm{J}$$

答　(1) **98 J**　(2) **0 J**　(3) **−17 J**　(4) **81 J**

類題34　右の図のように，水平なあらい床の上に質量8.0 kgの物体を置き，これに49 Nの力を，水平方向より30°上向きに加えて，物体を水平方向に4.0 m移動させた。物体と床との間の動摩擦係数を0.40，重力加速度の大きさを9.8 m/s^2 として，以下の問いに答えよ。

(1)　49 Nの力のした仕事はいくらか。
(2)　重力のした仕事はいくらか。
(3)　垂直抗力のした仕事はいくらか。
(4)　摩擦力のした仕事はいくらか。
(5)　物体のされた仕事はいくらか。

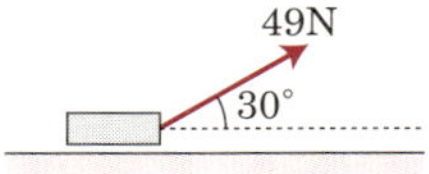

(解答➡別冊 *p.8*)

TYPE 24 仕事率の計算

B 重要度

$\dfrac{\text{仕事}}{\text{時間}}$ または（力）×（速度）で求めよ。

着眼

仕事率はふつう $P=\dfrac{W}{t}$ によって求められるが，$W=Fs$ を用いて，上の式を変形すると，

$$P=\frac{W}{t}=\frac{Fs}{t}=F\cdot\frac{s}{t}=Fv$$

と表すことができるので，**物体に一定の力 F を加えながら，一定の速度 v で運動させる場合の仕事率は $P=Fv$** で計算することができる。

例題　電車の仕事率

36 km/h で勾配（こうばい）$\dfrac{20}{1000}$ を登る質量 80 t の電車がある。電車に対する摩擦や抵抗を質量 1 t につき 125 N とすると，電車は何 kW の仕事率で動いていることになるか。

解き方　勾配 $\dfrac{20}{1000}$ というのは，水平方向に 1000 m 進んだとき 20 m 高くなる傾きのことであるが，傾きが非常に小さいので，斜面に沿って 1000 m 進んだときに 20 m 高くなると考えてよい。

電車の速さは，36 km/h = 10 m/s であるから，電車は 1 s 間に 0.2 m ずつ高度を増す。したがって，電車が重力に逆らって 1 s あたりにする仕事(つまり仕事率)は，

$$P_1=80\times10^3\times9.8\times0.2=1.57\times10^5\ \mathrm{W}$$

また，電車が摩擦や抵抗に逆らって 1 s あたりにする仕事は，

$$P_2=80\times125\times10=1.00\times10^5\ \mathrm{W}$$

よって，電車が 1 s あたりにする仕事，つまり仕事率は，

$$P_1+P_2=1.57\times10^5+1.00\times10^5$$
$$=2.57\times10^5\ \mathrm{W}$$
$$=2.6\times10^2\ \mathrm{kW}$$

答　2.6×10^2 kW

類題35　質量 30 kg の物体を，5.0 s 間に水平方向に 4.0 m 動かすときの仕事率は何 W か。ただし，物体と面との間の動摩擦係数を 0.30，重力加速度の大きさを 9.8 m/s^2 とする。

（解答➡別冊 *p.9*）

TYPE 25 投げ出された物体の運動とエネルギー

A 重要度

位置エネルギーの基準点を決めて，力学的エネルギー保存則を使う。

着眼　空中に投げ出された物体にはたらく力は，空気の抵抗を無視すると，重力だけなので，**力学的エネルギー保存の法則**がなりたつ。力学的エネルギー保存則を使うときは，必ず**重力による位置エネルギーの基準点を最初に決めておくこと。**

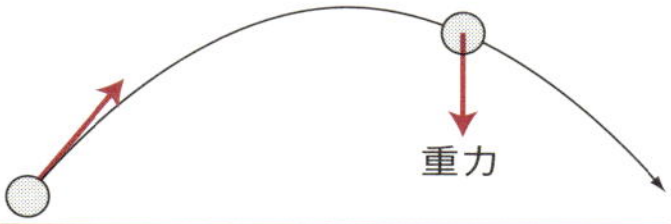

投げ出された物体は重力のみが仕事をして運動しているので，力学的エネルギーは保存する。

！注意　空中に投げ出された物体の運動は，これまで等加速度運動として扱ってきたが，時間を求めない場合は，力学的エネルギー保存則を用いて解くほうが簡単なので，この方法に慣れておくとよい。

例題　鉛直投射

小球を高さ 19.6 m の塔の上から初速度 9.8 m/s で鉛直に投げ上げた。重力加速度の大きさを $9.8\ \mathrm{m/s^2}$ として，以下の問いに答えよ。

(1)　この小球は地面からどれだけの高さまで上がるか。

(2)　この小球が塔の上より 1.4 m 高い点を通過するときの速さはいくらか。

(3)　この小球が地面に落ちたときの速さはいくらか。

解き方　(1)　小球の質量を m〔kg〕，最高点の地面からの高さを h〔m〕とすれば，力学的エネルギー保存則より，

$$m\times9.8\times19.6+\frac{1}{2}\times m\times9.8^2=m\times9.8\times h$$

ゆえに，$h=24.5$ m

(2)　求める速さを v_1〔m/s〕とすると，力学的エネルギー保存則より，

$$m\times9.8\times19.6+\frac{1}{2}\times m\times9.8^2=m\times9.8\times(19.6+1.4)+\frac{1}{2}mv_1{}^2$$

ゆえに，$v_1=8.28$ m/s

(3)　求める速さを v_2〔m/s〕として，力学的エネルギー保存則を用いると，

$$m\times9.8\times19.6+\frac{1}{2}\times m\times9.8^2=\frac{1}{2}mv_2{}^2$$

ゆえに，$v_2=21.9$ m/s

答　(1) **25 m**　(2) **8.3 m/s**　(3) **22 m/s**

類題36 地面から，鉛直上向きに初速度 14.7 m/s で小球を投げ上げた。最高点の高さを求めよ。 （解答➡別冊 *p.9*）

例題 斜方投射

高さ 40 m の建物の屋上から，ある物体を水平面に対して 60° の角度で上方へ初速度 20 m/s で投げ上げた。重力加速度の大きさを $9.8\,\mathrm{m/s^2}$ として問いに答えよ。

(1) この物体は地面からどれだけの高さまで上がるか。

(2) この物体が地面に落ちる直前の速さはいくらか。

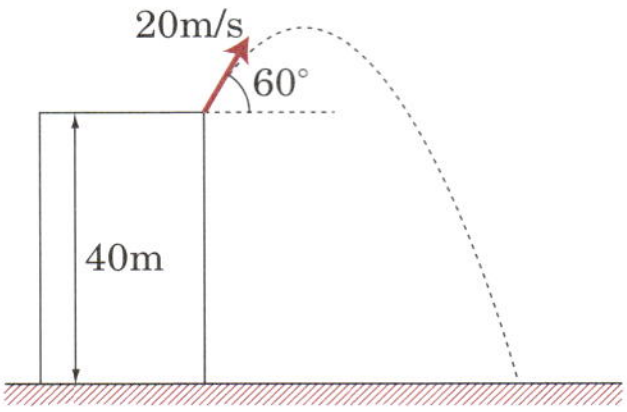

解き方 (1) 初速度の水平成分は，

$$20\cos 60° = 20 \times \frac{1}{2} = 10\,\mathrm{m/s}$$

最高点では速度の鉛直成分は 0 になるが，水平成分は 10 m/s のままである。地面を位置エネルギーの基準点とし，最高点の高さを地面から h〔m〕とする。物体の質量を m〔kg〕として，力学的エネルギー保存則より，

$$m \times 9.8 \times 40 + \frac{1}{2} \times m \times 20^2 = m \times 9.8 \times h + \frac{1}{2} \times m \times 10^2$$

ゆえに，$h = 55.3\,\mathrm{m}$

(2) 地面では位置エネルギーが 0 になる。求める速さを v〔m/s〕とすると，力学的エネルギー保存則より，

$$m \times 9.8 \times 40 + \frac{1}{2} \times m \times 20^2 = \frac{1}{2} m v^2$$

ゆえに，$v = 34.4\,\mathrm{m/s}$

答 (1) **55 m**　(2) **34 m/s**

類題37 高さ h〔m〕の塔の上から，ある物体を初速度 v〔m/s〕で水平方向に投げ出した。この物体が地面に落ちる直前の速さを求めよ。 （解答➡別冊 *p.9*）

類題38 物体を地上から初速度 v で水平より角 θ だけ上向きに投げ出した。この物体が達する最高点の高さを求めよ。 （解答➡別冊 *p.9*）

TYPE 26 なめらかな斜面上の運動とエネルギー

重要度 A

力学的エネルギー保存則を使う。
(位置エネルギーの減少量)=(運動エネルギーの増加量)

着眼 なめらかな斜面上を物体が滑り下りる場合，物体にはたらく力は重力と垂直抗力だけであるが，**垂直抗力は物体の運動方向と垂直な方向にはたらくので，物体に仕事をしない**。つまり，物体に仕事をするのは重力だけであるから，力学的エネルギー保存の法則がなりたつ。

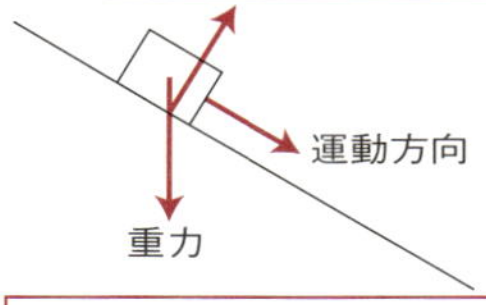
垂直抗力は運動方向に垂直にはたらいているので，仕事をしない。
運動方向
重力
物体は重力のみが仕事をして運動しているので，力学的エネルギーは保存する。

質量 m の物体が高さ h_1 の所で速度 v_1，高さ h_2 の所で速度 v_2 であったとすると，力学的エネルギー保存の法則は，

$$mgh_1 + \frac{1}{2}mv_1{}^2 = mgh_2 + \frac{1}{2}mv_2{}^2$$

と表される。この式を変形して，

$$mgh_1 - mgh_2 = \frac{1}{2}mv_2{}^2 - \frac{1}{2}mv_1{}^2$$

と書くと，

「運動エネルギーの増加量は位置エネルギーの減少量に等しい」

という関係があることがわかる。この考え方も問題解法に利用するとよい。

例題　斜面上の運動

なめらかな斜面がある。重力加速度の大きさを g〔m/s²〕として，以下の問いに答えよ。

(1) 物体を底面から h〔m〕の高さから斜面に沿って下向きに初速度 v〔m/s〕で滑り出させた。物体が最下点にきたときの速さはいくらか。

(2) 物体を斜面の最下点から斜面に沿って上向きに初速度 v〔m/s〕で滑り出させた。物体が上がることができる高さを求めよ。

解き方 (1) 物体の質量を m〔kg〕，最下点における物体の速さを V〔m/s〕とする。最下点を位置エネルギーの基準点として，力学的エネルギー保存則を用いると，

$$mgh + \frac{1}{2}mv^2 = \frac{1}{2}mV^2 \qquad ゆえに，V = \sqrt{v^2 + 2gh}$$

(別解)　位置エネルギーの減少量が運動エネルギーの増加量に等しいから，

$$mgh=\frac{1}{2}mV^2-\frac{1}{2}mv^2$$

ゆえに，$V=\sqrt{v^2+2gh}$

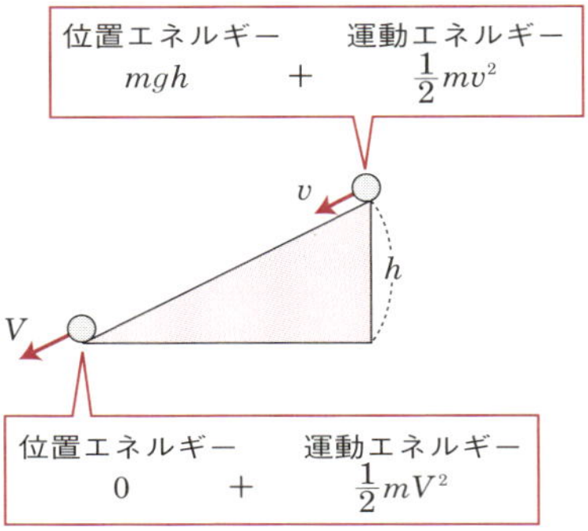

(2)　物体の質量を m〔kg〕，物体が上がることができる高さを H〔m〕とする。最下点を位置エネルギーの基準点として，力学的エネルギー保存則を用いると，

$$\frac{1}{2}mv^2=mgH$$

ゆえに，$H=\dfrac{v^2}{2g}$

(別解)　運動エネルギーの減少量が位置エネルギーの増加量に等しいから，

$$\frac{1}{2}mv^2=mgH\qquad ゆえに，H=\frac{v^2}{2g}$$

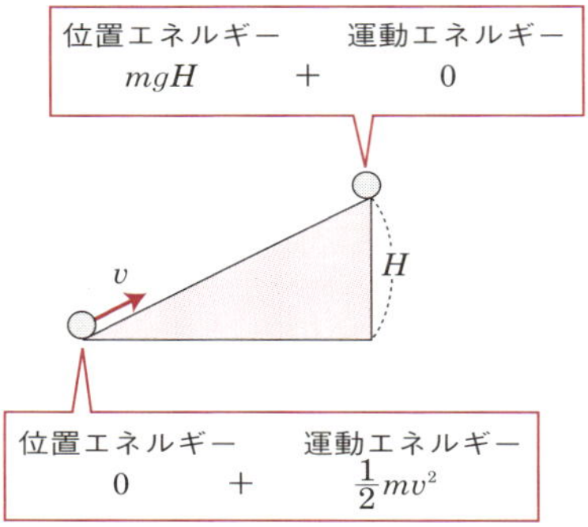

答　(1) $\boldsymbol{\sqrt{v^2+2gh}}$ **〔m/s〕**　(2) $\boldsymbol{\dfrac{v^2}{2g}}$ **〔m〕**

補足　力学的エネルギー保存の法則がなりたっているときは，位置エネルギーが減少した量だけ運動エネルギーが増加する。この考え方を使うときは，位置エネルギーの基準点を特に決める必要がないので，便利である。

〈類題39〉　水平面に対する傾き角 θ のなめらかな斜面がある。斜面の長さは l である。いま，斜面の最下点から上向きに物体を滑り出させて，斜面の最上点まで到達させるには，初速度をいくらにすればよいか。θ，l，および重力の加速度 g を用いて表せ。（解答➡別冊 *p.9*）

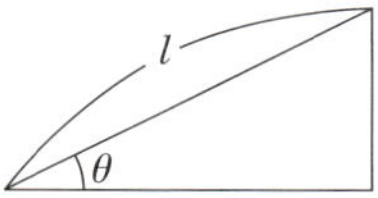

〈類題40〉　水平面とのなす角度が30°のなめらかな斜面がある。斜面の下端から初速度 14.7 m/s で小物体を運動させた。重力加速度の大きさを 9.8 m/s² として，以下の問いに答えよ。

(1)　小物体が斜面を 12.25 m 滑ったときの速さを求めよ。

(2)　小物体が最高点に達するまでに，斜面を滑った距離を求めよ。（解答➡別冊 *p.9*）

TYPE 27 なめらかな曲面上の運動とエネルギー

A 重要度

最下点を位置エネルギーの基準点として，力学的エネルギー保存則を使う。

着眼 なめらかな曲面上を滑り下りる物体の運動は等加速度運動ではないから，等加速度運動の公式では解けない。しかし，この場合も，**垂直抗力は物体に対して仕事をしない**から，物体に仕事をするのは重力だけで，**力学的エネルギー保存の法則**がなりたつ。

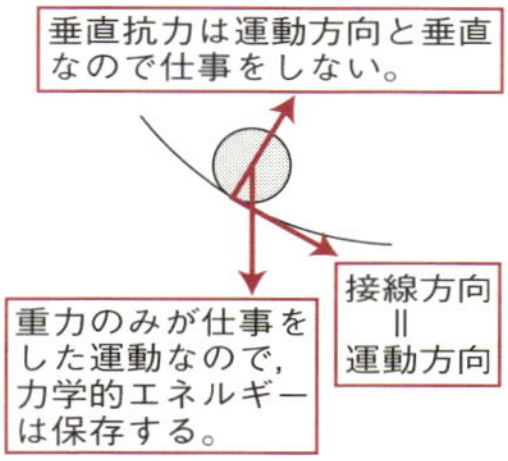

垂直抗力は運動方向と垂直なので仕事をしない。
重力のみが仕事をした運動なので，力学的エネルギーは保存する。
接線方向
‖
運動方向

例題 滑り台を下りたときの速さ

右図は半径r〔m〕の四分円の形をしたなめらかな滑り台である。滑り台のB端は水面の上方にあり，水面からの高さはh〔m〕である。B点での曲面の接線は水平になっている。A点から人が滑り出すとして，以下の問いに答えよ。

ただし，重力加速度の大きさをg〔m/s^2〕とする。

(1) 人がB端まで滑り下りたときの速さはいくらか。

(2) 人が水面に落ちる瞬間の速さはいくらか。

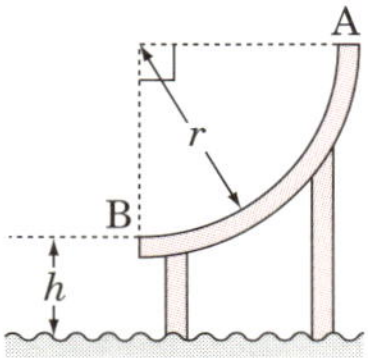

解き方 (1) 人の質量をm〔kg〕，B点での速さをv_1〔m/s〕とする。AB間の高さの差はr〔m〕であるから，B点を位置エネルギーの基準点として，力学的エネルギー保存則を用いると，$mgr=\frac{1}{2}mv_1{}^2$

ゆえに，$v_1=\sqrt{2gr}$

(2) 水面に落ちる瞬間の速さをv_2〔m/s〕とすると，力学的エネルギー保存則より，

$$mgr=\frac{1}{2}mv_2{}^2+(-mgh)$$

ゆえに，$v_2=\sqrt{2g(r+h)}$

答 (1) $\sqrt{2gr}$　(2) $\sqrt{2g(r+h)}$

類題41 半径10 cmの半球形をしたなめらかな茶わんのふちから，初速度0で小物体を滑り落とす。茶わんの底における物体の速さはいくらか。ただし，重力加速度の大きさを9.8 m/s^{2}とする。

（解答➡別冊 p.9）

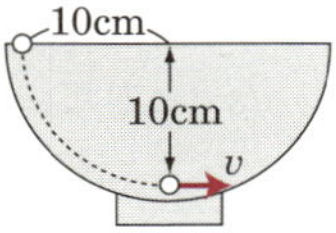

TYPE 28 振り子の運動とエネルギー

重要度 A

最下点を位置エネルギーの基準点として力学的エネルギー保存則を用いる。糸(長さ l)が鉛直線と角 θ をなしているときの位置エネルギーは，$mgl(1-\cos\theta)$

着眼 単振り子のおもりには，重力と糸の張力がはたらいているが，**糸の張力はいつでもおもりの運動方向と垂直な向きにはたらくので，おもりに仕事をしない。**よって，おもりに仕事をするのは重力だけで，**力学的エネルギー保存の法則**がなりたつ。

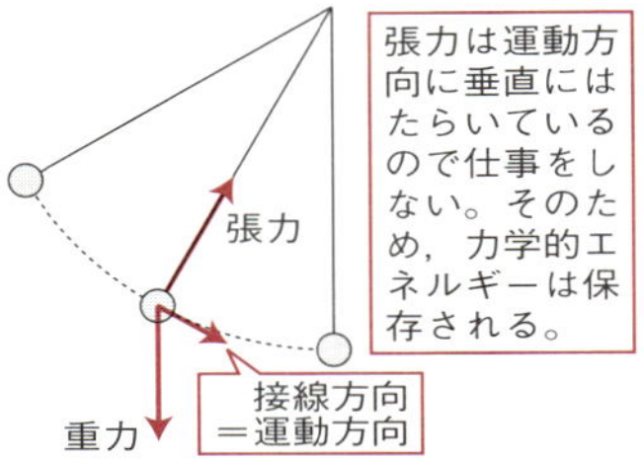

例題 振り子のおもりの速さ

長さ l〔m〕の糸の先におもりをつけ，定点Oからつるした後，おもりを図のBの位置へもっていく。重力加速度の大きさを g〔m/s²〕として，以下の問いに答えよ。

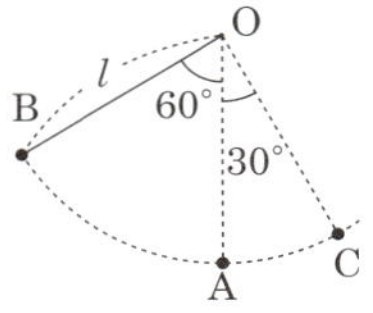

(1) Bの位置からおもりを放したとすると，Aの位置を通るときの速さはいくらか。

(2) Cの位置を通るときの速さはいくらか。

解き方 (1) おもりの質量を m〔kg〕，A点での速さを v_1〔m/s〕とする。A点を位置エネルギーの基準点として，力学的エネルギー保存則を用いると，

$$mgl(1-\cos 60°)=\frac{1}{2}mv_1{}^2 \qquad \text{ゆえに，} v_1=\sqrt{gl}$$

(2) C点での速さを v_2〔m/s〕とすると，力学的エネルギー保存則を用いて，

$$mgl(1-\cos 60°)=\frac{1}{2}mv_2{}^2+mgl(1-\cos 30°) \text{より，} v_2=\sqrt{(\sqrt{3}-1)gl}$$

答 (1) $\sqrt{gl}$　(2) $\sqrt{(\sqrt{3}-1)gl}$

類題42 図のように，小球を点Cで静かに放した。小球が点Oの真下の点Aを通過した瞬間に糸はくぎBに触れ，小球は点Dまで達した。重力加速度の大きさを g〔m/s²〕として，次の問いに答えよ。

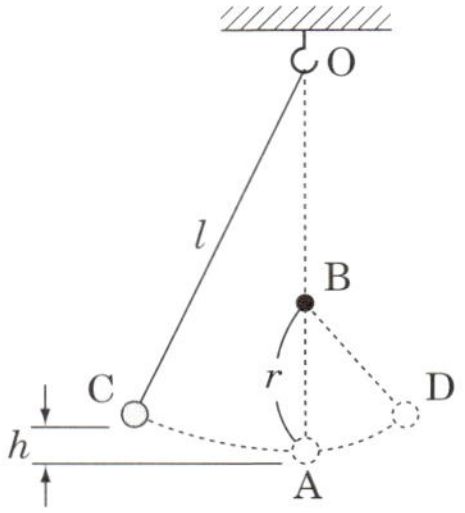

(1) 点Aでの小球の速さはいくらか。

(2) 点Dの高さは，点Aからいくらか。　(解答➡別冊 p.9)

TYPE 29 ばねにつないだ物体の運動

A 重要度

ばねの弾性力による位置エネルギーを含めて，力学的エネルギー保存則を用いる。

着眼 ばねにつないだ物体の運動も等加速度運動ではないから，等加速度運動の公式では解くことはできない。

この場合は，物体の運動エネルギーと重力による位置エネルギーのほかに，**ばねの弾性力による位置エネルギーを加えて，力学的エネルギー保存の法則**を用いる。

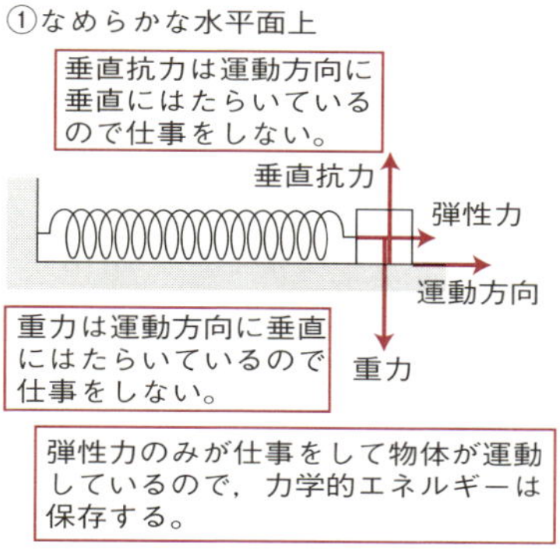
①なめらかな水平面上
垂直抗力は運動方向に垂直にはたらいているので仕事をしない。
垂直抗力
弾性力
運動方向
重力は運動方向に垂直にはたらいているので仕事をしない。
重力
弾性力のみが仕事をして物体が運動しているので，力学的エネルギーは保存する。

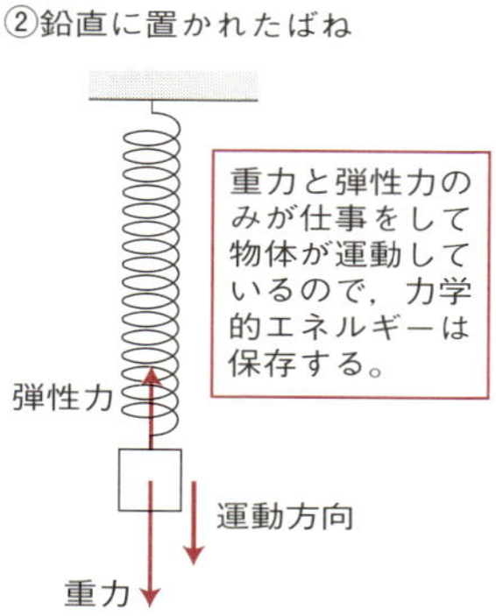
②鉛直に置かれたばね
重力と弾性力のみが仕事をして物体が運動しているので，力学的エネルギーは保存する。
弾性力
運動方向
重力

例題　ばねにつないだ物体の速さ

図のように，質量の無視できる板をのせたばねが鉛直に置かれている。この板の上に質量 m〔kg〕のおもりをのせると，ばねは a〔m〕縮んでつり合った。重力加速度の大きさを g〔m/s^2〕とする。

(1)　このばねのばね定数はいくらか。

ばねをさらに b〔m〕縮めてから手を離したとき，

(2)　おもりがつり合いの位置を通過するときの速さはいくらか。

(3)　ばねの縮みが x〔m〕のときのおもりの速さはいくらか。

解き方 (1)　ばね定数を k〔N/m〕とすると，フックの法則より，

$mg = ka$　　ゆえに，$k = \dfrac{mg}{a}$

(2)　つり合いの位置でのおもりの速さを v_1〔m/s〕とする。ばねが自然長のときの板の位置を重力による位置エネルギーの基準点とすると，つり合いの位置はそれより a〔m〕低いから，重力による位置エネルギーは $-mga$〔J〕，また，手を離したときのおもりの位置は基準点より $(a+b)$〔m〕低いから，重力による位置エネルギーは $-mg(a+b)$〔J〕となる。

力学的エネルギー保存則より，

$$-mg(a+b)+\frac{1}{2}k(a+b)^2=\frac{1}{2}mv_1{}^2-mga+\frac{1}{2}ka^2$$

上式に(1)の結果を代入して，v_1 を求めると，$v_1=b\sqrt{\dfrac{g}{a}}$

(3)　求める速さを v_2〔m/s〕として，力学的エネルギー保存則を用いると，

$$-mg(a+b)+\frac{1}{2}k(a+b)^2=\frac{1}{2}mv_2{}^2-mgx+\frac{1}{2}kx^2$$

上式に(1)の結果を代入して，v_2 を求めると，

$$v_2=\sqrt{\frac{g\{b^2-(a-x)^2\}}{a}}$$

答　(1) $\dfrac{mg}{a}$　(2) $b\sqrt{\dfrac{g}{a}}$　(3) $\sqrt{\dfrac{g\{b^2-(a-x)^2\}}{a}}$

〈類題43〉 m〔kg〕のおもりをつるすと a〔m〕伸びるつるまきばねがある。このばねの下端を固定し，他端に m〔kg〕のおもりを取りつけたまま，ばねを伸び縮みのない状態に保って，おもりを放したところ，おもりは b〔m〕下がってから上下運動を続けた。b と a との関係式を求めよ。

（解答➡別冊 ***p.10***）

〈類題44〉 壁に固定されたばねを自然長 l から x_0 だけ縮め，質量 m の物体を図のように置く。物体とばねを自由にすると，物体は動き出す。ばねが自然長にもどったときの物体の速さを求めよ。ただし，ばね定数を k とし，物体と床との間の摩擦は無視できるものとする。

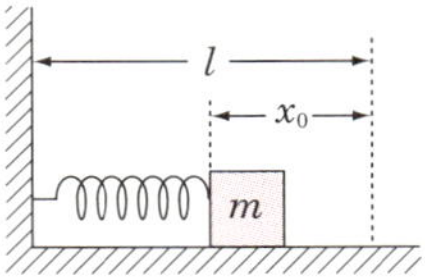

（解答➡別冊 ***p.10***）

〈類題45〉 図のように，水平面から θ の角度をなすなめらかな斜面上に，ばね定数 k〔N/m〕の質量の無視できるばねの下端を固定し，上端に質量 m〔kg〕の小物体をつけ，つり合いの位置から x〔m〕縮めて静かに放した。つり合いの位置を通過するときの物体の速さを求めよ。ただし，重力加速度の大きさを g〔m/s²〕とする。

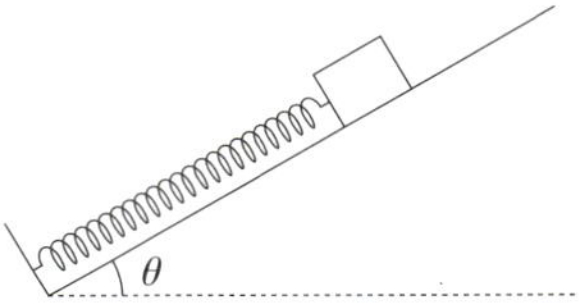

（解答➡別冊 ***p.10***）

TYPE 30 摩擦のある面上の運動とエネルギー

重要度 A

エネルギーの原理を用いる。

$$W=\frac{1}{2}mv^2-\frac{1}{2}m{v_0}^2$$

着眼 **「保存力以外の力のした仕事だけ力学的エネルギーが増加する」**ことを用いてもよい。

右の図において，

$$K_B-K_A=W$$

物体が仕事をされると，運動エネルギーが増加する。**運動エネルギーの増加量は物体がされた仕事に等しい**。摩擦力などがはたらいて，力学的エネルギー保存則が使えない場合は，この関係を用いて解くとよい。

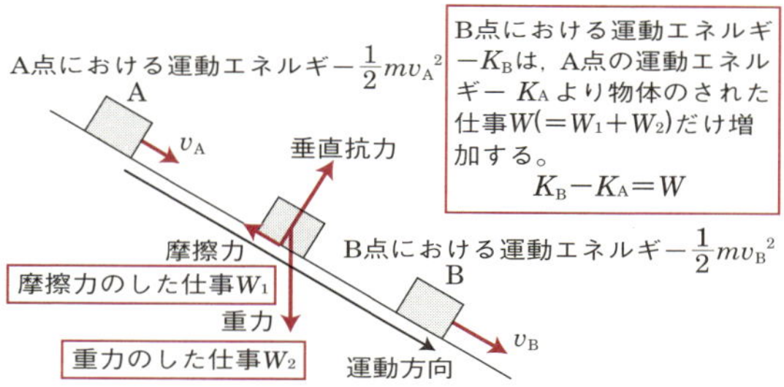

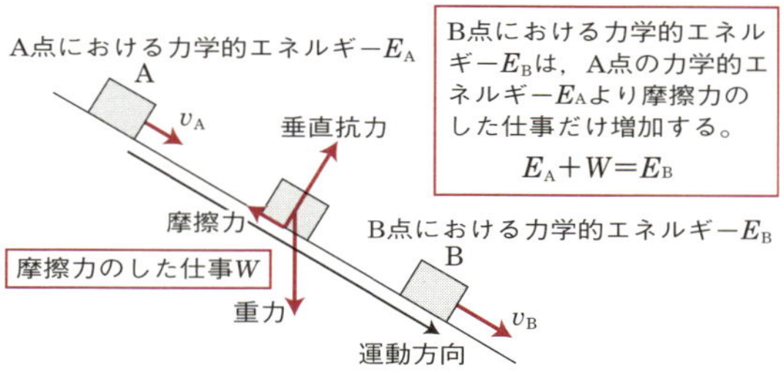

力学的エネルギー保存則を広げて考え，B点における力学的エネルギーE_Bは，A点の力学的エネルギーE_Aより摩擦力のした仕事だけ増加するとして式を立てればよい。

$$E_A+W=E_B$$

補足 この場合，摩擦力のした仕事Wは，$W<0$なので，$E_B<E_A$である。

例題 斜面を滑り下りたときの速さ

水平面とθの角度をなすあらい斜面上を質量m〔kg〕の物体が滑り下りた。物体は最初静止していたとすれば，斜面に沿ってl〔m〕滑ったときの速さはいくらか。ただし，物体と斜面との間の動摩擦係数をμ，重力加速度の大きさをg〔m/s²〕とする。

解き方 物体にはたらいている力は，重力 mg，垂直抗力 N，摩擦力 μN の 3 つである。物体が l だけ滑る間にそれぞれの力がする仕事を求めよう。

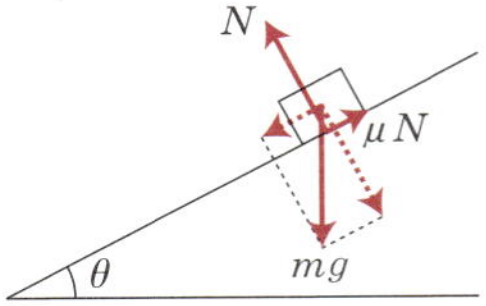

重力がする仕事は，

$$W_1 = mgl\cos(90° - \theta) = mgl\sin\theta \quad \cdots\cdots①$$

垂直抗力は，物体の運動方向と垂直の向きにはたらくから，仕事は，

$$W_2 = 0 \quad \cdots\cdots②$$

摩擦力がする仕事は

$$W_3 = \mu Nl\cos 180° = -\mu Nl \quad \cdots\cdots③$$

また，斜面に垂直な方向の力のつり合いより，

$$N = mg\cos\theta \quad \cdots\cdots④$$

求める速さを v〔m/s〕とすると，エネルギーの原理より，

$$W_1 + W_2 + W_3 = \frac{1}{2}mv^2 \quad \cdots\cdots⑤$$

①～⑤より，

$$v = \sqrt{2gl(\sin\theta - \mu\cos\theta)}$$

答 $\sqrt{2gl(\sin\theta - \mu\cos\theta)}$

(別解) 最初物体が静止していた場所を位置エネルギーの基準とすれば，最初物体が静止していたときの，物体のもつ力学的エネルギー E_A〔J〕は，

$$E_A = 0$$

である。斜面に沿って l〔m〕滑ったときの速さを v〔m/s〕とすれば，このときの力学的エネルギー E_B〔J〕は，

$$E_B = \frac{1}{2}mv^2 - mgl\sin\theta$$

である。摩擦力がした仕事 W_3〔J〕は

$$W_3 = \mu Nl\cos 180° = -\mu Nl = -\mu mgl\cos\theta$$

であるから，$E_A + W_3 = E_B$ より，

$$0 - \mu mgl\cos\theta = \frac{1}{2}mv^2 - mgl\sin\theta$$

よって，$v = \sqrt{2gl(\sin\theta - \mu\cos\theta)}$

類題46 摩擦のある水平面上を速さ v〔m/s〕で運動している質量 m〔kg〕の物体に，運動方向に F〔N〕の力を距離 s〔m〕動く間加え続けた。物体の速さはいくらになるか。ただし，物体と面との間の動摩擦係数を μ，重力加速度の大きさを g〔m/s^2〕とする。

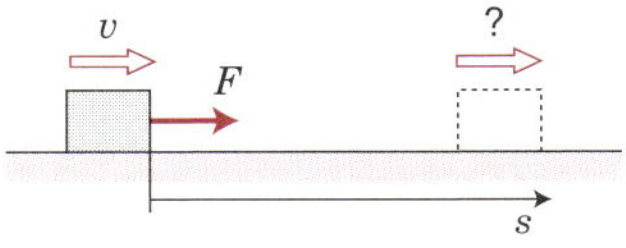

(解答➡別冊 p.10)

練習問題

解答→別冊 p.52

TYPE

14　図のように，水平に対して傾斜角30°のなめらかな斜面上の点Pに，物体Aがある。この物体Aを，斜面に沿って上向きに1.0 m/sの初速度を与えた後，点Qまで斜面に沿って上向きに一定の力 F（= 13.8 N）を加えた。物体Aの質量を2.0 kg，点Pから点Qまでの距離を20.0 m，重力加速度の大きさを9.8 m/s²とするとき，以下の問いに答えよ。

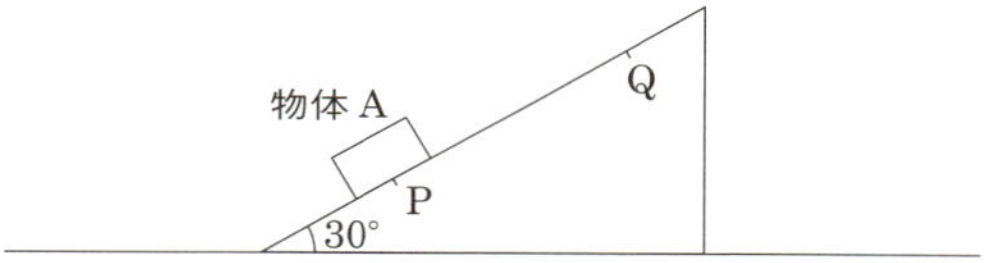

(1)　物体Aを点Pから点Qまで移動させる間に，力 F が物体Aにした仕事を求めよ。

(2)　物体Aを点Pから点Qまで移動させる間に，重力が物体Aにした仕事を求めよ。

(3)　物体Aを点Pから点Qまで移動させる間に，垂直抗力が物体Aにした仕事を求めよ。

(4)　物体Aが点Qに到達したときの速さ（斜面に沿って上向き方向）を求めよ。

（信州大）

→ 23

15　図のように，ばね定数 k〔N/m〕のばねを天井からつるし，ばねの下端に質量 m〔kg〕のおもりをつけた。おもりをばねの自然長になる位置まで持ち上げて，静かに放した。ばねが自然長のときのおもりの位置を原点とし，鉛直下向きを正に x 軸をとる。空気の抵抗は無視できるものとし，重力加速度の大きさを g〔m/s²〕とする。

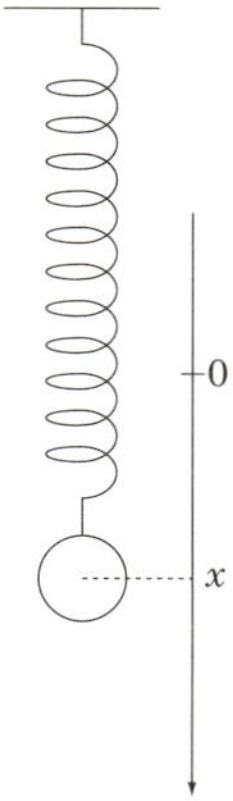

(1)　おもりの位置が x〔m〕のとき，おもりの運動エネルギー K〔J〕を求めよ。ただし，$x = 0$ を重力による位置エネルギーの基準にとる。

(2)　原点でおもりを静かに放してから，再び原点の位置に戻る間のおもりの運動エネルギー K の変化のようすをグラフで示せ。ただし，横軸を x，縦軸を K とする。

(3)　運動エネルギーが最大になるときのおもりの位置を求めよ。

（愛知教育大 改）

→ 29

TYPE

16　図のように，なめらかな水平面上で一端を固定したばね定数kのばねに質量Mの物体Aがつながれている。この物体Aにはさらに糸が結ばれ摩擦のない滑車を使って，質量mの物体Bにつながれている。重力加速度の大きさをgとし，滑車とばね，および糸の質量は無視する。

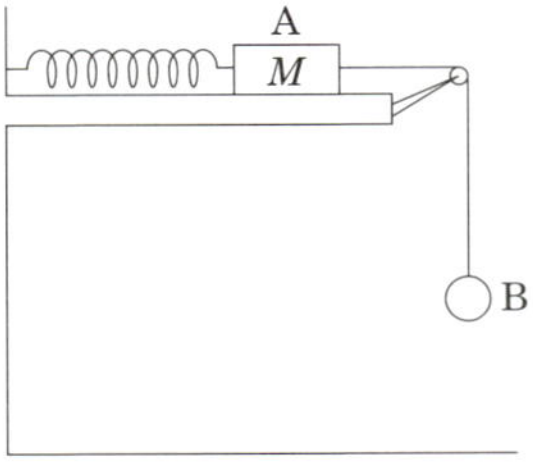

ばねが自然の長さの状態から，物体Aを静かに放すと，物体Aは水平右向きに，物体Bは鉛直下向きに動き出した。ばねの伸びがないとき物体Aと物体Bの重力による位置エネルギーの和を0とする。ばねの伸びがxのとき，物体Aと物体Bの速さがvであるとすると，ばねの弾性による位置エネルギーは［①］，物体Aと物体Bの運動エネルギーの和は［②］，物体Aと物体Bの重力による位置エネルギーの和は［③］である。ばねの伸びが最大になるとき，物体Aと物体Bの速さは0になるので，ばねの最大の伸びは［④］となる。（秋田大 改）

→ 29

17　図の軌道ABCにおいて，長さl〔m〕の線分は水平であり，曲線BCはOを中心とした半径r〔m〕の四分円である。質量m〔kg〕の物体の軌道ABC上での運動を考える。ただしAB間では動摩擦係数をμとし，BC間ではなめらかであるとする。物体の大きさと空気抵抗は無視し，重力加速度の大きさをg〔m/s^2〕とする。物体は速さv_0〔m/s〕でA点から曲線BCに向かって打ち出され，E点まで到達した。

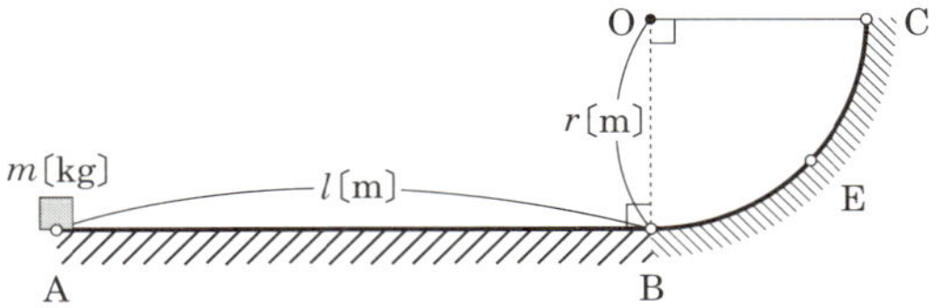

(1)　AB間で，物体が受ける動摩擦力と，失ったエネルギーを求めよ。

(2)　B点での物体の速さを求めよ。

物体がv_0より大きな速さでA点から曲線BCに向かって打ち出され，C点まで達した後，もとの軌道を逆にたどって再びB点を通過した。

(3)　B点での物体の運動エネルギーを求めよ。

(4)　B点を通過した物体がさらにA点を通過した。このとき，曲線BCの半径rが満たす条件を求めよ。（大阪教育大 改）

→ 30

5 運動量と力積

1 運動量と力積

1 力積 物体にはたらいた力 $\vec{F}$〔N〕と，その力のはたらいた時間 Δt〔s〕との積 $\vec{F}\cdot\Delta t$〔N·s〕を**力積**という。力積はベクトルである。

2 運動量 質量 m〔kg〕の物体が速度 $\vec{v}$〔m/s〕で運動しているとき，物体のもつ**運動量** $\vec{p}$〔kg·m/s〕は，

$$\vec{p}=m\vec{v}$$

である。運動量もベクトルである。

3 運動量と力積の関係 速度 $\vec{v_1}$〔m/s〕で運動している質量 m〔kg〕の物体に力 $\vec{F}$〔N〕を時間 Δt〔s〕だけ加えたとき，物体の速度が $\vec{v_2}$〔m/s〕になったとすると，次の関係がなりたつ。

$$m\vec{v_2}-m\vec{v_1}=\vec{F}\cdot\Delta t \quad (1\cdot 9)$$

この式は「物体は加えられた力積だけ運動量が増加する」ことを表している。

! 注意 運動量と力積の単位は同じものである。

2 運動量保存の法則

2 個以上の物体が互いに力を及ぼし合って運動が変化したとき，運動の変化の前後で，運動量の総和は変わらない。単に**運動量保存則**ともいう。

速度 $\vec{v_A}$，$\vec{v_B}$ で運動している物体 A（質量 m_A）と，物体 B（質量 m_B）が衝突して，衝突後の速度が $\vec{v_A'}$，$\vec{v_B'}$ になったとすると，次の関係がなりたつ。

$$m_A\vec{v_A}+m_B\vec{v_B}=m_A\vec{v_A'}+m_B\vec{v_B'} \quad (1\cdot 10)$$

3 反発係数（はね返り係数）

速度 v_A，v_B で一直線上を運動している，物体 A（質量 m_A），物体 B（質量 m_B）が衝突して，衝突後の速度が v_A'，v_B' になったとすると，このときの物体 A，B の**反発係数（はね返り係数）** e は，速度の符号を含めて，

$$e=-\frac{v_B'-v_A'}{v_B-v_A}$$

で与えられる。e の値は，$0\leqq e\leqq 1$ の範囲にあり，次のようにいう。

$e=1$ のとき，**弾性衝突**（完全弾性衝突）

$0<e<1$ のとき，**非弾性衝突**

$e=0$ のとき，**完全非弾性衝突**

TYPE 31 物体に加わった力積

重要度 A

力積のかわりに，運動量の変化量を求める。

着眼 物体に加わった力積は，物体に生じた運動量の変化に等しいので，力積を求めるかわりに，運動量の変化量を求めればよい。

速さ v_0〔m/s〕で運動している質量 m〔kg〕の物体に，運動方向に F〔N〕の力を Δt〔s〕加え続けたとき，物体の速さが v〔m/s〕になったとする。このとき，物体に生じる加速度の大きさ a〔m/s^2〕は，

$$a=\frac{v-v_0}{\Delta t}$$

であるから，運動方程式は，

$$m\frac{v-v_0}{\Delta t}=F$$

となる。この式を変形すると，

$$mv-mv_0=F\Delta t$$

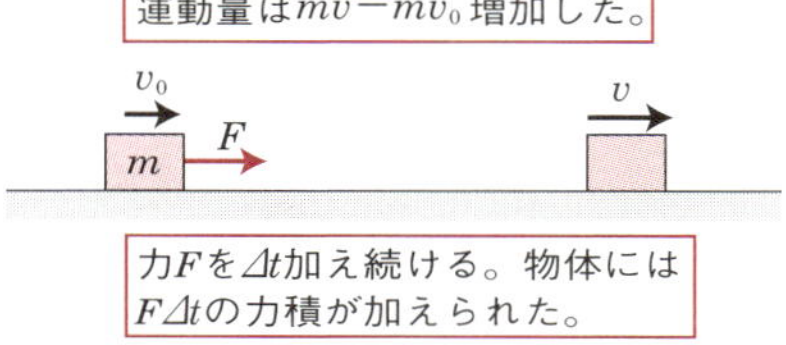
運動量は$mv-mv_0$増加した。
v_0
m
F
v
力FをΔt加え続ける。物体には$F\Delta t$の力積が加えられた。

となり，**運動量の増加量が加えられた力積に等しい**ことがわかる。

例 題　衝突で受けた力積

図のように，右向きに速さ v〔m/s〕で摩擦のない水平面上を運動してきた質量 m〔kg〕の小球が，壁に垂直に当たって，速さ v'〔m/s〕ではね返った。この衝突で小球が受けた力積の大きさはいくらか。

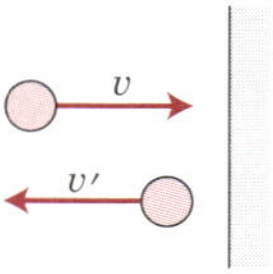
v
v'

解き方 力積は力と時間の積であるが，問題には力も時間も与えられてないので，力×時間というやり方では求められない。それで，力積のかわりに，運動量の変化量を求める。衝突後の小球の速度 $\vec{v'}$ の向きを正とすると，小球の運動量の変化量は，

$$mv'-(-mv)=m(v'+v)$$

これが小球の受けた力積に等しい。

答 $m(v'+v)$

類題47 なめらかな水平面上を速度 v で等速度運動をしている質量 m の物体がある。この物体の進行方向に垂直に大きさ一定の力 F が短い時間 t だけ作用した。

(1)　力が作用した後の物体の運動量の大きさはいくらか。

(2)　力が作用した後の物体の進む向きは，はじめの向きからどれだけ変わるか。はじめの向きと後の向きとのなす角を θ として，$\tan\theta$ の値を求めよ。

（解答➡別冊 *p.10*）

TYPE 32 F–t 図と力積

A 重要度

物体に加えられた力積は F–t 図の面積で求められる。

着眼　一定の力 F〔N〕を Δt〔s〕加えたとき，力積は図 1 の色の部分（長方形）の**面積 $F\Delta t$** で与えられる。図 2 のように，加える力が変化する場合も，**力が加えた力積は色の部分（三角形）の面積**

$$\frac{1}{2}F\Delta t$$

で与えられる。

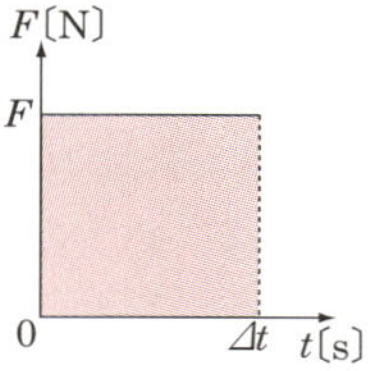

図 1

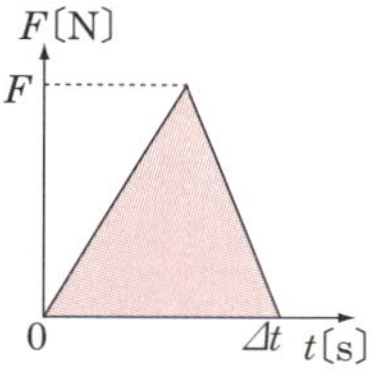

図 2

例題　F–t 図が与えられた力積

速さ v〔m/s〕で運動している質量 m〔kg〕の物体に，図のように変化する力を運動方向に加えた。時刻 t〔s〕における物体の速さを求めよ。

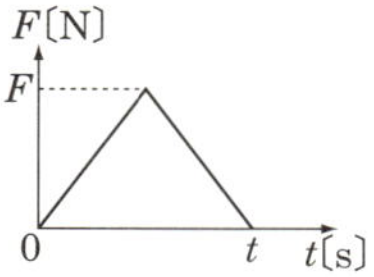

解き方　図の三角形の面積 $\frac{1}{2}Ft$ が物体に加えられた力積になるので，時刻 t〔s〕における物体の速さを v'〔m/s〕とすれば，

$$mv' - mv = \frac{1}{2}Ft$$

よって，$v' = v + \dfrac{Ft}{2m}$

答　$v + \dfrac{Ft}{2m}$

類題48　2.0 kg の質点に作用する力 F_x は，図に示すように時間的に変化する。

(1)　この力の力積は何 kg·m/s か。

(2)　質点がはじめに静止していたとすると，質点の最終速度は何 m/s になるか。

（解答➡別冊 *p.10*）

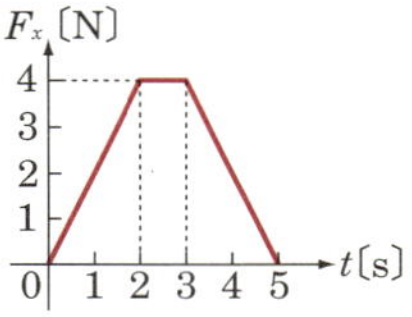

TYPE 33 等加速度直線運動の力積と運動量

A 重要度

加速度を問題にしない等加速度直線運動は，力積と運動量変化の関係式で解く。

着眼　**等加速度直線運動においては，物体にはたらいている力が一定で**あるので，**力積と運動量変化の関係式**(1·9)を使うと，早く解ける場合がある。

例 題　摩擦力と動摩擦係数

摩擦のある水平面上を速さ 4.9 m/s で運動していた質量 10 kg の物体が 2.5s 後に停止した。重力加速度の大きさを 9.8 m/s^2 として，以下の問いに答えよ。

(1)　物体にはたらいた摩擦力の大きさは何 N か。

(2)　物体と面との間の動摩擦係数はいくらか。

解き方　(1)　摩擦力を F〔N〕とすれば，(1·9)式より，

$$10\times0-10\times4.9=F\times2.5$$

ゆえに，$F=-19.6$ N

(2)　動摩擦係数を μ，垂直抗力を N とすれば，

$$F=-\mu N=-\mu mg$$

ゆえに，$\mu=-\dfrac{F}{mg}=\dfrac{19.6}{10\times9.8}=0.20$

答　(1) **20 N**　(2) **0.20**

〈類題49〉 水平面と θ の角度をなすあらい斜面上に質量 m〔kg〕の物体を置いて静かに放したところ，t〔s〕後に斜面の下端に到達した。斜面の下端での物体の速さはいくらか。ただし，重力加速度の大きさを g〔m/s^2〕，物体と斜面との間の動摩擦係数を μ とする。 (解答➡別冊 *p.10*)

〈類題50〉 摩擦のある水平面上で，質量 m の物体が初速度 v_0 で運動をはじめたところ，時間 t だけ経過したときの速さが v になった。物体と面との間の動摩擦係数を μ として，v を v_0，t，μ および重力加速度 g を用いて表せ。 (解答➡別冊 *p.10*)

TYPE 34 直線上での 2 物体の衝突

A 重要度

正方向を決めて，運動量保存則と反発係数の式をつくる。

着眼　物体が衝突した後，はね返る場合は，まず**運動量保存則**と**反発係数の式**をつくってみるとよい。たいていの場合，この 2 式から解を導くことができる。このとき，**あらかじめ正方向を決めておいて，速度の値に正負の符号をつけて公式に代入する**。

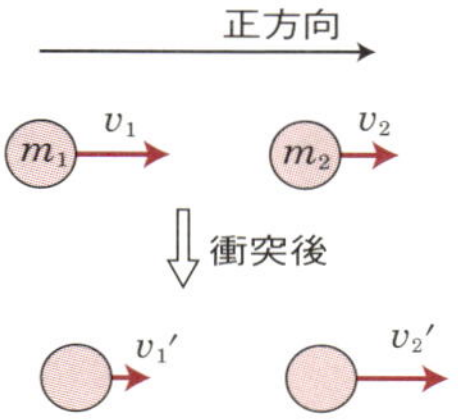

例題　衝突後の物体の速さ

5.0 kg の物体 A と 10 kg の物体 B が，なめらかな水平面上を，それぞれ 20 m/s，5.0 m/s の速さで図のように進んできて，正面衝突をした。物体 A と物体 B との反発係数を 0.40 として，衝突後の物体 A，B の速さと向きを求めよ。

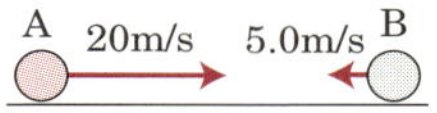

解き方　衝突前の物体 A の速度の向きを正方向とする。衝突後の物体 A，B の速度を v_A，v_B とし，向きはどちらも仮に正の向きとしておく。

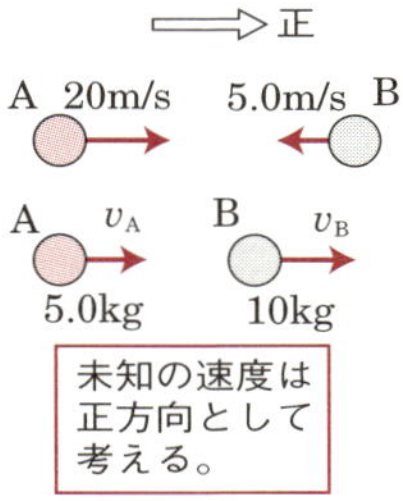

運動量保存則の式は，

$$5.0\times20+10\times(-5.0)=5.0v_A+10v_B \quad \cdots\cdots①$$

反発係数の式は，

$$0.40=-\frac{v_A-v_B}{20-(-5.0)} \quad \cdots\cdots②$$

①，②より，$v_A=-3.33$ m/s　　$v_B=6.67$ m/s

$v_A<0$ となったから，物体 A の向きは負の向きである。

答　A：**3.3 m/s，左向き**　B：**6.7 m/s，右向き**

類題51　水平でなめらかな平面上に 3 つの小球 A（質量 m），B（質量 $2m$），C（質量 $3m$）が一直線上に並べて置いてある。小球 A を速さ v で放ち，B に向心衝突（中心線の一致した衝突）をさせる。衝突後，A は速度 v_a' となり，B は v_b の速度を得て，C に向心衝突をした。この後，B の速度は v_b' に，C の速度は v_c' になったとする。各小球間の反発係数を e として，v_a'，v_b'，v_c' を v と e で表せ。また，これらの小球が衝突した後，再び他の球と衝突しないためには，e の値はどんな範囲になければならないか。

（解答➡別冊 *p.11*）

TYPE 35 物体の分裂

A 重要度

（はじめの運動量）＝（分裂後の運動量の和）

$$(m_1 + m_2)\overrightarrow{v_0} = m_1\overrightarrow{v_1} + m_2\overrightarrow{v_2}$$

着眼 **1 つの物体が内力によって 2 つ以上の物体に分裂する場合も，運動量保存則がなりたつ。**たとえば，速度 $\overrightarrow{v_0}$ で運動していた物体が，内力によって，質量 m_1，m_2 の 2 つの部分に分裂し，それぞれ $\overrightarrow{v_1}$，$\overrightarrow{v_2}$ の速度になったとすれば，運動量保存則は，

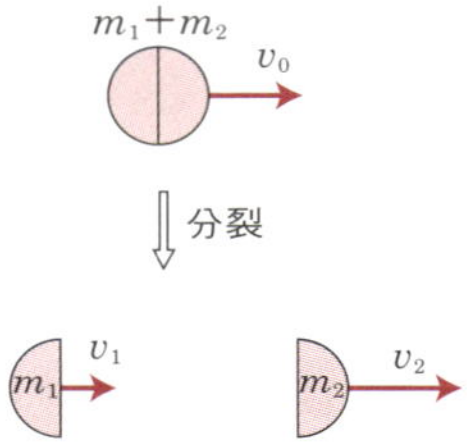

$$(m_1 + m_2)\overrightarrow{v_0} = m_1\overrightarrow{v_1} + m_2\overrightarrow{v_2}$$

となる。

特に最初静止していた物体では，$v_0 = 0$ だから，左辺は 0 になる。

例 題　氷面上での速さ

水平でなめらかな氷面上で，体重 60 kg の人が 600 g の物体を氷面に対して 10 m/s の速さで水平方向に投げ出した。この人は氷面上をいくらの速さで後退するか。

解き方 物体を投げ出す向きを正の向きとし，投げ出した後の人の速度を v とする。投げ出す前は静止しているから，運動量は 0 である。よって，運動量保存則より，

$$0 = 60v + 0.600 \times 10$$

ゆえに，$v = -0.10$ m/s

$v < 0$ だから，人は物体と反対向きに運動する。　**答 0.10 m/s**

類題52 速度 V で直線運動をしている質量 M の物体から，その質量の一部分 m が速度 V と反対向きに，物体の残りの部分に対して相対速度 v で放出された。物体の残りの部分の速度はいくらか。

（解答➡別冊 *p.11*）

類題53 速さ 2.0 m/s で運動していた質量 10 kg の物体が分裂し，質量 6.0 kg の物体 A と質量 4.0 kg の物体 B になった。分裂後，物体 A は分裂前の運動方向と同じ方向に速さ 4.0 m/s で運動した。分裂後の物体 B の速さと運動方向を求めよ。

（解答➡別冊 *p.11*）

TYPE 36 平面上での 2 物体の衝突

重要度 A

x方向とy方向について，運動量保存則の式をつくる。

着眼　2 物体の衝突前や衝突後の速度の方向が異なる場合でも，**運動量はベクトルなので，衝突の前後で運動量のベクトル和は変化しない。**

このような場合，運動量をx方向とy方向に分解して考えると，それぞれの方向について，**運動量保存の法則**がなりたつ。

右の図では，次の式がなりたつ。

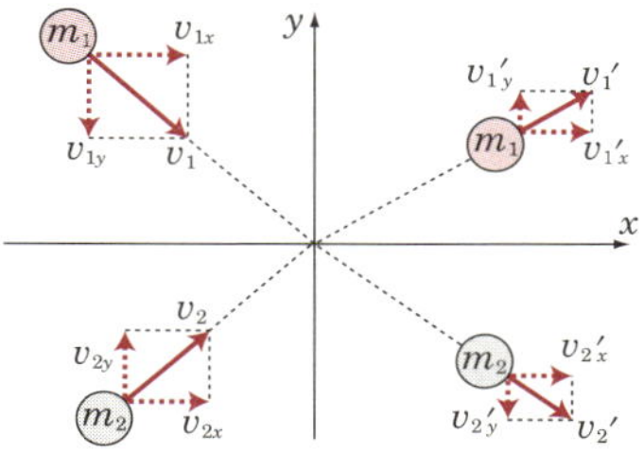

x方向：

$$m_1v_{1x}+m_2v_{2x}=m_1v_{1x}{}'+m_2v_{2x}{}'$$

y方向：

$$-m_1v_{1y}+m_2v_{2y}=m_1v_{1y}{}'-m_2v_{2y}{}'$$

例題　衝突後の速度

質量mの物体Aが一直線上を速度vで動いている。いま，質量$2m$の物体Bが速度$2v$で，Aの速度と垂直な方向から飛んできて衝突し，衝突後両者が一体となった。衝突後の速度を求めよ。

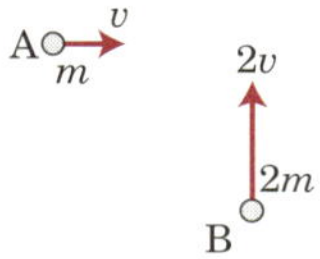

解き方　衝突前のA，Bの速度の向きをx方向，y方向にとる。衝突後の速度を$\overrightarrow{v'}$とし，$\overrightarrow{v'}$のx成分，y成分をそれぞれ$v_x{}'$，$v_y{}'$とすると，

x方向の運動量保存則は，

$$mv=(m+2m)v_x{}' \quad \cdots\cdots①$$

y方向の運動量保存則は，

$$2m\times2v=(m+2m)v_y{}' \quad \cdots\cdots②$$

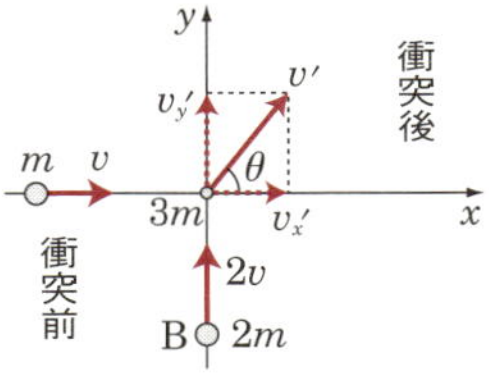

①，②より，$v_x{}'=\dfrac{v}{3}$，$v_y{}'=\dfrac{4v}{3}$

ゆえに，$v'=\sqrt{(v_x{}')^2+(v_y{}')^2}=\sqrt{\left(\dfrac{v}{3}\right)^2+\left(\dfrac{4v}{3}\right)^2}=\dfrac{\sqrt{17}}{3}v$

衝突後の速度$\overrightarrow{v'}$とx方向のなす角をθとすると，$\tan\theta=\dfrac{v_y{}'}{v_x{}'}=4$

答　**はじめのAの速度の向きと$\tan\theta=4$となるθをなす向きに$\dfrac{\sqrt{17}}{3}v$**

(別解)　衝突前のAの運動量は mv，Bの運動量は，

$$2m\times 2v=4mv$$

で，これらのベクトルは右図のような関係になっている。運動量保存則により，これらのベクトルの和が衝突後の運動量に等しいから，

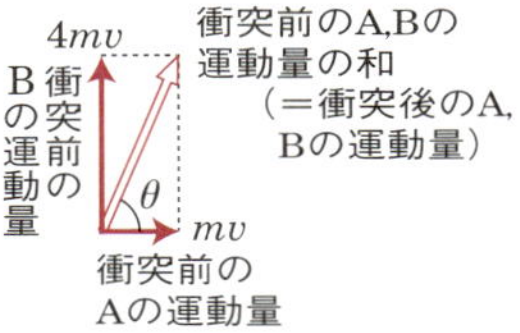

$$\sqrt{(mv)^2+(4mv)^2}=(m+2m)v'$$

ゆえに，$v'=\dfrac{\sqrt{17}}{3}v$

$$\tan\theta=\frac{4mv}{mv}=4$$

〈類題54〉 なめらかな水平面上で，静止している小球Bに質量の等しい小球Aを速度 v で衝突させたところ，A，Bは衝突後，図のように，入射方向とそれぞれ30°，60°の角をなす方向に進んだ。衝突後のA，Bの速さを求めよ。

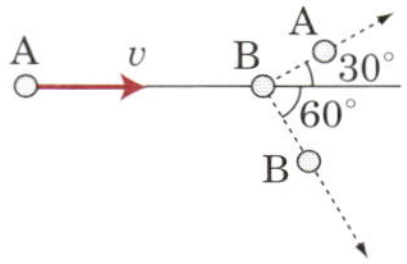

（解答➡別冊 *p.11*）

〈類題55〉 高さ h の点に岩をつり下げ，これを爆破した。岩はA，B，Cの３つの破片に砕け，それぞれ水平面内の異なった方向へ飛び散り，地上に落下した。爆破した直後の破片の飛び出した方向は，AとBが垂直であった。A，B，Cの質量をそれぞれ m，$2m$，$3m$，また，AとBの初速度をそれぞれ v，$2v$ とし，重力加速度の大きさを g として，問いに答えよ。

(1)　破片Cの初速度はいくらか。

(2)　破片AとCの初速度のなす角を θ とするとき，$\tan\theta$ の値を求めよ。

(3)　破片Cが飛んだ水平距離はいくらか。

（解答➡別冊 *p.11*）

〈類題56〉 図のように，x 軸上を正の方向に速さ v_A〔m/s〕で運動する質量 m〔kg〕の小球Aと，y 軸上を正の方向に速さ v_B〔m/s〕で運動する質量 m〔kg〕の小球Bが原点で衝突した。衝突した小球Aは速さ v_A'〔m/s〕となり，y 軸の正方向に向きを変え，小球Bは速さ v_B'〔m/s〕となり，図中の矢印方向に向きを変え運動した。

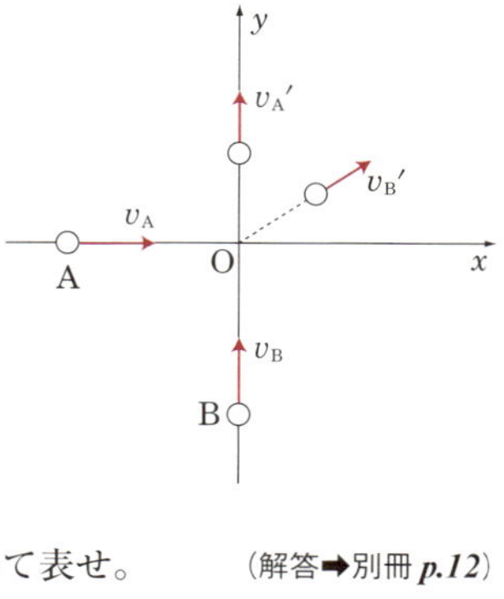

(1)　v_B' を v_A，v_A'，v_B を用いて表せ。

(2)　衝突後の小球Bの運動方向と x 軸とのなす角度を θ としたとき，$\tan\theta$ の値を v_A，v_A'，v_B を用いて表せ。

（解答➡別冊 *p.12*）

TYPE 37 なめらかな平面への斜め衝突

重要度 A

面に平行な方向 ⇨ 速度成分は変化しない。
面に垂直な方向 ⇨ 速度成分は反発係数にしたがって変化する。

着眼 物体がなめらかな面に衝突してはね返るとき，**面に平行な方向では力がはたらかない**(摩擦がないから)ので，速度成分は変わらない。面に垂直な方向では，衝突前の速度成分 v_y と衝突後の速度成分 $v_y{}'$ の間に，次の関係がなりたつ。

$$\boldsymbol{v_y{}' = -ev_y} \quad (e\text{は反発係数})$$

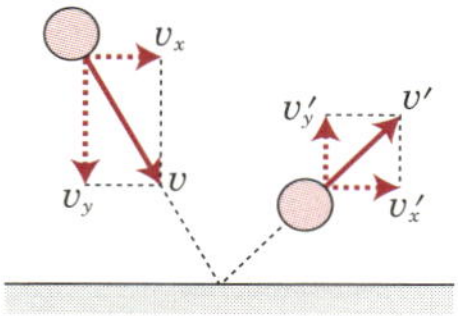

面に平行　$v_x' = v_x$
面に垂直　$v_y' = -ev_y$

例題　斜め衝突後の速さ

ある物体が速度 $\vec{v}$ でなめらかな平面に斜めに衝突してはね返った。速度 $\vec{v}$ と法線とのなす角を θ とし，物体と面との反発係数を e として，衝突後の物体の速さ v' を v，e，θ で表せ。また，速度 $\vec{v'}$ と法線とのなす角を θ' として，$\sin\theta'$ の値を求めよ。

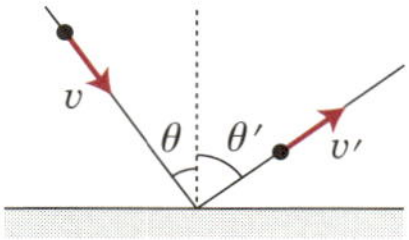

解き方 衝突前の速度の面に平行な成分 v_x，垂直な成分 v_y は，$v_x = v\sin\theta$，$v_y = v\cos\theta$ であるから，衝突後の速度の面に平行な成分 $v_x{}'$，垂直な成分 $v_y{}'$ は，

$$v_x{}' = v_x = v\sin\theta \qquad v_y{}' = ev_y = ev\cos\theta$$

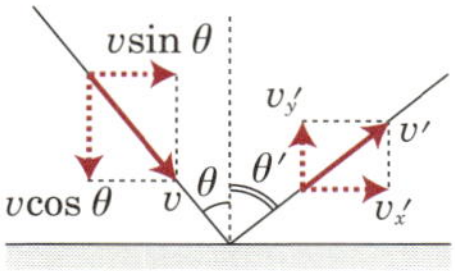

ゆえに，衝突後の速度 v' は，

$$v' = \sqrt{(v_x{}')^2 + (v_y{}')^2} = \sqrt{(v\sin\theta)^2 + (ev\cos\theta)^2}$$
$$= v\sqrt{\sin^2\theta + e^2\cos^2\theta}$$

$$\sin\theta' = \frac{v_x{}'}{v'} = \frac{v\sin\theta}{v\sqrt{\sin^2\theta + e^2\cos^2\theta}} = \frac{\sin\theta}{\sqrt{\sin^2\theta + e^2\cos^2\theta}}$$

答 $\boldsymbol{v' = v\sqrt{\sin^2\theta + e^2\cos^2\theta}}$，$\boldsymbol{\sin\theta' = \dfrac{\sin\theta}{\sqrt{\sin^2\theta + e^2\cos^2\theta}}}$

類題57 水平方向と角 α (ただし $\tan\alpha = \dfrac{3}{4}$)をなすなめらかな斜面がある。斜面の鉛直上方 90 cm の点から小球を自由落下させて，斜面に衝突させる。小球と斜面との反発係数は $\dfrac{9}{16}$ として，衝突直後の速さと速度の向きを求めよ。 (解答➡別冊 p.12)

TYPE 38 なめらかに動く水平板上の物体の運動　A 重要度

板と物体の水平方向の運動量が保存される。

着眼 なめらかな水平面上に置かれた板の上で物体が運動する場合，物体と板とが及ぼし合う**摩擦力だけが内力としてはたらく**ので，**運動量保存の法則**がなりたつ。

注意 板と水平面との間に摩擦があると，摩擦力が外力としてはたらくので，運動量保存則は使えない。その場合は運動方程式を使って解く。

例題　水平面上で動き出す速さ

水平でなめらかな床の上に質量 M〔kg〕のうすい板が静止しており，その重心上に乗っている質量 m〔kg〕の人が，水平と角 θ をなす方向に床に対して速さ v_0 で跳躍した。このとき，板はどれだけの速さで動き出すか。

解き方 板が動き出す速さを v とすると，水平方向の運動量保存則より，

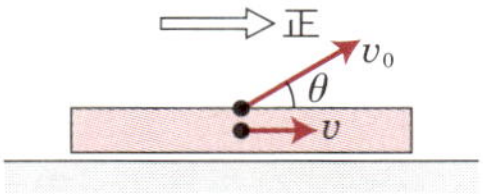

$$0 = mv_0\cos\theta + Mv$$

ゆえに，$v = -\dfrac{mv_0\cos\theta}{M}$

$v<0$ だから，板は人が跳ぶ方向と反対向きに動き出す。

答 $\dfrac{mv_0\cos\theta}{M}$

注意 人が跳ぶ瞬間，板は床から垂直抗力を外力として受けるので，鉛直方向では，運動量保存則がなりたたない。

類題58 摩擦のない水平な机の上に質量 M の板が静止しており，その上に質量 m の質点がのせてある。質点と板との間には摩擦がある。質点のみに初速度 v_0 を与えた場合，質点が板に対して静止したときの板の速さを求めよ。 （解答➡別冊 *p.12*）

類題59 図のように，質量の無視できるばね定数 k〔N/m〕のばねがついた質量 M〔kg〕の板がある。ばねの一端に質量 m〔kg〕の物体をつけ，ばねを x〔m〕縮めて静かに手を離した。板と床，物体と板，ばねと板との摩擦は無視できる。以下の問いに答えよ。

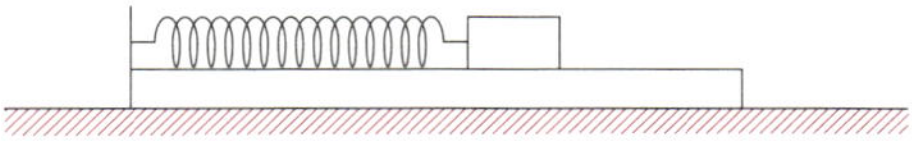

(1) ばねが自然の長さになった瞬間の物体と板の速さをそれぞれ求めよ。

(2) ばねが最も伸びた瞬間の物体と板の速さをそれぞれ求めよ。 （解答➡別冊 *p.12*）

TYPE 39 物体の衝突とエネルギー

A 重要度

弾性衝突 ⇨ 力学的エネルギーが保存される。
非弾性衝突 ⇨ 力学的エネルギーは保存されない。

着眼　自由に動ける2つの物体が衝突する場合は，運動量が保存されるが，さらに，**弾性衝突では力学的エネルギーも保存**される。非弾性衝突の場合は，力学的エネルギーの一部が音や熱などに変わるため，力学的エネルギーは保存されない。衝突の前後で位置エネルギーは変化しないので，**衝突による力学的エネルギーの減少量は，衝突前後の運動エネルギーの差**に等しい。

例題　衝突で失うエネルギー

質量4.0kgの2つの球が，それぞれ100m/sの速さで正面衝突して，それぞれ50m/sの速さで反対方向にはね返った。衝突によって失われた力学的エネルギーはいくらか。

解き方　衝突の前後で2球の位置は変わらないから，位置エネルギーは変化しない。変化するのは運動エネルギーだけだから，衝突前後の運動エネルギーの差を求めればよい。

$$2\times\frac{1}{2}\times4.0\times100^2-2\times\frac{1}{2}\times4.0\times50^2=30000\ \text{J}$$

答　3.0×10^4 J

類題60　質量2.0kgの静止している物体に，質量3.0kgの物体が速さ10m/sで衝突し，衝突後一体となって運動した。この衝突によって失われた力学的エネルギーは何Jか。

（解答➡別冊 *p.13*）

類題61　質量m〔kg〕の小球Aが速さv_0〔m/s〕で，静止している質量M〔kg〕の小球Bに衝突した。小球Aと小球Bとの反発係数（はね返り係数）はeである。以下の問いに答えよ。

(1)　衝突後の，小球A，Bの速さは，それぞれいくらか。

(2)　衝突によって失われた力学的エネルギーを求めよ。

(3)　衝突後，小球Aの運動方向が衝突前の運動方向と逆向きになるための条件を求めよ。

（解答➡別冊 *p.13*）

練習問題

解答→別冊 *p.53*

TYPE

18　次の文を読んで，［　　］に適した数値・式を記入せよ。なお，すべての運動は左右方向のみに生じるとし，右向きを正とする。また，床は水平であり，床と力学台車の間の摩擦は無視できる。さらに，ボールの速度はじゅうぶんに大きく，その落下運動は無視できるものとする。

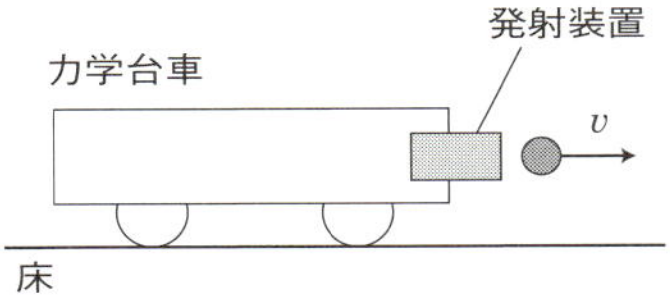

図のように，力学台車にボールの発射装置を取りつけ，ここから右向きにボールを速度 v〔m/s〕で発射したところ，力学台車は静止状態から左向きに移動を開始した。この現象を力学的に考えてみよう。いま，発射したボールの質量は m〔kg〕であり，ボールの発射には微小時間 Δt〔s〕を要し，この間にボールに加えられた平均の力を $\overline{F}$〔N〕とする。発射前のボールの運動量は［①］〔kg·m/s〕，発射後の運動量は［②］〔kg·m/s〕であるから，ボールに加えられた力積 $\overline{F}\Delta t$〔N·s〕を m と v を用いて表すと［③］〔N·s〕となる。これらより，ボールに加えられた力の反作用として力学台車に加えられた平均の力を m，v，Δt を用いて表すと［④］〔N〕となり，力学台車が左向きに移動したことが説明できる。　　（滋賀県大 改）

→ 31

19　次の文章中の［　　］を数式で埋めよ。ただし，重力加速度の大きさを g とし，空気の抵抗や物体の大きさは無視できるものとする。

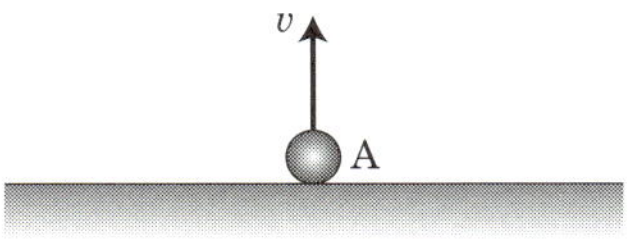

図に示すように，時刻 $t=0$ で物体Aを地面から鉛直上向きに初速度 v で投げ上げたとする。このとき投げ上げてから地面に衝突するまでの，ある時刻 $t=t_1$ における物体Aの速度は［①］，地面からの高さは［②］と表される。また，最高点に達する時刻は［③］，最高点の高さは［④］となる。物体Aは最高点に達したのち，何度か地面と衝突をくり返した。1回目の衝突後に物体Aが達した最高点の高さを h_1 とすると，物体Aと地面との間の反発係数（はね返り係数）e は［⑤］と表される。2回目の衝突後に物体Aが達する最高点の高さは v，g，e を用いて表すと［⑥］となる。　　（秋田大 改）

→ 34

TYPE

20 図のように壁を置き，小球を点Pから初速度 v_0〔m/s〕で投げ出したところ，小球は高さ $\frac{3}{4}h$〔m〕の壁面上の点Qではね返り，床上の点Dに落下した。以下の問いに答えよ。ただし，重力加速度の大きさを g〔m/s²〕とし，空気の抵抗は無視できるものとする。また，壁はなめらかであり，小球と壁との間の反発係数(はね返り係数)は e とする。

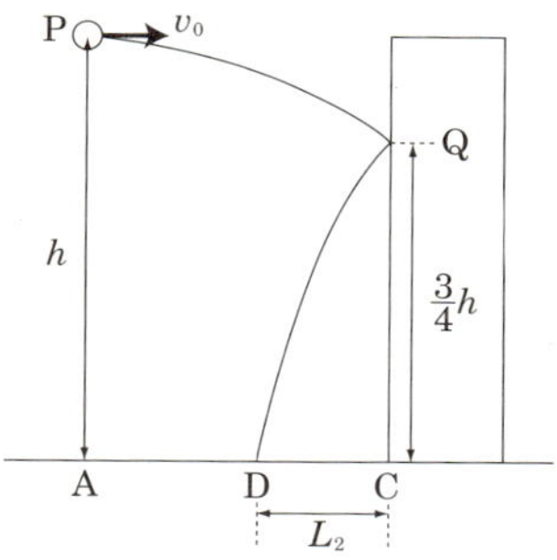

(1) 点Qから点Dに落下するまでの時間 t_2〔s〕を求めよ。解答は，h と g を用いて表せ。

(2) 点Qの真下の点Cから点Dまでの距離 L_2〔m〕を求めよ。解答は，h，g，e，v_0 を用いて表せ。　（岩手大 改）

→ 34

21 図に示すように質量 m の物体Aが，なめらかな水平面(x-y 面)上を速度 $\vec{v}$(速さが v)で x 軸の正の方向に進み，静止していた質量 M の物体Bに衝突した。衝突後Bは x 軸から角度 β の方向へ，Aは x 軸から角度 α の方向へそれぞれ速度 $\vec{V'}$，$\vec{v'}$(速さがそれぞれ V'，v')で進んだ。

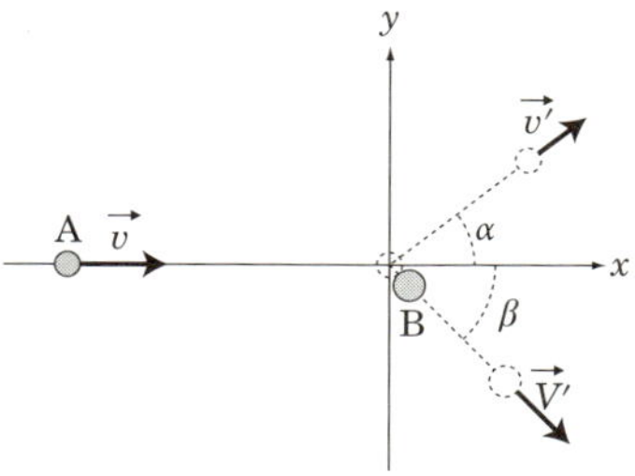

(1) AとBの x，y 方向に関する運動量の和の保存則を書け。

(2) 力学的エネルギーの和が保存される場合にAとBの質量の比 $\frac{m}{M}$ が α，β だけを用いて表せる。その導出過程を記述せよ。

(3) (2)の結果を用いて，$\alpha+\beta=90°$ の場合，$M=m$ となることを示せ。

(4) AがBから受けた力積の向きを求め，その大きさを v を用いて表せ。　（滋賀医大）

→ 36

ヒント　**20** 小球は鉛直方向には等加速度直線運動をする。
21 (2) 衝突前後の運動エネルギーが保存する。

TYPE

22 図のように水平でなめらかな平面があり，その上の直線上を同じ質量 m の2つの物体AとBが，伸び縮みしない質量の無視できる長さ l のひもで結ばれたまま，摩擦を受けずに運動している。以下では，図の右方向を速度の正の向きにとる。

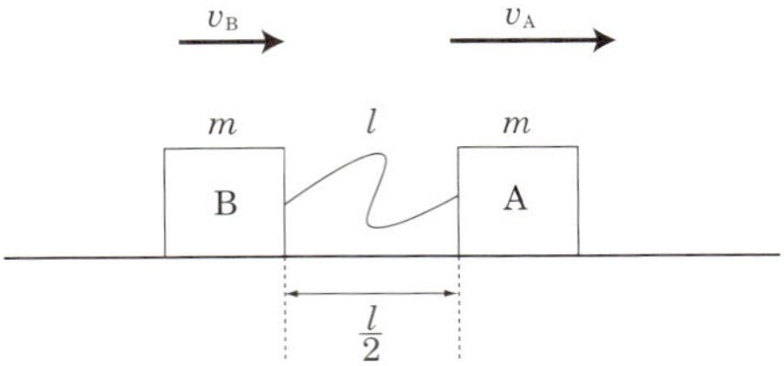

時刻 $t=0$ において，図のように物体Aは物体Bの右方向に距離 $\frac{l}{2}$ だけ離れた位置にあり，ひもはたるんだまま，物体AとBはそれぞれ速度 v_A，v_B $(v_A>v_B>0)$ で運動している。物体間の距離が l になるとひもがたるみなく張り，物体AとBには撃力がはたらく。その直後，物体AとBは近づき始め，やがて衝突する。ひもが張ったときの衝撃によってエネルギーが失われることはなく，ひもが張る前後で物体Aと物体Bの力学的エネルギーの和，および運動量の和が保存している。なお，ひもがたるんでいるときには，ひもは物体AとBの運動を妨げることはないとする。また，物体AとBの衝突は完全弾性衝突であるとする。空気抵抗は無視できるものとして，以下の問いに答えよ。

(1) 初めてひもが張った直後の物体A，Bの速度をそれぞれ v_A'，v_B' とする。ひもが張る前後のエネルギー保存の式，および運動量保存の式を記せ。また，v_A'，v_B' を求めよ。

(2) $t=0$ から初めてひもが張るまでの時間 T_0 を求めよ。また，$t=0$ から2回目にひもが張るまでの物体Bの速度を，時間の関数として右図に実線でかき込め。ただし，初めてひもが張る時刻 $t=T_0$ と速度 v_A，v_B を表す位置は図中に示されている。

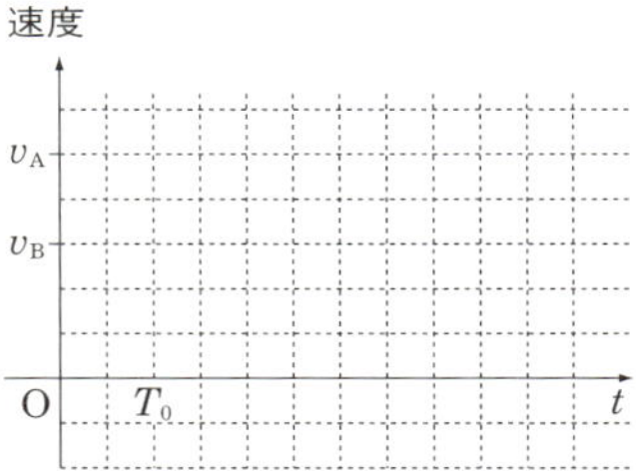

(東京工業大 改)

→ 34, 39

ヒント　22 (2) T_0 は，相対速度 v_A-v_B で $\frac{l}{2}$ 動くことから求められる。初めてひもが張った後，物体A，Bは近づいて衝突し，その後離れて再びひもが張る。

6 慣性力

1 慣性力

観測者が加速度aで運動しているとき，質量mの物体には，観測者の加速度と逆向きに大きさmaの力がはたらいているように見える。このような力を**慣性力**という。

TYPE 40 加速度運動する電車内の物体の運動

A 重要度

車外から観察して，運動方程式をつくる。
車内で観察する場合は，慣性力を含めて，観測される物体の運動に応じて，運動方程式またはつり合いの式をつくる。

着眼 水平方向に加速度a〔m/s^2〕で運動している電車内に，質量m〔kg〕の物体がつるされ，糸が傾いたまま静止しているとする。

(1) **電車外から観察した場合**　物体は電車と同じ加速度aで運動している。運動方程式は，次の式で表される。

$$ma = mg\tan\theta$$

(2) **電車内で観察した場合**　物体には，重力mg，糸の張力Tのほかに**慣性力ma**がはたらき，つり合っている。つり合いの式は，

$$T = \sqrt{(mg)^2 + (ma)^2} = m\sqrt{g^2 + a^2}$$

となり，斜めの方向に$m\sqrt{g^2 + a^2}$〔N〕の重力(見かけの重力)がはたらいているように見える。

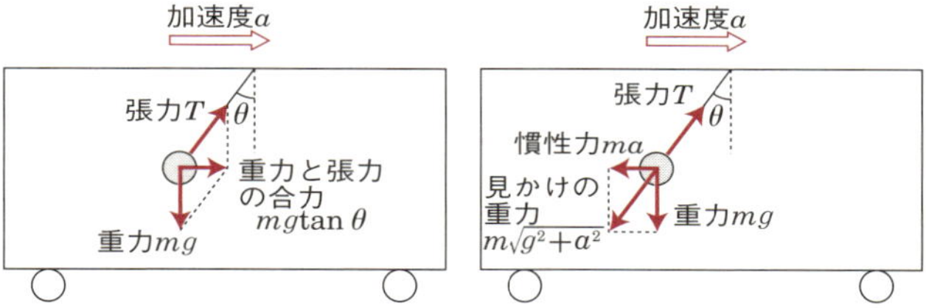

物体の運動方程式
$ma = mg\tan\theta$

力のつり合いの式
$T = m\sqrt{g^2+a^2}$

補足 電車内で観察した場合の見かけの重力加速度は$\sqrt{g^2 + a^2}$〔m/s^2〕である。電車内の落下運動や単振り子の周期などを求めるときは，この値を用いる。

例題　糸の張力と鉛直方向との角度

1.96 m/s^2 の加速度で水平面上を運動している電車の天井から質量 2.0 kg の物体が糸でつるされて，静止している。

(1)　糸の張力はいくらか。

(2)　糸が鉛直方向となす角度を θ とすると，$\tan\theta$ の値はいくらか。

解き方　**1）電車の外から観察した場合**

右図のように，物体にはたらく重力と糸の張力 T の合力が水平方向を向き，物体にはこの合力によって加速度を生じる。したがって，運動方程式は，

$$2.0\times1.96=2.0g\tan\theta$$

となるので，

$$\tan\theta=\frac{1.96}{g}=\frac{1.96}{9.8}=\frac{1}{5}=0.20$$

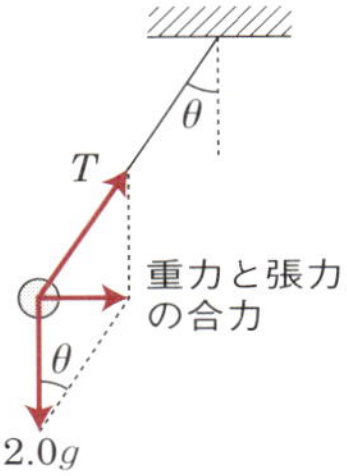

糸の張力と重力の関係は，$T\cos\theta=2.0g$

$\tan\theta=\dfrac{1}{5}$ より，$\cos\theta=\dfrac{5}{\sqrt{26}}$ となるので，

$$T=\frac{2.0g}{\cos\theta}=\frac{2.0\times9.8\times\sqrt{26}}{5}=\frac{2.0\times9.8\times5.10}{5}=20\text{ N}$$

答　(1) **20 N**　(2) **0.20**

2）電車内で観察した場合

図のように，糸の張力 T と重力 $2.0g$，慣性力 (2.0×1.96) N の 3 力がつり合っている。糸の張力 T の大きさは他の 2 力の合力の大きさに等しいから，

$$T=\sqrt{(2.0g)^2+(2.0\times1.96)^2}$$
$$=\sqrt{(2.0\times9.8)^2+(2.0\times1.96)^2}$$
$$=20\text{ N}$$

となり，$\tan\theta$ の値は，

$$\tan\theta=\frac{2.0\times1.96}{2.0g}=\frac{1.96}{g}=0.20$$

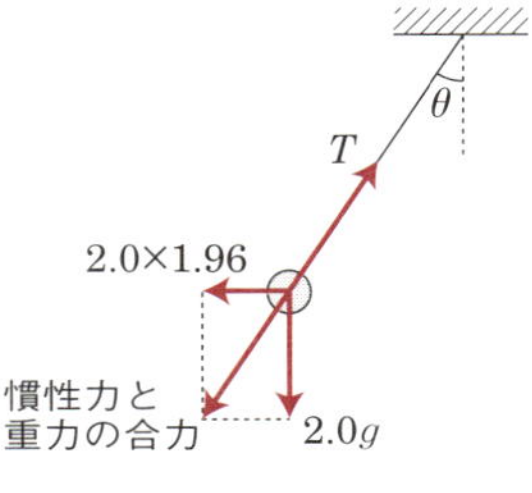

答　(1) **20 N**　(2) **0.20**

類題62　水平面上を加速度 a〔m/s^2〕で運動している電車内で，電車の床から高さ h〔m〕の所から物体を静かに放した。重力加速度の大きさを g〔m/s^2〕として，問いに答えよ。

(1)　物体が床に落下するまでの時間はいくらか。

(2)　物体は，電車内で放した点の真下の点からどれだけ離れた場所に落下するか。

（解答➡別冊 p.13）

TYPE 41 エレベーター内の物体の運動

A 重要度

見かけの重力加速度 ⇨ $g' = g + a$
エレベーターの加速度が上向きのとき，$a > 0$
エレベーターの加速度が下向きのとき，$a < 0$

着眼　エレベーターが上向きの加速度 a〔m/s^2〕で運動しているとき，エレベーター内に糸でつるされた質量 m〔kg〕の物体には，下向きに ma〔N〕の慣性力がはたらくように見える。糸の張力を T〔N〕とすると，物体にはたらく力のつり合いの式は，

$T = mg + ma = m(g + a)$

となり，**物体に $m(g + a)$〔N〕の重力がはたらいているように見える**。つまり，エレベーター内の観測者から見た見かけの重力加速度は，**$(g + a)$〔m/s^2〕**となる。エレベーターの加速度 a〔m/s^2〕が下向きのときは，慣性力 ma〔N〕が上向きになるので，つり合いの式は，

$T + ma = mg$　　ゆえに，$T = m(g - a)$

となり，見かけの重力加速度は**$(g - a)$〔m/s^2〕**となる。

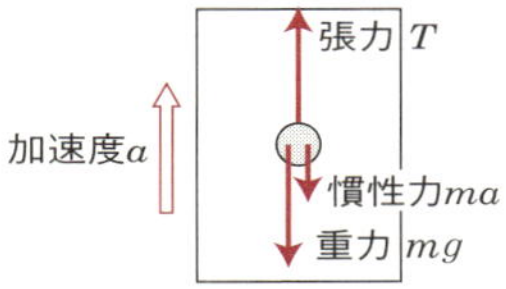

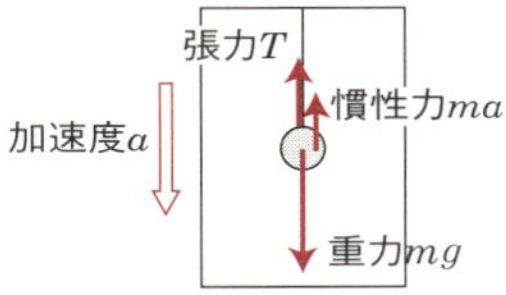

例題　エレベーター内の運動

鉛直上向きに 2.2 m/s^2 の加速度で上昇しているエレベーターがある。このエレベーター内で，エレベーターの床から 1.5 m の高さの所から物体を静かに落とした。物体は何秒後に床に達するか。重力加速度の大きさを 9.8 m/s^2 とする。

解き方　エレベーターに乗っている人から見た見かけの重力加速度は，

$g' = g + a = 9.8 + 2.2 = 12.0$ m/s^2

エレベーター内で 1.5 m の高さを自由落下する時間を t〔s〕とすると，$1.5 = \frac{1}{2}g't^2$

ゆえに，$t = \sqrt{\frac{1.5 \times 2}{12}} = 0.50$ s

答　0.50 秒後

類題63　鉛直下向きに加速度 1.8 m/s^2 で下降しているエレベーター内で，床に対して傾斜角 30° の斜面を作り，その斜面上に物体を静かに置いて放す。物体と斜面との間に摩擦がないとき，物体が斜面上を 2.0 m 滑り落ちるのに何秒かかるか。

（解答➡別冊 *p.13*）

TYPE 42 動く板の上の物体の運動

A 重要度

板と物体とが及ぼし合う動摩擦力を考えて，それぞれの運動方程式をつくる。

着眼 床に置いた板の上で物体が動くと，物体と板とは動摩擦力を及ぼし合う。この1組の力は作用・反作用の力であるから，大きさは等しく，向きは反対である。この**動摩擦力によって物体は減速し，板は物体の運動方向に加速される**。そこで，物体と板のそれぞれについて，**運動方程式**をつくって，問題を解く。

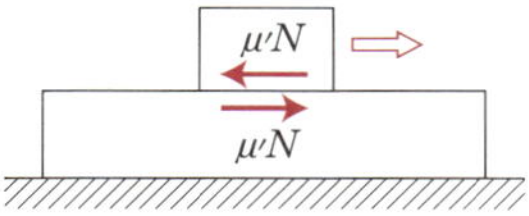

! 注意 何を求めるかによって，板の上に乗って観察するか，板の外から観察するかを判断する。たとえば，「板の上をどれだけ滑ったか」のように板を基準にして解答を求めるときは板の上に乗って観察し，慣性力を考慮に入れて解く。また，「地面に対してどれだけ移動したか」のように，板の外に基準があるときは，板の外から観察する立場で考えればよい。

例題 動く板の上の加速度

摩擦のない水平面上に，質量 M〔kg〕の板Aが静止している。いま，図のように，左方から質量 m〔kg〕の物体Bが速さ v〔m/s〕でやってきて，Aの上を滑りはじめた。

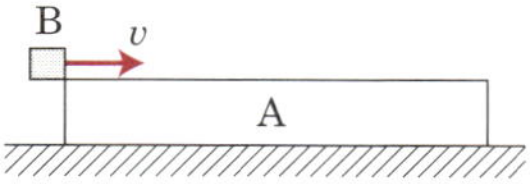

AとBとの動摩擦係数を μ，重力加速度の大きさを g〔m/s²〕，物体Bの最初の運動方向を正として，以下の問いに答えよ。ただし，板Aの長さはじゅうぶんに長いものとする。

(1) Aの加速度はいくらか。
(2) Bの加速度はいくらか。
(3) BがAに対して静止するまでに，BはAの上をどれだけ滑ったか。

解き方 (1)，(2) 物体Bが板Aから受ける垂直抗力を N〔N〕とすると，物体Bにはたらく動摩擦力は進行方向と逆向きに μN〔N〕であるから，物体Bの床に対する加速度を b〔m/s²〕とすれば，運動方程式は，

$$mb = -\mu N \quad \cdots\cdots①$$

物体Bにはたらく鉛直方向の力のつり合いより，

$$N = mg \quad \cdots\cdots②$$

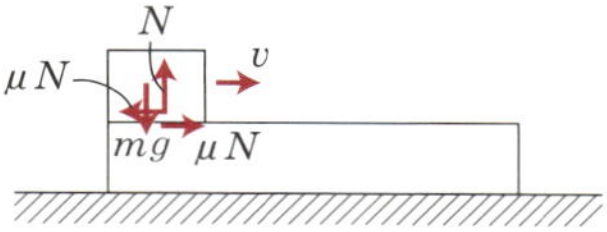

板Aには，物体Bの進行方向と同じ向きに動摩擦力がはたらく。

よって，板Aの加速度をa〔m/s²〕とすれば，運動方程式は，

$$Ma = \mu N \quad \cdots\cdots ③$$

①，②，③より，

$$a = \frac{\mu mg}{M},\quad b = -\mu g \quad \cdots\cdots ④$$

(3)　板Aに乗って物体Bを見ると，物体Bには動摩擦力$-\mu N$のほかに，慣性力$-ma$がはたらく。

よって，板Aに対する物体Bの加速度をb'とすると，運動方程式は，

$$mb' = -\mu N - ma \quad \cdots\cdots ⑤$$

⑤に②と④を代入して，

$$b' = -\frac{\mu g(M+m)}{M} \quad \cdots\cdots ⑥$$

物体Bが静止するまでに板Aの上を滑った距離をx〔m〕とすると，

$$0^2 - v^2 = 2b'x$$

⑥を代入して，

$$x = \frac{Mv^2}{2\mu g(M+m)}$$

答　(1) $\dfrac{\mu mg}{M}$　(2) $-\mu g$　(3) $\dfrac{Mv^2}{2\mu g(M+m)}$

補足　b'は，$b' = b - a = -\mu g - \dfrac{\mu mg}{M} = -\dfrac{\mu g(M+m)}{M}$として求めてもよい。

類題64　質量M〔kg〕の板が水平でなめらかな床の上に置いてある。いま，この板の上のA端に質量m〔kg〕の物体をのせて，板のA端をf〔N〕の力で引いたところ，物体は板の上を滑り動いた。板と物体との間の動摩擦係数をμ，重力加速度の大きさをg〔m/s²〕として，以下の問いに答えよ。

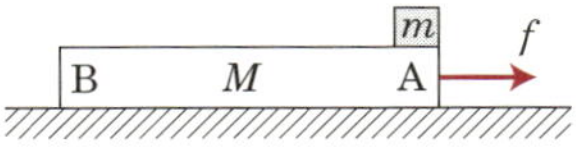

(1)　板の加速度はいくらか。

(2)　物体の加速度はいくらか。

(3)　板の長さをL〔m〕とするとき，物体が板のB端から飛び出すときの板に対する速さはいくらか。ただし，物体の大きさは無視する。

（解答➡別冊 *p.13*）

TYPE 43 動く斜面上の物体のつり合い

A 重要度

慣性力を含めて，斜面に平行な方向と垂直な方向のつり合いの式をつくる。

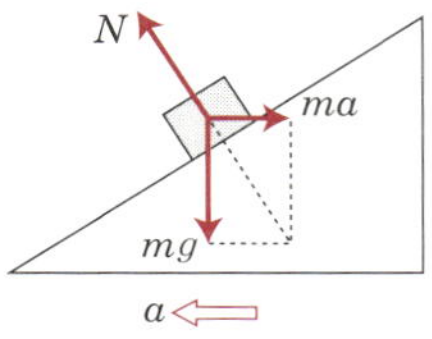

着眼 斜面が物体をのせたまま加速度運動をする場合，斜面に乗った立場で考えると，物体には，重力 mg，垂直抗力 N のほかに，**慣性力 ma** が斜面の加速度と反対向きにはたらく。さらに，物体と斜面の間に摩擦があれば，摩擦力もはたらく。これらの**力をすべて斜面に平行な成分と垂直な成分に分解**し，それぞれつり合いの式をつくる。

例 題　相対的に静止しているための条件

質量が M で，傾斜角 θ の斜面をもつ断面が三角形の台Aの上に質量 m の物体Bをのせ，台Aに矢印の向きに一定の大きさの力を加えて等加速度運動をさせる。このとき，物体Bが斜面に対して静止しているためには，物体に加える力の大きさはどのような範囲にあればよいか。ただし，物体と斜面の間の静止摩擦係数を μ とする。

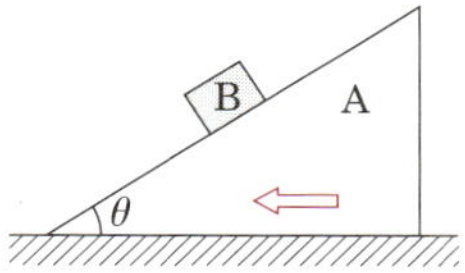

解き方 斜面に乗った立場で考えると，**物体には，重力，垂直抗力，慣性力，摩擦力の 4 つの力がはたらいていて，つり合う**。斜面の加速度を a とすると，慣性力は ma と表される。摩擦力は，物体が滑り出そうとする直前には最大摩擦力になっている。その大きさは，垂直抗力を N とすると，μN である。

1）物体が斜面を滑り下りる直前のつり合い

最大摩擦力の向きは，斜面に沿って上向きになっている。

よって，斜面に平行な方向のつり合いの式は，

$$mg\sin\theta = ma\cos\theta + \mu N \quad \cdots\cdots①$$

斜面に垂直な方向のつり合いの式は，

$$N = mg\cos\theta + ma\sin\theta \quad \cdots\cdots②$$

①，②より，N を消去して，

$$a = \frac{g(\sin\theta - \mu\cos\theta)}{\cos\theta + \mu\sin\theta}$$

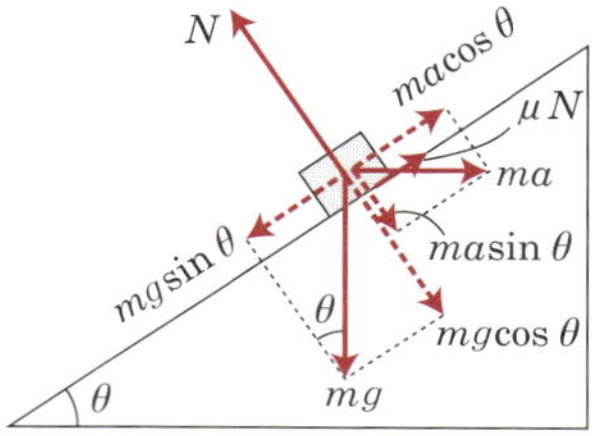

このとき加えた力は，運動方程式より，

$$F=(M+m)a=\frac{g(M+m)(\sin\theta-\mu\cos\theta)}{\cos\theta+\mu\sin\theta}$$

加える力がFよりも小さければ，物体は斜面を滑り下りる。

2）物体が斜面を滑り上がる直前のつり合い

上の場合と，台Aの加速度と垂直抗力の大きさが変わるので，これらをそれぞれa'，N'とする。重力，垂直抗力，慣性力の向きは前ページの図と同じであるが，摩擦力の向きだけは反対になる。

したがって，斜面に平行な方向のつり合いの式は，

$$mg\sin\theta+\mu N'=ma'\cos\theta \qquad \cdots\cdots③$$

斜面に垂直な方向のつり合いの式は，

$$N'=mg\cos\theta+ma'\sin\theta \qquad \cdots\cdots④$$

③，④より，N'を消去して，

$$a'=\frac{g(\sin\theta+\mu\cos\theta)}{\cos\theta-\mu\sin\theta}$$

このとき加えた力は，運動方程式より，

$$F'=(M+m)a'=\frac{g(M+m)(\sin\theta+\mu\cos\theta)}{\cos\theta-\mu\sin\theta}$$

このF'より大きな力を加えると，物体は斜面を滑り上がる。

答 $\boldsymbol{\dfrac{g(M+m)(\sin\theta-\mu\cos\theta)}{\cos\theta+\mu\sin\theta}\leqq F\leqq\dfrac{g(M+m)(\sin\theta+\mu\cos\theta)}{\cos\theta-\mu\sin\theta}}$

〈類題65〉 図のように，断面が直角三角形の三角柱を横にした物体Aを水平面上に置いた。次に，質量mの物体Bを，物体Aの斜面上に置いた。このとき斜面と水平面の接点から物体Bまでの距離はlであった。物体Bを物体Aの斜面上に静かに置いたとき，物体Aが図の左方向に等加速度運動を始めた。斜面と水平面との角をθ，重力加速度の大きさをgとし，摩擦は無視して以下の問いに答えよ。

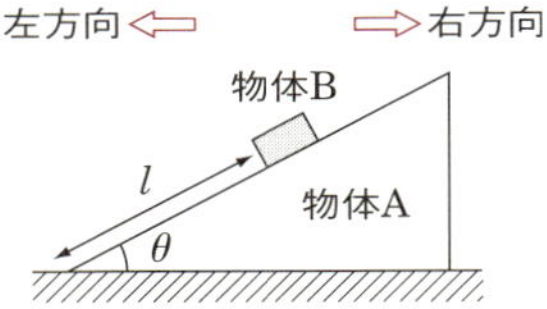

(1)　物体Aの加速度の大きさがa_1のとき，物体Bが斜面に及ぼす垂直抗力の大きさはいくらか。

(2)　物体Aの加速度の大きさがa_2のとき，物体Bが斜面上に静止した。このとき，a_2はいくらか。

（解答➡別冊 ***p.14***）

■練習問題

解答→別冊 p.55

TYPE

23　以下の問いに答えよ。重力加速度の大きさを 9.8 m/s^2 とする。

(1)　エレベーターが静止しているとき，天井に固定した軽いばねに質量 1.0 kg の小球をつるしたところ，ばねが 2.45 cm 伸びた。エレベーターが一定の加速度で上昇し始めると，ばねの伸びは 2.85 cm になった。このばねのばね定数 k〔N/m〕を求めよ。また，上昇中のエレベーターの加速度 a〔m/s^2〕を求めよ。

(2)　上記(1)の上昇中のエレベーターの中で，小球の床からの高さは 1.425 m であった。小球を静かにばねから切り落としたとき，小球が床に着くまでの時間を求めよ。　（熊本県大）

→ 41

24　図に示すように，水平な床の上になめらかな斜面をもつ台 P を置き，静止させた。斜面の角度は 30°，台 P の質量は M〔kg〕である。

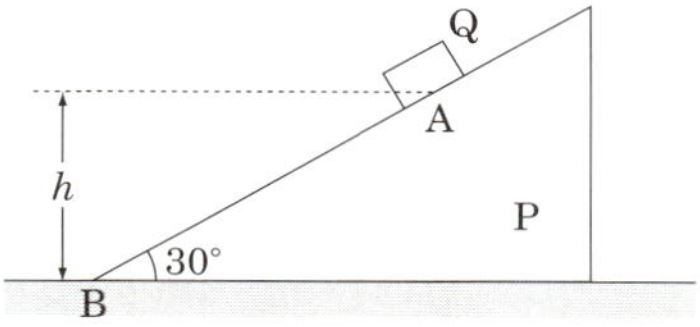

質量 m〔kg〕の小物体 Q を，台 P の斜面上の点 A に置き，静かにはなすと，小物体 Q は斜面に沿って滑り出した。なお，床から斜面上の点 A までの高さは h〔m〕，重力加速度の大きさを g〔m/s^2〕とし，小物体 Q の大きさは無視できるものとする。

(1)　台 P の加速度 a_1〔m/s^2〕と，台 P に対する小物体 Q の相対加速度 a_1'〔m/s^2〕を求めよ。

(2)　小物体 Q を点 A で静かに放してから，小物体 Q が斜面の下端 B に達するまでにかかる時間 t_1〔s〕を求めよ。　（熊本県大 改）

→ 43

25　次図に示すように，水平でなめらかな床の上に厚さが一様な質量 M の物体 A が置かれて静止しており，さらに A の上に質量 m の小物体 B が置かれて静止している。B に水平左方向に衝撃力を加えて初速度 v_0 を与えたところ，B は A の上を滑って左方向へ運動を開始し，同時に A も床の上を左方向に滑り始めた。B は A の上から落ちないものとし，A と B の間の動摩擦係数を μ'，重力加速度の大きさを g とするとき，あとの問いに答えよ。ただし，A と床の間の摩擦および空気抵抗は無視できるものとする。

TYPE

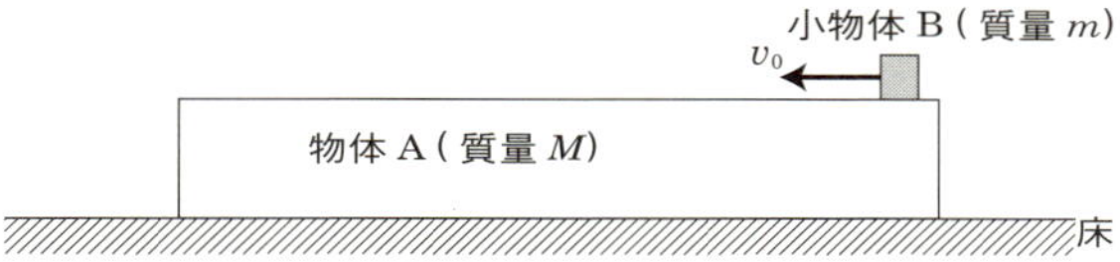

(1) 小物体Bが物体Aの上を滑っているときのAの加速度およびBの加速度を求めよ。

(2) 小物体Bが物体Aの上を滑り始めてから滑らなくなるまでの時間 T を求めよ。

(3) 小物体Bが物体Aの上を滑り始めてから滑らなくなるまでの床に対するBの移動距離 l_1 を求めよ。

(4) 小物体Bが物体Aの上を滑り始めてから滑らなくなるまでのAに対するBの移動距離 l_2 を求めよ。　（宇都宮大 改）

→ 42

26 図のように，角度 θ ($0° < \theta < 90°$) の傾きをもった斜面の上に，質量が m_B の均質な直方体の物体Bを，質量 m_A の均質な直方体の物体Aと左端が一致するように物体Aの上に置き，時刻 $t=0$ で両者を静かに放したところ，斜面と物体A，物体Aと物体Bのそれぞれの間で滑り運動が生じた。物体Aと斜面の間の動摩擦係数を μ_A'，物体BとAの間の動摩擦係数を μ_B' とし，$\mu_B' < \mu_A'$ とする。また，図のように斜面と平行右下向きを x 軸正の方向とする。なお，物体Bの長さは物体Aに比べてじゅうぶん小さく，以下の問い中で記述されている過程で物体Bが物体Aの上部からはみ出ることはないものとする。

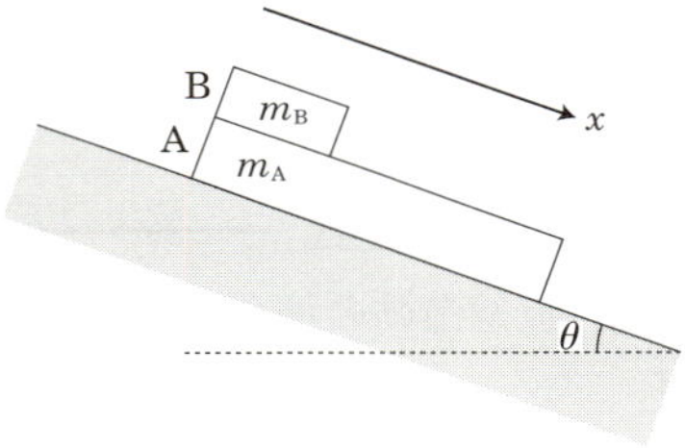

(1) 物体Aが物体Bと斜面から受ける2つの摩擦力を，それぞれ求めよ。解答には摩擦力の大きさだけではなく，符号をつけることにより力の向きも答えよ。ただし，力の向きの正方向は x 軸の正方向とする。

(2) 物体A，Bの左端の斜面上の x 座標をそれぞれ x_A，x_B とし，時刻 $t=0$ で $x_A = x_B = 0$ とする。物体Bが運動し始めてから時刻 $t=t_2$ までに物体A上を移動する距離 $x_B - x_A$ を求めよ。　（首都大東京 改）

→ 43

ヒント　25 (1) A，Bにはたらく力を求めて運動方程式をつくる。
(2) まず，Aから見たBの相対加速度を求める。

7 円運動

1 等速円運動

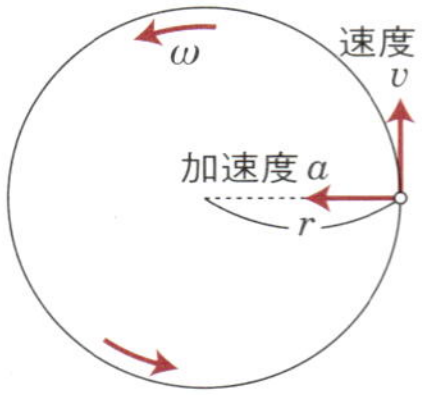

1 速度　半径 r〔m〕の円軌道上を角速度 ω〔rad/s〕で等速円運動している物体の速度 v〔m/s〕は，

$$v = r\omega \qquad (1\cdot11)$$

2 周期　上記の場合の周期 T〔s〕は，

$$T = \frac{2\pi r}{v} = \frac{2\pi}{\omega} \qquad (1\cdot12)$$

3 加速度　上記のような等速円運動をしている物体に生じる加速度は，円の中心向きで，その大きさ a〔m/s^2〕は，

$$a = \frac{v^2}{r} = r\omega^2 \qquad (1\cdot13)$$

2 円運動の運動方程式

1 運動方程式　直線運動の場合の運動方程式

$$ma = F$$

の a のかわりに(1・13)式を用いたものが，円運動の運動方程式である。

すなわち，

$$m\frac{v^2}{r} = F \quad \text{あるいは，} \quad mr\omega^2 = F \qquad (1\cdot14)$$

2 向心力　(1・14)式の F は，物体にはたらく力の合力で，円軌道の中心を向く力となるので，**向心力**と呼ばれる。

3 遠心力(非慣性系)

等速円運動をしている物体を，それと同じ角速度で回転している座標系から見ると，円の中心とは反対向きに慣性力(→ p.85)がはたらいているように見える。この見かけ上の力を**遠心力**という。遠心力の大きさ F〔N〕は，

$$F = m\frac{v^2}{r} = mr\omega^2 \qquad (1\cdot15)$$

この場合，物体にはたらく力はつり合っていると考えればよい。

TYPE 44 糸をつけた物体の水平板上での円運動

A 重要度

運動方程式 $mr\omega^2$（または $m\dfrac{v^2}{r}$）＝（糸の張力）

着眼　右図のように，なめらかな水平板上で，糸につけた物体が等速円運動をしている場合，**向心力になるのは水平板方向にはたらいている糸の張力だけである**。重力や垂直抗力は水平方向の成分をもたないので，向心力にはなり得ない。

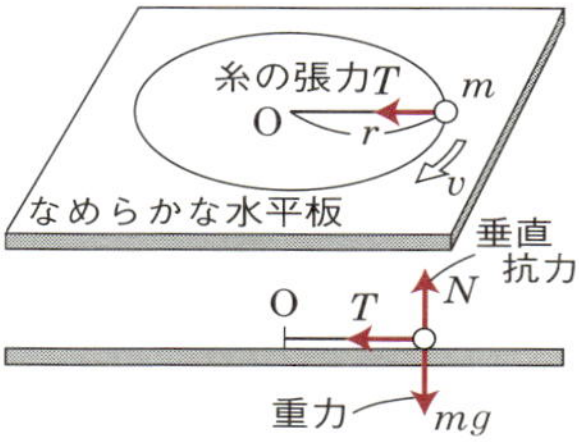

例題　等速円運動

長さ 2.0 m の糸の一端に質量 0.40 kg の小物体をつけ，なめらかな水平面上で，他端を中心として 2.0 秒間に 5 回転の割合で等速円運動をさせた。

(1)　小物体の速さはいくらか。

(2)　糸の張力は何 N か。

(3)　この糸は 49 N までの張力にたえられるとすれば，回転の角速度をいくらにまですることができるか。

解き方　(1)　小物体は 2.0 秒間に，$5\times2\pi r$〔m〕移動するから，速さは，

$$v=\frac{5\times2\pi r}{2.0}=5\pi r=5\times3.14\times2.0=31.4\ \text{m/s}$$

(2)　小物体にはたらく力は，重力，垂直抗力，糸の張力 T であり，重力と垂直抗力の合力は 0 であるから，運動方程式は，

$$m\frac{v^2}{r}=T \qquad \text{よって，} T=0.40\times\frac{31.4^2}{2.0}=197\ \text{N}$$

(3)　回転の角速度が ω〔rad/s〕になったとき，糸の張力が 49 N に達し，糸が切れたとする。糸が切れる直前の運動方程式は，

$$mr\omega^2=49 \qquad \text{ゆえに，} \omega=\sqrt{\frac{49}{mr}}=\sqrt{\frac{49}{0.40\times2.0}}=7.8\ \text{rad/s}$$

答　(1) **31 m/s**　(2) **2.0×10^2 N**　(3) **7.8 rad/s**

類題66　なめらかな水平面上で，糸につけられた質量 20 g の小物体が，糸の他端を中心として，半径 80 cm，速さ 4.0 m/s の等速円運動をしている。このとき，(1)物体の角速度，(2)回転の周期，(3)糸の張力を求めよ。

（解答➡別冊 *p.14*）

TYPE 45 ばねにつながれた物体の円運動

A 重要度

運動方程式 ⇨ $mr\omega^2 = kx$
円の半径＝（ばねの自然長）＋x

着眼 右図のように，なめらかな水平面上で，ばね定数kのばねにつながれた物体が等速円運動しているとき，**向心力となるのは，水平方向にはたらく<u>ばねの弾性力</u>だけである。**

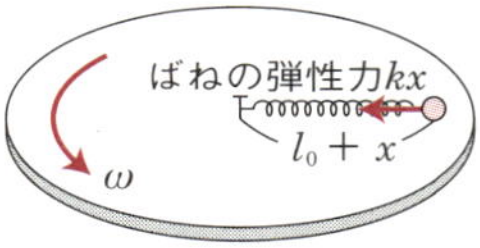

よって，運動方程式は，ばねの伸びをxとすると，

$$mr\omega^2 = kx$$

となる。このとき，半径rは，

ばねの自然長 l_0＋伸び x

に等しい。

例題　等速円運動をしているばねの長さ

自然長l_0で，質量mのおもりをつるすとaだけ伸びるばねがある。このばねの一端を水平でなめらかな平板上に固定し，他端にこのおもりをつけ，一定の速さvで円運動させると，ばねの長さはいくらになるか。

解き方 このばねのばね定数をkとすると，題意より，

$$mg = ka \quad \cdots\cdots①$$

円運動の半径をlとすると，ばねの伸びは$(l-l_0)$であるから，ばねの弾性力は$k(l-l_0)$である。おもりにはたらく力は重力，垂直抗力，弾性力で，重力と垂直抗力の合力は0であるから，運動方程式は，

$$m\frac{v^2}{l} = k(l-l_0) \quad \cdots\cdots②$$

①と②からkを消去して，$l = \dfrac{gl_0 \pm \sqrt{g^2l_0^2 + 4gav^2}}{2g}$

求めるばねの長さは正であるから，このうちの＋のほうをとる。

答 $\dfrac{gl_0 + \sqrt{g^2l_0^2 + 4gav^2}}{2g}$

! 注意 2次方程式を解くと，一般に解は2つ得られるが，物理ではそのどちらか一方しか答えにならないことがある。得られた解を吟味してみること。

〈類題67〉 長さl_0〔m〕のゴムひもがある。一端に質量M〔kg〕のおもりをつけて鉛直にたらすと，ゴムひもは伸びてl〔m〕になった。次に，このゴムひもの他端をなめらかな水平面上に固定し，おもりを等速円運動させたところ，ゴムひもの長さはL〔m〕になっていた。ゴムひもの伸びは加えられた力に比例するものとし，重力加速度の大きさをg〔m/s^2〕として，次の問いに答えよ。

(1)　おもりが等速円運動をしているときのゴムひもの張力はいくらか。

(2)　このときのおもりの角速度はいくらか。

（解答➡別冊 *p.14*）

〈類題68〉 図のように，中央に小孔Oがあいた，なめらかで水平な台上に質量mの小物体がある。小物体は小孔を通した糸でばねの一端に結ばれており，ばねの他端は固定されている。糸と小孔との間の摩擦および，ばねの質量は無視できるとして，次の問いに答えよ。

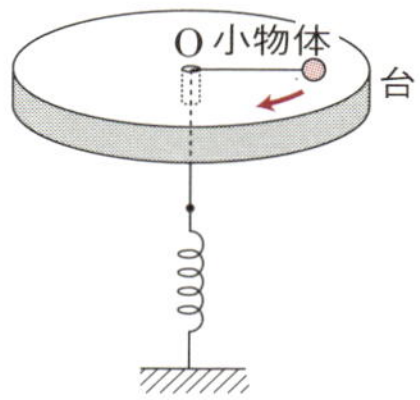

(1)　小物体を周期T，半径rで円運動をさせた。このとき次のものを求めよ。

①　小物体の速さ

②　糸にはたらく張力

(2)　小物体を角速度ω_1で円運動させたときの半径はr_1であった。角速度をω_2にしたときは，ばねがさらに伸びて半径r_2になった。ばね定数を求めよ。

（解答➡別冊 *p.14*）

▶等速円運動の一般的解法

次の順に考えていけばよい。

① 物体に作用する重力，糸の張力，ばねからの力，面からの抗力など，すべての力を矢印でかき込み，それぞれの力の大きさを記入する。

② 物体の位置を座標原点とし，物体と円の中心とを結ぶ方向，およびそれと垂直な方向との座標軸を考え，すべての力をそれぞれの方向に分解する。

③ 中心方向の座標軸について，中心向きの力を正，反対向きの力を負としてその合力を求め，

$$mr\omega^2\ (\text{または}\ m\frac{v^2}{r}) = (\text{中心向きの力の合力})$$

という式をつくる。これが円運動の運動方程式である。

④ 鉛直面内の円運動（等速円運動でないことが多い）のときは，力学的エネルギー保存則も同時に用いなければならないことが多い。

TYPE 46 円すい振り子の運動

重要度 A

水平方向 ⇨ $mr\omega^2$ =（糸の張力の水平成分）
鉛直方向 ⇨ つり合い

着眼　円すい振り子のおもりに加わる力は重力と糸の張力だけで，**この 2 つの力の合力が水平方向を向き，向心力となる**。したがって，水平方向について，**等速円運動の運動方程式**をたて，鉛直方向については物体の移動がないので，**つり合いの式**をたてればよい。

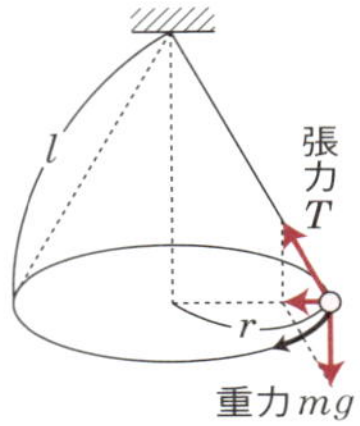

例題　円運動の角速度と周期

ある物体が，図のように，長さ l〔m〕の軽くて伸びない糸でつるされて，水平面内で円を描いてまわる運動をしていた。糸と鉛直方向とのなす角を θ，重力加速度の大きさを g〔m/s²〕として，この運動の角速度 ω，周期 T を求めよ。ただし，糸の質量は無視できるものとする。

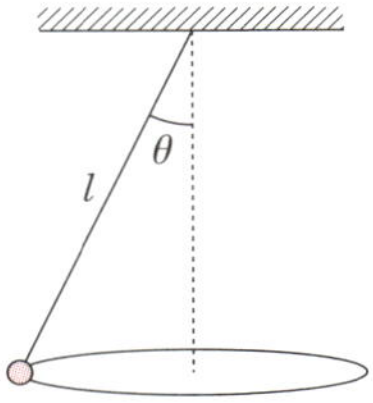

解き方　物体にはたらく力は重力と張力で，その合力は円の中心に向かう。この合力は水平面内にあり，その大きさは $mg\tan\theta$ である。円運動の半径は $l\sin\theta$ であるから，向心加速度は $l\omega^2\sin\theta$ である。よって，運動方程式は，

$$ml\omega^2\sin\theta = mg\tan\theta$$

ゆえに，$\omega^2=\dfrac{g}{l\cos\theta}$　　$\omega>0$ だから，$\omega=\sqrt{\dfrac{g}{l\cos\theta}}$

周期 T は，$T=\dfrac{2\pi}{\omega}=2\pi\sqrt{\dfrac{l\cos\theta}{g}}$

答　$\omega=\sqrt{\dfrac{g}{l\cos\theta}}$，$T=2\pi\sqrt{\dfrac{l\cos\theta}{g}}$

類題69　長さ $3l$〔m〕の伸び縮みしないしなやかな糸を長さ l〔m〕の細い管に通し，糸の両端に質量 m〔kg〕の小球 A と質量 $2m$〔kg〕の小球 B をつける。次に，図のように管を鉛直にして，A を水平面内で等速円運動させたところ，B は管の下端からちょうど l〔m〕の位置にあった。管と糸との間には摩擦はないものとして，このときの A の角速度を l と g で表せ。

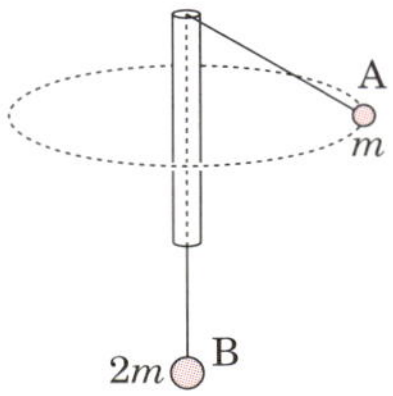

（解答➡別冊 p.15）

TYPE 47 ろうと状容器内での等速円運動

A 重要度

水平方向 ⇨ $mr\omega^2$ =（垂直抗力の水平成分）
鉛直方向 ⇨ つり合い

着眼　ろうとや茶わんなどの内面に沿って水平面内で等速円運動をする物体の場合は，物体が面から受ける**垂直抗力と重力との合力が水平方向を向き，これが向心力**となる。この力の大きさは垂直抗力の水平成分に等しい。よって，水平方向については**等速円運動の運動方程式**，鉛直方向は**つり合いの式**をたてればよい。

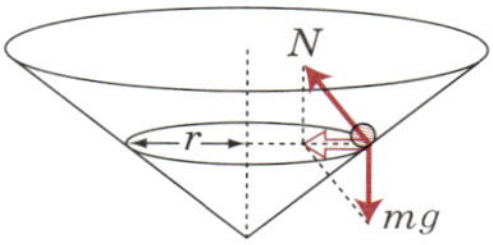

例題　円運動をするための初速度

図のような断面をもつ円すい形容器の軸が鉛直になるように固定し，頂点Aからの高さがhの水平面内で，質量mの小物体を円すい面に沿って回転運動させるためには，小物体に水平方向にいくらの初速度を与えればよいか。円すい面はなめらかであるとする。

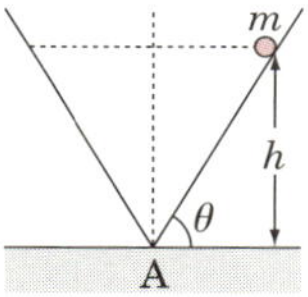

解き方　小物体が面から受ける垂直抗力をN，小物体の速さをvとして，円運動の方程式をたてると，

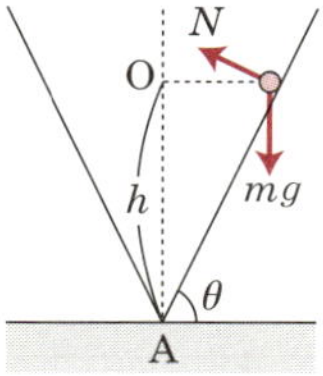

$$m\frac{v^2}{\dfrac{h}{\tan\theta}} = N\sin\theta \qquad \cdots\cdots①$$

鉛直方向の力のつり合いより，

$$N\cos\theta = mg \qquad \cdots\cdots②$$

①，②より，$v = \sqrt{gh}$　　**答** $\sqrt{gh}$

類題70　図のように，半径5 cmの半円形のピアノ線に，中心に穴をあけたビー玉を通し，これを半円の中心を通る鉛直線のまわりに，ある一様な角速度で回転させる。じゅうぶん長い時間の後に，ビー玉は底から高さ2.5 cmの位置でピアノ線に対して静止する。このときのピアノ線の回転の周期はどれだけか。ただし，ビー玉はピアノ線の大きさに比べてじゅうぶん小さく，ピアノ線とビー玉の間の摩擦は無視できるものとする。重力加速度の大きさを9.8 m/s^{2}とする。（解答➡別冊 p.15）

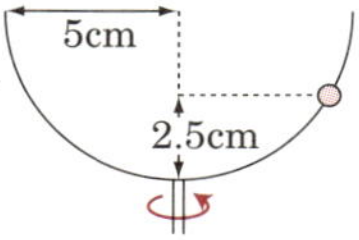

TYPE 48 振り子の糸の張力

重要度 A

糸の方向の合力が向心力となる円運動として解く。
遠心力を含めた糸の方向のつり合いを考えて解く。

着眼 静止座標系から見ると，糸の方向の合力が向心力となって，おもりが円運動をしているから，右図の瞬間の運動方程式は，

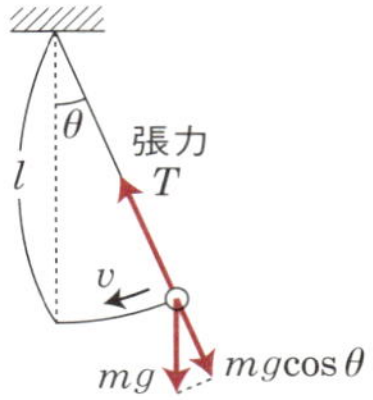

$$m\frac{v^2}{l}=T-mg\cos\theta$$

となる。

v は力学的エネルギー保存則から求められる。

おもりと同じ運動をする座標系から見ると，おもりには見かけ上の遠心力がはたらき，糸の方向の力はつり合っている。このとき，つり合いの式は，次のように表される。

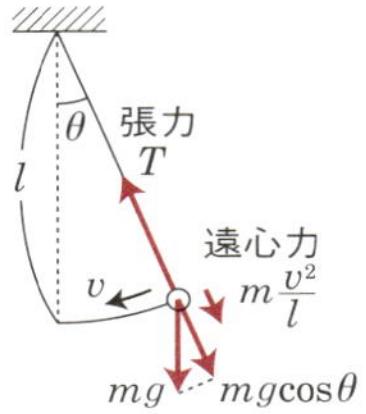

$$T-mg\cos\theta-m\frac{v^2}{l}=0$$

例題　振り子の糸の張力

長さ l〔m〕の糸の一端に質量 m〔kg〕のおもりをつけ，他端を天井に固定する。糸がたるまず水平になるようにおもりを支えた後，おもりを手放す。重力加速度の大きさを g〔m/s²〕とする。

(1)　糸が鉛直線と角 θ をなす瞬間の糸の張力を求めよ。

(2)　おもりが最下点を通過する瞬間の糸の張力を求めよ。

解き方 (1)　このときおもりの速さを v_1〔m/s〕，糸の張力を T_1〔N〕として，運動方程式をたてると，

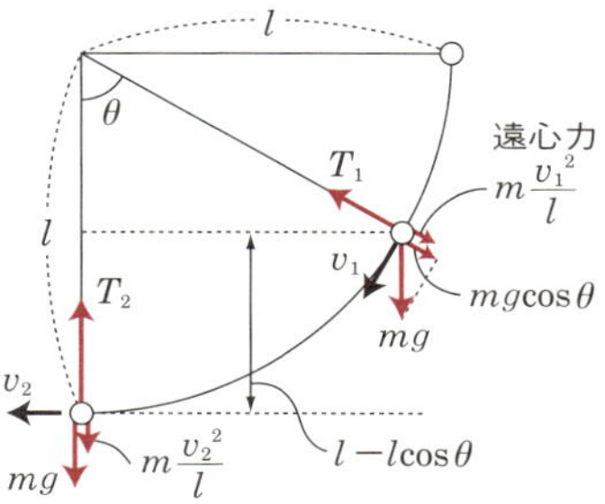

$$m\frac{v_1^2}{l}=T_1-mg\cos\theta \quad \cdots\cdots①$$

また，おもりの最下点を位置エネルギーの基準面として，力学的エネルギー保存則を用いると，

$$mgl=\frac{1}{2}mv_1^2+mg(l-l\cos\theta) \quad \cdots\cdots②$$

①，②から，

$$T_1=3mg\cos\theta$$

(別解)　遠心力を考えると，糸の方向の力がつり合うことになるから，

$$T_1 - mg\cos\theta - m\frac{v_1{}^2}{l} = 0 \qquad \cdots\cdots③$$

②，③から，

$$T_1 = 3mg\cos\theta\,〔\mathrm{N}〕$$

(2)　おもりが最下点にきたとき，$\theta=0$ であるから，このときの糸の張力 T_2〔N〕は，(1)の解に $\theta=0$ を代入して，

$$T_2 = 3mg\cos 0 = 3mg\,〔\mathrm{N}〕$$

答　(1) $3mg\cos\theta$　(2) $3mg$

類題71　図のように，半径 R，中心角 90° のなめらかな円弧面をもつ台が水平面に固定されている。台の頂点Qに質量 m の小物体を静止させてから，円弧に沿って滑らせた。小物体が斜面上の点Pにきたとき，円弧の中心OとPを結ぶ直線OPが鉛直線となす角度を θ とする。また，重力加速度の大きさを g とする。

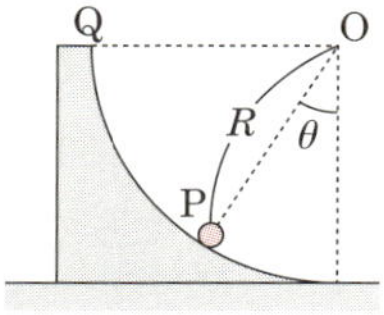

(1)　点Pにおける小物体の速さはいくらか。

(2)　点Pにおいて，小物体が円弧面から受ける垂直抗力はいくらか。（解答➡別冊 p.15）

類題72　長さ R の糸の端に質量 m のおもりをつけた単振り子の運動を考える。図のように，天井にある支点Oの鉛直下方で $R-r$ だけ離れた点Pに太さが無視できるくぎがある。おもりはOとPを含む鉛直面内で運動し，このくぎによってOPを含む鉛直線の左右で支点の異なる振動をしている。糸が鉛直線となす左右の最大の角度はそれぞれ θ_1，θ_2 であり，そのときのおもりの位置をそれぞれ点A，点Bとする。

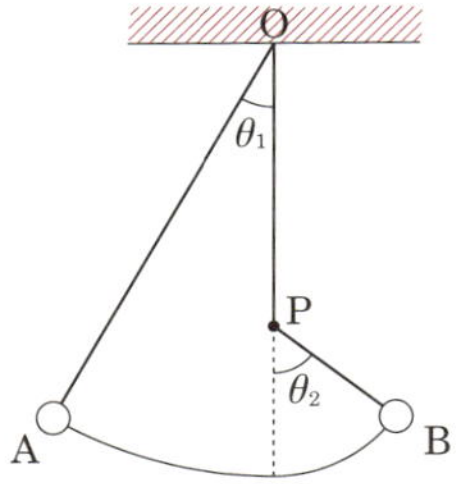

ただし，$R\cos\theta_1 > R-r$ であり，重力加速度の大きさを g とする。また，おもりの大きさや空気抵抗，糸の太さや質量は無視できるものとする。

(1)　糸がくぎに触れる直前のおもりの速さ v_0 を，m，g，R，θ_1 のなかから必要なものを用いて表せ。

(2)　糸がくぎに触れる直前の糸の張力の大きさ T_0 を，m，g，R，θ_1 のなかから必要なものを用いて表せ。

(3)　糸がくぎに触れた直後の糸の張力の大きさ T_1 を，m，g，R，θ_1 のなかから必要なものを用いて表せ。

（解答➡別冊 p.15）

TYPE 49　鉛直面内で振り子が円運動をする条件

A 重要度

最高点で，糸の張力 $T \geqq 0$
遠心力を含めたおもりのつり合いの式をつくる。

着眼　振り子のおもりに最下点で初速度 v_0 を与えて，おもりを鉛直面内で円運動させる場合を考える。おもりが円運動するためには，糸がつねにピンと張っていなければならない。**糸の張力は最高点で最小になる**から，**最高点で糸の張力 $T \geqq 0$** であることが，おもりが鉛直面内で円運動するための条件になる。それに必要な初速度 v_0 は，力学的エネルギー保存則によって得られる。

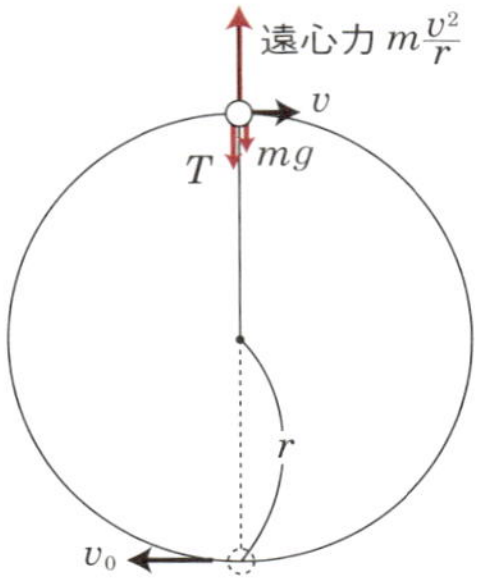

例題　円運動をするための最小速度

質量 m のおもりを長さ l の糸でつるした単振り子がある。最下点 P_0 でおもりに水平方向に初速度 v_0 を与えるとき，次の問いに答えよ。

(1)　点 P_1 ($\theta = 120°$) までおもりが上がることができるための v_0 の値を求めよ。

(2)　おもりが最高点 P_2 を通過して円運動を続けるためには，v_0 の値は最小限いくらであればよいか。

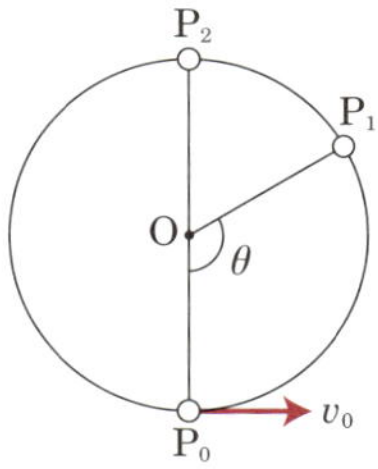

解き方　(1)　P_1 での糸の張力を T_1，おもりの速さを v_1 として，遠心力を含めた OP_1 方向の力のつり合いの式をつくると，

$$T_1 + mg\cos 60° - m\frac{v_1{}^2}{l} = 0 \qquad \cdots\cdots ①$$

力学的エネルギー保存則より，

$$\frac{1}{2}mv_0{}^2 = \frac{1}{2}mv_1{}^2 + mg(l + l\cos 60°) \qquad \cdots\cdots ②$$

①，②より，$T_1 = \dfrac{mv_0{}^2}{l} - \dfrac{7}{2}mg$

おもりが P_1 で円運動するためには，$T_1 \geqq 0$ でなければならないから，

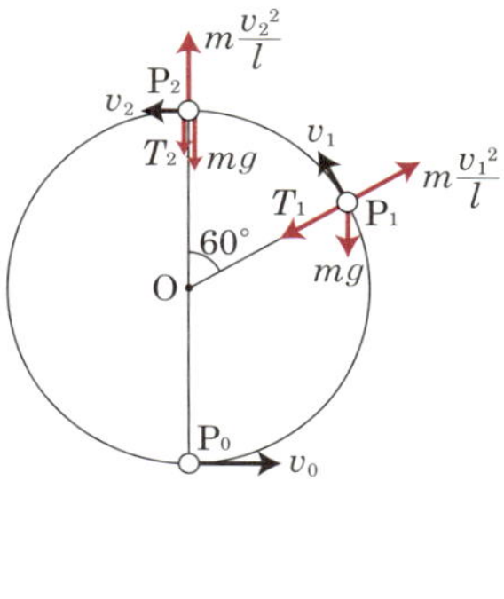

$$\frac{mv_0^2}{l}-\frac{7}{2}mg \geqq 0 \qquad \text{ゆえに，} v_0 \geqq \sqrt{\frac{7gl}{2}}$$

(2)　P_2 での糸の張力を T_2，おもりの速さを v_2 として，遠心力を含めた OP_2 方向のつり合いの式をつくると，

$$T_2+mg-m\frac{v_2^2}{l}=0 \qquad \cdots\cdots③$$

力学的エネルギー保存則より，

$$\frac{1}{2}mv_0^2=\frac{1}{2}mv_2^2+mg\cdot 2l \qquad \cdots\cdots④$$

③，④より，

$$T_2=\frac{mv_0^2}{l}-5mg$$

おもりが P_2 で円運動するためには，$T_2 \geqq 0$ でなければならないから，

$$\frac{mv_0^2}{l}-5mg \geqq 0$$

ゆえに，$v_0 \geqq \sqrt{5gl}$

答　(1) $\sqrt{\frac{7gl}{2}}$　(2) $\sqrt{5gl}$

補足　鉛直面内の円運動の問題は，向心力による加速度運動と見て運動方程式を用いて解くこともできる。向心力を用いる場合(慣性系)と遠心力を用いる場合(非慣性系)を混同しないようにすることが大切である。

類題73　図のように傾斜角 α のなめらかな斜面がある。伸び縮みがなく，質量が無視できる長さ l の細い棒 OP の先端 P に質量 m の質点をつけ，棒が斜面上で自由に回転できるように棒の他端 O を斜面上の 1 点に固定した。いま，棒は図のように最大傾斜線に沿って静止している。ただし，重力加速度の大きさを g とする。

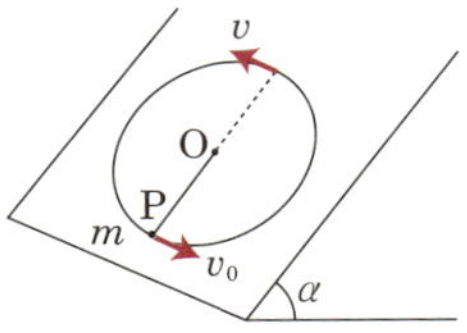

(1)　静止している棒 OP につけた質量 m の質点に初速度を与えて，質点に点 O を中心とした斜面上で円運動を行わせるためには，斜面に沿って水平方向にいくら以上の初速度を与えればよいか。

(2)　棒 OP のかわりに長さ l の伸び縮みしない糸を用いて，質点に半径 l の円運動をさせるためには，質点に，斜面に沿って水平方向にいくら以上の初速度を与えればよいか。

(解答➡別冊 *p.15*)

例題　円運動からはずれる条件

半径 r の中空の球面の内側の最下点に質量 m の小球を置き，これに水平方向の初速度 v_0 を与えたところ，小球は図中の角 $\theta=30°$ の点Pで球面を離れた。重力加速度の大きさを g として，v_0 の大きさを求めよ。

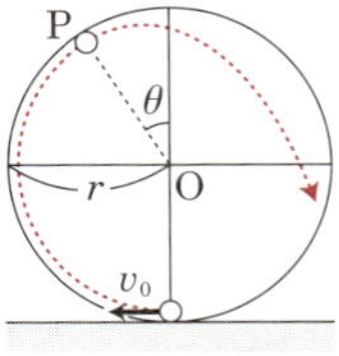

解き方　小球が球の内面に沿って円運動をするとき，小球にはたらく力は，重力 mg と面からの垂直抗力 N の2つで，これに遠心力を含めて考えると，中心方向の力はつり合う。P点における小球の速さを v とすると，

つり合いの式は，$N+mg\cos 30°-m\dfrac{v^2}{r}=0$　……①

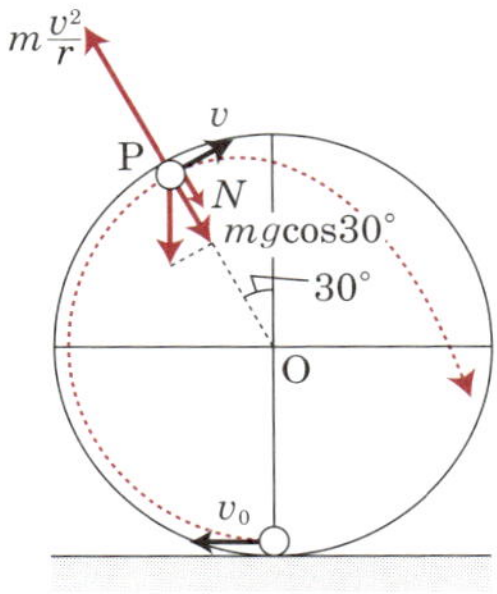

次に，最下点を位置エネルギーの基準点として，力学的エネルギー保存則より，

$$\frac{1}{2}mv_0{}^2=\frac{1}{2}mv^2+mg(r+r\cos 30°)\quad \cdots\cdots②$$

また，P点で小球が球面を離れるから，$N=0$　……③

①，②，③より，$v_0=\sqrt{\left(2+\dfrac{3\sqrt{3}}{2}\right)gr}$

答　$\sqrt{\left(2+\dfrac{3\sqrt{3}}{2}\right)gr}$

類題74　図に示すように，じゅうぶん長い水平面PQに，半径 r の半円筒QRSが点Qでなめらかに接続している。ここで，ばね定数 k，自然の長さ l の軽いばねの一端を点Pにある壁に固定し，その他端に質量 $2m$ の小球Aを取りつけ，水平面上に置いた。そして，Aを左方向にばねの自然の長さより l_0 だけ縮ませた。さらに，質量 m の小球Bを点Pより距離 l の場所に置き，Aを静かにはなしたところ，AとBは完全弾性衝突をした。水平面および半円筒内面はなめらかであり，小球A，Bの大きさは無視できるものとする。また，重力加速度の大きさを g とする。

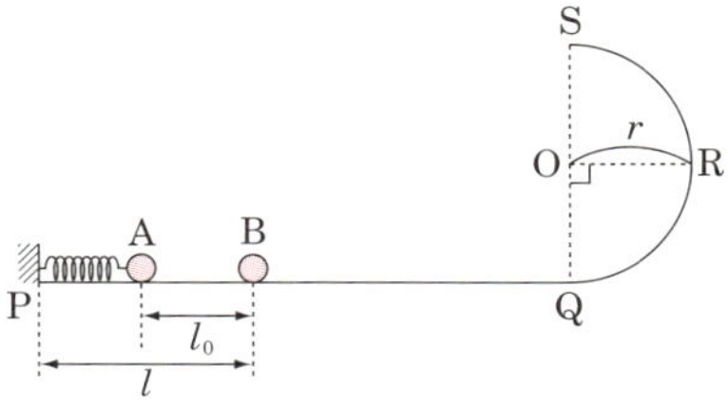

(1)　小球Bに衝突する直前の小球Aの速さ v_0 を m，k，l_0 を用いて表せ。

(2)　完全弾性衝突直後の小球A，Bの速さ v_A，v_B を v_0 を用いて表せ。

(3)　小球Bを図の点Sに到達させたい。点Sを通るときの小球Bの最小の速さ v_{BS} を r，g を用いて表せ。またこのとき，ばねを自然の長さよりどれだけ縮ませればよいか。その値 l_2 を m，k，r，g を用いて表せ。

（解答➡別冊 *p.16*）

TYPE 50 円筒の外面を滑り落ちる物体の運動

B 重要度

円運動の方程式をつくる。
または，遠心力を含めて中心方向のつり合いの式をつくる。
垂直抗力が 0 のとき円筒面を離れる。

着眼 物体がなめらかな円筒の外面を滑り落ちるとき，物体にはたらく実際の力は重力 mg と面からの垂直抗力 N だけであるが，これに遠心力を合わせて考えると，この 3 つの力の円筒の中心軸方向の分力の和は 0 になる(つり合っている)。物体の速さは面を滑り落ちるにつれて大きくなり，**垂直抗力が 0 になった瞬間から物体は円筒面を離れ，放物運動**をする。

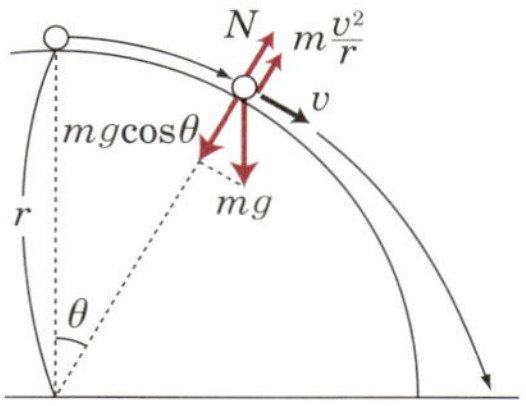

例題 円筒面から離れるときの高さ

軸を鉛直にして置いた半径 r の円筒の最高点に質量 m の小物体を置き，これに円筒の軸に垂直で水平な方向の速度 v_0 を与えるとき，この小物体が円筒を離れる点の高さを求めよ。小物体と円筒面との間には摩擦はないものとする。

解き方 円筒面上の物体の任意の位置での速さを v，その点と中心 O とを結ぶ線分が鉛直線となす角を θ，面からの垂直抗力を N とすると，遠心力を含めた中心方向のつり合いの式は，

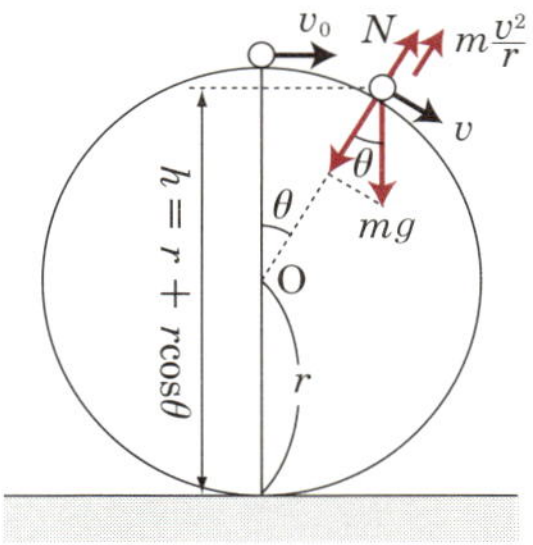

$$N+m\frac{v^2}{r}-mg\cos\theta=0 \qquad \cdots\cdots①$$

床面を位置エネルギーの基準面とすると，力学的エネルギー保存則より，

$$\frac{1}{2}mv_0{}^2+mg\cdot 2r=\frac{1}{2}mv^2+mg(r+r\cos\theta) \qquad \cdots\cdots②$$

物体が面から離れるときは，$N=0$ ……③

①，②，③より，$\cos\theta=\dfrac{2gr+v_0{}^2}{3gr}$

ゆえに，求める高さ h は，

$$h=r+r\cos\theta=r+\frac{2gr+v_0{}^2}{3g}=\frac{5gr+v_0{}^2}{3g}$$

答 $\dfrac{5gr+v_0{}^2}{3g}$

類題75 次の文章の□にあてはまる式を求めよ。ただし，重力加速度の大きさをgとする。

図のように，半径aの円柱を床の上に固定した。質量mの小さな物体が円柱の最上部の点Aから速度0で，円柱の側面を滑り下り始めた。円柱と物体の間の摩擦は無視できるものとする。円柱の中心軸上で点Aの真下にある点をOとしたとき，∠AOBがθとなるような点Bまで物体が滑り下りたとき，物体のもつ位置エネルギーは，その基準を床にとると［①］となり，点Bでの物体の速さは［②］となる。また，点Bでの物体が円柱から受ける垂直抗力の大きさは［③］である。

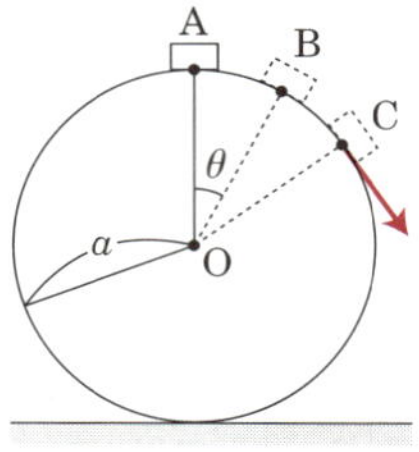

物体はさらに円柱の側面を滑り下り，点Cまで来たときに，円柱から離れた。点Cの床からの高さは［④］であり，また点Cでの物体の速さは［⑤］となる。

（解答➡別冊 *p.16*）

類題76 図に示すように，大きさの無視できる質量mの質点Pが高さhの位置から初速度0で出発してコブのある斜面上を運動する。この斜面を鉛直に切った断面の形状は，円O_1（中心O_1，半径R）の一部である円弧$\overset{\frown}{ABC}$，円O_2（中心O_2，半径r）の一部である円弧$\overset{\frown}{CDE}$，円O_3（中心O_3，半径R）の一部である円弧$\overset{\frown}{EF}$を含むなめらかな曲線である。点B，点O_2，点Fは高さ0のところにある。また，点O_1と点O_3はそれぞれ点Bと点Fの真上の高さRのところにある。円O_1と円O_2は点Cで，円O_2と円O_3は点Eで接している。質点Pと斜面との摩擦および空気抵抗は無視でき，重力加速度の大きさをgとする。

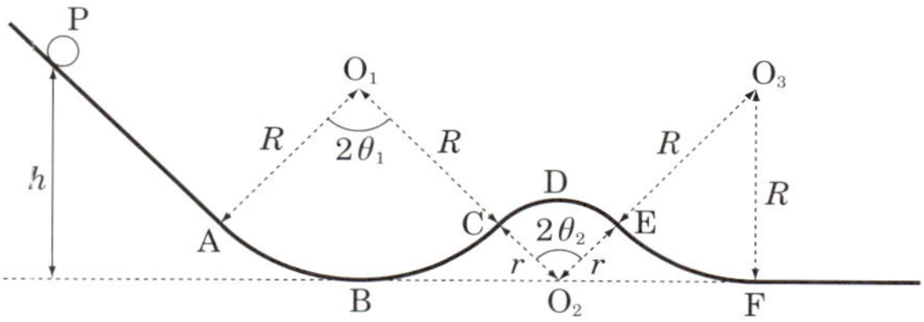

(1)　質点Pが円弧$\overset{\frown}{AB}$間でO_1Bとのなす角度がθの位置にいるときの速さv_1を求めよ。

(2)　質点Pが円弧$\overset{\frown}{AB}$間でO_1Bとのなす角度がθの位置にいるとき，面から受ける垂直抗力の大きさN_1を求めよ。

(3)　質点Pが円弧$\overset{\frown}{CD}$間でO_2Dとのなす角度がθの位置にいるとき，面から受ける垂直抗力の大きさN_2を求めよ。

(4)　質点が斜面から離れずに運動し，点Fに到達するhの条件を求めよ。

（解答➡別冊 *p.16*）

練習問題

解答→別冊 p.57

TYPE

27 図のように，地面に対して水平に一定の速さで回転する摩擦のある円盤の上の，回転軸から距離 r の位置に小物体が置かれている。次の問いに答えよ。ただし，重力加速度の大きさを g，円周率を π とせよ。

(1) 円盤は 1 分間当たり 10 回転している。このときの周期と角速度を求めよ。

(2) (1)の場合について，小物体の円軌道上での速さを求めよ。ただし，この時点では円盤に対して小物体は動かないものとする。

(3) 円盤の角速度を徐々に増大させたところ，ある角速度 ω_0 で小物体は円盤に対して動き始めた。円盤に乗った観測者から見た場合の，小物体が動き出す直前に小物体にはたらく力の名称と方向を下図に記入せよ。また，円盤に対する小物体の静止摩擦係数 μ を ω_0 を用いて答えよ。

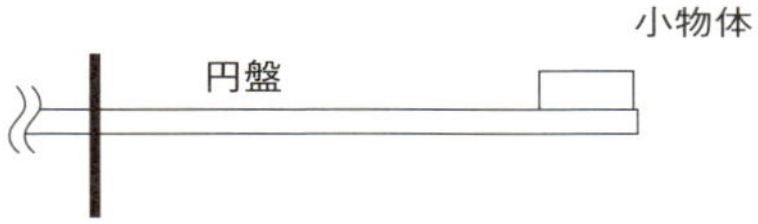

(4) 小物体を元の位置にもどし，(3)と同じことを円盤の回転軸を θ だけ鉛直方向から傾けて行った。この場合，小物体が動き始めるときの角速度は，水平に円盤を回転させた場合の何倍か，静止摩擦係数 μ を用いて答えよ。ただし，円盤が止まっている場合，θ は小物体が滑り落ちない範囲にあるものとする。 (神戸大 改)

➔ 44

28 図のように，エレベーターの天井からつるした長さ L の糸の端におもりがついている。鉛直上向きを正の方向とする。エレベーターは鉛直方向へなめらかに移動できるが，水平方向へは動かないように拘束されている。ここで，おもりの質量を M_1，エレベーターのみの質量を M_2 とする。また，重力加速度の大きさを g とし，糸の質量，空気抵抗，おもりの大きさは無視できるものとする。エレベーターが一定の力 F を

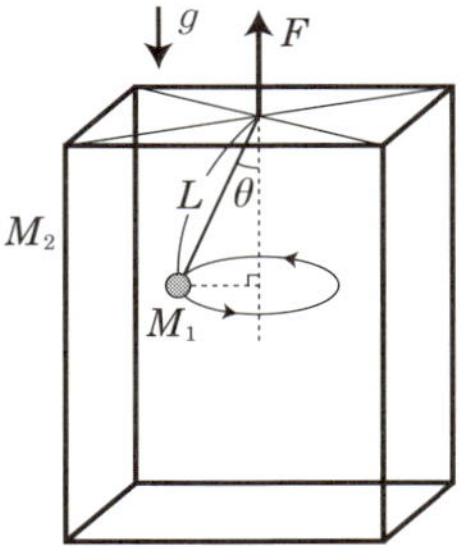

ヒント　27 (3) 動き出す直前には，重力，垂直抗力，最大摩擦力，遠心力がはたらいている。

TYPE

受けて正の加速度で鉛直上方へ移動中に，天井からつるされたおもりがエレベーターの床面と平行な水平面内で等速円運動している場合を考える。このとき，糸は鉛直方向に対して一定の角度θをなした。糸の張力の大きさをSとし，エレベーターの加速度をaとする。以下の設問に答えよ。なお，M_1，M_2，F，g，L，θのうち必要なものを用いて解答せよ。

(1)　エレベーターの加速度aを求めよ。

(2)　糸の張力の大きさSを求めよ。

(3)　エレベーター内でおもりの等速円運動に必要な向心力の大きさfを求めよ。

(4)　設問(3)の等速円運動の周期Tを求めよ。円周率をπとする。　→ **46, 48**

（九州工大 改）

29　図１に示すように，地面の上に固定された半径Rの球の最高点に質量mの小球を置いた。小球の半径はRに比べてじゅうぶん小さいとし，球面と小球の間の摩擦は無視できるものとする。重力加速度の大きさをgとして，次の問いに答えよ。

図１

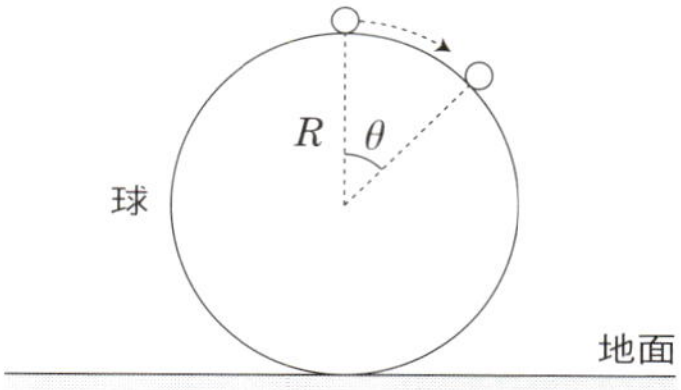

図２

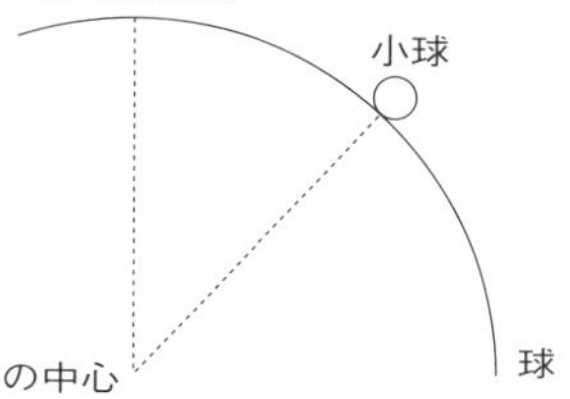

(1)　小球に大きさv_0で水平方向の初速度を与えたところ，小球は球面上を滑り落ちた。滑り落ちている小球にはたらいている重力と垂直抗力を上の図２の中に矢印で示し，力の名称も書け。ただし，矢印の長さはそれぞれの力の大きさを考慮すること。

(2)　球面上を小球が速さvで滑り落ちているとき，小球に生じる球の半径方向の加速度の大きさを，vを用いて表せ。また，その加速度の向きは球の中心に向かう向きか，球の中心から遠ざかる向きか。

(3)　小球が図１で示した角度θの位置まで滑り落ちたとき，小球の速さをv_0，θ，R，gを用いて表せ。

ヒント　**28** (1) エレベーターとおもりについて，それぞれ運動方程式をつくる。

(4)　小球が球面から離れる位置の，地面からの高さを求めよ。

(5)　小球に大きさ v_1 で水平方向の初速度を与えると，小球は球面に沿って滑り落ちることなく球面から離れた。このとき，v_1 はどのような条件を満足していなければならないかを式で表せ。　（埼玉大 改）

TYPE

➔ 49, 50

30　水平面に対して傾斜角 α〔rad〕$\left(0<\alpha<\dfrac{\pi}{2}\right)$ のなめらかな斜面がある。図のように，斜面上の点Cに長さ L〔m〕の糸の一端を固定し，糸の他端に質量 m〔kg〕の小球Pをとりつける。小球Pは斜面上で点Cを中心として反時計まわりに半径 L〔m〕の円運動をしている。最下点Aを通る瞬間の小球Pの速さは v_A〔m/s〕である。以下の問いに答えよ。空気抵抗，糸の質量は無視でき，糸は伸び縮みしないものとし，重力加速度の大きさを g〔m/s^2〕とする。

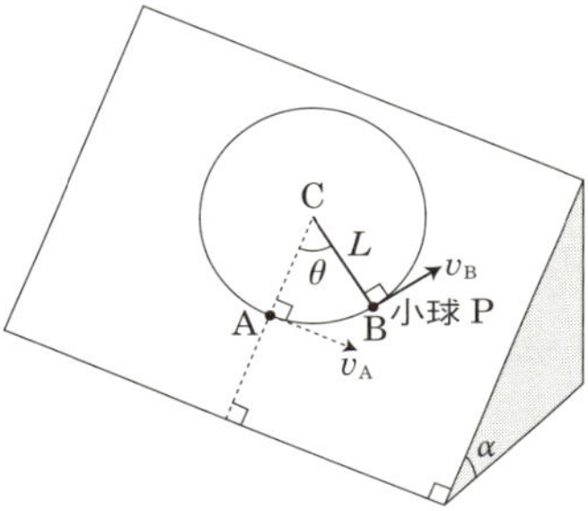

(1)　小球Pが最下点Aを通る瞬間について考える。

① 小球Pにはたらく重力のCA方向の成分 S_A〔N〕を，CからAの向きを正として g，m，α を用いて表せ。

② 小球Pが斜面から受ける垂直抗力の大きさ N_A〔N〕を g，m，α を用いて表せ。

③ 糸の張力の大きさ T_A〔N〕を m，g，L，v_A，α を用いて表せ。

(2)　小球Pが最下点Aから角度 θ〔rad〕回転した位置を点Bとする。小球Pが点Bを通る瞬間について考える。

① 小球Pにはたらく重力のCB方向の成分 S_B〔N〕を，CからBの向きを正として g，m，α，θ を用いて表せ。

② 小球Pが斜面から受ける垂直抗力の大きさ N_B〔N〕を g，m，α を用いて表せ。

③ 小球Pの速さ v_B〔m/s〕を g，L，v_A，θ，α を用いて表せ。

④ 糸の張力の大きさ T_B〔N〕を m，g，L，v_A，θ，α を用いて表せ。

⑤ 張力 T_B が最小となるときの θ の値を $0 \leqq \theta < 2\pi$ の範囲で示せ。また，張力の最小値 T_{min}〔N〕を m，g，L，v_A，α を用いて表せ。

⑥ 糸がたるむことなく小球Pは円運動をしている。速さ v_A が満たしている条件を g，L，α を用いて表せ。　（信州大）

➔ 49

8 単振動

1 単振動

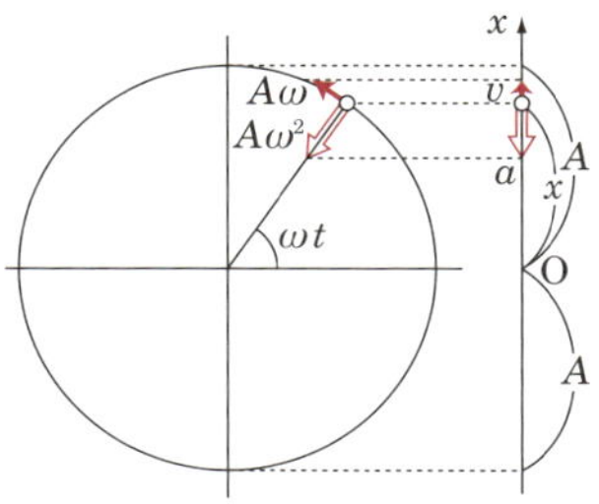

半径 A〔m〕の円周上を角速度 ω〔rad/s〕で等速円運動している物体の正射影の運動が，振幅 A〔m〕，角振動数 ω〔rad/s〕の単振動にほかならない。この単振動の変位 x〔m〕，速度 v〔m/s〕，加速度 a〔m/s²〕は，それぞれ次の式で表される。

変位：$x = A\sin\omega t$　(1・16)

速度：$v = A\omega\cos\omega t$　(1・17)

加速度：$a = -A\omega^2\sin\omega t = -\omega^2 x$　(1・18)

(1・18)式のマイナスは，加速度の向きが変位の向きと反対であることを示す。

2 単振動の復元力

単振動をする質量 m〔kg〕の物体にはたらく力 F〔N〕は，運動方程式より，

$$F = ma = -m\omega^2 x \quad (1\cdot19)$$

となる。この力は，物体の変位と反対向きで，物体を元の位置にもどすようにはたらくので，**復元力**と呼ばれる。(1・19)式の $m\omega^2$ を K とおくと，

$$F = -Kx \quad (1\cdot20)$$

となり，復元力は変位 x に比例し，変位と反対向きにはたらく力であることがわかる。逆に，物体に(1・20)式で示される力 F がはたらくときは，物体は単振動をする。この単振動の運動方程式は，

$$m\cdot(-\omega^2 x) = -Kx$$

となるので，$\omega = \sqrt{\dfrac{K}{m}}$

よって，単振動の周期 T〔s〕は，

$$T = \frac{2\pi}{\omega} = 2\pi\sqrt{\frac{m}{K}} \quad (1\cdot21)$$

3 単振り子

長さ l〔m〕の単振り子は，振幅が小さいとき，近似的に単振動をする。その周期 T〔s〕は，重力加速度の大きさを g〔m/s²〕とすると，

$$T = 2\pi\sqrt{\frac{l}{g}} \quad (1\cdot22)$$

TYPE 51 一般の単振動

A 重要度

単振動の条件 ⇨ 変位に比例する復元力がはたらく。
単振動の加速度 $-\omega^2 x$ を用いて運動方程式をつくる。
運動方程式から ω を求めて，周期 T，速度 v を求める。

着眼 振動の中心より x〔m〕変位した点で物体にはたらく力から，**単振動の加速度 $-\omega^2 x$ を用いて運動方程式**をつくり，ω を求める。

あとは，ω を用いて

周期：$T=\dfrac{2\pi}{\omega}$

速度：$v=A\omega\cos\omega t$

などが求められる。

▸単振動の一般的解法

次の順に考えていけばよい。

① 物体の振動の原点(つり合いの位置)を求める。このとき，つり合いの式をつくっておく。

② 物体が原点から任意の距離 x だけ変位した位置で，物体にはたらくすべての力の方向と大きさを記入する。

③ 物体の原点からの変位の向きを正として，合力を求める。この合力が，

$F=-Kx$ （K は定数）

の形になれば，物体は単振動をする。

④ 単振動の加速度 $-\omega^2 x$ を用いて運動方程式をつくり，$T=\dfrac{2\pi}{\omega}$ から周期 T を求める。

例 題 単振動の周期・速さ

質量 2.0 kg の物体が振幅 1.0 m の単振動をしている。この物体が振動の中心から 0.50 m 離れた位置 P にあるとき，4.0 N の力がはたらいていた。

(1) この振動の周期は何秒か。

(2) P 点における物体の速さはいくらか。

(3) 物体が振動の中心を通過する瞬間の速さはいくらか。

(4) 物体が振動の中心から 0.60 m 離れているときの加速度はいくらか。

解き方　(1)　$x=0.50\,\mathrm{m}$ のとき，$F=-4.0\,\mathrm{N}$ だから，角振動数を ω とおいて運動方程式をつくると，

$$-2.0\times\omega^2\times0.50=-4.0 \qquad \text{ゆえに，}\omega=2.0\,\mathrm{rad/s}$$

よって，周期は，(1・21)式より，$T=\dfrac{2\pi}{\omega}=\dfrac{2\times3.14}{2.0}=3.14\,\mathrm{s}$

(2)　速さは(1・17)式を用いて求めればよいが，それには $\cos\omega t$ の値が必要なので，まず，(1・16)式を用いて，$\sin\omega t$ の値を求める。P点は，$x=0.50\,\mathrm{m}$ であるから，(1・16)式より，

$$\sin\omega t=\frac{x}{A}=\frac{0.50}{1.0}=\frac{1}{2}$$

よって，$\cos\omega t=\sqrt{1-\sin^2\omega t}=\sqrt{1-\left(\dfrac{1}{2}\right)^2}=\dfrac{\sqrt{3}}{2}$

求める速さは，(1・17)式より，$v=1.0\times2.0\times\dfrac{\sqrt{3}}{2}=\sqrt{3}=1.73\,\mathrm{m/s}$

(3)　振動の中心では，$\omega t=0$ であるから，(1・17)式より，

$$v=1.0\times2.0\times\cos0=2.0\,\mathrm{m/s}$$

(4)　(1・18)式に，$x=0.60\,\mathrm{m}$ を代入して，$a=-2.0^2\times0.60=-2.4\,\mathrm{m/s^2}$

答　(1) **3.1 s**　(2) **1.7 m/s**　(3) **2.0 m/s**　(4) **2.4 m/s²**

〈類題77〉 図に示すように，等速円運動する物体の x 軸への正射影は単振動をする。これをばねにつながれた同じ質量 m をもつ物体の振動に対応させると，円周上にある質量 m の物体の x 座標は，ばねの自然長からの変位 x に対応する。また，円の半径 A が単振動の振幅 A に対応し，円運動の角速度 ω が単振動する物体の角振動数 ω に対応する。時刻 $t=0$ で位相 $\theta=0$ として，以下の問いに答えよ。

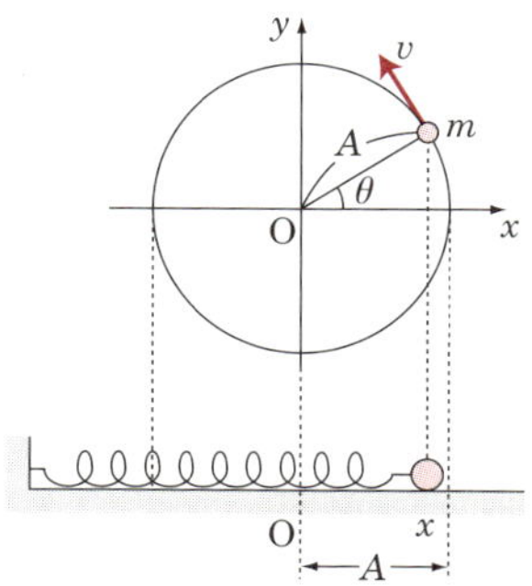

(1)　図のときの単振動の変位 x を A，t，ω で表せ。

(2)　図のときの単振動の速度 v を A，t，ω で表せ。

(3)　図のときの単振動の加速度 a を A，t，ω で表せ。

(4)　単振動する物体が受けている力を F_x とすれば，$F_x=-Kx$ と表される。ここで，K は復元力の比例定数と呼ばれている。この K を m，ω で表せ。

(5)　(4)で導入した K を用いると，単振動する物体の力学的エネルギー E は，

$$E=\frac{1}{2}mv_x{}^2+\frac{1}{2}Kx^2$$

で与えられる。ここで v_x は物体の速度である。この E を m，A，ω で表せ。

（解答➡別冊 *p.17*）

TYPE 52 ばね振り子の単振動

A 重要度

振動の中心におけるつり合いの式をつくる。
中心から x だけ変位した点で，運動方程式をつくる。

着眼 **鉛直につるしたばね振り子の振動の中心は，おもりの重力 mg とばねの弾性力 kx（k はばね定数）とがつり合う点になる。**水平面上に置いたばね振り子の振動の中心は，ばねの**自然長の位置**である。

例 題　振動の周期

20 g のおもりをつるすと 5.0 cm 伸びるばねがある。このばねの上端を固定し，下端に 40 g のおもりをつるして鉛直方向に振動させた。この振動の周期はいくらか。ただし，重力加速度の大きさを $g=9.8\ \mathrm{m/s^2}$ とする。

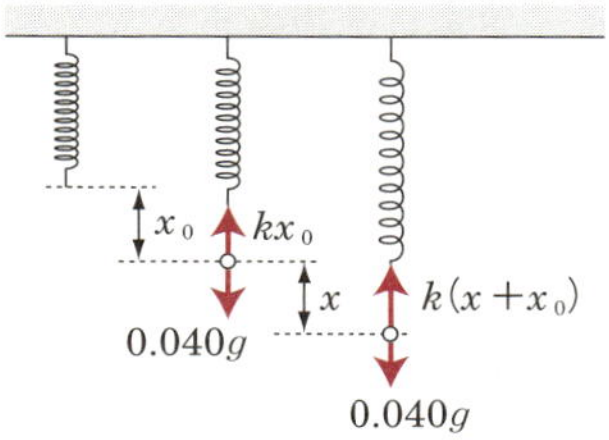

解き方 まず，ばね定数 k〔N/m〕を求める。
題意から，

$$0.020g=k\times0.050$$

ゆえに，

$$k=0.40g\ \text{〔N/m〕}$$

次に，40 g のおもりをつるして，つり合ったときのばねの伸びを x_0〔m〕とすると，つり合いの式は，

$$0.040g=kx_0 \qquad \cdots\cdots①$$

おもりがつり合いの位置から x〔m〕下方に変位した位置での角振動数を ω〔rad/s〕として運動方程式をつくると，

$$m\cdot(-\omega^2x)=0.04g-k(x_0+x) \qquad \cdots\cdots②$$

①，②より，

$$m\cdot(-\omega^2x)=-kx$$

となるので，

$$\omega=\sqrt{\frac{k}{m}}$$

よって，周期は，

$$T=\frac{2\pi}{\omega}=2\pi\sqrt{\frac{m}{k}}=2\times3.14\times\sqrt{\frac{0.040}{0.40\times9.8}}=0.63\ \mathrm{s}$$

答 0.63 s

〈類題78〉 図1に示すように質量mの物体がある。いま支点Aに固定された自然の長さl_0，ばね定数kのばねを用いて，物体を上面の中心Bでつる。以下のすべての問いで，ばねの質量は無視できるものとする。また，重力加速度の大きさをgとする。

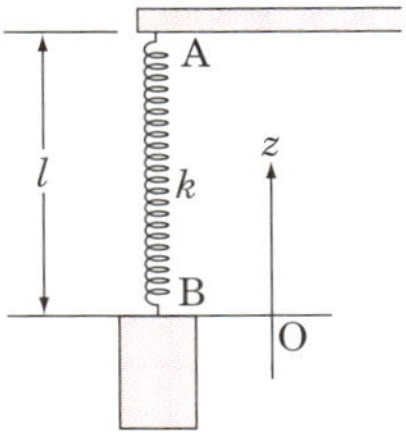

図1

(1)　物体がつり合いの位置にあるとき，ばねの長さlをl_0，k，m，gを用いて表せ。

(2)　つり合いの位置から鉛直下方にばねをaだけ引き伸ばし，静かに手を離した。このとき物体は単振動を行う。つり合っているときの点Bの位置を原点Oにとり，手を離した瞬間(時刻$t=0$)から1周期($t=T$)の間，Bの位置が上下に時間変化するようすを右のグラフに表せ。ただし，図1に示すように鉛直方向をz軸にとり，上向きを正とする。

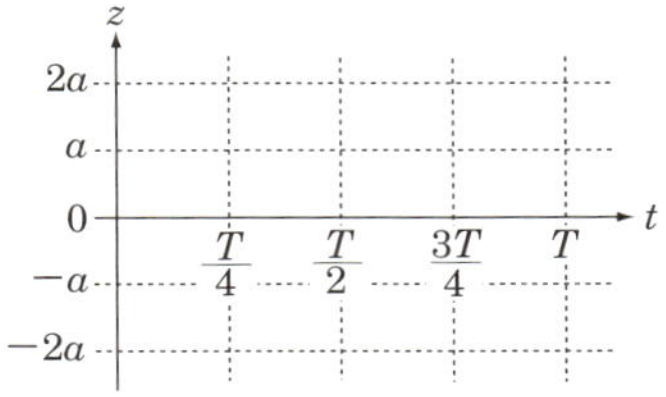

(3)　単振動の周期Tを求めよ。

(解答➡別冊 *p.17*)

例題　水平面上の振動の周期

ばね定数k〔N/m〕のばねがある。このばねをなめらかな水平面上に置いて，一端を固定し，他端に質量m〔kg〕の物体をつける。この物体を水平面上で振動させたときの周期を求めよ。

解き方　物体が振動の中心からx〔m〕だけ変位したときに物体にはたらく水平方向の力は，フックの法則より，$-kx$であるから，角振動数をωとして運動方程式をつくると，

$$m\cdot(-\omega^2 x) = -kx$$

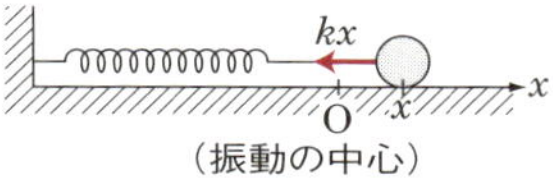

ゆえに，$\omega = \sqrt{\dfrac{k}{m}}$

よって，周期は，

$$T = \frac{2\pi}{\omega} = 2\pi\sqrt{\frac{m}{k}}$$

答　$2\pi\sqrt{\dfrac{m}{k}}$

〈類題79〉 ばね定数kのばねを，水平面との傾角θのなめらかな斜面上に置き，上端を斜面上に固定し，他端に質量mのおもりをつけて，斜面の最大傾斜線の方向に振動させる。この振動の周期を求めよ。

(解答➡別冊 *p.17*)

TYPE 53 液面に浮いている物体の単振動

B 重要度

振動の中心では，重力＝浮力(つり合い)
中心より x だけ変位した位置で，運動方程式をつくる。

着眼 **液面に浮かんでつり合っているときは，重力＝浮力の関係になっている。** つり合いの位置より x だけ上下させたとき，物体にはたらく力の合力が $F=-Kx$ で表されれば，物体は単振動をする。

注意 密度 ρ〔kg/m³〕の液体中に物体の体積 V〔m³〕の部分がつかっているとき，物体にはたらく浮力の大きさは，ρVg〔N〕である。

例 題　液体中の振動の周期

断面積 S〔m²〕の一様な円柱の下端におもりをつけ，密度 ρ〔kg/m³〕の液体の表面に，鉛直に浮かす。円柱を少し押し沈めてから手を離すと，円柱は鉛直方向に単振動をする。この振動の周期を求めよ。ただし，円柱とおもりの質量の和を M〔kg〕とする。

解き方 まず，円柱が液面に浮いてつり合っているときの式をつくる。おもりの体積を V〔m³〕，円柱の液体につかっている部分の長さを l_0〔m〕とすると，つり合いの式は，

$$\rho(l_0S+V)g=Mg \quad \cdots\cdots①$$

次に，円柱を x〔m〕だけ押し沈めたときの運動方程式をつくると，

$$M\cdot(-\omega^2x)=Mg-\rho\{(l_0+x)S+V\}g \quad \cdots\cdots②$$

①，②から，$M\cdot(-\omega^2x)=-\rho Sgx$

ゆえに，$\omega=\sqrt{\dfrac{\rho Sg}{M}}$

よって，周期は，$T=\dfrac{2\pi}{\omega}=2\pi\sqrt{\dfrac{M}{\rho Sg}}$

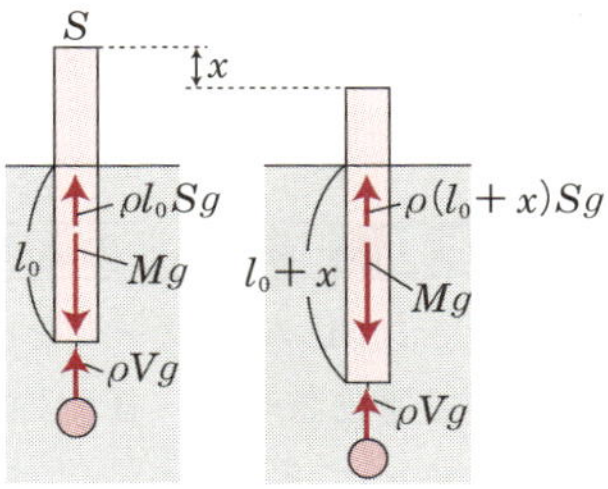

答 $2\pi\sqrt{\dfrac{M}{\rho Sg}}$

類題80 図のように，高さ H，断面積 S，質量 M の円柱の形をした物体を密度 ρ の液体に入れたら，全体の $\dfrac{3}{4}$ が沈んだ。図の状態にある物体の上面を下向きに手で少しだけ押して，その後手を離すと，物体は上下に単振動を行った。このときの振動の周期を ρ を含まない式で表せ。重力加速度の大きさは g とする。

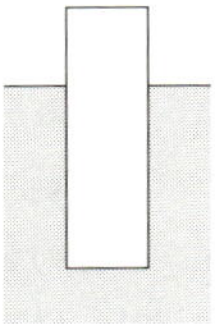

(解答➡別冊 *p.18*)

TYPE 54 単振り子

A 重要度

ふれの角が小さいとき，単振り子は単振動をする。
速さを変化させる力の成分で運動方程式をつくる。

着眼 **単振り子は，ふれの角が小さいと，直線上を運動している**と見なすことができ，そのときの**復元力は変位に比例**している。

図のように，長さが l〔m〕で質量 m〔kg〕のおもりのついた単振り子が運動しているときの任意の角度 θ において，変位 x は円弧で表現でき，$x=l\theta$ である。また，このとき**おもりの速さを変化させるのは接線方向の力**なので，その大きさは $mg\sin\theta$ である。

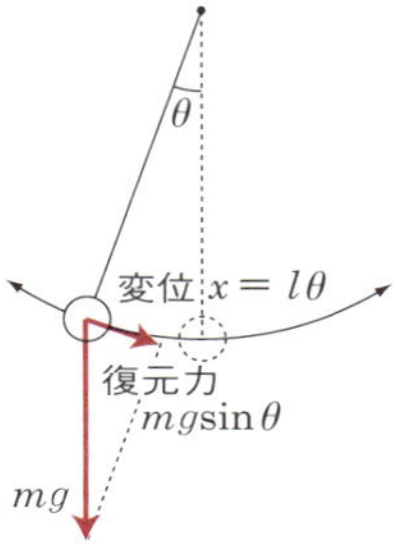

θ がきわめて小さいとき，

$$\sin\theta \fallingdotseq \theta$$

と近似できるので，

$$mg\sin\theta \fallingdotseq mg\theta = \frac{mg}{l}x$$

となる。よって，運動方程式は，

$$\boldsymbol{m\cdot(-\omega^2 x) = -\frac{mg}{l}x}$$

例題 単振り子の運動方程式

長さ l〔m〕の糸の一端を固定し，他端に質量 m〔kg〕のおもりをつるし，鉛直面内で運動させる。任意のおもりの位置を θ（鉛直下向きからの角度で，単位はラジアン）で表し，最下点を通過するとき（$\theta=0$）の速度を V_0〔m/s〕とする。重力加速度の大きさを g〔m/s²〕，糸の質量および空気抵抗は無視できるものとして，以下の問いに答えよ。

(1) おもりが運動するとき，θ の位置での速度を V，加速度を a としたとき，接線方向の運動方程式を書け。

(2) V_0 が小さく，最大のふれの角 θ_0 が非常に小さい（$\theta_0 \ll 1$）とき，どのような運動を行うか。(1)の運動方程式を書き換え，説明せよ。

(3) 最下点を通過してから次に最下点を通過するまでの時間を求めよ。

解き方 (1)　接線方向の力の大きさは $mg\sin\theta$ であるから，運動方程式は，

$$ma = mg\sin\theta$$

(2)　最下点からの変位 x は $x = l\theta$ で表され，最大のふれの角 θ_0 が非常に小さい ($\theta_0 \ll 1$) とき，

$$\sin\theta \fallingdotseq \theta = \frac{x}{l}$$

と近似でき，接線方向の力は $\frac{mg}{l}x$ となり，変位に比例する復元力になっている。

よって，おもりは単振動をする。

運動方程式は，

$$m\cdot(-\omega^2 x) = -\frac{mg}{l}x$$

と表され，周期 T は，

$$T = \frac{2\pi}{\omega} = 2\pi\sqrt{\frac{l}{g}}$$

(3)　最下点を通過してから次に最下点を通過するまでには $\frac{1}{2}$ 周期だけ時間がかかるので，その時間 t は，

$$t = \frac{1}{2}\times 2\pi\sqrt{\frac{l}{g}} = \pi\sqrt{\frac{l}{g}}$$

答 (1) $ma = mg\sin\theta$　(2) **単振動**　(3) $\pi\sqrt{\frac{l}{g}}$

類題81　図に示すように，鉛直な壁にある1点Oから長さ L の軽い糸で質量 m の小球をつるした。小球の運動は壁に垂直な点Oを含む面内で行われるものとし，壁と糸のなす角度を θ とする。点Oを原点として水平右向きに x 軸をとる。小球は初速度0で動き出す。[　　] にあてはまる式を答えよ。ただし，重力加速度の大きさは g とし，空気の抵抗は無視せよ。

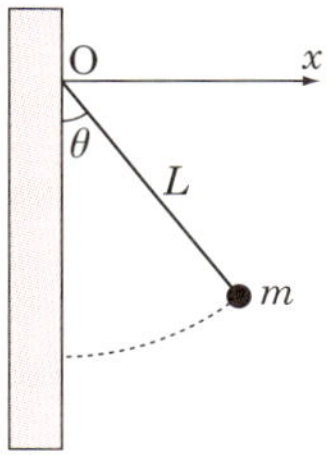

角度 θ がじゅうぶん小さい場合，糸の張力 S は，角度にほとんど関係なく，一定の値 $S = mg$ とみなせる。角度 θ のとき，小球にはたらく力の x 方向の成分は [①] であり，[①] ≒ [②] とみなせる。

また，角度 θ がじゅうぶん小さい場合，小球の座標に対して

$$x = L\sin\theta \fallingdotseq L\theta$$

の近似をすれば，[②] は変数 θ が消去されて，x についての式に書きかえられる。すなわち，

$$m\cdot(-\omega^2 x) = \boxed{\ ③\ }$$

と書けて，これは単振動と同じ形の運動方程式になる。このとき，小球が壁に当たるまでの時間は [④] となる。

(解答➡別冊 *p.18*)

TYPE 55 長さの変わる単振り子の周期

A 重要度

単振り子の長さが変われば，周期が変わる。
周期は振り子の長さの平方根に比例。

着眼 単振り子の周期は，振幅が小さいとき，振幅やおもりの質量とは無関係に，**振り子の長さと重力加速度**だけで決まる。**周期が振り子の長さの平方根に比例する**ことを利用するとよい問題もある。

例題　単振り子の周期

長さ l の単振り子を天井からつるしてある。支点の真下 l_1 の所にはくぎがあり，振り子が振れると，糸がくぎに引っかかるようになっている。この振り子を小さい振幅で振らせるとき，この振り子の周期を求めよ。

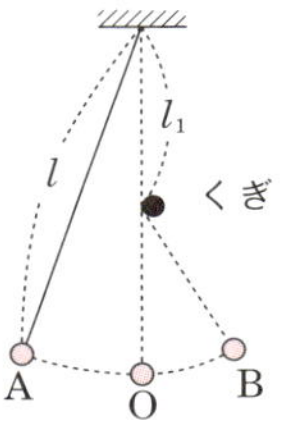

解き方 おもりがO→A→O，O→B→Oを振れるのにかかる時間を t_1，t_2 とすると，これらはそれぞれの単振り子の周期の半分にあたるから，

$$t_1=\frac{1}{2}\times 2\pi\sqrt{\frac{l}{g}},\qquad t_2=\frac{1}{2}\times 2\pi\sqrt{\frac{l-l_1}{g}}$$

この振り子の周期は，O→A→O→B→Oと動く時間にあたるから，

$$t_1+t_2=\frac{\pi(\sqrt{l}+\sqrt{l-l_1})}{\sqrt{g}}$$

答 $\dfrac{\pi(\sqrt{l}+\sqrt{l-l_1})}{\sqrt{g}}$

類題82 長さ l_1 の糸の端に質量 m のおもりをつけた単振り子の運動を考える。この単振り子は，図のように，支点Oの真下 l_2 の位置P点にある太さが無視できる細いくぎによって，左右で支点の異なる振動をしている。振動は支点Oと点Pを含む図のような鉛直面内で起きているとする。また，おもりの大きさやその運動に対する空気抵抗，糸の太さや質量は無視できるものとする。さらに，重力加速度の大きさを g とする。

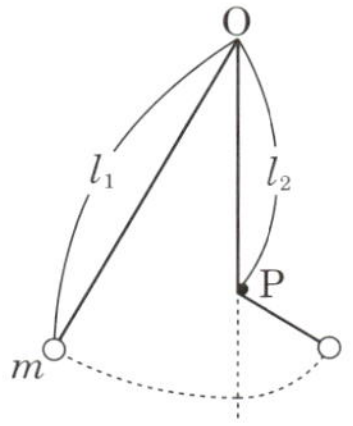

振れの角度が小さいとき，糸がくぎに触れている時間を求めよ。 （解答➡別冊 p.18）

TYPE 56 加速度運動をする乗り物内の単振り子

B 重要度

見かけの重力は真の重力と慣性力の合力。
単振り子の周期は $T=2\pi\sqrt{\dfrac{l}{g}}$ を用いる。

着眼 **加速度運動をしている乗り物の中の物体には慣性力がはたらいているように感じられる。**この力と重力との合力が**見かけの重力**となる。この乗り物の中で振れる単振り子の周期を求めるときは，見かけの重力加速度 g' を用いなければならない。

例題　人工衛星内の単振り子の周期

人工衛星の船室の天井に単振り子がつるされている。この人工衛星を鉛直上向きに発射して，その上昇加速度が g になったとき，振り子の周期は地上での周期の何倍になるか。

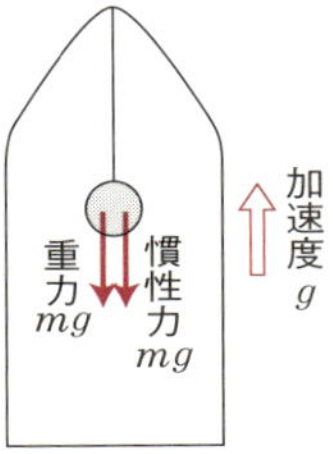

解き方 まず，船室内の見かけの重力を求める。人工衛星の加速度が上向きだから，慣性力は下向きである。
よって，見かけの重力加速度の大きさを g' とすると，

$$mg'=mg+mg$$

ゆえに，$g'=2g$
振り子の地上での周期を T，上昇中の船室内での周期を T'，単振り子の長さを l とすると，

$$\frac{T'}{T}=\frac{2\pi\sqrt{\dfrac{l}{g'}}}{2\pi\sqrt{\dfrac{l}{g}}}=\sqrt{\frac{g}{g'}}=\sqrt{\frac{g}{2g}}=\frac{1}{\sqrt{2}}$$

答 $\dfrac{1}{\sqrt{2}}$

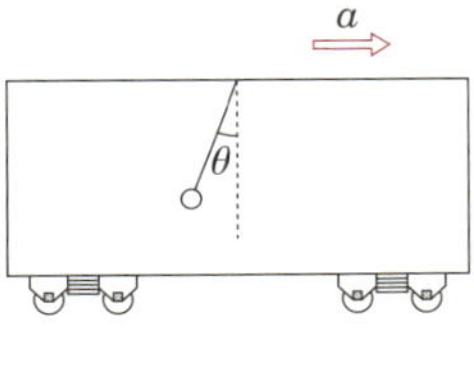

類題83 水平な線路上を，加速度 a〔m/s²〕で等加速度運動している電車の天井から，質量 m〔kg〕の小球を長さ l〔m〕の糸の先端に取りつけた。重力加速度の大きさを g とする。

(1) 小球にはたらく力がつり合って静止したとき，糸は鉛直方向から θ 傾いていた。$\tan\theta$ を求めよ。

(2) つり合いの位置から，糸がたるまないように小球をわずかにずらしてから，静かに放したところ単振動した。この単振動の周期を求めよ。

（解答➡別冊 *p.18*）

TYPE 57 摩擦のある面上での単振動

B 重要度

動摩擦力とのつり合いの位置が振動の中心となる。

着眼 **物体にはたらく力のつり合いから，振動の中心の位置を求める。**振動の中心を原点として，変位 x の位置での物体にはたらく合力を求め，変位 x に比例する復元力になっていることを確認し，**単振動の加速度 $-\omega^2 x$** を用いて運動方程式から ω を求め，周期を求める。

補足 振動の向きによって，振動の中心の位置が変わることがあるので注意しよう。

例題 摩擦面上のばねの運動

図のように，壁に固定されたばね定数 k〔N/m〕のばねに，質量 m〔kg〕の物体をつなぎ，水平面上で，自然長の位置から A〔m〕縮めて静かに手を離した。重力加速度の大きさを g〔m/s²〕，床との動摩擦係数を μ' とする。

(1) 物体が右向きに運動しているとき，動摩擦力と弾性力がつり合う位置を求めよ。

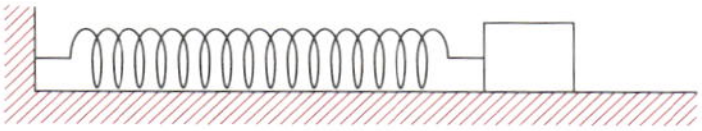

(2) ばねが最も伸びるまでの時間を求めよ。

解き方 (1) 動摩擦力は運動方向と逆向きにはたらくので，弾性力は右向きにはたらく。このときばねは縮んだ状態なので，縮んでいる長さを x〔m〕とすれば，力のつり合いの式は，$kx=\mu' mg$

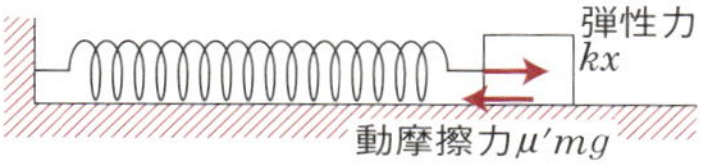

よって，$x=\dfrac{\mu' mg}{k}$

(2) つり合いの位置からの変位が X〔m〕の位置での合力 F〔N〕は，

$F=k(x-X)-\mu' mg=-kX$ となるので，物体は単振動を行う。

角振動数を ω〔rad/s〕とすれば，運動方程式は，$m\cdot(-\omega^2 X)=-kX$

これより，$\omega=\sqrt{\dfrac{k}{m}}$ となるので周期 T は，$T=\dfrac{2\pi}{\omega}=2\pi\sqrt{\dfrac{m}{k}}$

求める時間 t は $\dfrac{1}{2}$ 周期であるから，$t=\pi\sqrt{\dfrac{m}{k}}$

答 (1) $\dfrac{\mu' mg}{k}$ (2) $\pi\sqrt{\dfrac{m}{k}}$

類題84 図のように，壁に固定されたばね定数 k〔N/m〕のばねに，質量 m〔kg〕の物体をつなぎ，高速で回転しているベルトの上に置いた。ばねを L〔m〕伸ばして静かに手を離したところ物体は単振動を始めた。この単振動の周期を求めよ。ただし，ベルトと物体との動摩擦係数を μ' とする。

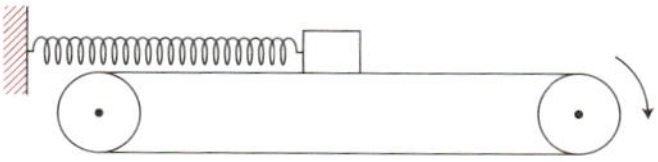

(解答➡別冊 p.18)

TYPE 58 ばねにつながれた 2 物体の単振動

B 重要度

観測者が，振動する 2 物体の一方に乗った立場で考える。

着眼 観測者が乗っている物体も，ばねからの弾性力によって加速度運動を行う。**運動方程式を使って，観測者の乗った物体の加速度を求める。**他方の物体について，慣性力を含めた力の合力が変位に比例する復元力になっていることを確認し，**単振動の加速度 $-\omega^2 x$** を用いて運動方程式から ω を求め，周期を求める。

補足 観測者が，重心に乗った立場で解く方法もよく使われる。

例題　2 物体の振動の周期

なめらかな水平面上に，質量 m〔kg〕の 2 つの物体 A，B がばね定数 k〔N/m〕のばねでつながれ，A，B は振動しながら重心は等速直線運動をしている。振動の周期を求めよ。

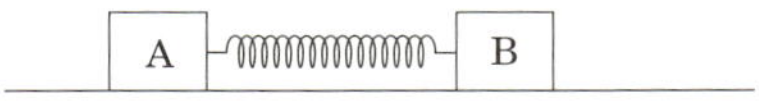

解き方 ばねが x〔m〕伸びているときの物体 A の加速度を a〔m/s^2〕とすれば，運動方程式は，$ma = kx$ となるので，$a = \dfrac{kx}{m}$ と求められる。物体 A から物体 B の運動を見るとその合力 F〔N〕は，$F = -kx - ma = -2kx$

となるので，物体 B は単振動をする。単振動の角振動数を ω〔rad/s〕とすれば，運動方程式は，$m\cdot(-\omega^2 x) = -2kx$

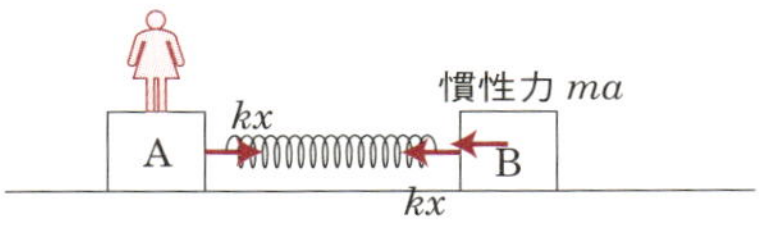

これから，$\omega = \sqrt{\dfrac{2k}{m}}$ となるので，周期 T〔s〕は，

$$T = \frac{2\pi}{\omega} = 2\pi\sqrt{\frac{m}{2k}} = \pi\sqrt{\frac{2m}{k}}$$

答 $\pi\sqrt{\dfrac{2m}{k}}$

類題85 図のように，水平面と θ の角度をなすなめらかな斜面上に，質量 m〔kg〕の 2 つの物体 A，B を，ばね定数 k〔N/m〕のばねにつないで置き，物体 A，B を支えて静止させている。2 つの物体を同時に静かに放したところ，振動しながら斜面上を運動した。1 振動する間に物体 A の移動した距離を求めよ。ただし，重力加速度の大きさを g〔m/s^2〕とする。

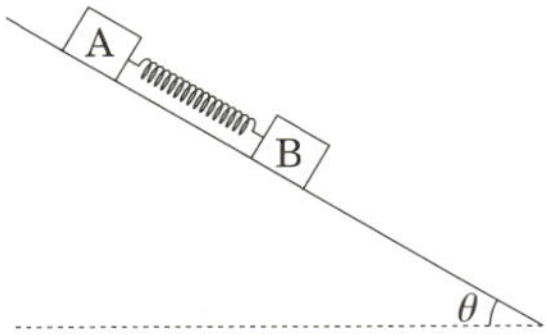

（解答➡別冊 *p.19*）

練習問題

解答→別冊 p.60

TYPE

31 図に示すように，水平面から角度θだけ傾いた動かないなめらかな斜面上に，質量mの物体があり，質量を無視できる軽いばねにつながれている。ばねのもう一方の端は斜面の下端に設けられた台に固定されている。この斜面の下端を原点Oにとり，斜面に沿って上っていく向きをx軸の正の向きとなるように座標軸をとる。

x軸上の物体の位置xを，物体とばねがつながれた点の位置で表し，x軸方向の物体の運動を考える。物体をばねの長さが自然長となる位置Aで押さえておき，そっと放すと物体は単振動を始めた。ばねの自然長をL，ばね定数をk，重力加速度の大きさをg，空気の影響は無視できるものとして，以下の問いに答えよ。

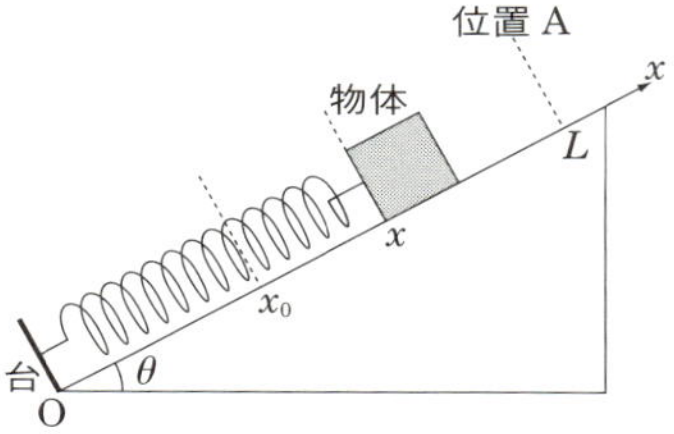

(1) x軸上における物体の単振動の中心の位置x_0を求めよ。

(2) 単振動の周期Tを求めよ。

(3) 単振動をしている物体の最大の速さを求めよ。（愛媛大 改）

➔ 52

32 質量mの小球に伸縮しない長さlの糸をつけ，O点でつるした振り子がある。点Oを中心とする円軌道上の最下点をPとし，線分OP上でP点からの高さ$r\left(0<r<\dfrac{l}{2}\right)$の点O′に，じゅうぶん細いなめらかな棒を水平に固定した。重力加速度の大きさをgとし，糸の質量および空気抵抗は無視できるものとする。

図のように，糸を棒にふれさせ，左側の点Aで小球を静かに放すと，小球はP点を通過して右端の点Bに到達したのち，ふたたびP点を通過しA点に戻った。直線O′Aと直線OPのなす小さい角をθ_0とし，直線OPと直線OBのなす角をθ_1とする。小球がA点から動き始めてA点に戻るまでの時間（周期）をg，l，rを用いて表せ。ただし，θ_0およびθ_1はじゅうぶん小さいとする。（名古屋市大 改）

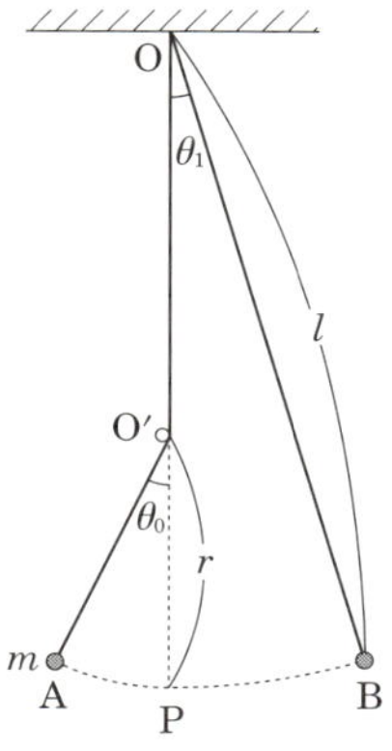

➔ 54

TYPE

33　断面積 S〔m^2〕，長さ L〔m〕，質量 M〔kg〕の一様な円柱に，質量 m〔kg〕のおもりを下面の中心に取りつけて，密度が ρ〔kg/m^3〕の液体に入れたところ，図のように一部が液体中に沈んで縦になった状態で静止した。このとき，以下の空欄に適する数式を記入せよ。ただし，重力加速度の大きさを g〔m/s^2〕とし，おもりの大きさと液体および空気の抵抗は無視できるとする。

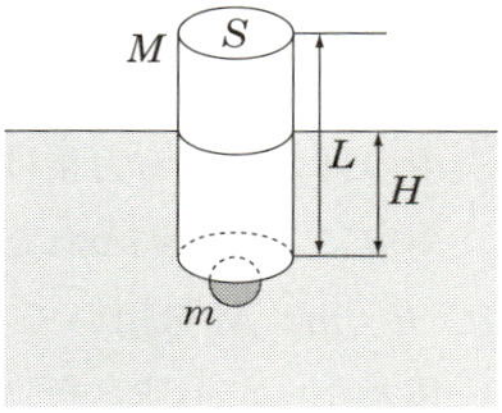

まず，液体中に沈んだ長さ H〔m〕を求める。円柱にはたらく浮力を H を用いて表すと，［ ① ］〔N〕である。これが，円柱とおもりにはたらく重力とつり合うので，$H=$［ ② ］〔m〕となる。次に，静止した状態から手で円柱の上面の中心を押して，H〔m〕からさらに A〔m〕($A<H$) だけ沈め，液体中に沈んだ長さが $A+H$〔m〕($A+H<L$) になったとする。このとき，手にかかる力（すなわち，円柱にはたらく復元力）の大きさは［ ③ ］〔N〕である。この状態から手をはなすと，円柱は単振動を行う。このときの周期は［ ④ ］〔s〕であり，円柱の速さの最大値は［ ⑤ ］〔m/s〕となる。　（北九州市大 改）

➔ 53

34　図に示すように，ばね定数が k〔N/m〕で質量の無視できるばねの下端を水平な床に固定した。このとき，ばねは自然長となった。次に，ばねの上端に質量 m〔kg〕の板を水平に固定し，つり合って静止した状態とした。板の厚さは無視する。また，x 軸の正の向きを鉛直上向きにとり，重力は鉛直下向きに作用するとし，重力加速度の大きさを g〔m/s^2〕とする。ばね，板および小球は x 軸方向にのみ運動し，また，物体の運動に対する空気の抵抗は無視できるものとする。質量 M〔kg〕で大きさの無視できる小球を，板の真上から h〔m〕だけ離した位置から自由落下させた。以下の各問いに答えよ。

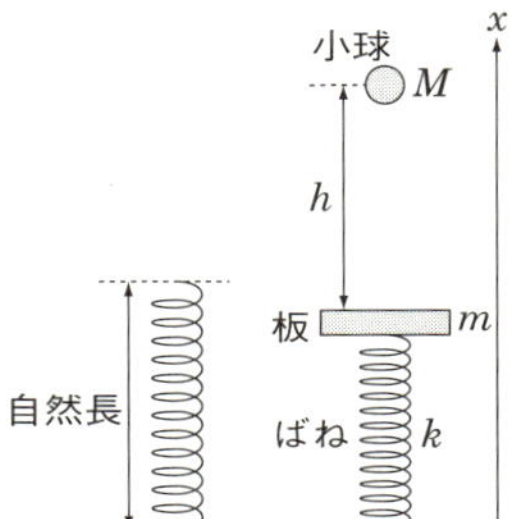

(1)　小球が板に衝突する直前の速さ v_1〔m/s〕を，g，h を用いて表せ。

ヒント　33　① 浮力は $F=\rho Vg$ の式を使う。
④ 角振動数を ω とすると，手をはなした瞬間の加速度は $-\omega^2 A$ となる。

TYPE

(2)　小球と板は完全非弾性衝突をして衝突後は一体となって運動した。衝突直後の小球と板の速さ v_2〔m/s〕を，g，h，m，M を用いて表せ。ただし，衝突中の外力による力積は無視できるとする。

(3)　(2)のとき，衝突によって失われた小球と板のもつ力学的エネルギー ΔE〔J〕を，g，h，m，M を用いて表せ。

(4)　(2)の後，一体となった小球と板は床に衝突することなく，ばねの自然長から x_1〔m〕($x_1>0$) 縮んだ位置を中心として一体のまま単振動をした。このとき，x_1 を g，k，m，M を用いて表せ。

(5)　(4)のとき，単振動の周期 T〔s〕を，k，m，M を用いて表せ。 → 52, 58

（長崎大 改）

35　3つの小さな物体A，B，Cが水平でなめらかな床の上に静かに置かれている。A，B，Cの質量はそれぞれ $\frac{2}{3}m$，m，$3m$ であり，BとCは自然長 l_0，ばね定数 k の質量が無視できるばねでつながれている。ここで，図のようにAを左側より速さ v_0 でBに衝突させる場合を考える。この衝突はきわめて短時間に行われ，完全弾性衝突であるとする。

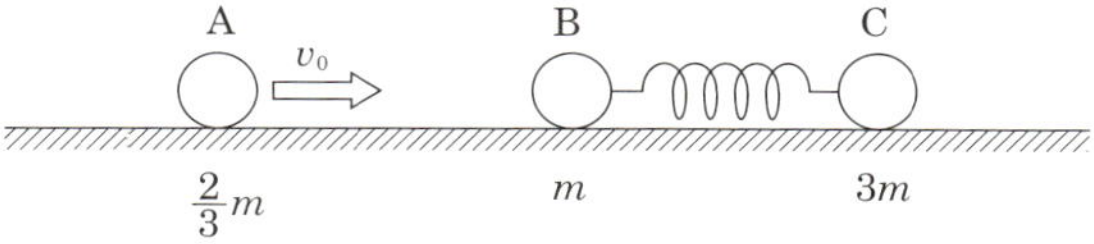

補足：この問題中の重心は，物体BとCからなる系の重心を示す。

(1)　AとBが衝突した直後のA，Bの速さと運動の向きをそれぞれ求めよ。

衝突後，BとCの重心の速さは一定であると考えてよい。

(2)　重心の速さを求めよ。

(3)　ばねが自然長のとき，重心から物体BおよびCまでの距離 l_B，l_C を求めよ。

(4)　一般に，ばね定数が k で自然長が l_0 のばねを切断し，長さが l_B になった場合，切断後のばね定数が $\frac{l_0}{l_B}k$ となることを示せ。

重心の位置から見ると，物体BとCはそれぞれ自然長が l_B，l_C のばねで個別に単振動しているとみなすことができる。このとき，

(5)　この単振動の周期をBとCについてそれぞれ求めよ。（横浜市大 改） → 58

ヒント　35 (2) 物体B，Cの速度が同じになると，重心の速度と一致する。

9 万有引力

1 万有引力

質量 m〔kg〕，M〔kg〕の 2 つの物体が距離 r〔m〕だけ離れて存在するとき，両者の間にはたらく万有引力 F〔N〕は，

$$F = G\frac{mM}{r^2} \tag{1・23}$$

G は**万有引力定数**で，$G = 6.67 \times 10^{-11}\,\mathrm{N \cdot m^2/kg^2}$

2 天体上の重力加速度

地球などの天体の表面にある物体にはたらく重力は，天体と物体との間にはたらく万有引力にほかならない。天体の表面の重力加速度の大きさを g〔m/s²〕，天体の質量を M〔kg〕，半径を R〔m〕，物体の質量を m〔kg〕とすると，

$$mg = G\frac{mM}{R^2} \quad ゆえに，\quad g = \frac{GM}{R^2} \tag{1・24}$$

3 万有引力の位置エネルギー

質量 M〔kg〕の物体の中心から距離 r〔m〕の点にある質量 m〔kg〕の物体の位置エネルギー U〔J〕は，無限遠の点を基準にすると，

$$U = -G\frac{Mm}{r} \tag{1・25}$$

4 ケプラーの法則

1 第 1 法則　惑星は，太陽を 1 つの焦点とする楕円軌道上を公転する。

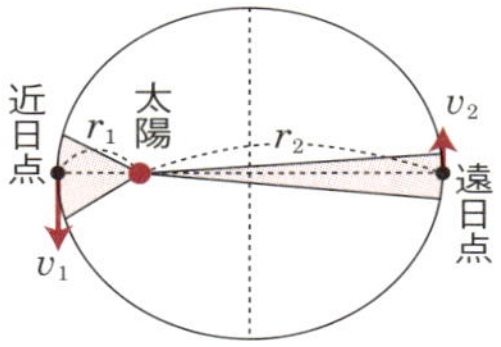

2 第 2 法則　惑星と太陽とを結ぶ線分(動径)が一定時間に描く面積は一定である(**面積速度一定の法則**)。惑星の近日点，遠日点での速さをそれぞれ v_1，v_2 とし，近日点，遠日点の太陽からの距離をそれぞれ r_1，r_2 とすると，ケプラーの第 2 法則より，次の関係がなりたつ。

$$r_1 v_1 = r_2 v_2 \tag{1・26}$$

3 第 3 法則　惑星の公転周期 T〔s〕の 2 乗は，惑星の公転軌道の長半径 a〔m〕の 3 乗に比例する。

$$T^2 = ka^3 \tag{1・27}$$

比例定数 k は全惑星に共通である。

TYPE 59 円軌道上をまわる人工衛星

A 重要度

向心力は万有引力である。$m\dfrac{v^2}{R+h}=G\dfrac{mM}{(R+h)^2}$

$GM=gR^2$ の関係を用いて式を整理する。

着眼 **人工衛星の向心力は地球が及ぼす万有引力である。** 地球の質量を M, 半径を R, 人工衛星の質量を m, 速さを v, 地表からの高さを h とすると，人工衛星の運動方程式は,

$$m\frac{v^2}{R+h}=G\frac{mM}{(R+h)^2}$$

(1·24)式より,

$$GM=gR^2$$

とおけるから，これを上式に代入すると，G や M の値を使わずに人工衛星の運動を扱うことができる。

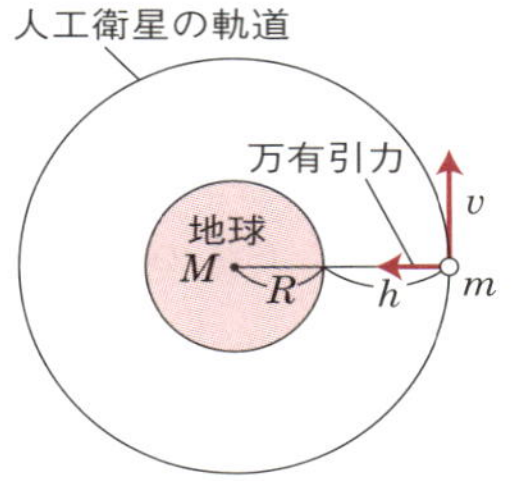

例題　人工衛星の速さと周期

人工衛星が地上から h〔m〕の高さで地球のまわりを円運動している。地球の半径を R〔m〕, 重力加速度の大きさを g〔m/s²〕として，その速さと周期を求めよ。

解き方 人工衛星の質量を m, 速さを v, 地球の質量を M とすると，人工衛星の運動方程式は,

$$m\frac{v^2}{R+h}=G\frac{mM}{(R+h)^2}\qquad ゆえに,\ v=\sqrt{\frac{GM}{R+h}}$$

G, M の値が与えられてないから，(1·24)式より，$GM=gR^2$ を上式に代入すると

$$v=\sqrt{\frac{gR^2}{R+h}}=R\sqrt{\frac{g}{R+h}}$$

周期は,

$$T=\frac{2\pi(R+h)}{v}=\frac{2\pi}{R}\sqrt{\frac{(R+h)^3}{g}}$$

答 速さ：$\sqrt{\dfrac{GM}{R+h}}$, 周期：$\dfrac{2\pi}{R}\sqrt{\dfrac{(R+h)^3}{g}}$

類題86 赤道上空に静止衛星を打ち上げたい。地表からいくらの高さの所で，いくらの速さで運動させればよいか。ただし，地球の半径を R, 地上における重力加速度の大きさを g, 地球の自転周期を T とする。

(解答➡別冊 p.19)

TYPE 60 地球脱出速度

重要度 A

第 1 宇宙速度 ⇨ 地表すれすれの円運動を考える。
第 2 宇宙速度 ⇨ 力学的エネルギー = 0 とする。

着眼 **第 1 宇宙速度**とは，**物体が地表すれすれに地球のまわりを等速円運動する速さ**のことである。この速さを v_1，地球の半径を R，物体の質量を m とすると，運動方程式

$$m\frac{{v_1}^2}{R}=mg$$

がなりたつ。

第 2 宇宙速度とは，**物体を地球から無限遠のかなたまで打ち出すときに与える最小の速度**のことである。この速度を v_2，地球の質量を M とすると，万有引力による位置エネルギーを含めた力学的エネルギーは，

$$E=\frac{1}{2}m{v_2}^2+\left(-G\frac{mM}{R}\right)$$

と表される。**無限遠では位置エネルギーは 0 で，運動エネルギーも 0** になるので，力学的エネルギーは 0 になる。力学的エネルギー保存則により，

$$\frac{1}{2}m{v_2}^2+\left(-G\frac{mM}{R}\right)=0$$

である。

例題　第 2 宇宙速度

図のように，地球の中心から距離 r〔m〕の所を速さ v〔m/s〕で等速円運動している質量 m〔kg〕の人工衛星がある。地球の質量を M〔kg〕，万有引力定数を G〔N·m²/kg²〕とする。

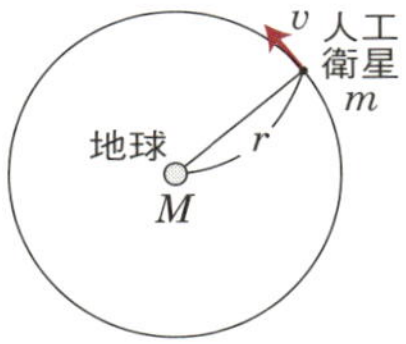

(1) 人工衛星のもつ力学的エネルギー E〔J〕を r，M，m および G を用いて表せ。

(2) 人工衛星の速さを v の x 倍にすると，人工衛星は地球のまわりの円軌道を離れて無限に遠くへ飛び去る。このような x の最小値を求めよ。

解き方 (1) 力学的エネルギーは，運動エネルギーと万有引力による位置エネルギーの和であるから，

$$E=\frac{1}{2}mv^2+\left(-G\frac{mM}{r}\right) \quad\cdots\cdots①$$

v は使えないから，①から v を消去しなければならない。

人工衛星についての運動方程式は，

$$m\frac{v^2}{r}=G\frac{mM}{r^2}$$

ゆえに，

$$v^2=\frac{GM}{r} \quad\cdots\cdots②$$

②を①に代入すると，

$$E=\frac{1}{2}\cdot\frac{GmM}{r}-\frac{GmM}{r}=-\frac{GmM}{2r}$$

(2)　速さを xv にしたときの力学的エネルギーを E'〔J〕とすると，

$$E'=\frac{1}{2}m(xv)^2+\left(-G\frac{mM}{r}\right) \quad\cdots\cdots③$$

②を③に代入すると，

$$E'=\frac{x^2}{2}\cdot\frac{GmM}{r}-\frac{GmM}{r}=\frac{GmM}{r}\left(\frac{x^2}{2}-1\right)$$

人工衛星が無限に遠くへ飛び去るためには，$E'\geqq 0$ であればよいから，

$$\frac{x^2}{2}-1\geqq 0$$

ゆえに，$x\geqq\sqrt{2}$

答　(1) $E=-\dfrac{GmM}{2r}$　(2) $\sqrt{2}$

〈類題87〉 人工衛星を地球から無限遠のかなたまで打ち出すときに与える最小の速度のことを，第 2 宇宙速度という。第 2 宇宙速度 v_2 を，地上での重力加速度 g および地球の半径 R を用いて表せ。

(解答➡別冊 *p.20*)

〈類題88〉 図のように，人工衛星が半径 r〔m〕の円軌道上を運動している。円軌道の状態から衛星を進行方向に加速すると，人工衛星は楕円軌道に沿って周回するか，無限遠方に飛び去る。万有引力定数を G〔N·m²/kg²〕，地球の質量を M〔kg〕として，以下の問いに答えよ。

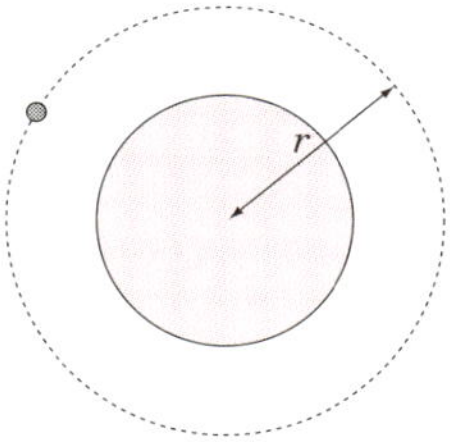

(1)　人工衛星が半径 r の円軌道上を運動しているときの速さを求めよ。

(2)　衛星が無限遠方に飛び去るための，加速直後の速さに対する条件を求めよ。

(解答➡別冊 *p.20*)

TYPE 61 惑星の運動

A 重要度

近日点・遠日点では，$r_1v_1 = r_2v_2$　(面積速度一定の法則)
ケプラーの第 3 法則 ⇨ $T^2 = ka^3$
力学的エネルギー保存の法則 ⇨ $\dfrac{1}{2}mv^2 - G\dfrac{Mm}{R} =$ 一定

着眼　惑星の運動はつねに太陽に向かう**中心力**を受ける運動で，ケプラーの法則がなりたつ。軌道上の任意の点を運動している惑星の速度ベクトルが動径(惑星と太陽を結ぶ線分)と角 θ をなしているとき，動径が単位時間に描く図形の面積は $\dfrac{1}{2}rv\sin\theta$ (r は動径の長さ)にほぼ等しい。これを**面積速度**という。

ケプラーの第 2 法則は，この**面積速度が軌道上のどの点にあっても一定**であることを述べている。近日点や遠日点では，$\theta = 90°$ になるので，

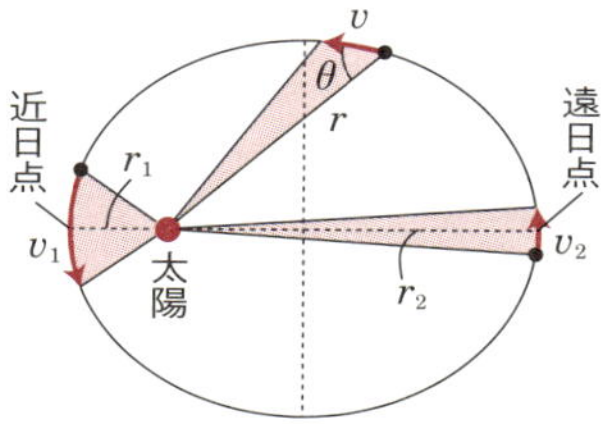

$r_1v_1 = r_2v_2$　(→ p.125 式(1・26))

がなりたつ。

惑星には万有引力のみがはたらき，万有引力は保存力なので，**惑星の運動では力学的エネルギーが保存される。**

補足　近日点と遠日点の面積速度はそれぞれ $\dfrac{1}{2}r_1v_1$，$\dfrac{1}{2}r_2v_2$ であるが，面積速度一定の法則では，両辺から $\dfrac{1}{2}$ が消去できる。

例 題　遠日点での速さ・距離

ある惑星の近日点距離が r，近日点での速さが v であるとする。この惑星の遠日点での速さ V と遠日点距離 R を求めよ。ただし，万有引力定数を G，太陽の質量を M とする。

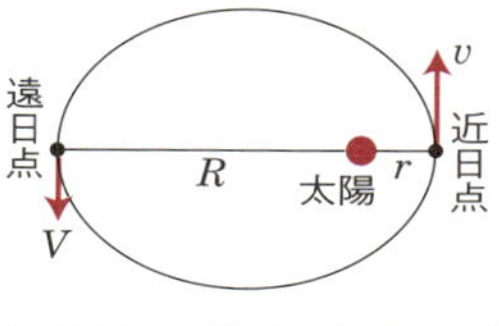

解き方　ケプラーの第 2 法則(面積速度一定の法則)より，

$rv = RV$　……①

惑星の質量を m とし，近日点と遠日点とについて力学的エネルギー保存則を用いると，

$$\frac{1}{2}mv^2 - G\frac{Mm}{r} = \frac{1}{2}mV^2 - G\frac{Mm}{R} \quad \cdots\cdots②$$

①，②からRを消去し，Vについて整理すると，

$$rvV^2 - 2GMV + v(2GM - rv^2) = 0$$

ゆえに，

$$V = \frac{GM \pm (GM - rv^2)}{rv}$$

複号のうち－のほうをとると，$V=v$となり，①より$r=R$となって，適さない。
そこで，＋のほうをとって，

$$V = \frac{GM + (GM - rv^2)}{rv} = \frac{2GM - rv^2}{rv}$$

これを①に代入してRを求めると，

$$R = \frac{r^2v^2}{2GM - rv^2}$$

答 $V = \dfrac{2GM - rv^2}{rv}$，$R = \dfrac{r^2v^2}{2GM - rv^2}$

類題89 図のように，地球の赤道面内で，地球の自転と同じ向き，同じ周期で，半径rの円軌道Aを描く静止衛星がある。この衛星の運動について，問いに答えよ。ただし，万有引力定数をG，地球の質量，半径をそれぞれM，Rとする。

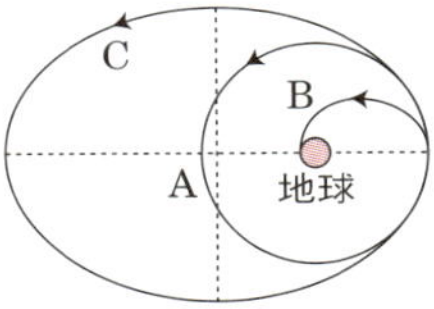

(1) 静止衛星の周期から，地球と静止衛星に関するケプラーの第3法則の比例定数を求めよ。
(2) 静止衛星の速さを求めよ。
(3) 静止衛星と地球を結ぶ動径が単位時間に描く面積を求めよ。
(4) 静止衛星の運動方向と同じ方向，逆向きに，ロケットをごく短時間噴射して衛星を減速し，人工衛星を地球に帰還させる場合，
　(a) 減速直後の人工衛星の速さをvとして，このときの衛星の面積速度を求めよ。
　(b) 人工衛星が地球に帰還するとき，その運動方向が地球の接線方向となる場合(軌道B)，帰還時の人工衛星の速さはvの何倍になるか。
　(c) 人工衛星を軌道Bを通って地球に帰還させるには，vを静止衛星の速さの何倍にしなければならないか。
(5) 静止衛星を加速して，軌道Cのように楕円軌道を描かせる。いま，静止衛星の速度を$\dfrac{4}{3}$倍に加速すると，人工衛星の公転周期は静止衛星の何倍になるか。

(解答➡別冊 *p.20*)

練習問題

解答→別冊 p.62

TYPE

36 図のように，人工衛星が地球のまわりを等速円運動している。このとき，以下の問いに答えよ。ただし，万有引力定数を G，地球の質量を M，人工衛星の質量を m，人工衛星の円運動の半径を r とする。

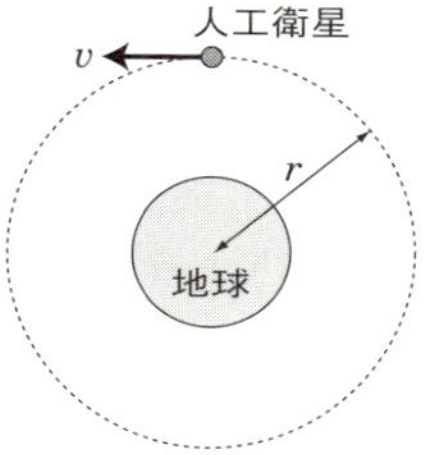

(1) 人工衛星の速さ v を求めよ。

(2) 人工衛星の運動エネルギー K を求めよ。

(3) 人工衛星の力学的エネルギー E を求めよ。

人工衛星が無限遠にあるときの万有引力による位置エネルギーを 0 とする。

(4) 人工衛星の円運動の角速度 ω を求めよ。

(5) 人工衛星の円運動の周期 T を求めよ。

(6) $\dfrac{T^2}{r^3}$ を求めよ。（信州大）

➔ 59

37 地球を周回する衛星の運動について，問いに答えよ。ただし，万有引力定数を G，地球の質量を M とし，文中に与えられた物理量の他に解答に必要な物理量があれば，それを表す記号は各自で定義すること。

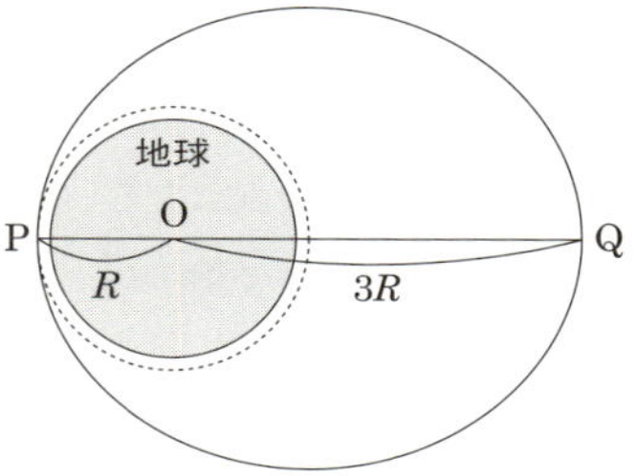

(1) 図の破線のように，衛星が半径 R の円軌道上を運動するとき，衛星の加速度の向きと大きさを求めよ。さらに，そのときの衛星の速さを求めよ。

(2) (1)の状態から衛星を進行方向に加速すると，衛星は楕円軌道に沿って周回するか，無限遠方に飛び去る。衛星が周回運動するための，加速直後の速さに対する条件を求めよ。

(3) 衛星が周回運動しているとき，その面積速度は一定である。衛星が図のような楕円軌道を描いているとき，地球に最も近い点Pと地球から最も離れた点Qにおける衛星の速さの比を求めよ。ただし，地球の中心をOとしたとき，OP$=R$，OQ$=3R$ とする。

(4) (3)において，点Pにおける衛星の速さを求めよ。（神戸大）

➔ 59, 60

ヒント　37 (2) 加速直後の力学的エネルギーが負であればよい。

TYPE

38 地球は半径R，質量Mの一様な球であり，角速度ωで自転しているとする。万有引力定数をG，大気はないものとする。

(1) 重力は，地球の万有引力と自転による遠心力の合力である。

① 北極点における重力加速度の大きさを求めよ。北極点は自転軸上にあるものとする。

② 赤道では，北極点における値よりも重力加速度がわずかに小さくなる。赤道における重力加速度の大きさを求めよ。

(2) 人工衛星が赤道上空を地球と同じ角速度ωで等速円運動するとき，地上からは人工衛星が静止しているように見えるので，静止衛星と呼ばれる。静止衛星の円運動の半径をLとする。

① LをG，M，ωを用いて表せ。

② 地球中心から距離Lの点から，初速度0で小物体を自由落下させた。小物体が地表に到達したときの速さをG，M，R，Lを用いて表せ。

（首都大東京）

➔ 59, 60

39 なめらかな円すい容器内面上での質量mの小球の運動を考察する。図のように，容器はその中心軸が鉛直になるように置かれている。中心軸をz軸，頂点Pをその原点($z=0$)にとり，上向きを正とする。また円すい容器のふち(底面)のz座標を$z=H$，その半径をRとする。ここで，容器内面上の1点をSとし，小球を点Sから面に沿って水平方向に速さ$v=\sqrt{\dfrac{gh}{3}}$で放出したところ，小球はz軸を周回しながら上下運動をくり返した。点Sのz座標を$z=h$ ($0<h\leqq H$)，Sを通る水平な円周の半径をrとする。このとき，小球のz方向の運動範囲は$h_m\leqq z\leqq h$であった。最下点の高さh_mをhを用いて表せ。また，その点での小球の速さv_mを求めよ。なお，重力加速度の大きさをgとし，空気の抵抗は無視してよい。また，ケプラーの面積速度一定の法則がなりたつ。小球の運動は，「面に沿った小球の速度の水平方向(点Sの場合は矢印Aの方向)の成分と，接している円周の半径(点Sの場合はr)との積(面積速度の2倍)が運動の間一定」と考えることができる。

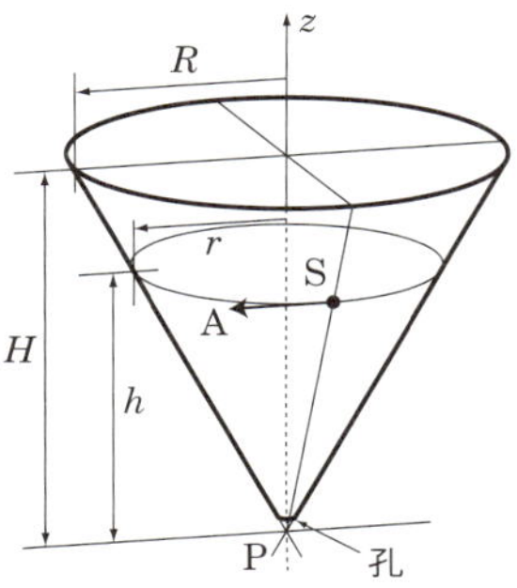

（東北大 改）

➔ 61

TYPE

40 次の文章を読んで，［　　］に適した式を，それぞれの解答欄に記入せよ。なお，同じ番号の［　　］には，同じ式が入る。以下の設問では，地球は半径Rの球であり，密度は一様に分布していると考えてよい。また，地球の質量をM，万有引力定数をGとし，地球の自転の影響，摩擦，および空気の抵抗はないものとする。

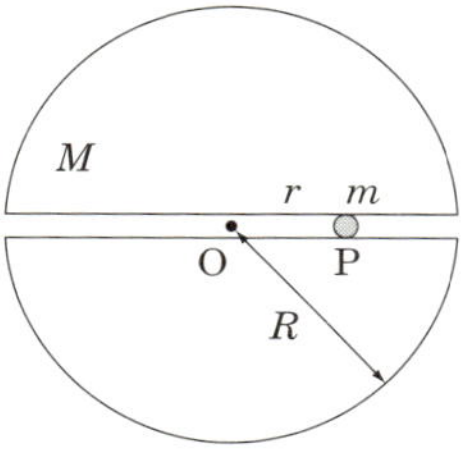

図 1

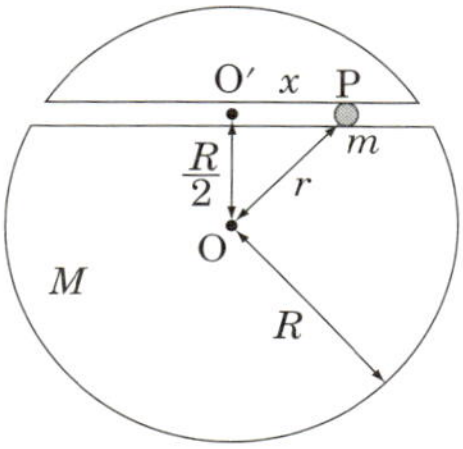

図 2

(1) 図 1 のように，地球の中心Oを通って直線状に掘られたトンネルを考える。トンネルはじゅうぶんに細く，トンネルを掘ったことによる質量の変化は無視できるものとする。トンネル内の任意の 1 点P（$\mathrm{OP}=r$）で質量mの質点にはたらく重力は，Oを中心とした半径rの球の質量が中心Oに集まったとして，それと質点との間の万有引力に等しく，半径rの球の外側の部分は，この点での重力には無関係であることが知られている。したがって，トンネル内の 1 点Pにおいて質点にはたらく重力の大きさは，m，M，R，r，Gを使って［①］と表すことができる。この力による質点の運動は単振動であり，その周期は［②］で与えられる。

(2) 今度は，図 2 のように，地球の中心Oから$\dfrac{R}{2}$だけ離れたところを通る直線状の細いトンネルを掘った。中心Oからの距離がrで，トンネルの中心O′からxだけ離れたトンネル内のP点にある質量mの質点にはたらく重力の大きさは［①］なので，その質点にはたらくトンネルに沿った方向の力の大きさは，m，M，R，x，Gを使って［③］で与えられる。したがって，地表で静止した状態からトンネルを通って反対側の地表に出るまでにかかる時間は［④］である。 →59

（京都大 改）

ヒント　40 (2)トンネルに沿う方向の力の大きさは，①の結果の$\dfrac{x}{r}$倍になる。

2 熱と気体

1 熱とエネルギー

1 熱容量と比熱

1 熱容量 ある物体全体の温度を1K変化させるのに要する熱量をその物体の**熱容量**という。熱容量 C〔J/K〕の物体の温度を Δt〔K〕変化させるのに要する熱量を Q〔J〕とすると，$\boldsymbol{Q = C\Delta t}$ (2･1)

2 比熱 物質1gの温度を1K変化させるのに要する熱量を**比熱**という。比熱 c〔J/(g･K)〕，質量 m〔g〕の物質の温度を Δt〔K〕変化させるのに要する熱量を Q〔J〕とすると，$\boldsymbol{Q = cm\Delta t}$ (2･2)

(2･1)式と(2･2)式を比較すると，$\boldsymbol{C = cm}$ (2･3)

2 潜　熱

物質の状態を変化させるために必要な熱量を**潜熱**という。

1 融解熱 物質1gを固体から液体に状態変化させるのに要する熱量。

2 蒸発熱 物質1gを液体から気体に状態変化させるのに要する熱量。

3 気体の圧力・体積・温度の変化

1 ボイル・シャルルの法則 一定量の気体の体積 V〔m^3〕は，圧力 p〔Pa〕に反比例し，絶対温度 T〔K〕に比例する。 $\boldsymbol{\dfrac{pV}{T}}$ **= 一定** (2･4)

2 ボイルの法則 温度が一定のとき， $\boldsymbol{pV}$ **= 一定** (2･5)

3 シャルルの法則 圧力が一定のとき， $\boldsymbol{\dfrac{V}{T}}$ **= 一定** (2･6)

4 気体がする仕事

圧力 p〔Pa〕の気体が，圧力一定の状態で膨張して，体積が ΔV〔m^3〕だけ増えたとき，気体のした仕事 W〔J〕は，$\boldsymbol{W = p\Delta V}$ (2･7)

5 熱力学第1法則

気体が外部から Q〔J〕の熱を与えられ，W〔J〕の仕事をされたとき，気体の内部エネルギーの増加量 ΔU〔J〕は，$\boldsymbol{\Delta U = Q + W}$ (2･8)

TYPE 62 高温物体と低温物体の接触

A 重要度

外部と熱のやりとりがなければ，
(高温物体の放出熱量)＝(低温物体の吸収熱量)

着眼　温度の異なる2つの物体を接触させると，**高温の物体から低温の物体へ熱が移動し**，両方の温度が等しくなると，熱の移動は止まる。このとき，外部との間で熱の移動がなければ，**高温の物体が出した熱量と低温の物体が吸収した熱量は等しい**。これを**熱量の保存**という。

熱は高温物体から低温物体に流れる。

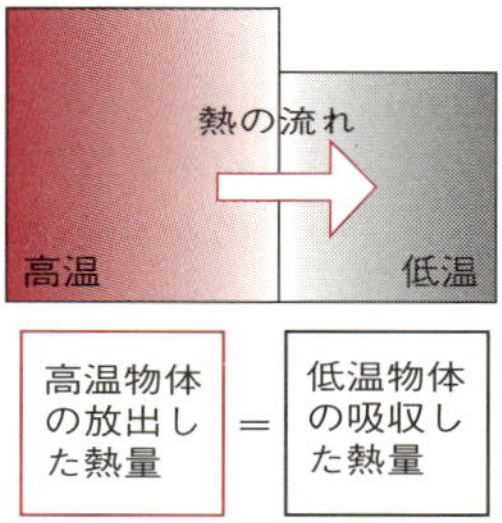

例題　熱容量と熱量の移動

質量100gの銅の容器に180gの水を入れて温度を測ると，20℃であった。この中に90℃に熱した150gの銅塊を入れてよくかきまぜた。銅の比熱を0.39 J/(g·K)，水の比熱を4.2 J/(g·K)として，以下の問いに答えよ。

(1)　この容器の熱容量はいくらか。

(2)　外部との熱の出入りがないとすれば，全体の温度は何℃になるか。

(3)　よくかきまぜたら，水温が24℃になった。この実験の途中で失われた熱量は何Jか。

解き方　(1)　容器は100gの銅だけでできているから，(2·3)式により，

$C=cm=0.39\times100=39$ J/K

(2)　熱平衡に達したときの温度を t〔℃〕とすれば，90℃の銅塊が t〔℃〕に下がるまでに放出する熱量は，$0.39\times150\times(90-t)$〔J〕，20℃の容器と水が t〔℃〕になるまでに吸収する熱量は，$39\times(t-20)+4.2\times180\times(t-20)$〔J〕であるから，熱量の保存により，$0.39\times150\times(90-t)=39\times(t-20)+4.2\times180\times(t-20)$

よって，$t=24.8$ ℃

(3)　実際に熱平衡に達したときの温度は，(2)で求めた温度より0.8K低い。

よって，外部に逃げた熱量は，

$(39+4.2\times180+0.39\times150)\times0.8=682.8$ J

答　(1) **39 J/K**　(2) **25℃**　(3) **6.8×10^2 J**

〈**類題90**〉かまどの中に鉄のかたまりを入れて熱し，20℃の水中に入れたら，水は45℃になった。次に，この鉄のかたまりを100℃に熱して前と等量の15℃の水中に入れたら，20℃になった。かまどの温度を求めよ。（解答➡別冊 *p.21*）

例題　熱量の移動

容器に水50gを入れて温度を測ると20℃であった。そこへ80℃の水30gを加えたところ，全体の温度が40℃になった。

以下の問いに答えよ。ただし，水の比熱を4.2 J/(g·K)とし，外部との熱の出入りはないものとする。

(1)　80℃の水が放出した熱量を求めよ。

(2)　20℃の水が吸収した熱量を求めよ。

(3)　容器の熱容量をC〔J/K〕として，容器の吸収した熱量を記せ。

(4)　容器の熱容量Cはいくらか。

解き方　(1)　水の温度は80℃から40℃に下がったので，水の放出した熱量は，

$$30 \times 4.2 \times (80-40) = 5040\ \mathrm{J}$$

(2)　容器内の水の温度は20℃から40℃に上がったので，水の吸収した熱量は，

$$50 \times 4.2 \times (40-20) = 4200\ \mathrm{J}$$

(3)　容器の温度は容器内の水の温度と同じになっていると考えられるので，容器の温度は20℃から40℃に上がった。

よって，容器の吸収した熱量は，

$$C \times (40-20) = 20C〔\mathrm{J}〕$$

(4)　外部との熱の出入りはないので，高温物体の放出した熱量は，すべて低温物体に与えられた。

よって，

$$5040 = 4200 + 20C$$

これより，

$$C = \frac{5040-4200}{20} = 42\ \mathrm{J/K}$$

答　(1) **5.0×10^3 J**　(2) **4.2×10^3 J**　(3) **$20C$**　(4) **42 J/K**

〈**類題91**〉熱容量120 J/Kの熱量計に水150gを入れて温度を測ると20℃であった。そこへ，100g，80℃の金属を熱量計の水の中に入れたところ，全体の温度が23℃になった。金属の比熱cは何J/(g·K)か。ただし，水の比熱を4.2 J/(g·K)とし，外部との熱の出入りはないものとする。（解答➡別冊 *p.21*）

TYPE 63 状態変化を伴う温度変化

B 重要度

潜熱の出入りを含めて，熱量が保存することを用いる。

着眼　融解や蒸発などの状態変化を伴う現象の熱量計算では，そのための潜熱を含めて，**熱量が保存する**ことを用いる。**状態変化が行われているときは，加えられた熱は温度上昇に使われず，状態変化のみに使われる。**

例題　融解熱と蒸発熱

−10℃の氷200gをすべて100℃の水蒸気にするためには，何Jの熱が必要か。ただし，熱は外部に逃げないものとし，水の0℃における融解熱を340J/g，水の100℃における蒸発熱を2300J/g，氷の比熱を2.1J/(g·K)，水の比熱を4.2J/(g·K)とし，融解はすべて0℃で起こり，蒸発はすべて100℃で起こるものとする。

解き方　−10℃の氷200gを0℃の氷にするための熱量Q_1〔J〕は，

$$Q_1 = 2.1 \times 200 \times \{0 - (-10)\} = 4200\ \text{J}$$

0℃の氷200gをとかして0℃の水にするための熱量Q_2〔J〕は，

$$Q_2 = 340 \times 200 = 68000\ \text{J}$$

0℃の水200gを100℃にするために必要な熱量Q_3〔J〕は，

$$Q_3 = 4.2 \times 200 \times (100 - 0) = 84000\ \text{J}$$

100℃の水200gを蒸発させて100℃の水蒸気にするための熱量Q_4〔J〕は，

$$Q_4 = 2300 \times 200 = 460000\ \text{J}$$

よって，求める熱量Q〔J〕は，

$$\begin{aligned} Q &= Q_1 + Q_2 + Q_3 + Q_4 \\ &= 4200 + 68000 + 84000 + 460000 \\ &= 616200\ \text{J} \end{aligned}$$

答　6.2×10^5 J

類題92　20℃，100Lの水に100℃の水蒸気を通して，その温度を80℃にした。水の体積はどれだけ増したか。ただし，水の100℃における蒸発熱を2300J/g，水の比熱を4.2J/(g·K)とし，水の密度は1.00g/mLで一定と考えてよい。

（解答➡別冊 *p.21*）

TYPE 64 理想気体の温度・圧力・体積の変化①

A 重要度

ボイル・シャルルの法則を用いる。

$$\frac{pV}{T}=一定$$

着眼 物質量が変化しない理想気体で，物質量や気体定数が与えられていない場合は，ボイル・シャルルの法則を使う。

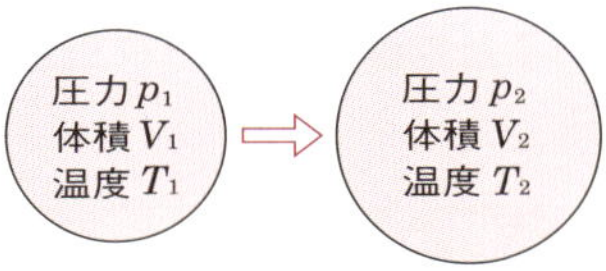

$$\frac{p_1V_1}{T_1}=\frac{p_2V_2}{T_2}$$

温度が一定の変化では，ボイルの法則

$pV=一定$

圧力が一定の変化では，シャルルの法則 $\dfrac{V}{T}=一定$

例題　変化後の気体の体積

容器内に封入された理想気体がある。最初，圧力が 1.0×10^5 Pa，体積が 2.0×10^{-2} m^3，温度が 27 ℃であった。この気体に熱を加えたところ，圧力が 1.1×10^5 Pa，温度が 77 ℃に変化した。変化後の気体の体積を求めよ。

解き方　変化後の気体の体積を V〔m^3〕とすれば，ボイル・シャルルの法則より，

$$\frac{1.0\times10^5\times2.0\times10^{-2}}{273+27}=\frac{1.1\times10^5\times V}{273+77}$$

となるので，

$$V=\frac{1.0\times10^5\times2.0\times10^{-2}\times(273+77)}{(273+27)\times1.1\times10^5}=0.0212\ \mathrm{m^3}$$

と求められる。

答　2.1×10^{-2} m^3

! 注意　**ボイル・シャルルの法則では，温度は絶対温度〔K〕を使うことに気をつける。**温度 t〔℃〕は絶対温度 T〔K〕に直すと，$T=273+t$ となる。

類題93　圧力が 1.0×10^5 Pa で，体積が 4.0×10^{-3} m^3，温度が 300 K の理想気体を等温変化させ，体積を 2.0×10^{-3} m^3 にした。変化後の気体の圧力を求めよ。

（解答➡別冊 *p.21*）

類題94　図のように，なめらかに動くことができる断面積 S〔m^2〕のピストンのついたシリンダーがある。シリンダーの中には理想気体が封入され，体積は V〔m^3〕であった。気体の温度を T_0〔K〕から T〔K〕に上昇させたとき，ピストンが移動した距離を求めよ。

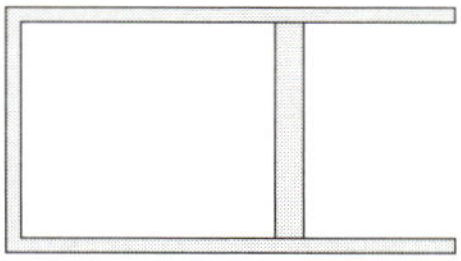

（解答➡別冊 *p.21*）

TYPE 65 開放部のある容器

重要度 B

気体の温度と密度の関係を求める。

密度 ⇨ $\rho=\dfrac{m}{V}$

着眼　密閉型でない容器内の気体は，気体の状態変化に伴って，物質量が変化するため，ボイル・シャルルの法則を使うことができない。

熱気球のように，気体が暖められると体積が膨張して開放部から気体が出てしまい，物質量が変化する場合は，**温度と密度との関係**を求めるとよい。

外部に逃げてしまった気体も含めて考えると，気体の質量(物質量)は変わらないので，**ボイル・シャルルの法則**から変化後の体積を求めることによって，気体の密度を求めることができる。

例題　気体の密度

容積 V〔m³〕の容器に密度 ρ〔kg/m³〕の理想気体が入っている。容器の上部に開放部があり，気体の圧力は外気圧に等しい。気体を暖めたところ，気体の温度は T_0〔K〕から T〔K〕に上昇した。温度が T に変化したときの，容器内の気体の密度を求めよ。

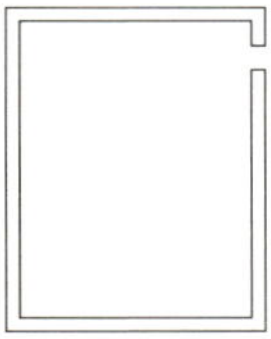

解き方　温度が T_0 のときに，容器内にある気体の質量 m〔kg〕は，$m=\rho V$ である。容器外に逃げてしまった気体を含めて，すべての気体の温度が T になったとして，その体積を V'〔m³〕とすれば，シャルルの法則より，$\dfrac{V}{T_0}=\dfrac{V'}{T}$ となるので，$V'=\dfrac{TV}{T_0}$ である。よって，温度 T における気体の密度 ρ'〔kg/m³〕は，

$$\rho'=\frac{m}{V'}=\frac{\rho V}{\dfrac{TV}{T_0}}=\frac{T_0}{T}\rho$$

答　$\dfrac{T_0}{T}\rho$

類題95　図のように，開放型の熱気球がある。気球部分の体積は V〔m³〕で，大気の温度は T_0〔K〕である。熱気球の質量(気球内の空気を除く)は M〔kg〕である。この気球が浮き上がるためには，気球内部の気体の温度を何Kより大きくしなければならないか。温度 T_0 における大気の密度は ρ〔kg/m³〕，重力加速度の大きさは g〔m/s²〕とし，気体は理想気体と考えてよい。　(解答➡別冊 *p.21*)

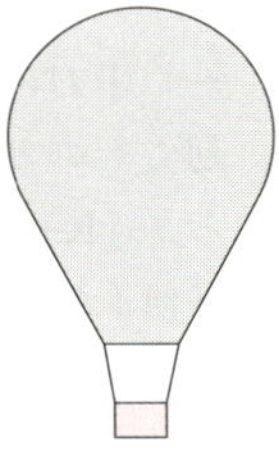

TYPE **66** ## ピストンの移動と仕事

重要度 A

圧力 p が一定のとき，膨張体積 ΔV を求め，

$$W = p\Delta V$$

で気体のする仕事を求める。

着眼 気体が膨張すると，外部の気体を押しのける仕事をする。この仕事の大きさ W〔J〕は，気体の圧力を p〔Pa〕，膨張した体積を ΔV〔m^3〕とすると，次の式で表される。

$$W = p\Delta V$$

この式は圧力 p が一定の場合しか使えない。

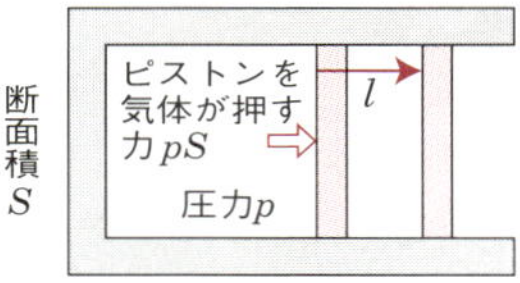
断面積 S
ピストンを気体が押す力 pS
l
圧力p

気体がした仕事 W

$W = pSl = p\Delta V$

$\Delta V = Sl$ 膨張した体積

補足 気体がされた仕事は $-p\Delta V$ である。

注意 圧力が変化する場合の仕事は p-V 図を用いて求める。（**TYPE 67** 参照）

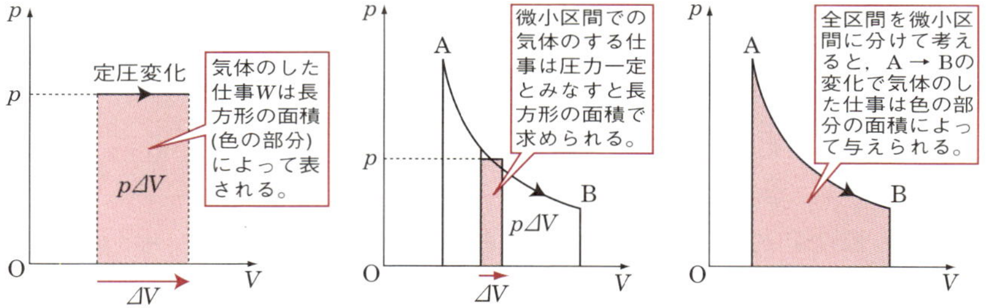
p
定圧変化
p
気体のした仕事Wは長方形の面積(色の部分)によって表される。
pΔV
O
V
ΔV
p
A
微小区間での気体のする仕事は圧力一定とみなすと長方形の面積で求められる。
p
B
pΔV
O
ΔV
V
p
A
全区間を微小区間に分けて考えると，A → Bの変化で気体のした仕事は色の部分の面積によって与えられる。
B
O
V

例題 気体のした仕事

質量 M〔kg〕のピストンを備えた断面積 S〔m^2〕の，図のようなシリンダーに理想気体を入れて鉛直に立ててある。シリンダーの外の圧力は p_0〔Pa〕で一定であり，ピストンは気密でなめらかに動くものとする。いま，シリンダー内の気体の温度を T_1〔K〕から T_2〔K〕まで上げたとすると，シリンダー内の気体のした仕事は何 J か。ただし，温度 T_1 のときのシリンダー内の気体の体積を V_1〔m^3〕とし，重力加速度の大きさを g〔m/s^2〕とする。

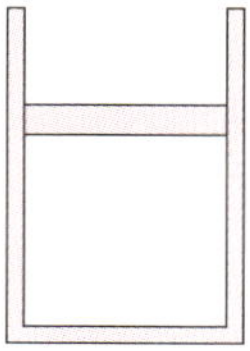

解き方 シリンダー内の気体の圧力をp〔Pa〕とすると，ピストンにはたらく力のつり合いより，$pS = p_0S + Mg$

ゆえに，$p = p_0 + \dfrac{Mg}{S}$ ……①

温度がT_2になったときの気体の体積をV_2〔m^3〕とすると，ボイル・シャルルの法則より，

$$\frac{pV_1}{T_1} = \frac{pV_2}{T_2}$$

ゆえに，$V_2 = \dfrac{T_2}{T_1}V_1$

よって，気体の膨張した体積ΔVは，

$$\Delta V = V_2 - V_1 = \frac{T_2}{T_1}V_1 - V_1 = \frac{T_2 - T_1}{T_1}V_1 \quad \cdots\cdots ②$$

気体のした仕事は，①，②より，

$$W = p\Delta V = \left(p_0 + \frac{Mg}{S}\right) \times \frac{T_2 - T_1}{T_1}V_1 = \frac{(p_0S + Mg)(T_2 - T_1)V_1}{ST_1}$$

答 $\dfrac{(p_0S + Mg)(T_2 - T_1)V_1}{ST_1}$

類題96 1.0 gの空気の温度が1気圧のもとで，0℃から100℃まで上昇した。このとき，この空気が外部に対してした仕事は何Jか。ただし，空気の密度は0℃，1気圧で1.3×10^{-3} g/cm^3，1気圧は1.0×10^5 Paとする。 （解答➡別冊 *p.21*）

類題97 図1のように，なめらかに動くことができる質量の無視できる断面積S〔m^2〕のピストンのついたシリンダー内に，理想気体を封入した。シリンダー内の気体の温度はT_0〔K〕で，ピストンはシリンダーの底面からL〔m〕の位置で静止していた。外気の圧力をp_0〔Pa〕，重力加速度の大きさをg〔m/s^2〕として，以下の問いに答えよ。

図1

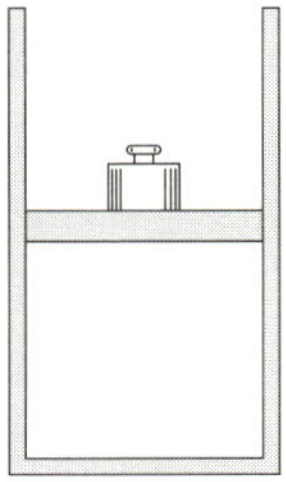

図2

(1) シリンダー内の気体の圧力を求めよ。

図2のように，ピストンの上に，質量M〔kg〕のおもりをのせたところ，ピストンは少し下がって静止した。このとき，気体の温度はT〔K〕になった。

(2) シリンダー内の気体の圧力を求めよ。

(3) シリンダー内の気体の体積を求めよ。

(4) シリンダー内の気体のされた仕事を求めよ。 （解答➡別冊 *p.22*）

TYPE 67 p-V図と気体のする仕事

重要度 A

気体のする仕事は，p-Vグラフの曲線とV軸との間に囲まれる図形の面積で表される。

着眼 縦軸に圧力p，横軸に体積Vをとって，気体の状態を示したグラフを**p-V図**という。右図のように，圧力を一定値p_1にして，体積をV_1からV_2まで変化させると，気体がする仕事は，**$W=p_1(V_2-V_1)$**で，**長方形ABCDの面積**になる。

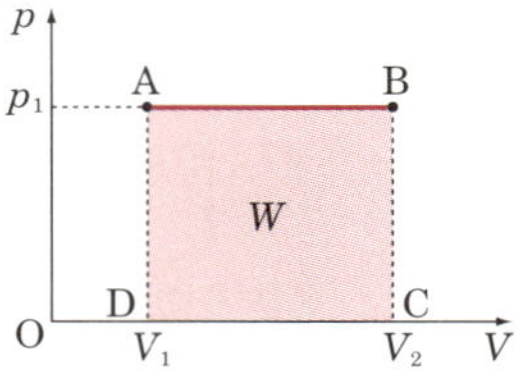

例題　1サイクルの仕事量

一定量の理想気体(圧力6.0×10^5 Pa，体積$1.0\ \mathrm{m^3}$，絶対温度300 K)の状態は右のグラフのA点で示される。この気体の状態が，グラフ上で，A→B→C→D→Aの向きに変化した。この1サイクルの間に，気体がした総仕事量はいくらか。

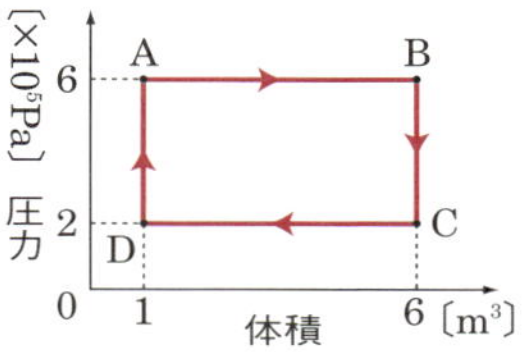

解き方 A→Bでは気体の体積が増えるから，気体は外部に仕事をする。仕事の大きさは，

$W_1=6.0\times10^5\times(6.0-1.0)=3.0\times10^6$ J

B→Cでは気体の体積が変化しないから，仕事は0

C→Dでは気体の体積が減るから，気体は外部から仕事をされる。仕事の大きさは，

$W_2=2.0\times10^5\times(1.0-6.0)=-1.0\times10^6$ J

D→Aでは気体の体積が変化しないから，仕事は0

総仕事量はW_1とW_2の和で，

$W_1+W_2=3.0\times10^6-1.0\times10^6=2.0\times10^6$ J

答 2.0×10^6 J

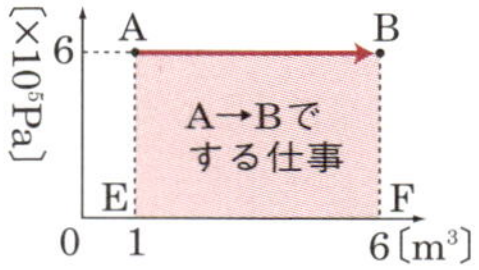

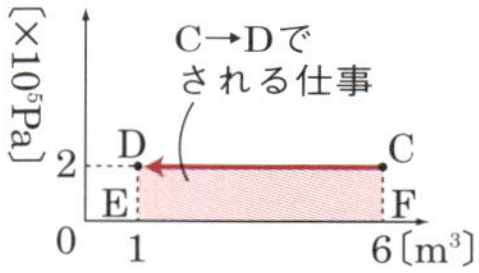

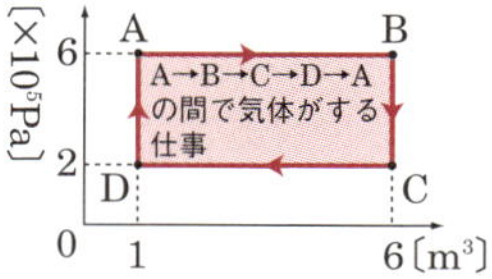

類題98 図のように，A(p_0, V_0)→B($3p_0$, V_0)→C(p_0, $3V_0$)→A(p_0, V_0)のように気体の状態が変化するとき，A→B→C→Aの変化で気体のした仕事Wはいくらか。

(解答➡別冊 *p.22*)

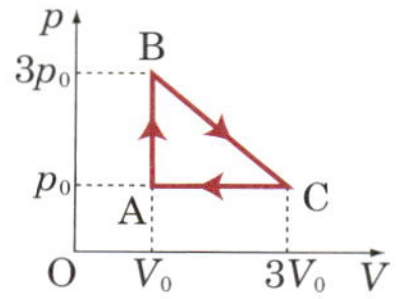

TYPE 68 気体の変化と熱の出入り

A 重要度

熱力学第 1 法則　$\Delta U = Q + W$　を使う。

着眼　気体が熱を加えられたり放出したり，あるいは外部から仕事をされたり，外部に仕事をしたりする場合の変化についての問題では，**熱力学第 1 法則**をうまく使う。このとき，**記号の正負に注意する。**

内部エネルギーの増加：	$\Delta U > 0$	減少：	$\Delta U < 0$
外部から加えられる熱：	$Q > 0$	放出する熱：	$Q < 0$
外部からされる仕事：	$W > 0$	外部にする仕事：	$W < 0$

例題　気体に出入りした熱量

図のように，断面積 S のシリンダーになめらかに動く質量 m のピストンを入れ，鉛直に置いた。シリンダー内には 1 mol の理想気体が入っており，つねに一定の温度 T に保たれるようになっている。いま，ピストンの上に質量 $2m$ のおもりをのせたところ，気体の体積が半分になった。このとき気体に出入りした熱量はいくらか。気体に入る場合を正として，気体定数 R と T を用いて答えよ。

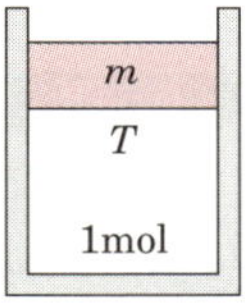

解き方　熱力学第 1 法則において，$\Delta U = 0$ とおくと，

$0 = Q + W$　ゆえに，$Q = -W$　……①

ピストンの上におもりをのせたときの気体の圧力を p とすると，このとき気体が外部からされた仕事 W は，

$$W = p \times \frac{V}{2}$$ ……②

ピストンの上におもりをのせたときの気体の状態方程式(→ p.147)は，

$$p \times \frac{V}{2} = RT$$ ……③

①，②，③より，　$Q = -RT$

答　$-RT$

類題99　図のように，断面積が S〔m^2〕のなめらかに動くことができるピストンのついたシリンダー内の気体に，Q〔J〕の熱を加えた。このとき，ピストンはゆっくりと Δl〔m〕右側に移動した。気体の内部エネルギーの増加量を求めよ。ただし，外気圧を p_0〔Pa〕とする。　(解答➡別冊 p.22)

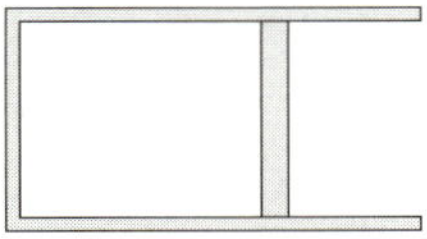

TYPE 69 熱効率

重要度 A

熱機関が放出した熱量は，熱効率の計算には入れない。

熱効率 ⇨ $e=\dfrac{W}{Q_1}=\dfrac{Q_1-Q_2}{Q_1}$

着眼　熱機関の熱効率を考える場合，**熱量は吸収した熱量のみを使い，放出した熱量は使わない**。仕事に関しては，熱機関がした仕事とされた仕事のすべてを考える。

熱機関のした仕事を W，吸収した熱量を Q_1，放出した熱量を Q_2 とすれば，熱サイクルを考えると $\Delta U=0$ となるので，熱力学第 1 法則より，
$0=Q_1-Q_2-W$ となり，$\boldsymbol{W=Q_1-Q_2}$ となる。

例題　熱機関の熱効率

右の p-V 図で表されるような熱機関がある。A→B は定積変化，B→C は等温変化，C→A は定圧変化である。A→B で加えられた熱量が Q_1，B→C で加えられた熱量が Q_2，C→A で放出した熱量が Q_3 である。この熱機関の熱効率を求めよ。

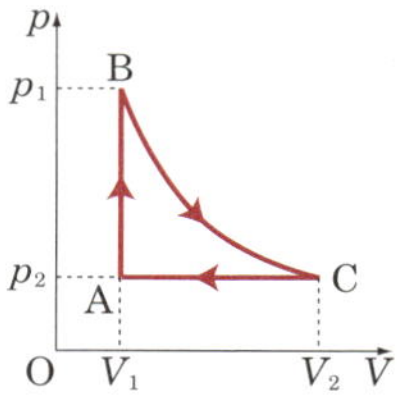

解き方　A→B で気体がした仕事 W_1 は，定積変化なので，$W_1=0$ である。B→C で気体がした仕事 W_2 は，等温変化で内部エネルギーが変化しないので，熱力学第 1 法則より $0=Q_2-W_2$ となり，$W_2=Q_2$ となる。C→A で気体がした仕事 W_3 は，

$$W_3=p_2(V_1-V_2)=-p_2(V_2-V_1)$$

よって，この熱サイクルでの熱効率 e は，

$$e=\frac{W_1+W_2+W_3}{Q_1+Q_2}=\frac{Q_2-p_2(V_2-V_1)}{Q_1+Q_2}$$

答　$\dfrac{Q_2-p_2(V_2-V_1)}{Q_1+Q_2}$

類題100　理想気体の圧力 p と体積 V の変化をグラフにしたところ，右図のようになった。A→B，C→D は定圧変化，B→C，D→A は断熱変化である。A→B では Q_1 の熱を吸収し，C→D では Q_3 の熱を放出した。この熱サイクルの熱効率を求めよ。

（解答➡別冊 $p.22$）

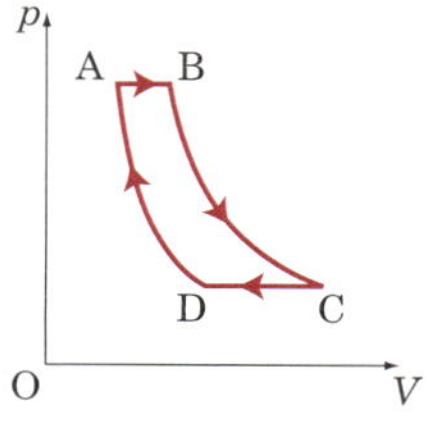

■練習問題

解答→別冊 p.64

TYPE

41 図1のように，大気中に置かれた断熱容器内に，ヒーターに接した銅板があり，容器内に氷を入れてゆっくりと加熱する実験を行う。内部抵抗の無視できる起電力10Vの電池がスイッチSを介して抵抗値100Ωのヒーターに接続されている。容器にはなめらかに動く断熱材でできたふたがついており，内部の物質は容器内に閉じ込められる。

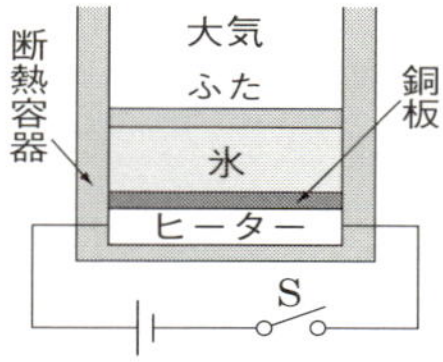

図1

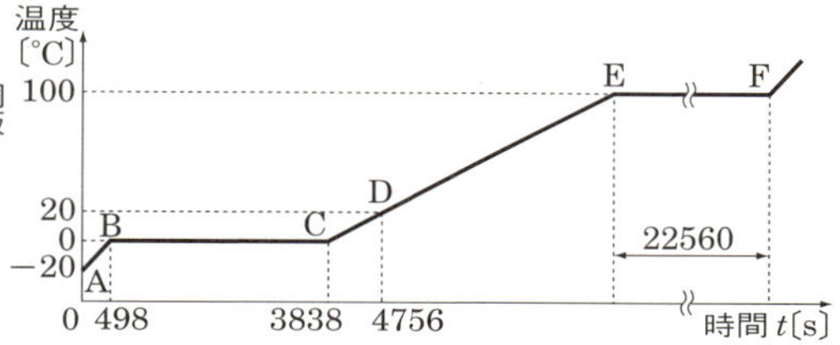

図2

はじめにスイッチSを開いた状態で容器内に10gの氷を入れたところ，内部の温度は一様に−20℃となった(状態A)。時刻 $t=0$ s でスイッチSを閉じヒーターに電流を流し続けたところ，内部の物質の温度は図2のように状態Aから変化した。以下の問いに答えよ。ただし，ふたの質量とヒーターの熱容量は無視でき，また，銅板と内部の物質の温度は同じであり，内部の物質の温度は場所によって変わらないとする。

(1) 図2中のA–B間，B–C間，C–E間およびE–F間での内部の物質の状態をそれぞれ述べよ。

(2) 図2中のC–D間にヒーターで発生した熱量 Q_1〔J〕を求めよ。

(3) 水の比熱を4.2 J/(g·K)として，銅板の熱容量 C_0〔J/K〕を求めよ。

(4) 図2中のA–B間にヒーターで発生した熱量 Q_2〔J〕を求めよ。また，氷の比熱 c〔J/(g·K)〕を求めよ。ただし，氷の比熱は温度によらず一定とする。

(5) 0℃の氷1gが融ける間にヒーターで発生した熱量(融解熱) L〔J/g〕を求めよ。

(6) 100℃の水1gが蒸発する間にヒーターで発生した熱量(蒸発熱) h〔J/g〕を求めよ。　(信州大)

→ 62, 63

ヒント　41 (5) B–C間の熱量が氷を融かす熱量にあたる。
(6) E–F間の熱量が水を水蒸気にさせる熱量にあたる。

TYPE

42　銅製の容器，銅製のかきまぜ棒，温度計，断熱容器からできた図のような熱量計がある。これと銅球を用いて銅の比熱を測定する実験を行った。銅製の容器とかきまぜ棒の質量はそれぞれ 85.0 g，15.0 g であった。熱量計の銅製容器に少し冷やした水を入れ，容器ごと(かきまぜ棒は含まない)質量を測定したところ，184.6 g であった。これを断熱容器に入れ，温度計が差し込まれたふたをした。水をよくかきまぜてから水温を読んだところ，25.0 ℃であった。

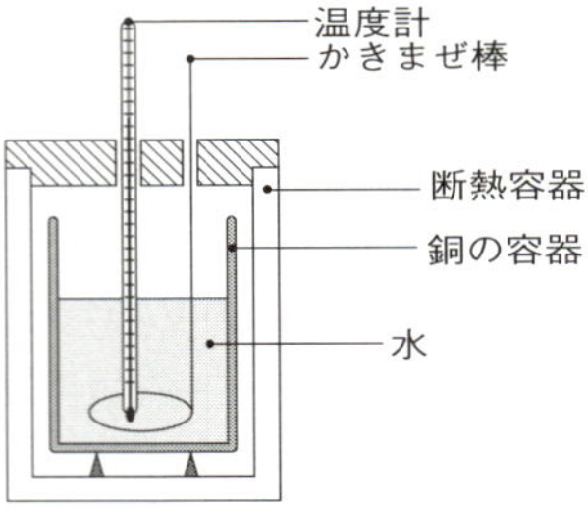

(1)　銅製の容器とかきまぜ棒の合計の熱容量を，銅の比熱 c〔J/(g·K)〕を用いて表せ。

次に温度 98.5 ℃に加熱した質量 60.0 g の銅球を熱量計に入れた。かきまぜ棒を使って水を静かにかき回し，熱平衡になったころを見はからい，水温を測定したところ 28.5 ℃になっていた。なお，差し込まれた温度計の水中にある部分は，その体積から 0.4 g の水と熱容量が同等であることがわかっている。水の比熱は 4.2 J/(g·K)とせよ。

(2)　上の測定結果に基づき，銅の比熱を有効数字 2 桁で求めよ。

(大阪教育大 改)

➔ 62, 63

43　図のように断面積 S の円筒状の容器を鉛直に立てて水平面上に置く。容器中には質量 m のピストンがあり，なめらかに動くことができるものとする。この容器内には理想気体が封入されている。また，外圧は一定で p_0 とし，重力加速度の大きさを g とする。このとき，ピストンは，容器の底面からピストン下面までの高さが h の位置でつり合い，静止している。

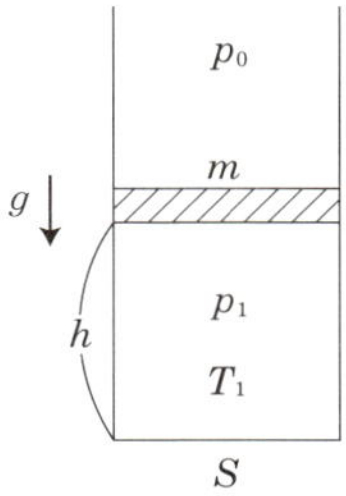

(1)　容器内の圧力 p_1 を p_0，m，g，S を用いて表せ。

(2)　容器内の気体の温度 T_1 を ΔT 上昇させたとき，気体がした仕事を p_1，T_1，S，ΔT，h を用いて表せ。

(千葉大 改)

➔ 66

ヒント　43 (1) ピストンについてつり合いの式をつくればよい。
(2) まず，ピストンの上昇した距離 Δh を求める。

2 気体の変化

1 理想気体の状態方程式

n〔mol〕の理想気体の圧力 p〔Pa〕，体積 V〔m^3〕，絶対温度 T〔K〕の間には，次の関係がなりたつ。この式を**理想気体の状態方程式**という。

$$pV = nRT \tag{2・9}$$

R を**気体定数**という。$R = 8.31$ J/(mol・K)

2 気体分子の運動

1 気体の圧力　気体の圧力は気体分子が器壁に衝突するときに与える力積によって生じる。分子 1 個の質量を m〔kg〕，2 乗平均速度を$\sqrt{\overline{v^2}}$とすると，体積 V〔m^3〕中に N 個の分子が含まれている気体の圧力 p〔Pa〕は，

$$p = \frac{Nm\overline{v^2}}{3V} \tag{2・10}$$

2 分子の運動エネルギー　単原子分子理想気体の分子 1 個の平均運動エネルギーは，気体の種類によらず，絶対温度 T〔K〕によって決まる。

$$\frac{1}{2}m\overline{v^2} = \frac{3}{2}kT \tag{2・11}$$

k を**ボルツマン定数**という。$k = \dfrac{R}{N_A}$ (N_A はアボガドロ定数)である。

3 気体の比熱

気体の比熱は，定積変化の場合と定圧変化の場合とで異なる。

1 定積モル比熱　気体 1 mol の温度を，体積一定の状態で 1 K だけ上昇させるのに必要なエネルギー C_V〔J〕を**定積モル比熱**という。

2 定圧モル比熱　気体 1 mol の温度を，圧力一定の状態で 1 K だけ上昇させるのに必要なエネルギー C_p〔J〕を**定圧モル比熱**という。

4 気体の内部エネルギー

個々の気体分子がもつエネルギーの総和がその気体の内部エネルギーである。n〔mol〕の気体が絶対温度 T〔K〕のときにもつ内部エネルギー U〔J〕は，

$$U = nC_VT \tag{2・12}$$

単原子分子理想気体の場合は，

$$U = \frac{3}{2}nRT \tag{2・13}$$

TYPE 70 理想気体の温度・圧力・体積の変化②

A 重要度

理想気体の状態方程式を使う。

$pV = nRT$　　R：気体定数

着眼　理想気体で，**物質量や気体定数が与えられている場合は**，**理想気体の状態方程式**を使う。

物質量や気体定数が与えられていない場合でも，計算過程で物質量や気体定数を定義して状態方程式を使うことができる。この場合，最後の答えには定義した物質量や気体定数を用いることはできない。

たとえば，p.138 の例題の場合，物質量を n〔mol〕，気体定数を R〔J/(mol·K)〕とすれば，変化前の理想気体の状態方程式は，

$$1.0 \times 10^5 \times 2.0 \times 10^{-2} = nR \times (273 + 27)$$

変化後の理想気体の状態方程式は，

$$1.1 \times 10^5 \times V = nR \times (273 + 77)$$

となり，この 2 式から nR を消去して $V = 0.0212\ \mathrm{m^3}$ と求めることができる。

例題　気体の体積

物質量が 0.40 mol の理想気体がある。圧力が 1.4×10^5 Pa，温度が 7.0 ℃であったとすれば，この気体の体積はいくらか。ただし，気体定数 R は，$R = 8.3$ J/(mol·K) である。

解き方　気体の体積を V〔m³〕とすれば，理想気体の状態方程式より，

$$(1.4 \times 10^5) \times V = 0.40 \times 8.3 \times (273 + 7.0)$$

となるので，

$$V = \frac{0.40 \times 8.3 \times (273 + 7.0)}{1.4 \times 10^5} = 6.64 \times 10^{-3}\ \mathrm{m^3}$$

と求められる。

答　$6.6 \times 10^{-3}\ \mathrm{m^3}$

類題101　圧力が 1.0×10^5 Pa，体積が $3.0 \times 10^{-2}\ \mathrm{m^2}$，温度が 27 ℃の理想気体がある。この理想気体の物質量は何 mol か。ただし，気体定数 R を，$R = 8.3$ J/(mol·K) とする。

（解答➡別冊 ***p.22***）

類題102　標準状態〔0 ℃，1 atm（$= 1.01 \times 10^5$ Pa）〕における，気体 1 mol の体積は 22.4 L である。気体定数 R の値を求めよ。

（解答➡別冊 ***p.22***）

TYPE 71 連結した容器内の気体

重要度 A

両方の容器内の気体の圧力は等しい。
それぞれの容器について状態方程式をつくる。
気体の総量は変化の前後で変わらない。

着眼　2つの容器に温度，圧力の異なる気体が入っていても，これらを連結すると，圧力の高いほうから低いほうへ一部の気体が流れ込み，両方の圧力は等しくなる。このような状態になったときは，**両方の圧力を共通の記号で表して，容器内の気体について状態方程式**をつくればよい。また，2つの容器内の最初の気体の量がそれぞれ n_1，n_2〔mol〕，後の気体の量がそれぞれ n_1'，n_2'〔mol〕であったとすれば，$\boldsymbol{n_1+n_2=n_1'+n_2'}$ がなりたつ。

例 題　連結容器の圧力

容積の等しい2つの容器A，Bを細い菅でつなぎ，0℃，1.0×10^5 Paの理想気体を入れて密閉する。いま，容器Aを100℃，容器Bを200℃に保つと，容器内の圧力は何Paになるか。ただし，容器の膨張は無視する。

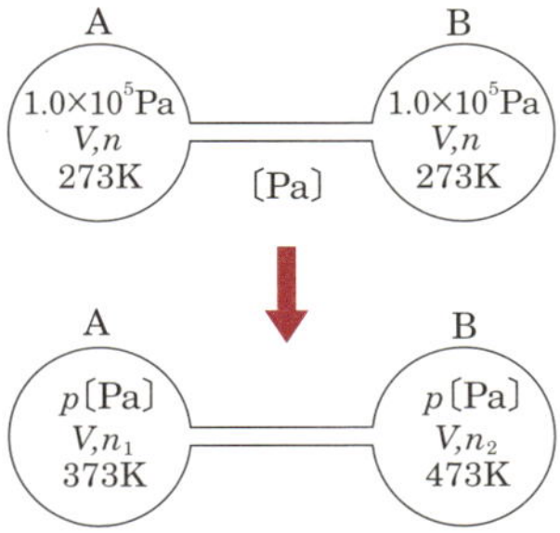

解き方　最初それぞれの容器には，同温，同圧，同体積の気体が入っているから，そのモル数はともに等しい。これを n〔mol〕とし，それぞれの容器の容積を V とすると，最初の容器中の状態方程式は，

$1.0\times10^5\times V=nR\times273$　……①

次に，温度を変えた後のAの中の気体の量を n_1〔mol〕，Bの中の気体の量を n_2〔mol〕とし，圧力を共通に p〔Pa〕とおいて，状態方程式をつくると，

A：$pV=n_1R(273+100)$　……②　　B：$pV=n_2R(273+200)$　……③

また，容器中の気体の総量は変わらないから，$2n=n_1+n_2$　……④

①～④を解いて，$p=1.5\times10^5$ Pa

答 $\boldsymbol{1.5\times10^5}$ **Pa**

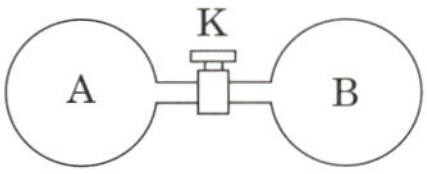

類題103　図のA，Bは容積の等しい容器で，A，Bを結ぶガラス管の中央にはコックKがとりつけてある。Kを閉じておいて，Aには0℃，1.0×10^5 Paの理想気体を，Bには40℃，5.0×10^4 Paの理想気体を入れてからKを開いたら，両方の気体が混合して温度は15℃になった。圧力はいくらになったか。

（解答➡別冊 p.22）

TYPE 72 気体の分子運動と圧力

A 重要度

分子 1 個が 1 回の衝突で壁に与える力積は $2mv$
1 秒間の力積の総和＝壁が受ける力

着眼　質量 m の分子が速さ v で壁に垂直に弾性衝突をすると，同じ速さではね返るので，分子の運動量変化は，$mv-(-mv)=2mv$ となる。このとき壁が受ける力積も $2mv$ で，**1 秒間に受けた力積の総和が，壁が受ける平均の力に等しい。**この**平均の力を壁の面積で割って圧力**を求める。このようにして(2·10)式を導く問題が多い。

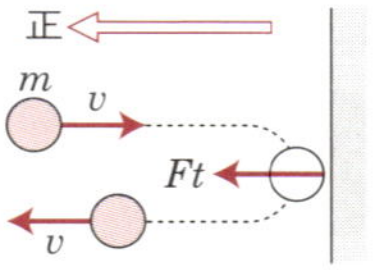

例題　分子運動と圧力

1 辺の長さ l の立方体の容器の中に，質量 m の気体分子が N 個入っている。図のように座標軸をとるとき，次の 3 つの仮定

(A)　分子は x 軸と平行な方向にのみ運動し，その速さはすべて v である。
(B)　分子と容器の壁との衝突は弾性衝突である。
(C)　分子間には力ははたらかず，分子どうしは衝突しない。

がなりたつとして，次の問いに答えよ。

(1)　1 個の分子が壁 a に 1 回衝突することによって，壁に与える力積はいくらか。
(2)　1 個の分子は，時間 t の間に，壁 a に何回衝突するか。
(3)　壁 a が気体から受ける圧力はいくらか。

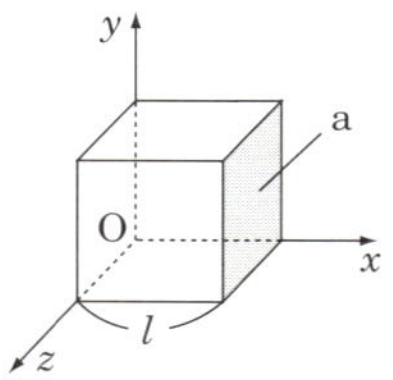

解き方　(1)　分子が壁に与える力積は，壁が分子に与える力積と大きさが等しい(向きは反対)から，分子の運動量の変化量を求めればよい。衝突後の分子の運動の向きを正とすると，

$$mv-(-mv)=2mv$$

(2)　時間 t の間に，分子は距離 vt を走り，この間距離 $2l$ 走るごとに壁 a に衝突すると考えると，衝突回数は $\dfrac{vt}{2l}$ 回である。

(3)　1 個の分子が時間 t の間に壁に加える力積は，

$$(1\text{ 回の衝突で与える力積})\times(\text{衝突回数})=2mv\times\frac{vt}{2l}$$

すべての分子が時間 t の間に壁に加える力積は，前ページの値の N 倍だから，

$$N\times\left(2mv\times\frac{vt}{2l}\right)=\frac{Nmv^2t}{l}$$

この間に壁が受ける平均の力を $\overline{F}$ とすると，上で求めた力積の総和は $\overline{F}t$ に等しいから，

$$\overline{F}t=\frac{Nmv^2t}{l}\qquad \text{ゆえに，}\ \overline{F}=\frac{Nmv^2}{l}$$

圧力 p は壁の単位面積あたりにはたらく力で表されるから，

$$p=\frac{\overline{F}}{l^2}=\frac{Nmv^2}{l^3}$$

答 (1) $\boldsymbol{2mv}$　(2) $\boldsymbol{\frac{vt}{2l}}$　(3) $\boldsymbol{\frac{Nmv^2}{l^3}}$

〈類題104〉 次の文中の［　　］にあてはまる式を書け。

1 辺 l の立方体の箱の中に質量 m の分子が N 個入っている。これらの分子はそれぞれ勝手な方向に飛びまわっている。1 個の分子の速度を v とし，3 つの壁に垂直な速度成分を v_x，v_y，v_z とすれば，　$v^2=$［①］

分子は壁と衝突するとき弾性衝突を行うとすれば，速度成分 v_x については，1 個の分子の 1 回の衝突による運動量の変化は［②］である。1 個の分子がこの壁に 1 秒間に衝突する回数は［③］であるから，1 秒間に N 個の分子が壁から受ける力積は［④］である。したがって，壁が受ける圧力 p は［⑤］となる。

v，v_x，v_y，v_z の 2 乗の平均を $\overline{v^2}$，$\overline{v_x{}^2}$，$\overline{v_y{}^2}$，$\overline{v_z{}^2}$ とすれば，

$\overline{v_x{}^2}=\overline{v_y{}^2}=\overline{v_z{}^2}=$［⑥］$\overline{v^2}$

がなりたつ。l^3 は気体の体積 V に等しいから，p を V，N，m，$\overline{v^2}$ で表すと，

$p=$［⑦］となり，$pV=$［⑧］

が得られる。

（解答➡別冊 *p.23*）

〈類題105〉 半径 r，中心を O とする球形の容器に N 個の単原子分子理想気体が入っている。分子 1 個の質量は m で，分子はすべて同じ速さ v で運動しているとして，次の問いに答えよ。ただし，分子は容器の壁と完全弾性衝突をし，分子どうしの衝突はないものとする。

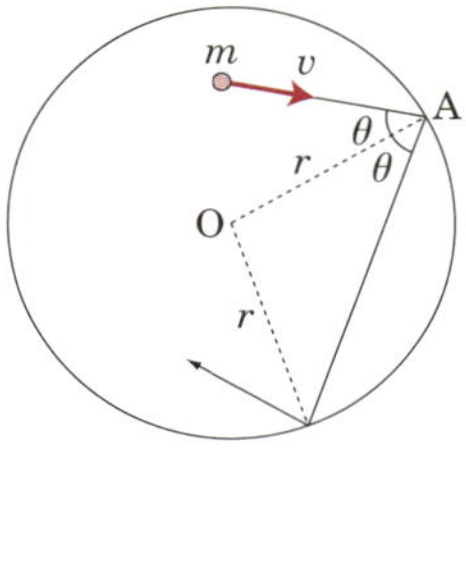

(1) 1 個の分子が入射角 θ で壁の A 点に衝突するとき，この分子の運動量の変化の大きさと，時間 t の間に壁と衝突する回数を求めよ。

(2) この気体が容器の壁に加える力の大きさ F を，N，v，m を用いて表せ。

(3) この気体の圧力 P を，N，v，m，容器の体積 V を用いて表せ。

（解答➡別冊 *p.23*）

TYPE 73 気体の分子運動（ピストンが動く場合）

B 重要度

衝突後の速さを求めるためには，反発係数の式を使う。

着眼 動く壁に気体分子が衝突する場合，衝突後の速さを求めるためには，**反発係数の式**を使う。

ピストンを一定の速さで運動させるためには，外力をはたらかせなければならないので，**運動量保存の法則は使えない。**

例題　分子の失うエネルギー

図のように，x 方向になめらかに動くピストンをもつ容器の中に，理想気体とみなせる単原子分子が満たされている。個々の気体分子は質量 m をもち，さまざまな速度で容器内を運動し，ピストンや容器の壁と弾性衝突する。ピストンが一定の速さ w でゆっくり動いている場合，x 方向の速度成分 v_x をもつ気体分子 1 個がピストンと 1 回衝突するときの，運動エネルギーの変化を求めよ。ただし，w^2 の項は無視せよ。

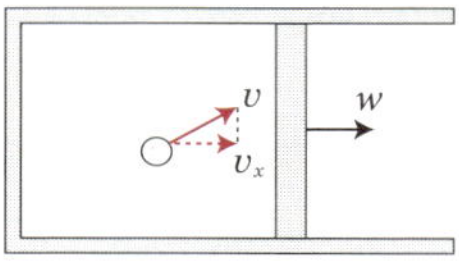

解き方 ピストンに衝突後の気体分子の x 方向の速度成分を v_x' とすれば，反発係数の式より，$1=-\dfrac{v_x'-w}{v_x-w}$　　これから，$v_x'=-v_x+2w$

気体分子 1 個がピストンと 1 回衝突するときの運動エネルギーの変化 ΔE は，

$$\Delta E=\frac{1}{2}m(-v_x+2w)^2-\frac{1}{2}mv_x^2=\frac{1}{2}mv_x^2-2mv_xw+2mw^2-\frac{1}{2}mv_x^2$$

$$\fallingdotseq -2mv_xw$$

答 $\boldsymbol{-2mv_xw}$

類題106 図のような断熱材でできたシリンダーとピストンからなる容器があり，ピストンの動く方向を x 軸とする。容器には，1 分子の質量が m の単原子分子からなる理想気体が封入されており，各分子は他の分子，シリンダーの壁およびピストンと弾性衝突をする。図に示すように，最初 $x=L$ にあったピストンを，ゆっくりとした一定の速さ u で x 軸の正の方向に短い距離 ΔL だけ動かした。ピストンを ΔL 動かしたときの理想気体の内部エネルギーの変化 ΔU が，ピストンに加わる圧力を P，体積の変化を ΔV として，$\Delta U=-P\Delta V$ と表されることを示せ。

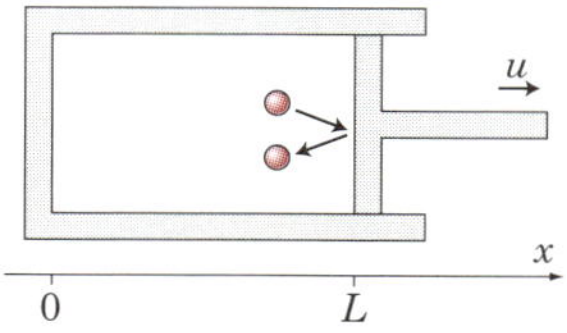

（解答➡別冊 *p.23*）

TYPE 74 気体の比熱

A 重要度

気体 n〔mol〕の温度を ΔT〔K〕上げるのに必要な熱量 Q〔J〕は,
定積変化 ⇨ $Q=nC_V\Delta T$
定圧変化 ⇨ $Q=nC_p\Delta T$

着眼 **気体の比熱は，定積変化と定圧変化とで値が異なる。**定圧モル比熱 C_p は定積モル比熱 C_V より R（気体定数）だけ大きい。

$$C_p-C_V=R$$

例題　気体に与えた熱量

圧力 p，温度 T，体積 V，定積モル比熱 C_V の理想気体 1 mol を，圧力を p に保ったまま加熱したところ，体積が 2 倍になった。このとき加えた熱はいくらか。

解き方 気体の温度変化を ΔT，定圧モル比熱を C_p とすると，加えた熱 Q は，

$$Q=C_p\Delta T \qquad \cdots\cdots①$$

C_p と C_V の関係より，

$$C_p-C_V=R$$

ゆえに，$C_p=C_V+R$ ……②

気体が温度変化をする前と後の状態方程式をつくると，

$$pV=RT \qquad \cdots\cdots③$$

$$p(2V)=R(T+\Delta T) \qquad \cdots\cdots④$$

③，④より，

$$\Delta T=T \qquad \cdots\cdots⑤$$

②，⑤を①に代入すると，

$$Q=(C_V+R)T=C_VT+RT \qquad \cdots\cdots⑥$$

⑥に③を代入して，R を消去すると，

$$Q=C_VT+pV$$

答 C_VT+pV

類題107 定積モル比熱 C_V の理想気体 n〔mol〕に熱を加えたところ，圧力を p に保ったまま，体積が ΔV 増加した。この変化によって，気体の内部エネルギーはいくら増加したか。ただし，気体定数を R とする。 （解答➡別冊 p.24）

TYPE 75 気体の内部エネルギー

A 重要度

気体 n〔mol〕の内部エネルギー ⇨ $U=nC_VT$

単原子分子理想気体の内部エネルギー ⇨ $U=\frac{3}{2}nRT$

着眼　**気体の内部エネルギーは絶対温度 T だけで決まる。** T が与えられていないときは，状態方程式 $pV=nRT$ から求めることが多い。T がわからなくても，p，V がわかっていれば，U は求められる。

気体分子 1 個の平均運動エネルギー $\frac{1}{2}m\overline{v^2}$ は，U を分子数で割ったものである。n〔mol〕の気体中には nN_A（N_A はアボガドロ定数）個の分子があるから，

$$\frac{1}{2}m\overline{v^2}=\frac{U}{nN_A}=\frac{3}{2}\cdot\frac{R}{N_A}T=\frac{3}{2}kT \quad \left(k=\frac{R}{N_A}\right)$$

となる。k を**ボルツマン定数**という。

例題　ヘリウムの内部エネルギー

温度 300 K，1 気圧の大気中にヘリウムを入れたフラスコが開口部を下にして置かれている。最初，ヘリウムの温度は 300 K であったが，400 K にしたところ，ヘリウムの一部が外へ逃げ去った。フラスコ内に残ったヘリウムの内部エネルギーは，最初のそれの何%か。

解き方　300 K と 400 K のときのフラスコ内のヘリウムの量を n_1，n_2〔mol〕，内部エネルギーを U_1，U_2〔J〕とすると，(2・13) 式より，

$U_1=\frac{3}{2}n_1R\times300$ ……①　　$U_2=\frac{3}{2}n_2R\times400$ ……②

ヘリウムの圧力を p，体積を V とすると，これらは変化しないから，状態方程式は，

$pV=n_1R\times300$ ……③　　$pV=n_2R\times400$ ……④

①～④より，　$U_1=U_2$

ゆえに，　$\frac{U_1}{U_2}\times100=100$ %

答 100 %

類題108　ある温度で，ヘリウム気体中のヘリウム原子の 2 乗平均速度 $\sqrt{\overline{v^2}}$ は 1.4×10^3 m/s であった。この温度でのヘリウム気体 1 mol の内部エネルギーは，何 J か。ただし，ヘリウム原子 1 個の質量は 6.6×10^{-27} kg，アボガドロ定数は 6.0×10^{23} /mol とする。

（解答➡別冊 p.24）

TYPE 76 p-V 図と熱量・内部エネルギー

A 重要度

状態方程式から温度を求める。
熱力学第 1 法則から熱量や仕事を求める。

着眼　p-V グラフには，温度が示されていないが，気体の p と V が与えられれば，温度 T は**状態方程式**または**ボイル・シャルルの法則**を用いて求めることができる。温度がわかれば内部エネルギーがわかる。内部エネルギーの変化量がわかれば，**熱力学第 1 法則**を用いて，熱量や仕事の出入りを求めることができる。

例題　気体が吸収した熱量

1 mol の単原子分子からなる理想気体を，なめらかに動くことができるピストンのついた容器に入れ，図のように直線で示された経路に沿ってゆっくりと変化させた。気体定数を R とする。

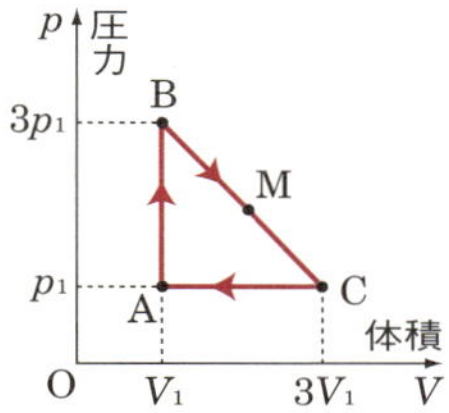

(1)　B→C の過程において，途中のある状態 M までは気体の温度は上昇を続け，M→C の間は，気体の温度は下降を続ける。状態 M における気体の体積はいくらか。

(2)　A→B，B→C，C→A の各過程で，気体が差し引き吸収した熱量をそれぞれ求めよ。

解き方　(1)　直線 BC の式は，　$p=-\dfrac{p_1}{V_1}V+4p_1$　……①

B→C 間の任意の状態における状態方程式は，　$pV=RT$　……②

①と②から p を消去し，V と T の関係式をつくると，

$$T=-\frac{p_1}{RV_1}V^2+\frac{4p_1}{R}V$$

という V の 2 次式になる。V^2 の係数が負であるから，T が最大になる V の値が存在する。上式を次のように変形する。

$$T=-\frac{p_1}{RV_1}(V^2-4V_1V)=-\frac{p_1}{RV_1}(V-2V_1)^2+\frac{4p_1V_1}{R}$$

よって，$V=2V_1$ のときに T が最大になるので，M の体積は $2V_1$ である。

(2)　状態 A，B，C の温度を T_A，T_B，T_C とすると，状態方程式より，

$p_1V_1=RT_A$　　ゆえに，$T_A=\dfrac{p_1V_1}{R}$

$$3p_1V_1 = RT_B \qquad \text{ゆえに,}\ T_B = \frac{3p_1V_1}{R}$$

$$p_1 \times 3V_1 = RT_C \qquad \text{ゆえに,}\ T_C = \frac{3p_1V_1}{R}$$

A → B は定積変化で，気体がされる仕事は 0 であるから，熱力学第 1 法則より，

$$\Delta U_{AB} = Q_{AB} + 0 \qquad \text{ゆえに,}\ Q_{AB} = \Delta U_{AB}$$

よって，A → B 間の内部エネルギーの変化量を求めればよい。

$$Q_{AB} = \Delta U_{AB} = \frac{3}{2}R(T_B - T_A) = \frac{3}{2}R\left(\frac{3p_1V_1}{R} - \frac{p_1V_1}{R}\right) = 3p_1V_1$$

B → C では，気体が外部に対して仕事 W_{BC} をする。その大きさは，直線 BC と横軸との間に囲まれる台形の面積に等しい。

$$W_{BC} = \frac{1}{2}(3p_1 + p_1)(3V_1 - V_1) = 4p_1V_1$$

$T_B = T_C$ であるから，B と C の内部エネルギーは等しい。したがって，熱力学第 1 法則で，$\Delta U_{BC} = 0$ とおくと，$0 = Q_{BC} + (-W_{BC})$　　ゆえに，$Q_{BC} = W_{BC} = 4p_1V_1$

C → A では，気体が外部から仕事 W_{CA} をされる。C → A は定圧変化であるから，W_{CA} の大きさは，$W_{CA} = p_1(3V_1 - V_1) = 2p_1V_1$

C → A の内部エネルギーの変化 ΔU_{CA} は，

$$\Delta U_{CA} = \frac{3}{2}R(T_A - T_C) = \frac{3}{2}R\left(-\frac{2p_1V_1}{R}\right) = -3p_1V_1$$

よって，熱力学第 1 法則より，$-3p_1V_1 = Q_{CA} + 2p_1V_1$

ゆえに，　$Q_{CA} = -5p_1V_1$

答 (1) **$2V_1$**　(2) **A → B：$3p_1V_1$，B → C：$4p_1V_1$，C → A：$-5p_1V_1$**

類題109　1 mol の単原子分子理想気体の体積 V〔m³〕と圧力 p〔Pa〕を右図のグラフのように変化させた。ここで，状態 A は絶対温度 T_0〔K〕，体積 V_0〔m³〕である。A → B は等温変化で，状態 B の体積は $\frac{1}{4}V_0$〔m³〕である。B → C は定積変化で，状態 C の圧力は状態 B の圧力の $\frac{7}{4}$ 倍である。C → A は点 C と A を結ぶ直線で表される状態変化である。

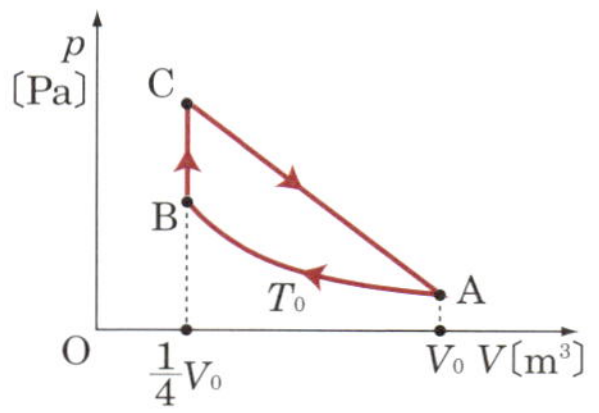

　気体定数を R〔J/(mol·K)〕として，このときの温度 T〔K〕と圧力 p〔Pa〕の関係を，温度を横軸，圧力を縦軸にとってグラフで表せ。温度が最も高くなる状態を D とし，状態 A，B，C，D については，それぞれの温度および圧力の値を横軸および縦軸に記入せよ。

（解答➡別冊 *p.24*）

TYPE 77 断熱変化

A 重要度

外部からの熱 $Q=0$ ⇨ $\Delta U=W$

$$p_1V_1^{\gamma}=p_2V_2^{\gamma},\qquad T_1V_1^{\gamma-1}=T_2V_2^{\gamma-1}$$

着眼 外部からの熱の出入りをしゃ断して気体の状態を変化させることを**断熱変化**という。熱力学第1法則において，$Q=0$ となるので，

$$\Delta U=W$$

という関係がなりたつ。一定量の気体が断熱変化するとき，その圧力 p，体積 V，温度 T の間には，定圧モル比熱と定積モル比熱の比を $C_p/C_V=\gamma$ として，

$pV^{\gamma}=$ 一定　　または，$TV^{\gamma-1}=$ 一定

という関係がなりたつ。したがって，圧力 p_1，体積 V_1，温度 T_1 の一定量の気体が断熱変化をして，圧力 p_2，体積 V_2，温度 T_2 になったとすれば，これらの間に，次の関係がなりたつ。

$p_1V_1^{\gamma}=p_2V_2^{\gamma}$　　または，$T_1V_1^{\gamma-1}=T_2V_2^{\gamma-1}$

例題 内部エネルギーの変化量

n〔mol〕のヘリウム気体の状態を右図のグラフ上で，A→B→C→A の順に静かに変化させる。A→B は断熱変化，B→C は定積変化，C→A は定圧変化である。ヘリウム気体の定積モル比熱は $C_V=\frac{3}{2}R$（R は気体定数），定圧モル比熱は $C_p=\frac{5}{2}R$ である。

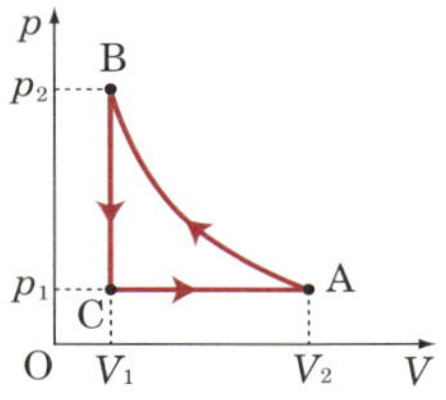

いま，$p_1=1.0\times10^5$ Pa，$V_1=1.0\times10^{-2}$ m^3，$V_2=8.0\times10^{-2}$ m^3，A の温度 $T_A=240$ K として，次の問いに答えよ。

(1) B→C，C→A における内部エネルギーの変化量は，それぞれ何 J か。

(2) A→B で，ヘリウム気体を圧縮するのに必要な仕事は何 J か。

解き方 (1) 状態 B，C の温度を T_B，T_C とすると，B→C における内部エネルギーの変化量 ΔU_{BC} は，(2・13) 式より，

$$\Delta U_{BC}=\frac{3}{2}nR(T_C-T_B)\qquad\cdots\cdots①$$

と表される。A，B，C それぞれの状態方程式は，

$$p_1V_2=nRT_A\qquad\cdots\cdots②$$

$$p_2V_1 = nRT_B \quad \cdots\cdots③$$

$$p_1V_1 = nRT_C \quad \cdots\cdots④$$

A → B は断熱変化であるから，V_1，V_2，T_A，T_B の間に，次の関係がなりたつ。

$$T_AV_2^{\gamma-1} = T_BV_1^{\gamma-1} \quad \cdots\cdots⑤$$

γの値は，$\gamma = \dfrac{\frac{5}{2}R}{\frac{3}{2}R} = \dfrac{5}{3}$ ……⑥

②より，　$nR = \dfrac{p_1V_2}{T_A} = \dfrac{1.0\times10^5\times8.0\times10^{-2}}{240} = \dfrac{100}{3}$ ……⑦

⑦を④に代入して，

$$T_C = \frac{p_1V_1}{nR} = \frac{1.0\times10^5\times1.0\times10^{-2}}{\frac{100}{3}} = 30\,\mathrm{K} \quad \cdots\cdots⑧$$

次に，⑥を⑤に代入して，

$$T_B = T_A\left(\frac{V_2}{V_1}\right)^{\gamma-1} = 240\times\left(\frac{8}{1}\right)^{\frac{2}{3}} = 240\times2^2 = 960\,\mathrm{K} \quad \cdots\cdots⑨$$

⑦，⑧，⑨を①に代入して，$\Delta U_{BC} = \dfrac{3}{2}\times\dfrac{100}{3}\times(30-960) = -4.7\times10^4\,\mathrm{J}$

C → A の内部エネルギーの変化量は，(2･13)式より，

$$\Delta U_{CA} = \frac{3}{2}nR(T_A - T_C) = \frac{3}{2}\times\frac{100}{3}\times(240-30) = 1.1\times10^4\,\mathrm{J}$$

(2)　A → B は断熱変化であるから，熱力学第 1 法則で，$Q=0$ とおくと，

$$\Delta U_{AB} = W_{AB}$$

すなわち，求める仕事は，A → B の内部エネルギーの変化量に等しい。

$$W_{AB} = \Delta U_{AB} = \frac{3}{2}nR(T_B - T_A) = \frac{3}{2}\times\frac{100}{3}\times(960-240) = 3.6\times10^4\,\mathrm{J}$$

答　(1) **B → C：-4.7×10^4 J，C → A：1.1×10^4 J**　(2) **3.6×10^4 J**

〈類題110〉 理想気体 n〔mol〕をなめらかに動くピストンのついたシリンダー内に封入し，体積 V〔m³〕と圧力 p〔Pa〕を右の図のように，A → B → C → D → A と変化させる。この熱機関で，A → B の過程は断熱膨張，B → C の過程は定積放熱，C → D の過程は断熱圧縮，D → A の過程は定積加熱である。

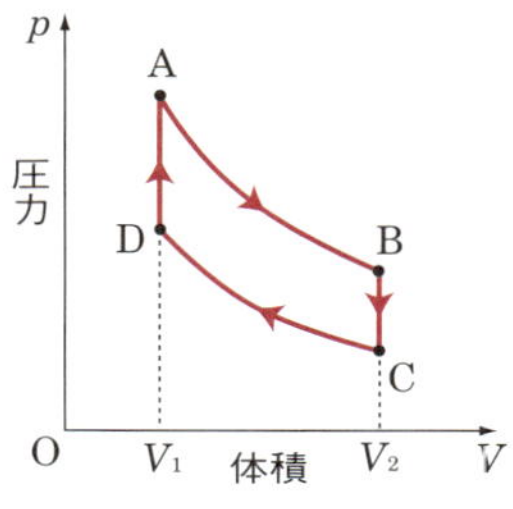

状態 A，B，C，D での温度をそれぞれ，T_A，T_B，T_C，T_D とし，定積モル比熱を C_V とすると，この熱機関の熱効率はいくらか。

(解答➡別冊 ***p.24***)

TYPE 78 なめらかに動くピストン

A 重要度

ピストンにはたらく力のつり合いで考える。
密閉した気体にボイル・シャルルの法則を用いよ。

着眼　ピストンが水平方向になめらかに動く場合は，ピストンの両側の気体の圧力が等しくなる位置で，**ピストンにはたらく力がつり合ってピストンが静止**する。

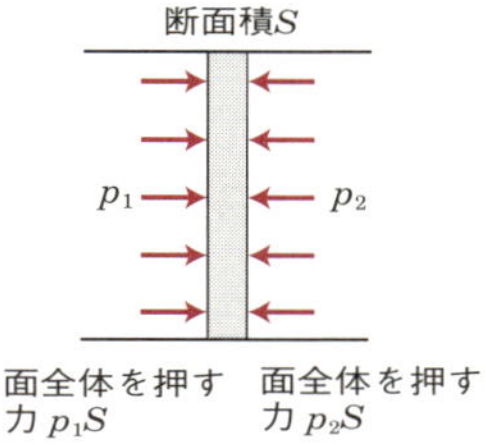

例 1. 右図のような場合には，ピストンにはたらく力のつり合いより，　$p_1S=p_2S$　ゆえに，$p_1=p_2$

例 2. 右図のように，シリンダーが鉛直に置かれた場合は，ピストンの重力も考えて，ピストンにはたらく力のつり合いから圧力を求める。

$$p_1S=p_0S+Mg \qquad \text{ゆえに，} p_1=p_0+\frac{Mg}{S}$$

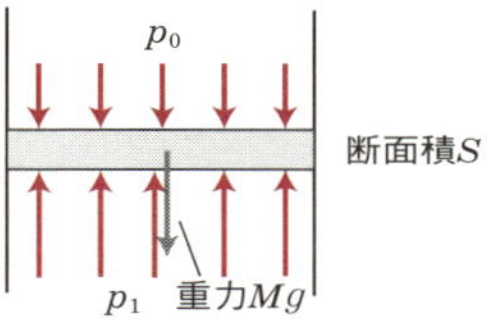

例題　ピストンの動く距離と圧力

図のように，ピストンDでA部(長さ30 cm)とB部(長さ50 cm)とに分けられた円筒形の容器が，円筒の軸を水平にして置かれており，BにはコックKがついている。A，Bには理想気体(圧力1.01×10^5 Pa，温度12℃)が入れてある。

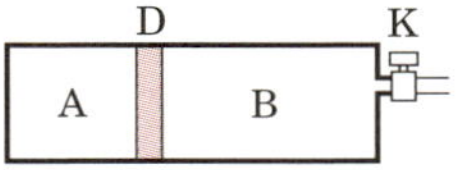

(1)　Kを開いた状態で，Aの気体のみを熱して，温度を52℃にすると，Dは何cm動くか。

(2)　(1)と同じことをKを閉じた状態で行うとき，

①　Dは何cm動くか。

②　このとき，A内の気体の圧力は何Paか。

ただし，容器とピストンは熱を伝えないものとし，容器の内壁とDとの接触部は気密になっているが，なめらかで摩擦はないものとする。

解き方　(1)　Aの気体は膨張するので，ピストンDは右へ動く。Dの動く距離をx〔cm〕，容器の断面積をS〔cm^2〕とする。Aの気体の圧力はつねに1.01×10^5 Paであるから，ボイル・シャルルの法則より，

$$\frac{1.01\times10^5\times S\times30}{273+12}=\frac{1.01\times10^5\times S\times(30+x)}{273+52}$$

ゆえに，$x=4.2\ \mathrm{cm}$

(2)　ピストンDが右へy〔cm〕動いたとすると，Aの容積は$S(30+y)$〔cm^3〕，Bの容積は$S(50-y)$〔cm^3〕となる。このときのA，Bの気体の圧力をp〔Pa〕とする。Aの気体について，ボイル・シャルルの法則を用いると，

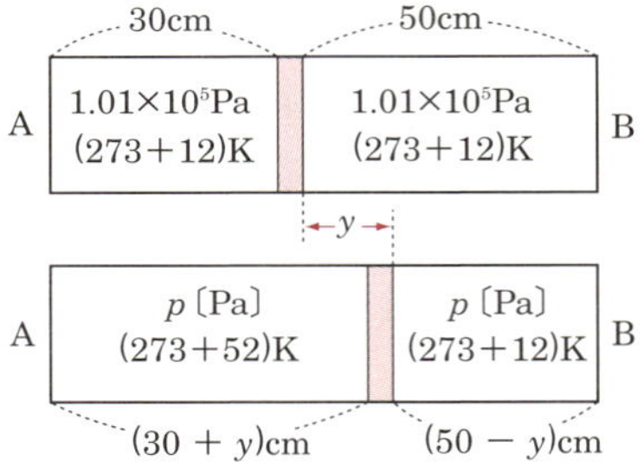

$$\frac{1.01\times10^5\times S\times30}{273+12}=\frac{p\times S\times(30+y)}{273+52}\quad\cdots\cdots ⓐ$$

Bの気体について，ボイル・シャルルの法則を用いると，

$$\frac{1.01\times10^5\times S\times50}{273+12}=\frac{p\times S\times(50-y)}{273+12}\quad\cdots\cdots ⓑ$$

ⓐ，ⓑより，

$y=2.5\ \mathrm{cm}$，$p=1.06\times10^5\ \mathrm{Pa}$

答　(1) **4.2 cm**　(2) ① **2.5 cm**　② **1.06×10^5 Pa**

〈類題111〉 ピストンをもった２つの相等しい容器A，Bに等量の気体を入れ，これらを図のように向き合わせて，ピストンをつなぎ，容器を水平な台に固定する。このとき，両気体とも圧力はp_0，体積はV_0，絶対温度はT_0であった。いま，Aの気体の絶対温度をT_1，Bの気体の絶対温度をT_2にすると，両気体の圧力，体積はそれぞれいくらになるか。

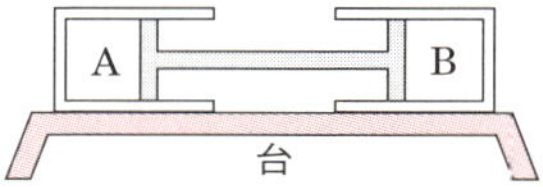

（解答➡別冊 *p.25*）

〈類題112〉 一定の大気圧P_0のもとで，図のように断面積がそれぞれSおよび$2S$のシリンダーA，Bを水平に固定し，断熱材で作られたなめらかに動くピストンを入れて，伸び縮みしない棒で連結した。シリンダーA，Bには，おのおの理想気体がはいっている。最初，Aの気体の温度，体積，圧力はそれぞれT，V，Pで，ピストンは静止したままであった。

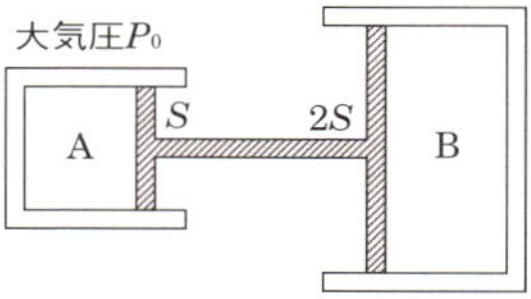

(1)　ピストンにはたらく力のつり合いを考えて，Bの気体の圧力を求めよ。

次に，Aの気体をゆっくりと暖めるとピストンは右に距離xだけ移動して静止し，Aの気体の温度はT_Aとなった。

(2)　加熱後のAの気体の圧力を求めよ。

(3)　加熱後のBの気体の圧力を求めよ。

（解答➡別冊 *p.25*）

TYPE 79 単振動するピストン

B 重要度

気体の圧力からピストンにはたらく力を考え，運動方程式をつくる。

着眼　気体が等温の場合は**ボイルの法則**

$$pV = 一定$$

を使い，断熱の場合は**ポアソンの式**

$$pV^{\gamma} = 一定$$

を使って，つり合いの位置から変位 x における圧力を求める。
この圧力から，ピストンにはたらく力を求めて，運動方程式をつくる。

例 題　単振動するピストンの周期

図のように，鉛直に立てられた，熱をよく通す壁の薄い断面積 S〔$\mathrm{m^2}$〕のシリンダーに，なめらかに動く，断熱材でできた質量 m〔kg〕のピストンがはまって静止している。シリンダーの中には，単原子分子理想気体 n〔mol〕が閉じこめられている。シリンダーの温度を T〔K〕に保つ。ピストンを最初静止していたつり合いの位置から少しだけ押し下げ静かに放したところ，ピストンは上下に単振動を始めた。

このとき，単振動の周期を求めよ。外側の気圧を p_0〔Pa〕，つり合い位置での気体の体積を V_0〔$\mathrm{m^3}$〕，重力加速度の大きさを g〔$\mathrm{m/s^2}$〕とする。必要があれば，$|x| \ll 1$ のときになりたつ近似公式 $\dfrac{1}{1-x} \fallingdotseq 1+x$ を用いよ。

解き方　つり合い位置での気体の圧力を p〔Pa〕とすれば，ピストンにはたらく力のつり合いの式は，$pS = p_0S + mg$

となるので，$p = p_0 + \dfrac{mg}{S}$

つり合いの位置から，下に x〔m〕ずれた位置での気体の圧力を p'〔Pa〕とすれば，ボイルの法則より，

$$p'(V_0 - Sx) = pV_0$$

よって，$p' = \dfrac{V_0}{V_0 - Sx}p = \dfrac{1}{1 - \dfrac{Sx}{V_0}}p$

$\dfrac{Sx}{V_0} \ll 1$ と考えられるので，近似公式 $\dfrac{1}{1-x} \fallingdotseq 1+x$ を用いて，

$$p' \fallingdotseq \left(1+\frac{Sx}{V_0}\right)p$$

単振動の角振動数を ω〔rad/s〕とすれば，運動方程式は，

$$m\times(-\omega^2 x) = p_0S + mg - \left(1+\frac{Sx}{V_0}\right)pS$$

となるので，

$$-m\omega^2 x = -\frac{pS^2}{V_0}x$$

これから，

$$\omega = \sqrt{\frac{p}{mV_0}}\,S$$

よって，単振動の周期 T〔s〕は，

$$T = \frac{2\pi}{\omega} = \frac{2\pi}{S}\sqrt{\frac{mV_0}{p}}$$

答 $\dfrac{2\pi}{S}\sqrt{\dfrac{mV_0}{p}}$

〈類題113〉 図1のように，断熱材からなる内径断面積 S〔$\mathrm{m^2}$〕の円筒型シリンダーと質量 M〔kg〕のピストンが水平に設置してある。ピストンはシリンダー内を円滑に動き，シリンダーとの間の摩擦は無視できる。シリンダーの両端にはピストンにより隔たれた気密性の高い2つの空間(A室およびB室)が存在し，それぞれに気体を封入することができる。いま，単原子分子からなる理想気体を両室に1 molずつ封入したときピストンはシリンダーの中央でつり合い，そのときの両室の圧力，体積，温度は，それぞれ P_0〔Pa〕，V_0〔$\mathrm{m^3}$〕，T_0〔K〕であった。シリンダーの中央を座標原点Oとして A室側へのピストンの変位 x〔m〕を正とし，ピストンの運動は可逆的になされるものとする。また，変数 $|z|$ が1に比べてじゅうぶん小さいとき，$(1+z)^a \fallingdotseq 1+az$ の近似式がなりたつ。気体の比熱比を γ とする。

図1

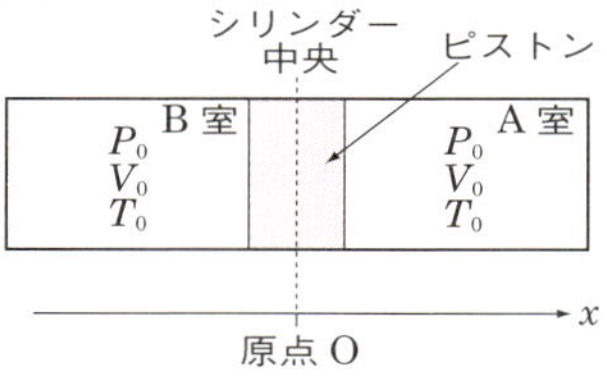

図2

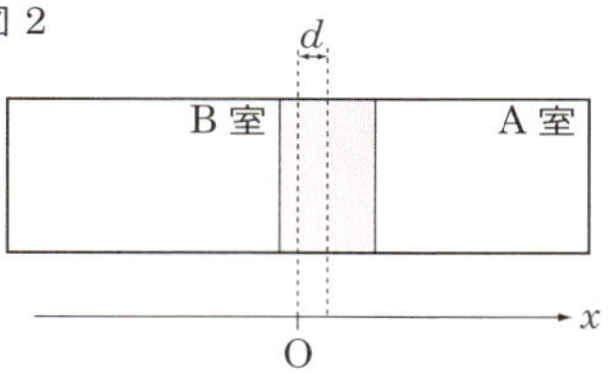

いま図2のように，ピストンを原点Oから A室側へ距離 d〔m〕だけゆっくり移動させたあと静かに解放すると，ピストンは単振動を始めた。

(1)　変位 x における，A室とB室の圧力を求めよ。

(2)　単振動の周期を求めよ。

(解答➡別冊 *p.25*)

練習問題

解答→別冊 p.65

44　文中の空欄［①］から［⑨］にあてはまる式を答えよ。

TYPE

高さL〔m〕，底面の半径a〔m〕の円筒形の容器に，1 molあたりの質量がM〔kg/mol〕の単原子分子の理想気体がn〔mol〕入っている。容器の2つの底面の中心を通る軸は底面に垂直である。容器の壁はなめらかで，分子は壁と弾性衝突を行うものとする。また，分子の大きさ，分子どうしの衝突は無視する。アボガドロ定数をN_A〔1/mol〕とする。

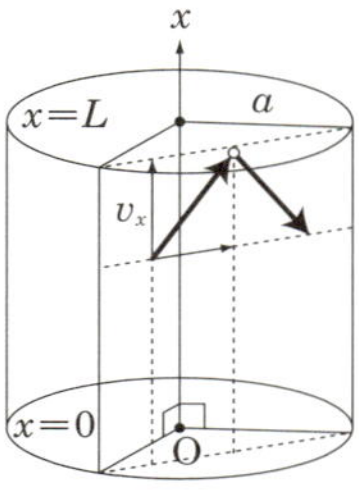

図 1

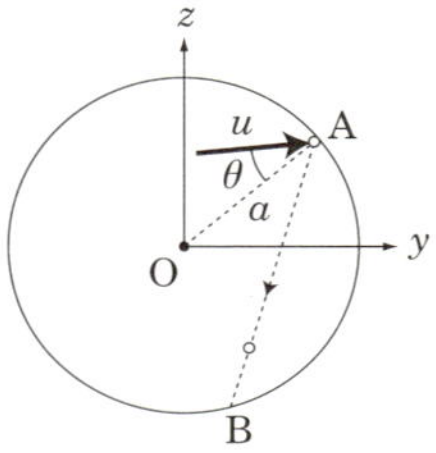

図 2

気体分子の運動によって容器の壁が受ける圧力を求めよう。図1のように容器の軸をx軸とし，1つの底面壁に原点O$(x=0)$をとる。いま，$x=L$の位置にある底面壁に衝突する1つの気体分子に注目する。この分子の速度のx成分が衝突前にv_x〔m/s〕であったとすると，衝突後の速度のx成分は［①］〔m/s〕となる。この衝突によって壁が分子から受ける力積はx軸方向正の向きで，大きさは［②］〔N·s〕である。気体分子が容器の側面壁に衝突しても，速度のx成分は変化しない。したがって，この分子は［③］秒後には$x=0$の底面壁ではね返され，さらにその［③］秒後に再び$x=L$の底面壁に衝突する。それゆえ，$x=L$の底面壁がこの分子から受ける平均の力は［④］〔N〕となる。気体分子はいろいろなv_xの値をもって運動しているので，容器中のすべての気体分子の$v_x{}^2$の値の和を分子数nN_Aで割った量(v_xの2乗平均値)を記号$\langle v_x{}^2 \rangle$で表し，底面壁が気体から受ける圧力P_1〔Pa〕を計算すると，$P_1=$［⑤］となる。円筒容器の側面壁が受ける圧力を求めるため，気体分子の運動を円筒の底面に投影して考えよう。図2は，円筒の底面に互いに直交するy軸とz軸をとり，側面壁の影を表す円周の上の点Aに，分子の影が速さu〔m/s〕，入射角θ〔rad〕で衝突し，はね返って円周上の別の点Bに向かうようすを表す。この衝突で分子が側面壁に与える力積の大きさは［⑥］〔N·s〕である。この分子の影は点Bにも同じ速さと入射角で衝突し，さらに同様の衝突をくり返す。

TYPE

　したがって，側面壁がこの気体分子から受ける平均の力の大きさは［⑦］〔N〕となる。気体分子の速度の y 成分，z 成分をそれぞれ，v_y〔m/s〕，v_z〔m/s〕とすれば，$u^2 = v_y{}^2 + v_z{}^2$ の関係がなりたつ。容器中のすべての気体分子についての v_y，v_z の 2 乗平均値をそれぞれ $\langle v_y{}^2 \rangle$，$\langle v_z{}^2 \rangle$ の記号で表し，側面壁が気体から受ける圧力 P_2〔Pa〕を計算すると，$P_2 =$［⑧］となる。

　ところで，図 2 において y および z 方向は特別な方向ではないので $\langle v_y{}^2 \rangle = \langle v_z{}^2 \rangle$ と考えてよい。また，実際には分子どうしの衝突によって，分子の運動方向が変化するため，$\langle v_x{}^2 \rangle = \langle v_y{}^2 \rangle = \langle v_z{}^2 \rangle = \dfrac{1}{3}\langle v^2 \rangle$ がなりたつと考えてよい。ただし，$\langle v^2 \rangle$ は粒子の速さの 2 乗平均値を表す。以上より，$\langle v^2 \rangle$ を使って表せば，$P_1 =$［⑨］，$P_2 =$［⑨］となり，容器のどの面も等しい圧力を受けることが確認できる。（岐阜大 改）

➔ 72

45　右の図のように，断面積 S〔m²〕の円筒容器が大気中に置かれている。この容器に質量 M〔kg〕のピストンをはめる。このピストンは，円筒容器の気密性を保ったまま，鉛直方向になめらかに動くことができる。この容器内に，n〔mol〕の単原子分子からなる理想気体を入れた。円筒容器は断熱材でできており，外部と熱のやりとりをしないが，内部に設けたヒーターにより気体に熱を与えることができるものとする。気体定数を R〔J/(mol·K)〕，大気圧を P_0〔Pa〕，重力加速度の大きさを g〔m/s²〕とする。

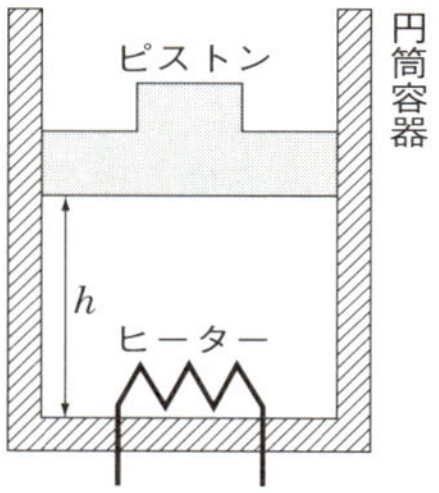

　はじめ，ピストンは自由に動ける状態で静止している。このときの気体の温度は T_1〔K〕である。（状態Ⅰ）

(1)　力のつり合いの式を示したうえで，気体の圧力 P_1〔Pa〕を求めよ。

(2)　円筒容器の底とピストンの距離 h〔m〕を求めよ。

　つづいて，ピストンを固定せず自由なまま，ヒーターにより気体をゆっくりと加熱して，温度を T_2〔K〕$(T_2 > T_1)$ とした。（状態Ⅱ）

(3)　状態Ⅰが状態Ⅱに変化したときの気体の内部エネルギーの増加量 ΔU〔J〕および気体が外部にした仕事 W〔J〕を求めよ。

(4)　状態Ⅰが状態Ⅱに変化したときに気体に与えられた熱量 Q_1〔J〕を求めよ。（島根大）

➔ 75, 78

3 波

1 波の性質

1 波の速さ・波長・振動数・周期

1 振動数と周期　波の振動数 f〔Hz〕と周期 T〔s〕の間の関係は，

$$f=\frac{1}{T} \tag{3・1}$$

2 振動数，波長，速さの関係　振動数 f〔Hz〕，波長 λ〔m〕の波が速さ v〔m/s〕で伝わるとき，　$v=f\lambda$　(3・2)

2 波の式

振幅 A〔m〕，周期 T〔s〕，波長 λ〔m〕の波が $+x$ 方向に速さ v〔m/s〕で伝わっているとき，原点 $(x=0)$ における時刻 t〔s〕の媒質の変位を表す式が，

$$y=A\sin 2\pi\frac{t}{T}$$

ならば，位置 x〔m〕における時刻 t〔s〕の媒質の変位は，次の式で表される。

$$y=A\sin\frac{2\pi}{T}\left(t-\frac{x}{v}\right)=A\sin 2\pi\left(\frac{t}{T}-\frac{x}{\lambda}\right) \tag{3・3}$$

3 波の反射・屈折

1 反射の法則　波が反射するとき，入射角と反射角は等しい。

2 屈折の法則　波が媒質Ⅰから媒質Ⅱへ伝わるとき，入射角を i，屈折角を r とすると，媒質Ⅰに対する媒質Ⅱの屈折率 n_{12} は，次のようになる。

$$n_{12}=\frac{\sin i}{\sin r}=\frac{v_1}{v_2}=\frac{\lambda_1}{\lambda_2}$$

ただし，v_1，v_2 は波の速さ，λ_1，λ_2 は波の波長である。

4 波の干渉

2つの波源から波長 λ〔m〕の波が同じ位相で送り出されているとき，それぞれの波源から距離 r_1〔m〕，r_2〔m〕離れた点で，2つの波が重なり合って強め合ったり弱め合ったりする条件は，$m=0$，1，2，… として，

$|r_1-r_2|=m\lambda$　ならば**強め合う**

$|r_1-r_2|=\left(m+\frac{1}{2}\right)\lambda$ ならば**弱め合う**　(3・4)

TYPE 80 波の速さ・波長・振動数・周期

A 重要度

① グラフを読み取る。 ② $v=f\lambda$, $f=\dfrac{1}{T}$ を使う。

着眼 波は，**媒質が1回振動する間**（周期 T〔s〕）**に1波長**（λ〔m〕）**だけ進む**ので，波の伝わる速さ v〔m/s〕は，

$$v=\frac{\lambda}{T}=f\lambda$$

となる。これは波において基本となる式である。

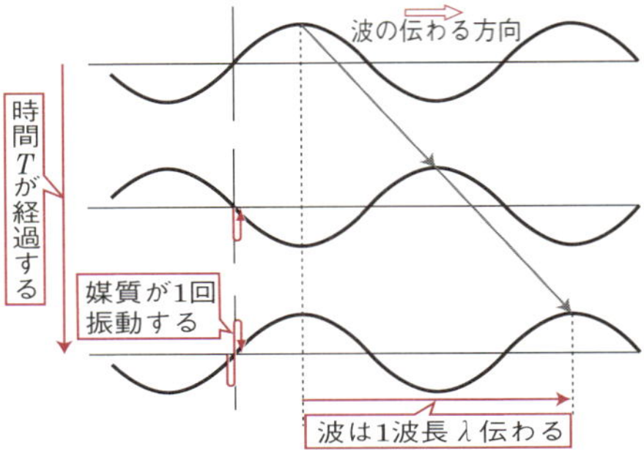

例題 波の基本式の利用

図1はある時刻の波の変位 y〔m〕と距離 x〔m〕，図2は同じ波の原点での変位 y〔m〕と時間 t〔s〕の関係を表している。

(1) この波の振幅はいくらか。
(2) この波の波長はいくらか。
(3) この波の周期はいくらか。
(4) この波の振動数はいくらか。
(5) この波の伝わる速さはいくらか。

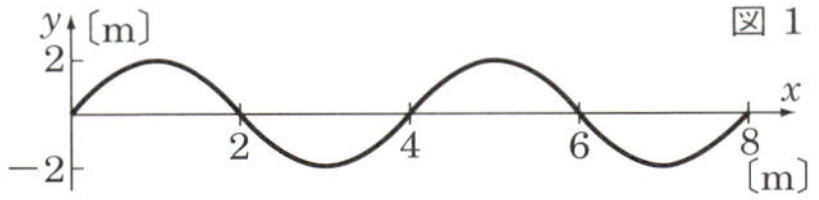

図1

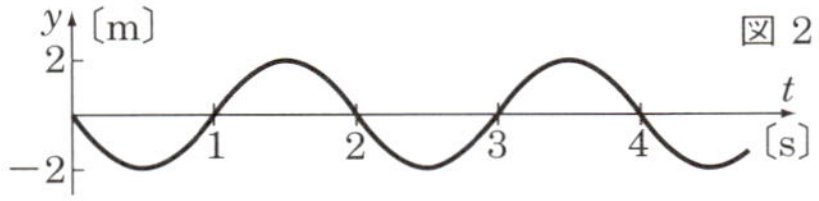

図2

解き方 横軸の量に注意すること。

(1) 振幅は変位の最大値であるから，図1で見ても，図2で見ても同じ。$A=2\,\mathrm{m}$
(2) 波長は波の山から山までの距離であるから，図1で見る。$\lambda=4\,\mathrm{m}$
(3) 周期は波の山から山までの時間であるから，図2で見る。$T=2\,\mathrm{s}$
(4) (3·1)式より，$f=\dfrac{1}{T}=\dfrac{1}{2}=0.50\,\mathrm{Hz}$
(5) (3·2)式より，$v=f\lambda=0.50\times4=2.0\,\mathrm{m/s}$

答 (1) **2.0 m** (2) **4.0 m** (3) **2.0 s** (4) **0.50 Hz** (5) **2.0 m/s**

類題114 図の実線の波が，0.50 s 間に点線の位置まで伝わった。この波の，(1)振幅，(2)波長，(3)伝わる速さ，(4)振動数，(5)周期はいくらか。

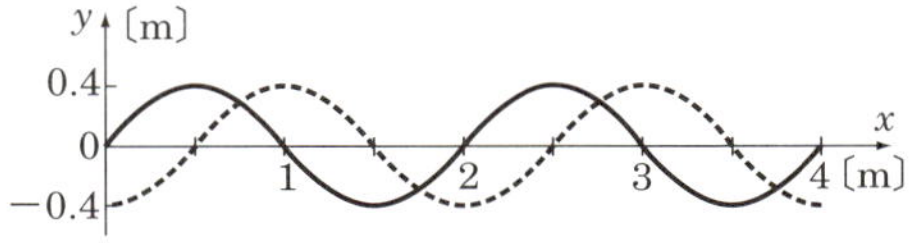

（解答➡別冊 p.26）

TYPE 81 原点の振動が与えられている波の式

A 重要度

原点の振動の変位を時間 t で表すと，位置 x での振動の変位を表す式は，

x 軸の正方向に伝わる場合 ⇨ t を $t-\dfrac{x}{v}$ に変える。

x 軸の負方向に伝わる場合 ⇨ t を $t+\dfrac{x}{v}$ に変える。

着眼 時刻 $t=0$ における位相が 0 ならば，原点の振動の変位は

$$y=A\sin 2\pi\frac{t}{T}$$

（A は振幅，T は周期）

で表される。位置 x での振動の変位は，上式の t を $t-\dfrac{x}{v}$ に変えて，

$$y=A\sin\frac{2\pi}{T}\left(t-\frac{x}{v}\right)$$
$$=A\sin 2\pi\left(\frac{t}{T}-\frac{x}{\lambda}\right)$$

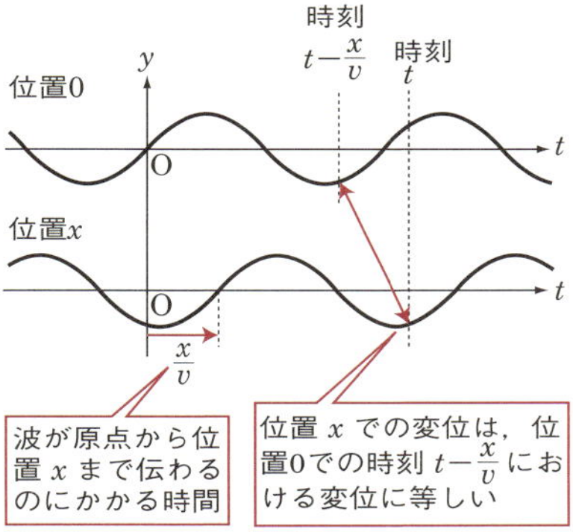

例題 波の振動を表す式

$y=5\sin\left\{6\pi\left(t-\dfrac{x}{7}\right)\right\}$ で表される波の，振幅，周期，波長，波の伝わる速さを求めよ。ただし，長さと時間の単位はそれぞれ m，s である。

解き方 与えられた式を，$y=A\sin 2\pi\left(\dfrac{t}{T}-\dfrac{x}{\lambda}\right)$ の形に変形すると，

$$y=5\sin\left\{6\pi\left(t-\frac{x}{7}\right)\right\}=5\sin 2\pi\left(3t-\frac{3x}{7}\right)=5\sin 2\pi\left(\frac{t}{1/3}-\frac{x}{7/3}\right)$$

となる。(3·3)式と比較すると，

振幅 $A=5\,\mathrm{m}$　　周期 $T=\dfrac{1}{3}=0.333\,\mathrm{s}$　　波長 $\lambda=\dfrac{7}{3}=2.33\,\mathrm{m}$

よって，波の伝わる速さ v〔m/s〕は，(3·1)，(3·2)式より，

$$v=f\lambda=\frac{\lambda}{T}=\frac{7}{3}\times 3=7.0\,\mathrm{m/s}$$

答 振幅：**5.0 m**，周期：**0.33 s**，波長：**2.3 m**，波の伝わる速さ：**7.0 m/s**

〈類題115〉 $y=2\sin\pi(100t-4x)$ で表される波の振幅，周期，伝わる速さ，波長はそれぞれいくらか。ただし，長さおよび時間の単位は，それぞれmおよびsである。

（解答➡別冊 *p.26*）

例題　波のグラフ

原点の変位 y〔m〕の時間変化のグラフが図のように表される正弦波がある。この波の波長は $\lambda=2.0$ m，伝わる速さは x の正方向に0.50 m/sであるとして，以下の問いに答えよ。

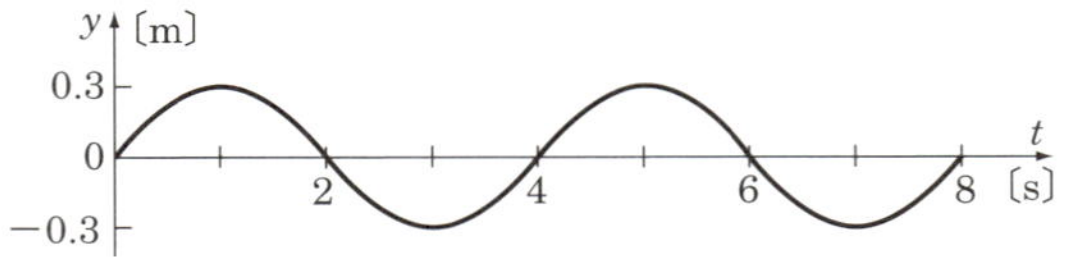

(1)　時刻 t〔s〕における原点の変位 y〔m〕を表す式を書け。

(2)　時刻 t〔s〕における位置 x〔m〕の振動の変位 y〔m〕を表す式を書け。

解き方　(1)　周期 T はグラフより，$T=4.0$ sである。

よって，振動の変位を表す式は，

$$y=0.3\sin 2\pi\frac{t}{T}=0.3\sin 2\pi\frac{t}{4}=0.3\sin\frac{\pi t}{2}$$

(2)　原点から位置 x まで波が伝わるのにかかる時間は $\dfrac{x}{v}$ である。位置 x の時刻 t における変位は，原点の時刻 $t-\dfrac{x}{v}$ における変位に等しいので，(1)の式の t を $t-\dfrac{x}{v}$ に変えると，

$$y=0.3\sin\frac{\pi}{2}\left(t-\frac{x}{v}\right)$$

$$=0.3\sin\frac{\pi}{2}\left(t-\frac{x}{0.50}\right)$$

$$=0.3\sin\frac{\pi}{2}(t-2x)$$

答　(1)　$y=0.3\sin\dfrac{\pi t}{2}$　(2)　$y=0.3\sin\dfrac{\pi}{2}(t-2x)$

〈類題116〉 時刻0 sに原点が振動をはじめ，時刻4.0 sにおける波形が図のようになった。

(1)　時刻 t〔s〕における原点の振動の変位 y を表す式を書け。

(2)　時刻 t〔s〕における位置 x〔m〕の振動の変位 y〔m〕を表す式を書け。

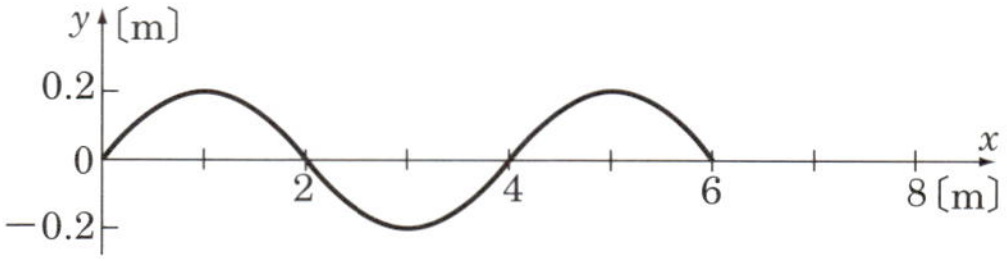

（解答➡別冊 *p.26*）

TYPE 82　$t=0$ の波形が与えられている波の式

A 重要度

時刻 $t=0$ の波形を座標 x で表すと，時刻 t での振動の変位を表す式は，
x 軸の正方向に伝わる場合 ⇨ x を $x-vt$ に変える。
x 軸の負方向に伝わる場合 ⇨ x を $x+vt$ に変える。

着眼 x 軸の正方向に伝わる場合，波は時間 t の間に vt 伝わるので，**時刻 t における位置 x での変位 y は，時刻 0 における位置 $x-vt$ の変位に等しい。**

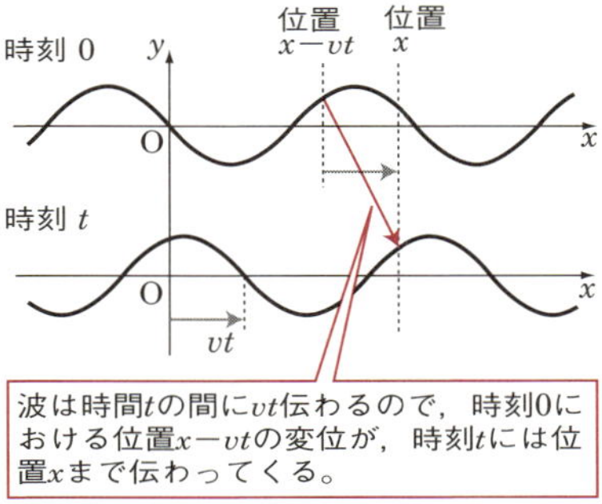

したがって，時刻 0 における波形が

$$y=-A\sin 2\pi\frac{x}{\lambda}$$

で与えられるとき，時刻 t での波形は，

$$y=-A\sin 2\pi\frac{x-vt}{\lambda}$$
$$=-A\sin 2\pi\left(\frac{x}{\lambda}-\frac{t}{T}\right)$$
$$=A\sin 2\pi\left(\frac{t}{T}-\frac{x}{\lambda}\right)$$

例題　波の変位を表す式

図のように，時刻 $t=0$ s における波が x 軸の負の方向に進んでいる。この波が振幅 A〔m〕，波長 λ〔m〕，周期 T〔s〕の正弦波であるとして，t 秒後の位置 x〔m〕での変位 y〔m〕を求めよ。

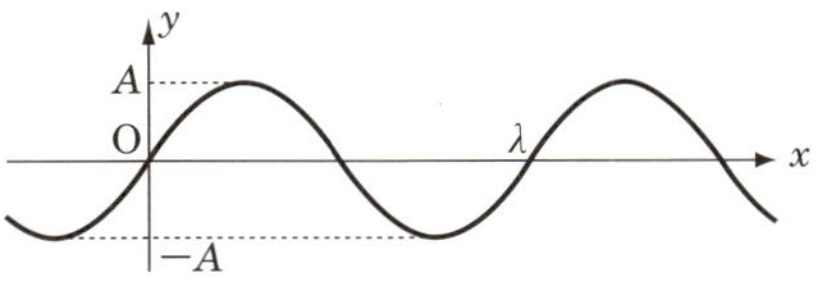

解き方 時刻 0 における波形が $y=A\sin 2\pi\frac{x}{\lambda}$ で与えられるので，

$$y=A\sin 2\pi\frac{x+vt}{\lambda}=A\sin 2\pi\left(\frac{t}{T}+\frac{x}{\lambda}\right)$$

答 $y=A\sin 2\pi\left(\frac{t}{T}+\frac{x}{\lambda}\right)$

類題117 右図は x 軸の正の方向に進んでいる横波の時刻 $t=0$ s における変位を y 方向に表したグラフである。この波が振幅 A〔m〕，波長 λ〔m〕，周期 T〔s〕の正弦波であるとして，t 秒後における位置 x〔m〕での変位 y〔m〕を求めよ。

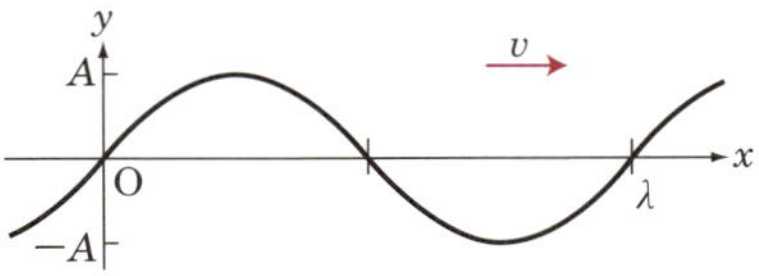

（解答➡別冊 p.26）

TYPE 83 縦波のグラフの見かた

重要度 A

縦波のグラフは，変位を反時計まわりに 90° 回転させてかく。

着眼　縦波は，そのまま図に表してもわかりにくいので，図のように x 方向の変位を**反時計まわりに 90° 回転**させて y 方向の変位に置き換え，その変位ベクトルの先を結んでグラフにする。こうすることによって，媒質の $+x$ 方向の変位は $+y$ 方向に，$-x$ 方向の変位は $-y$ 方向に表される。

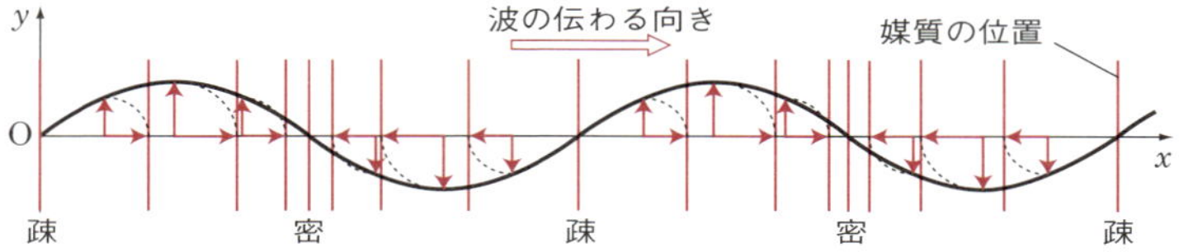

例題　疎密波のグラフ

図は，左から右に向かって進む疎密波を示すグラフである。図の時刻において，媒質の状態が (1)最も疎な点，(2)最も密な点，(3)速度 0 の点，(4)左向きの速度が最大の点はどこか。それぞれ a ～ h から選べ。

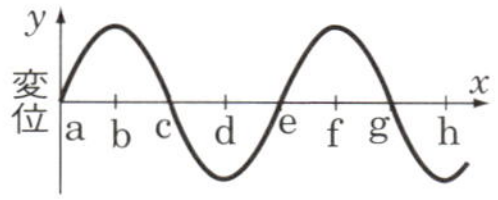

解き方　(1)，(2)　y 方向の変位を x 方向の変位にもどしてみる。a ～ c 間は正，c ～ e 間は負，e ～ g 間は正，g ～ h 間は負であるから，各区間の媒質の変位の向きは右図のようになる。これから，最も疎な点は a 点と e 点，最も密な点は c 点と g 点となる。

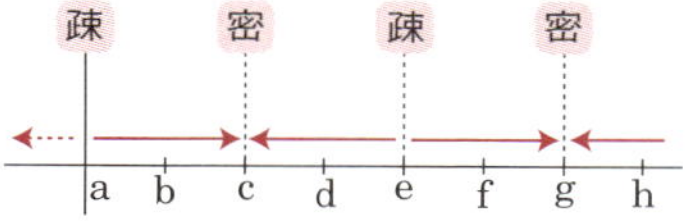

(3)　速度が 0 になるのは変位が最大の場所であるから，b，d，f，h の点である。

(4)　速度が最大になるのは，変位 0 の点だから，a，c，e，g のなかから左向きに運動している点を選べばよい。媒質の向きを知るには，右図のように，少し後の波形をかいて，前の波形上の点から後の波形に向けて縦の矢印をかく。この矢印が下向きになっている所が左向きの変位を表す。

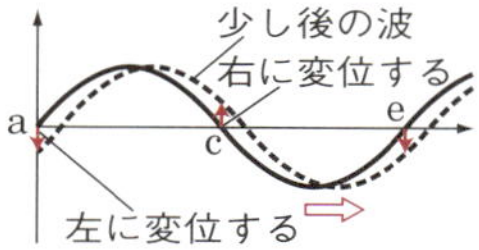

答　(1) **a，e**　(2) **c，g**　(3) **b，d，f，h**　(4) **a，e**

〈類題118〉 右の図で示されるような縦波の定常波がある。密度の変化が最大となる点はどこか。図の記号で答えよ。

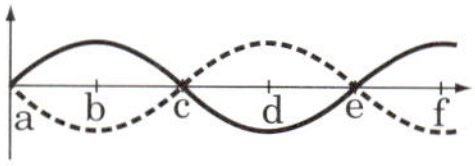

（解答➡別冊 p.26）

TYPE 84 屈折と全反射

重要度 A

屈折率 ⇨ 波の速さや波長の比

$$n_{12}=\frac{\sin i}{\sin r}=\frac{v_1}{v_2}=\frac{\lambda_1}{\lambda_2}$$

臨界角 ⇨ 屈折角 $r=90°$ のときの入射角 i_0

着眼 波が屈折率の大きい媒質から小さい媒質に向かって進むとき，入射角が臨界角より大きくなると，**全反射**が起こる。入射角が臨界角 i_0 に等しいとき，屈折角 $r=90°$ になるので，

$$n_{12}=\frac{\sin i_0}{\sin 90°}=\sin i_0$$

となる。

例題　音波の屈折率

空気中から水中に向かって音波を送るときの音波の屈折率はいくらか。また，音波が水中へ入っていくための入射角 i の条件を $\sin i$ を用いて示せ。ただし，水中の音速は空気中の音速の 4 倍である。

解き方 空気中の音速を v とすると，水中の音速は $4v$ であるから，屈折率 n は，

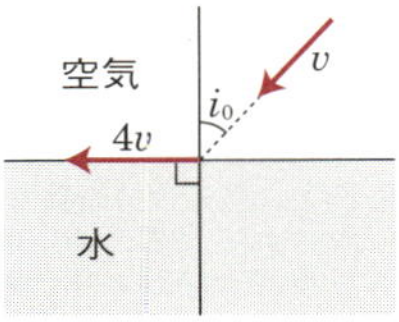

$$n=\frac{v}{4v}=0.25$$

このときの臨界角を i_0 とすると，入射角が i_0 のとき屈折角 $r=90°$ であるから，

$$0.25=\frac{\sin i_0}{\sin 90°}$$

ゆえに，$\sin i_0=0.25$

入射角 i が臨界角 i_0 より小さければ，音波は水中に入っていくから，

$$\sin i<\sin i_0=0.25$$

であればよい。

答 屈折率：**0.25**，水中に入る条件：**$\sin i<0.25$**

類題119 媒質Ⅰの中を 20 m/s の速さで進んできた波長 4.0 m の波が，媒質Ⅱとの境界面に入射角 30° で入射し，屈折角 60° で媒質Ⅱの中を進んでいった。この波の媒質Ⅱの中での波長と速さはそれぞれいくらか。また，この波が媒質Ⅱの中に入らないためには，入射角 i はどんな範囲になければならないか。$\sin i$ を用いて示せ。

（解答➡別冊 *p.26*）

TYPE 85 波の干渉

A 重要度

位相の等しい 2 つの波源からの距離の差が

$$\begin{cases} m\lambda \text{ または } 2m\cdot\dfrac{\lambda}{2} & \Rightarrow \text{強め合う} \\ \left(m+\dfrac{1}{2}\right)\lambda \text{ または } (2m+1)\dfrac{\lambda}{2} & \Rightarrow \text{弱め合う} \end{cases} \quad (m\text{ は整数})$$

着眼　2 つの波源から，同位相，同波長，同周期の波が出ている場合，2 つの波源からの距離の差が**波長の整数倍**となる点では，2 つの波源からの波がつねに同位相になるので，互いに強め合う。距離の差が**波長の整数倍より半波長長くなると，位相が π ずれて，互いに弱め合う**。

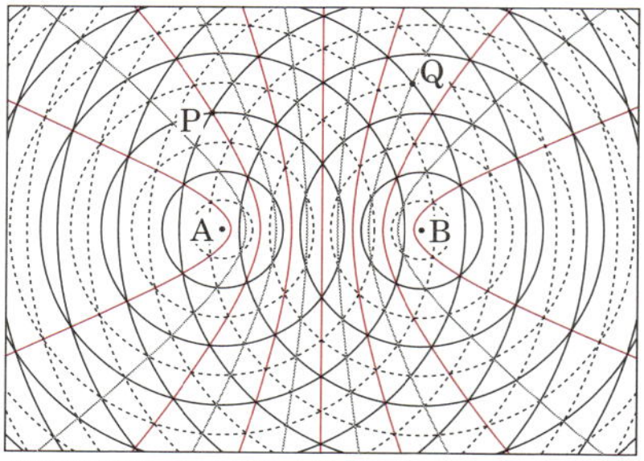

実線は波の山，破線は谷を表している。赤線は山と山(谷と谷)が重なり強め合う場所で腹線と呼ばれる。黒の薄い線は山と谷が重なり弱め合う場所で節線と呼ばれる。

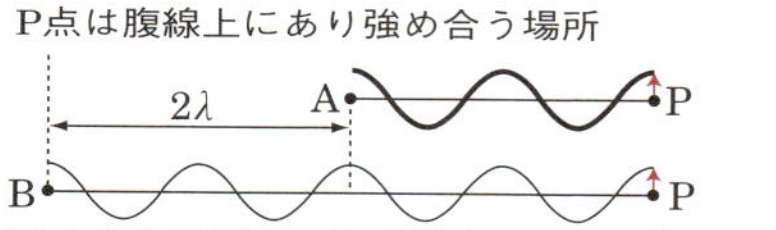

強め合う場所では経路差｜AP－BP｜が波長の整数倍となり，観測点で波の変位が等しくなる。

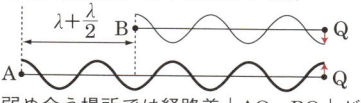

弱め合う場所では経路差｜AQ－BQ｜が波長の整数倍＋半波長となり，観測点で変位が逆になる。

例題　波が弱め合う点

水平面上で，互いに 6 m 離れた 2 点に，まったく同じように振動する波源 A，B があり，ともに同位相で，波長 2 m の波を出している。線分 AB 上で，まったく振動しない点は何か所あるか。また，B 点から線分 AB と垂直な方向に 8 m 離れている水面上の点 C はどのような振動状態になっているか。

解き方　AB 間の任意の点を P とし，AP 間の距離を x〔m〕とする。P 点がまったく振動しないのは，AP と BP の距離の差が

(波長の整数倍) + (半波長)

に等しいときであるから，m を整数とすると，

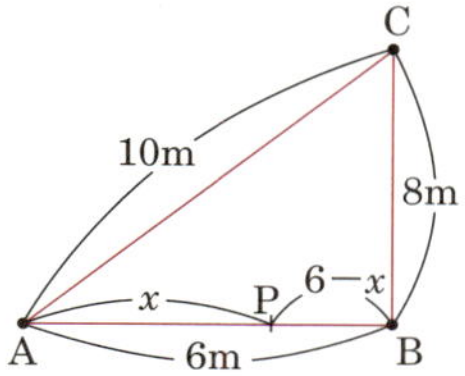

$$x-(6-x)=\left(m+\frac{1}{2}\right)\times 2$$

ゆえに，$x=m+3.5$

ここで，$0\leqq x\leqq 6$ であるから，

$$0\leqq m+3.5\leqq 6$$

よって，$-3.5\leqq m\leqq 2.5$

上式を満足する m の整数値は 6 個あるから，振動しない点は 6 か所である。

次に，AC 間の距離は，三平方の定理により，

$$AC=\sqrt{6^2+8^2}=10\ \mathrm{m}$$

であるから，AC と BC の距離の差は，

$$AC-BC=10-8=2\ \mathrm{m}$$

これは波長の 1 倍(整数倍)であるから，C 点では波は強め合う。

答 振動しない点：6 か所，点 C：大きく振動している。

〈類題120〉 波長 5.0 cm，振幅 2.0 cm の波が，水面上 15 cm 離れた 2 点 A，B から同位相で送り出されている。波は減衰しないものとして，問いに答えよ。

(1) A から 30 cm，B から 37.5 cm 離れた点 C での合成波の振幅はいくらか。

(2) A から 25 cm，B から 30 cm 離れた点 C′ での合成波の振幅はいくらか。

(3) 線分 AB 上に，振動しない点は何か所できるか。 (解答➡別冊 *p.26*)

〈類題121〉 水面上の 2 点 S_1，S_2 から波長と周期が等しい球面波が出ている。図には，それぞれの点から出た波の，ある瞬間の山の位置をつないだ線が示してある。図において，2 点から出る波は同位相である。2 点から出る波の波長を λ_1，周期を T_1 として，以下の問いに答えよ。

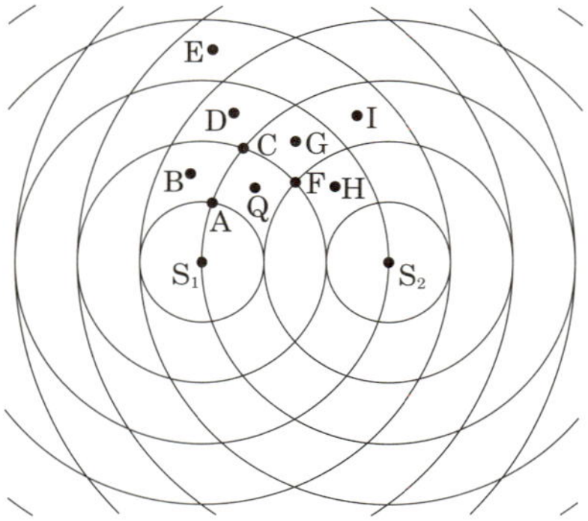

(1) 線分 S_1S_2 上に節はいくつあるか答えよ。

(2) 線分 S_1S_2 上の節の位置を，点 S_1 からの距離で示せ。

(3) 2 つの波が弱め合う点をつないだ線(節線)の上の任意の点 P は，どのような条件を満たしているか，その条件を式で表せ。

(4) 図中の点 Q は山か谷か答えよ。

(5) 点 Q の山または谷は，時間 T_1 の後，どこに移動するか。図中に示す点 A から点 I の中から選べ。 (解答➡別冊 *p.27*)

練習問題

解答→別冊 p.66

TYPE

46　音波は縦波として空気中を伝わる。図はx軸の正の方向に伝わる音波について，ある時刻におけるx軸上の各点の空気の変位を，x軸の正の方向を正として縦軸に示したものである。このような表示方法を縦波の「横波表示」という。音波の伝わる速さを340 m/sとする。

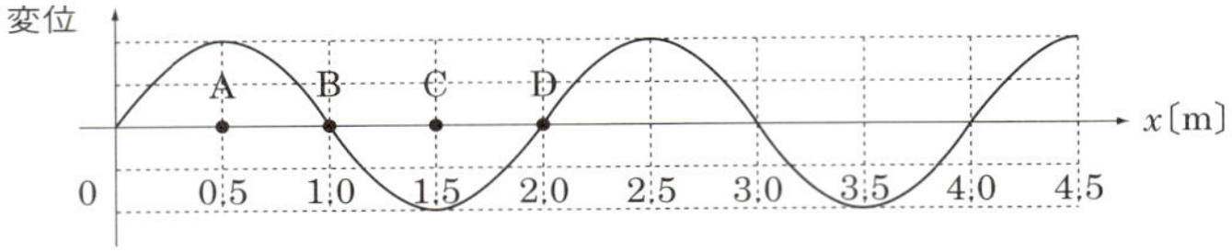

(1)　この音波の波長λ〔m〕を答えよ。
(2)　この音波の振動数f〔Hz〕を求めよ。
(3)　空気の密度が最も密になっているのは，A，B，C，Dのうちどの位置かを理由をつけて答えよ。
(4)　空気の密度が最も疎になっているのは，A，B，C，Dのうちどの位置かを理由をつけて答えよ。　（信州大 改）

→83

47　次の[　　]に適当な語句，数値または数式を入れよ。

防波堤は海岸に打ち寄せる波をさえぎり弱めるために作られる。水槽に防波堤の模型を作る。水槽に防波堤のかわりに板に隙間をあけたものを用意する。図のように隙間をd〔m〕の間隔で2つあける。Aのほうから板に向かって直線波を当てる。図中の実線はある時刻の山の波面を，破線は谷の波面を表している。このように波はS_1，S_2を新しい波源として円形波を作り出す。このような波をさえぎる板の裏に，波が回り込むように広がっていく現象を[①]という。波は互いに重ね合わさって強め合ったり弱め合ったりする。この図の場合のように直線BC上の各点は，スリットS_1とS_2からの波の山と山，谷と谷が重なり合っているため常に強め合っている。この現象を波の[②]という。点Pではちょうど山と山の波面が重なり合っている。

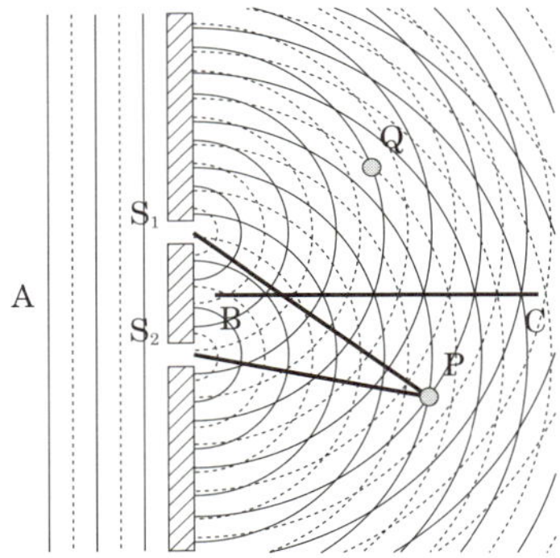

TYPE

S_1からは，6個目の山の波面が，S_2からは5個目の山の波面が重なっている。円形波の波長をλ〔m〕とする。直線PS_1の距離と直線PS_2の距離の差をλを使って表すと［③］となる。直線BC上の各点を含め，点Pのように強め合う場合の一般的な条件をλを使って表すと，［④］という式で表されることになる。同様に点Qのように山の波面と谷の波面が重なり合っている点は，互いに弱め合うことになる。このときの直線QS_1と直線QS_2の距離の差を一般的にλを使って式で表すと，［⑤］という関係式になる。　（大分大 改）

➔ 85

48　図1は，x軸に沿って伝わる正弦波の時刻0における波形を示している。この波で，任意のxにおける変位yは，波の振幅をA，波長をλとすると，$y=A\sin\dfrac{2\pi}{\lambda}x$と表される。以下の問いに答えよ。ただし，正弦波の周期をTとする。

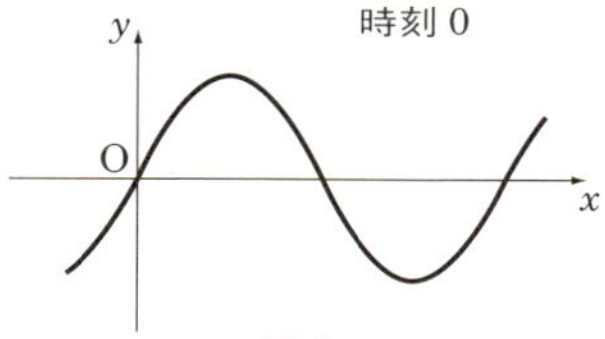

図 1

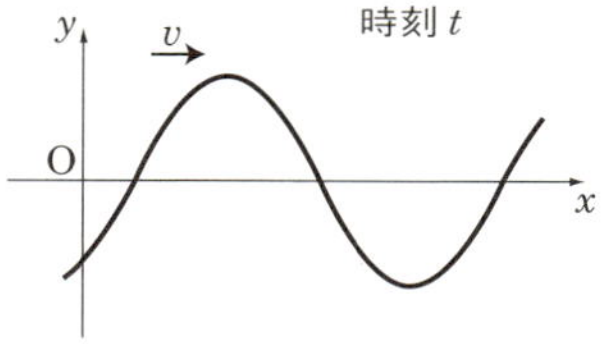

図 2

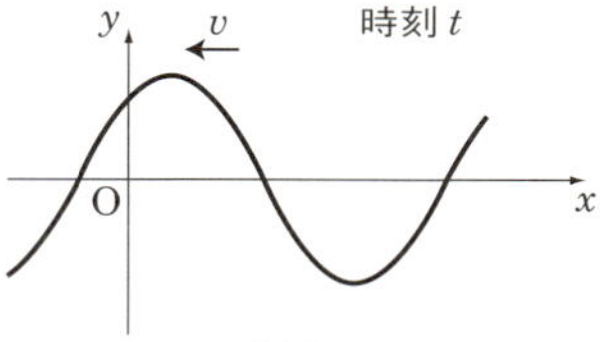

図 3

(1)　図1の正弦波がx軸の正の向きに速さvで伝わり，時刻tで図2のようになったとする。この波で，任意のxにおける変位y_1は，A，λ，x，T，tを用いてどのように表されるか。

(2)　図1の正弦波がx軸の負の向きに速さvで伝わり，時刻tで図3のようになったとする。この波で，任意のxにおける変位y_2は，A，λ，x，T，tを用いてどのように表されるか。

(3)　(1)，(2)の2つの正弦波が重なり合って定常波が形成された。この波で，任意のxにおける変位y_Sは，以下のように表される。［①］，［②］にあてはまる適切な式を，λ，x，T，tのうち必要なものを用いて記せ。なお，$\sin\alpha+\sin\beta=2\sin\dfrac{\alpha+\beta}{2}\cos\dfrac{\alpha-\beta}{2}$である。

$$y_S=2A\sin［①］\cdot\cos［②］$$

(4)　定常波において，節の位置の間隔は，正弦波の波長λを用いてどのように表されるか。　（鳥取大）

➔ 82, 85

2 音　波

1 空気中の音速

気温 t〔℃〕の空気中を伝わる音の速さ V〔m/s〕は，次の式で与えられる。

$$V = 331.5 + 0.6t$$

2 うなり

振動数 f_1〔Hz〕，f_2〔Hz〕の 2 つの音源から同時に音を発したときに観測されるうなりの振動数（1 秒間のうなりの回数）を N〔Hz〕とすれば，　$N = |f_1 - f_2|$

3 弦の振動

1 弦を伝わる波の速さ　線密度 ρ〔kg/m〕の弦を S〔N〕の張力で張ったとき，弦を伝わる波の速さ v〔m/s〕は，次の式で与えられる。

$$v = \sqrt{\frac{S}{\rho}}$$

2 弦の固有振動数　長さ l〔m〕，線密度 ρ〔kg/m〕の弦を張力 S〔N〕で張ったときの弦の固有振動数 f〔Hz〕は，次の式で与えられる。

$$f = \frac{m}{2l}\sqrt{\frac{S}{\rho}} \quad (m = 1,\ 2,\ 3,\ \cdots) \qquad (3\cdot5)$$

4 気柱の振動

1 開管の固有振動数　空気中の音速を V〔m/s〕とすると，長さ l〔m〕の開管の固有振動数 f〔Hz〕は，次の式で与えられる。

$$f = \frac{m}{2l}V \quad (m = 1,\ 2,\ 3,\ \cdots) \qquad (3\cdot6)$$

2 閉管の固有振動数　空気中の音速を V〔m/s〕とすると，長さ l〔m〕の閉管の固有振動数 f〔Hz〕は，次の式で与えられる。

$$f = \frac{2m-1}{4l}V \quad (m = 1,\ 2,\ 3,\ \cdots) \qquad (3\cdot7)$$

5 ドップラー効果

振動数 f_0〔Hz〕の音を出す音源が速さ v〔m/s〕で観測者に向かって進み，観測者が速さ u〔m/s〕で音源から遠ざかっているとき，観測者が聞く音の振動数 f〔Hz〕は，音速を V〔m/s〕として次の式で与えられる。

$$f = \frac{V-u}{V-v}f_0 \qquad (3\cdot8)$$

TYPE 86 うなり

重要度 A

振動数の異なる音源 A，B を同時に鳴らしたとき，
(A の振動数) = (B の振動数) ± (うなりの振動数)

着眼　振動数のわからない音源と振動数のわかっている音源とをいっしょに鳴らして，**うなりの振動数を観測すると**，上記の関係から，振動数のわからない音源の振動数を求めることができる。

! 注意　うなりが観測されるのは，2 つの音源の振動数がわずかに異なる場合である。2 つの音源の振動数の差が大きいと，うなり回数が多すぎて，人間の耳にうなりとして感じられなくなる。

例題　うなりから振動数を求める

振動数がそれぞれ 340 Hz と 345 Hz の 2 つの音源 A，B がある。いま，他の音源 C を A と同時に鳴らすと毎秒 4 回のうなりを生じ，C と B を同時に鳴らすと毎秒 1 回のうなりを生じた。C の振動数はいくらか。

解き方　C の振動数を f〔Hz〕とする。
C と A を同時に鳴らすと，毎秒 4 回のうなりを生じるから，

$f = 340 \pm 4$

ゆえに，

$f = 344$ Hz　または　336 Hz　……①

C と B を同時に鳴らすと，毎秒 1 回のうなりを生じるから，

$f = 345 \pm 1$

ゆえに，

$f = 346$ Hz　または　344 Hz　……②

①と②を同時に満足する f の値は，$f = 344$ Hz

答　344 Hz

類題122　振動数のわからないおんさ A を，振動数 380 Hz のおんさ B と同時に鳴らすと，5 秒間に 8 回のうなりが聞こえた。次に，A に小さな物体をはりつけておんさ B と同時に鳴らすと，3 秒間に 2 回のうなりが聞こえた。

(1)　おんさ A の振動数はいくらか。

(2)　おんさ A に小さな物体をはりつけたものの振動数はいくらか。　(解答➡別冊 *p.27*)

TYPE 87 弦の振動

重要度 A

弦の固有振動数は，$f=\dfrac{m}{2l}\sqrt{\dfrac{S}{\rho}}$　（m は腹の数）

着眼 弦の定常波は右図のようになる。よって，長さ l〔m〕の弦に生じる定常波の波長は，

$$\lambda=\frac{2l}{m}\quad (m=1,\ 2,\ \cdots)$$

となる。

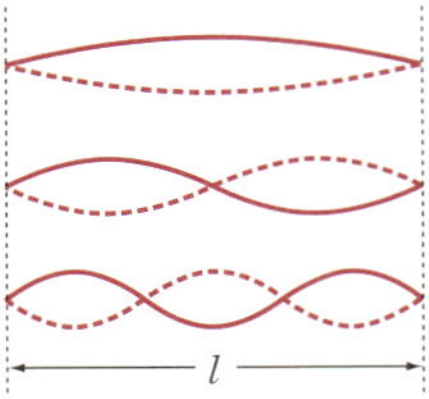

m の値は定常波の腹の数と同じである。弦の固有振動数の式は，$v=f\lambda$ に上の λ の式と弦を伝わる波の速さ $v=\sqrt{\dfrac{S}{\rho}}$ を代入して導いたものである。

例題　弦の振動と弦の半径

同じ物質でできている長さの等しい 2 本の針金を，太いほうの張力が細いほうの張力の半分になるように張ったところ，細いほうの針金の基本振動数が太いほうの針金の基本振動数の 2 倍になった。2 本の針金の半径の比はいくらか。

解き方 針金の密度を ρ，太いほうと細いほうの針金の半径をそれぞれ R，r，針金の長さを l，太いほうの針金の張力を S とする。
太いほうと細いほうの針金の線密度をそれぞれ ρ_1，ρ_2 とすると，

$$\rho_1=\frac{\pi R^2 l\rho}{l}=\pi R^2\rho,\qquad \rho_2=\frac{\pi r^2 l\rho}{l}=\pi r^2\rho$$

であるから，太いほうと細いほうの針金の基本振動数 f_1，f_2 は，

$$f_1=\frac{1}{2l}\sqrt{\frac{S}{\rho_1}}=\frac{1}{2l}\sqrt{\frac{S}{\pi R^2\rho}},\qquad f_2=\frac{1}{2l}\sqrt{\frac{2S}{\rho_2}}=\frac{1}{2l}\sqrt{\frac{2S}{\pi r^2\rho}}$$

題意より，$f_2=2f_1$ であるから，

$$\frac{1}{2l}\sqrt{\frac{2S}{\pi r^2\rho}}=2\times\frac{1}{2l}\sqrt{\frac{S}{\pi R^2\rho}}\qquad ゆえに，\ \frac{R}{r}=\sqrt{2}$$

答 $1:\sqrt{2}$

類題123 長さ 1.5 m，質量 0.20 g の糸を 4.9 N の力で引っぱり，両端を固定してはじいた。この弦の基本振動数はいくらか。

（解答➡別冊 p.28）

TYPE 88 気柱の振動

重要度 A

開管の固有振動数 ⇨ $f=\dfrac{m}{2l}V$ ($m=1,\ 2,\ 3,\ \cdots$)

閉管の固有振動数 ⇨ $f=\dfrac{2m-1}{4l}V$ ($m=1,\ 2,\ 3,\ \cdots$)

着眼 気柱の振動のようすは開管と閉管とで，下図のようなちがいがある。開管では$\lambda=\dfrac{2l}{m}$と表されるので，固有振動数は，音速をV〔m/s〕とすると，　$f=\dfrac{V}{\lambda}=\dfrac{m}{2l}V$

閉管では$\lambda=\dfrac{4l}{2m-1}$と表されるので，固有振動数は，　$f=\dfrac{V}{\lambda}=\dfrac{2m-1}{4l}V$

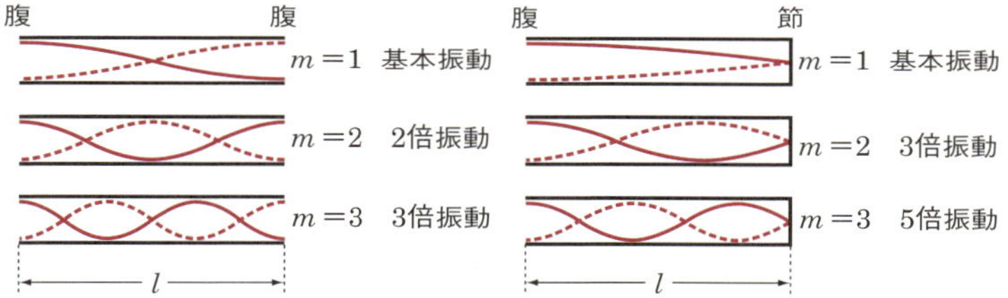

注意 管口の腹の位置は，管口より少し外側にある。管口から腹までの距離を**開口端補正**という。正確な値を求めるときは，開口端補正を加えた値を気柱の長さとする。

例題 気柱の長さの比

3本の試験管に水を入れて吹いたとき，各試験管の出す音程がド，ミ，ソになるようにするには，試験管の気柱の部分の長さの比をいくらにすればよいか。ただし，ド，ミ，ソの音の振動数の比は4：5：6で，開口端補正は考えなくてよい。

解き方 ド，ミ，ソの音を出す気柱の長さをそれぞれl_1，l_2，l_3とし，音速をVとすると，それぞれの気柱の基本振動数f_1，f_2，f_3は，$f_1=\dfrac{V}{4l_1}$，$f_2=\dfrac{V}{4l_2}$，$f_3=\dfrac{V}{4l_3}$

題意により，$f_1:f_2:f_3=4:5:6$であるから，$\dfrac{V}{4l_1}:\dfrac{V}{4l_2}:\dfrac{V}{4l_3}=4:5:6$

ゆえに，$l_1:l_2:l_3=15:12:10$

答 **15：12：10**

類題124 閉管Aと開管Bとがある。Bから出る音はAから出る音より1オクターブ高い。AとBの管の長さの比はいくらか。ただし，1オクターブ高い音は振動数が2倍の音である。開口端補正は考えなくてよい。

(解答➡別冊 p.28)

TYPE 89 気柱の共鳴

重要度 A

気柱の長さを半波長分変化させるたびごとに共鳴が起こる。

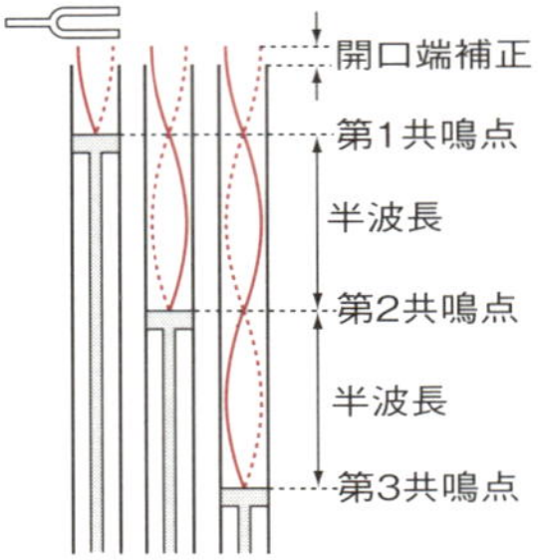

着眼　図のように，管口に音源を置いて音を出したとき，**音源の振動数と気柱の定常波の振動数が一致すると，共鳴して音が大きく聞こえる。**管底を動かして，気柱の長さを0からしだいに大きくすると，およそ$\frac{1}{4}$波長の所で第1回目の共鳴が起こり，以後半波長分伸びるごとに共鳴が起こる。

注意　**開口端補正Δl**　第1共鳴点における気柱の長さをl_1とすれば，　$l_1+\Delta l=\frac{\lambda}{4}$　　ゆえに，$\boldsymbol{\Delta l=\frac{\lambda}{4}-l_1}$

例題　振動数と開口端補正

図のような装置でBを上下に動かし，Aの水面をゆっくり下げながら，Aの管口でおんさを鳴らすと，管口から水面までの距離が17.4 cmおよび55.2 cmのとき音が強くなった。おんさの振動数と開口端補正を求めよ。ただし，空気中の音速は340 m/sとする。

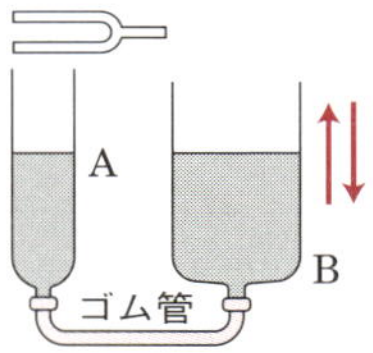

解き方　おんさの音の波長をλとする。

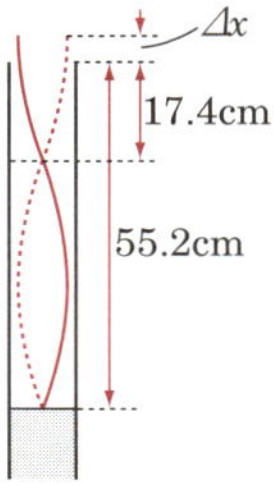

第1共鳴点と第2共鳴点との間の距離は半波長$\frac{\lambda}{2}$に等しいから，

$\frac{\lambda}{2}=55.2-17.4$　　ゆえに，$\lambda=75.6\text{ cm}$

よって，おんさの振動数fは，$f=\frac{V}{\lambda}=\frac{340}{0.756}=450\text{ Hz}$

開口端補正をΔxとすると，$55.2+\Delta x=\frac{3}{4}\lambda=\frac{3}{4}\times 75.6$より，

$\Delta x=1.5\text{ cm}$

答　**振動数：450 Hz，開口端補正：1.5 cm**

類題125　図のように，両端が開いた長さL〔m〕の管がある。振動数を変化させたとき，管内の気柱には基本振動の定常波が生じた。定常波の波長と振動数を求めよ。ただし，音速をV〔m/s〕とし，開口端と定常波の腹との位置の差は無視する。

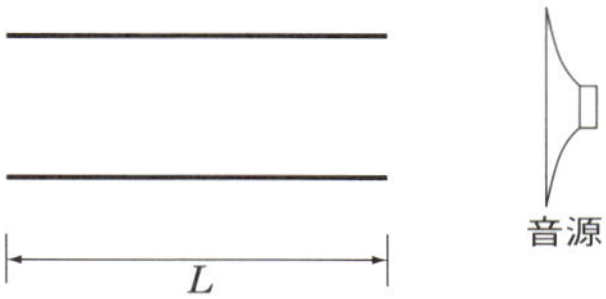

（解答➡別冊 p.28）

TYPE 90 ドップラー効果の式の導出

重要度 A

① 観測者の位置における波の波長を求める。
② 観測者が観測する波の振動数を求める。

着眼 図のように，音源が観測者に向かって速さ v〔m/s〕で運動し，観測者も音源と同じ方向に速さ u〔m/s〕で運動している。音源の振動数を f_0〔Hz〕，音速を V〔m/s〕とする。

① 観測者の位置における波の波長 λ〔m〕を求める。

音源から出た波は Δt〔s〕間に $V\Delta t$〔m〕伝わるが，その間に音源も $v\Delta t$〔m〕進むので，$V\Delta t-v\Delta t$〔m〕の中に $f_0\Delta t$ 個の波が存在する。

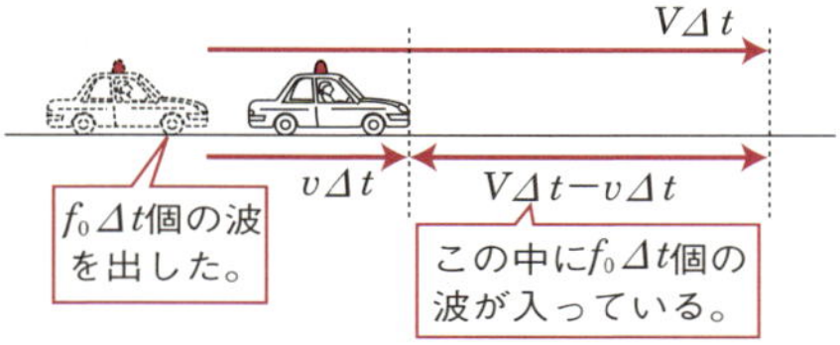

よって，$\lambda=\dfrac{V\Delta t-v\Delta t}{f_0\Delta t}=\dfrac{V-v}{f_0}$

② 観測者が観測する波の振動数 f〔Hz〕を求める。

観測者から見た音の伝わる速さは $V-u$〔m/s〕であるから，$V-u=f\lambda$ の関係式が成り立ち，$\boldsymbol{f}=\dfrac{V-u}{\lambda}=\boldsymbol{\dfrac{V-u}{V-v}f_0}$

(別法) 観測者を通過した波は Δt〔s〕間に $V\Delta t$〔m〕伝わる。その間に，観測者も $u\Delta t$〔m〕移動するので，観測者を Δt 間に通過した波の長さは $V\Delta t-u\Delta t$〔m〕である。この中にある波の数は $\dfrac{V\Delta t-u\Delta t}{\lambda}$ であり，1 s 間に通過した波の数が振動数 f〔Hz〕であるから，

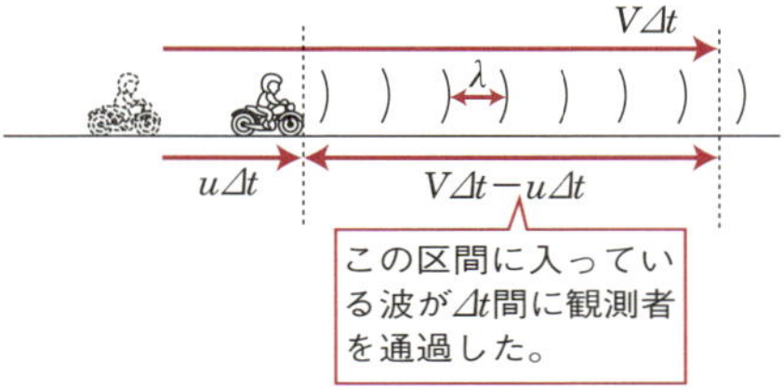

$$\boldsymbol{f}=\frac{\dfrac{V\Delta t-u\Delta t}{\lambda}}{\Delta t}=\frac{V-u}{\lambda}=\boldsymbol{\frac{V-u}{V-v}f_0}$$

! 注意 **波の数（波数）**　1 波長分の波（媒質に 1 振動でできる波）を波の数 1 個と数える。たとえば，振動数 f〔Hz〕の波は 1 秒間に f 個の波を出している。

例題　遠ざかる音源のドップラー効果

図のように，静止している観測者の前方を，振動数 f_0〔Hz〕の音源が速さ v〔m/s〕で遠ざかっていく。音速を V〔m/s〕とし，$v<V$ として，問いに答えよ。

(1)　音源が観測者の位置につくる音波の波長を求めよ。

(2)　観測者が聞く音の振動数を求めよ。

解き方　(1)　ある時刻に音源を出た音波が Δt〔s〕間に観測者に向かって伝わる距離は $V\Delta t$〔m〕である。その間に，音源は観測者と反対向きに $v\Delta t$〔m〕移動する。Δt 間に音源は $f_0\Delta t$ 個の波を出すので，$V\Delta t+v\Delta t$ の間に $f_0\Delta t$ 個の波が存在する。したがって，観測者の位置にできる音波の波長 λ〔m〕は，

$$\lambda=\frac{V\Delta t+v\Delta t}{f_0\Delta t}=\frac{V+v}{f_0}$$

(別解)　音源から見た音の伝わる速さは $V+v$ であるから，観測者の位置にできる音波の波長を λ〔m〕とすれば，$V+v=f_0\lambda$

ゆえに，$\lambda=\dfrac{V+v}{f_0}$

(2)　静止している観測者を Δt 間に $V\Delta t$〔m〕の波が通過する。波 1 個の長さが λ〔m〕であるから，$V\Delta t$ の中にある波の数は，$\dfrac{V\Delta t}{\lambda}=\dfrac{V\Delta t}{V+v}f_0$

1 s 間に通過する波の数が振動数 f〔Hz〕であるから，

$$f=\frac{\dfrac{V\Delta t}{V+v}f_0}{\Delta t}=\frac{V}{V+v}f_0$$

(別解)　観測者から見た音の伝わる速さは V であるから，観測者が観測する音波の振動数を f〔Hz〕とすれば，$V=f\lambda$

ゆえに，$f=\dfrac{V}{\lambda}=\dfrac{V}{V+v}f_0$

答　(1) $\dfrac{V+v}{f_0}$　(2) $\dfrac{V}{V+v}f_0$

〈類題126〉　振動数 f_0〔Hz〕の音源が，速さ v〔m/s〕で静止している観測者に向かって運動している。音源が，観測者から距離 L〔m〕の点 P を通過したときの時刻を $t=0$ s とする。音の伝わる速さを V〔m/s〕として，以下の問いに答えよ。

(1)　時刻 0 s で発した音が観測者に到達する時刻 t_1〔s〕を求めよ。

(2)　時刻 t〔s〕に音源が発した音が観測者に到達する時刻 t_2〔s〕を求めよ。

(3)　時刻 0 から t までに音源が発した波の数と，時刻 t_1 から t_2 までに観測者に達した波の数が等しいことを使って，観測者の聞く音の振動数 f〔Hz〕を求めよ。

（解答➡別冊 p.28）

TYPE 91 ドップラー効果

重要度 A

$$f=\frac{V-u}{V-v}f_0$$ （v，u は音の伝わる向きが正）

着眼 ドップラー効果の式を使うときは，**音源の速度 v と観測者の速度 u の正負に注意しなければならない。音源から観測者に向かって音が伝わる向きを正の向き**とし，これと同じ向きの速度 v，u には正の値を代入する。

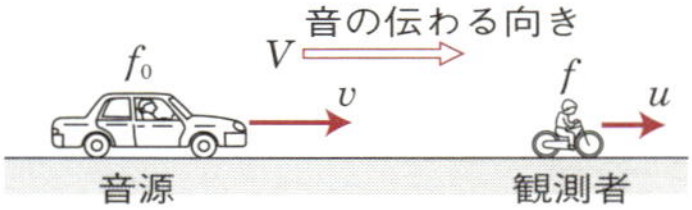

例題 真の振動数と音源の速さ

汽笛を鳴らしながら等速度で踏切に接近する汽車Aがある。踏切のそばに立っている人には，この汽笛が，汽車が接近するまで3060 Hzの音として聞こえた。また，この汽車とすれちがう汽車Bに乗ってAの汽笛を聞くと，すれちがう前は3132 Hzの音が，すれちがった後は2656 Hzの音が聞こえた。音速を340 m/sとして，汽車Aの汽笛の真の振動数および汽車A，Bの速さを求めよ。

解き方 汽笛の振動数を f_0〔Hz〕，汽車AおよびBの速さをそれぞれ v_A〔m/s〕，v_B〔m/s〕とする。3060 Hzの音が聞こえたときは，音源が正方向（観測者に向かう）に進んでいる。観測者は静止しているから $u=0$ である。よって，

$$3060=\frac{340}{340-v_A}f_0 \quad \cdots\cdots①$$

3132 Hzの音が聞こえたときは，音源は観測者に向かって進んでいる（正方向）。また，観測者は音源に向かって進んでいる（負方向）。よって，

$$3132=\frac{340+v_B}{340-v_A}f_0 \quad \cdots\cdots②$$

2656 Hzの音が聞こえたときは，音源は観測者と反対向きに進んでいる（負方向）。観測者も音源と反対向きに進んでいる（正方向）。よって，

$$2656=\frac{340-v_B}{340+v_A}f_0 \quad \cdots\cdots③$$

①～③より，$f_0=2880$ Hz，$v_A=20$ m/s，$v_B=8.0$ m/s

答 汽笛の振動数：**2880 Hz**，Aの速さ：**20 m/s**，Bの速さ：**8.0 m/s**

類題127 振動数500 Hzの音源が速さ20 m/sで，同じ方向に10 m/sで運動する観測者から遠ざかるように運動している。観測者が観測する音の振動数はいくらか。ただし，音の伝わる速さを340 m/sとする。

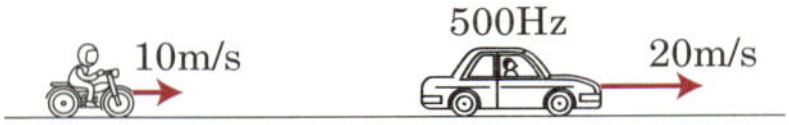

（解答➡別冊 p.28）

TYPE 92 反射音のドップラー効果

A 重要度

反射物体は，それが観測したのと同じ振動数の音を出す音源であるとみなす。

着眼 反射音のドップラー効果を扱う場合は，次の手順で行う。

① **反射物体を観測者**と見て，それが観測する音の振動数f'を求める。

② **反射物体を振動数f'の音を出す音源**と見て，ドップラー効果を考える。

注意 この考え方は，反射物体が静止している場合にも運動している場合にも使える。

例題　音源の反射音とうなり

点Aに静止している観測者がいて，その前方に音を反射する壁がある。音源が振動f_0〔Hz〕の音を出しながら，点Aから壁に向かってv〔m/s〕の速さで進むとき，点Aで観測されるうなりの回数は毎秒何回か。ただし，このときの音速をV〔m/s〕とする。

解き方 音源が壁に近づくから，壁が受ける音(壁を観測者と見る)の振動数f'〔Hz〕は，$f'=\dfrac{V}{V-v}f_0$

壁は振動数f'〔Hz〕の音を反射するので，点Aにいる観測者が聞く反射音の振動数はf'〔Hz〕である。

一方，点Aの観測者に直接達する音の振動数f''〔Hz〕は，音源が観測者から遠ざかる(負方向に動く)から，$f''=\dfrac{V}{V+v}f_0$

よって，1秒あたりのうなりの回数N〔Hz〕は，

$$N=f'-f''=\frac{V}{V-v}f_0-\frac{V}{V+v}f_0=\frac{2Vv}{V^2-v^2}f_0$$

答 $\dfrac{2Vv}{V^2-v^2}f_0$

類題128 振動数400 Hzの音を発する音源が，速さ5.0 m/sで観測者に向かって運動している。この音源の後方に音をよく反射する壁がある。音の伝わる速さを340 m/sとして，以下の問いに答えよ。

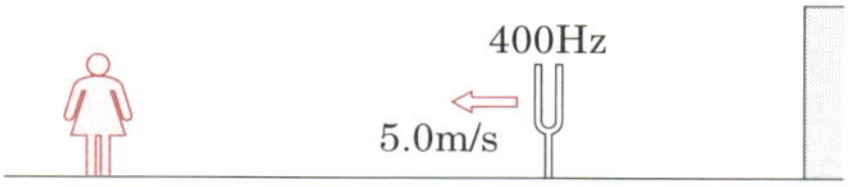

(1)　観測者が観測する直接音の振動数を求めよ。

(2)　観測者が観測する反射音の振動数を求めよ。

(3)　観測者が観測する1秒間あたりのうなりの回数を求めよ。

(解答➡別冊 p.28)

〈類題129〉 汽笛を鳴らしながら航行している船の上にいる人が，その前方の進行方向に直立している氷壁からの反射音と，汽笛からの直接音によって毎秒2.0回のうなりを聞いた。この船の速さはいくらか。ただし，汽笛の振動数は94 Hz，音速は334 m/sとし，風の影響は無視できるものとする。 (解答➡別冊 *p.28*)

例 題　近づく反射音によるうなり

図のように，静止している振動数f_0〔Hz〕の音源Sと静止している観測者Oがいて，音の反射板Rが速さv〔m/s〕で音源に向かって運動している。音の伝わる速さをV〔m/s〕とすると，観測者は毎秒何回のうなりを聞くか。

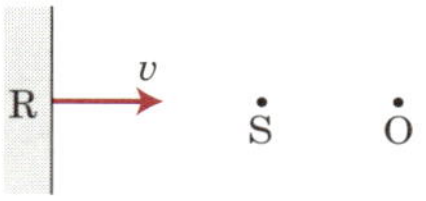

解き方 反射板Rが受ける音の振動数をf'〔Hz〕とする。反射板を観測者と見て，これが音源に向かって(負方向)動いているから，

$$f'=\frac{V+v}{V}f_0$$

次に，反射板Rを振動数f'〔Hz〕の音を出す音源と考えて，観測者Oが聞く反射音の振動数f〔Hz〕を求める。音源である反射板Rが観測者に向かって(正方向)進むから，

$$f=\frac{V}{V-v}f'=\frac{V}{V-v}\cdot\frac{V+v}{V}f_0=\frac{V+v}{V-v}f_0$$

音源Sから観測者Oに直接達する音の振動数はf_0〔Hz〕であるから，観測者Oの聞くうなりの回数N〔Hz〕は，

$$N=f-f_0=\frac{V+v}{V-v}f_0-f_0=\frac{2v}{V-v}f_0$$

答 $\frac{2v}{V-v}f_0$

〈類題130〉 図のように，反射板と振動数345 Hzの音を出す音源の間に観測者がいる。反射板が，音源から遠ざかる方向に，速さ5.0 m/sで運動している。音の伝わる速さを340 m/sとして，以下の問いに答えよ。

(1) 観測者が観測する直接音の振動数を求めよ。

(2) 観測者が観測する反射音の振動数を求めよ。

(3) 観測者が観測する 1 秒間あたりのうなりの回数を求めよ。 (解答➡別冊 *p.29*)

TYPE 93 斜め方向のドップラー効果

B 重要度

音源と観測者を結ぶ方向の速度成分を用いてドップラー効果を考える。

着眼　図のように，音源Sの速度$\vec{v}$と観測者Oの速度$\vec{u}$が一直線上にないときは，**SとOを結ぶ方向の速度成分v'，u'を求め，それを音源と観測者の速度としてドップラー効果の公式**を使えばよい。

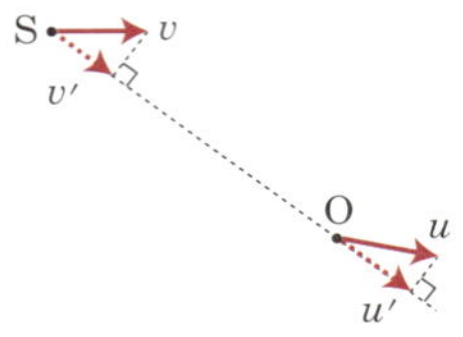

$$f=\frac{V-u'}{V-v'}f_0$$

例題　斜めに動く音源の振動数

右の図で，Sは振動数f_0の音を出し続けている音源である。いま，観測者Oが図の矢印の方向に速さuで動き出したとすると，その瞬間に観測者に聞こえる音の振動数はいくらになるか。ただし，音速はVとする。

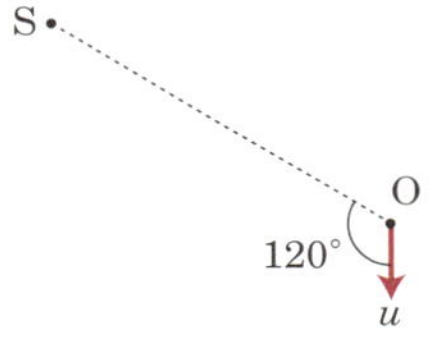

解き方　観測音の速度のSO方向の成分は$u\cos 60°$で，Sと反対側を向いている。したがって，観測者は速さ$u\cos 60°$で音源から遠ざかることになる。

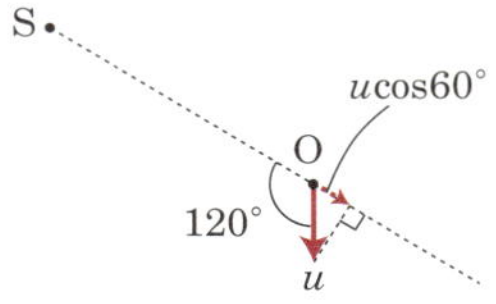

よって，求める振動数は，

$$f=\frac{V-u\cos 60°}{V}f_0$$
$$=\frac{2V-u}{2V}f_0$$

答 $\frac{2V-u}{2V}f_0$

類題131　飛行機が東のほうから測定地点の真上を通過して西のほうへ飛んでいった。聞こえる音の振動数を測定したところ振動数は単調に減少し，飛行機が西のほうへ遠く飛び去っていく際の音の振動数は，最初に東の遠くのほうから聞こえ始めた音の振動数の$\frac{1}{3}$であった。また，振動数が最初の振動数の$\frac{2}{3}$から$\frac{1}{2}$まで変化する時間は3.0秒であった。飛行機の速度v〔m/s〕と高度h〔m〕は一定として，vとhを求めよ。ただし，音速は340 m/sとする。

（解答➡別冊 p.29）

例題　円運動する音源の振動数

図に示すように，振動数 400 Hz の音を周囲に発する発音体Pが，点Oを中心とする半径 R〔m〕の円周上を一定の速さ 40.0 m/s で円運動している。その円と同一面内で円軌道の外にある点Qで音を聞くとする。円軌道が直線 OQ と交わる点を A，B とする。いま，AQ = R のとき，点Qで聞く音の振動数 f〔Hz〕と，線分 OP が OA となす角 θ〔rad〕との関係を右のグラフに示せ。音速は 340 m/s とする。

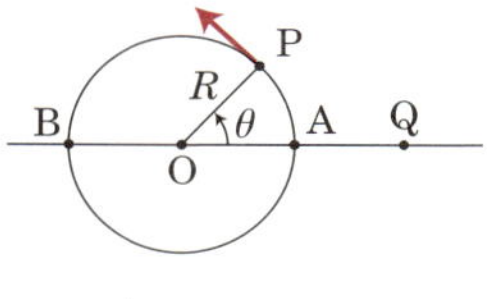

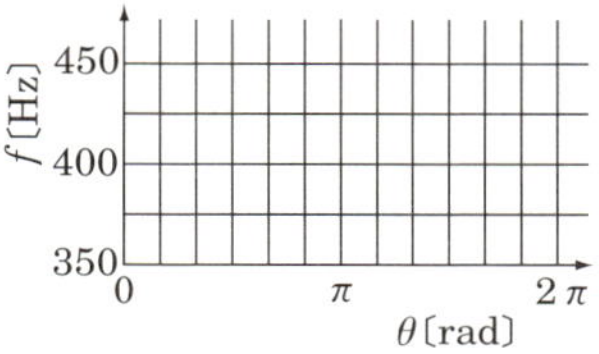

解き方　Pが点AおよびBにあるときは，PQ 方向の速度成分が 0 であるから，ドップラー効果は起こらず，点Qで聞こえる音の振動数は，f = 400 Hz である。点Qで聞こえる音の振動数が最小になるのは，Pの速度の向きがQ→Pの向きと一致するとき，つまり，線分 PQ が円軌道に対する接線の 1 つになるとき$\left(\theta=\dfrac{\pi}{3}\right)$で，そのとき点Qで聞こえる音の振動数 f_1〔Hz〕は，

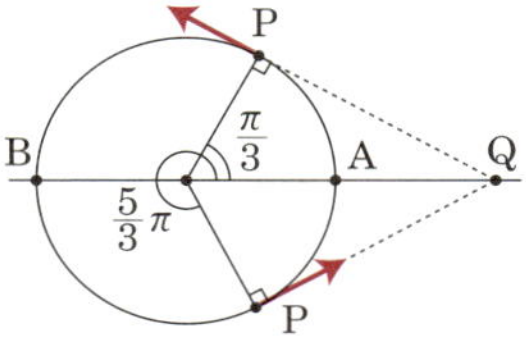

$$f_1=\frac{340}{340+40.0}\times 400=358\ \text{Hz}$$

点Qで聞こえる音の振動数が最大になるのは，Pの速度の向きがP→Qの向きと一致するときで，線分 PQ が円軌道に対するもう 1 つの接線になるときである。

このとき，$\theta=\dfrac{5}{3}\pi$ であり，点Qで聞こえる音の振動数 f_2〔Hz〕は，

$$f_2=\frac{340}{340-40.0}\times 400=453\ \text{Hz}$$

よって，振動数 f〔Hz〕の変化はおよそ右図のようになる。

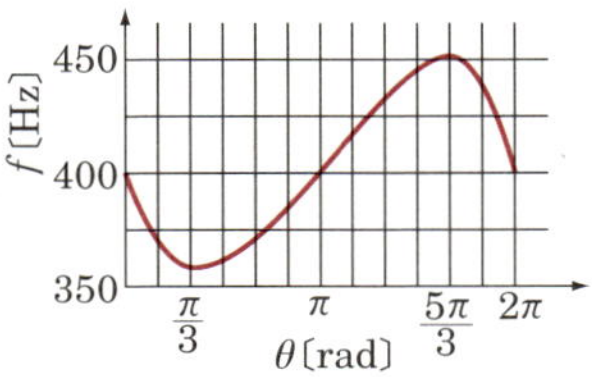

答　右図

類題132　図の矢印の向きに一定速度で走る列車がある。C点にいる人は，A点で列車が鳴らした警笛の音を 1.5 秒後に聞き，B点で列車が鳴らした警笛の音を 0.9 秒後に聞いた。列車がA点からB点まで行くのに 20 秒かかった。A点から聞こえた音の振動数は，B点から聞こえた音の振動数の何％になるか。ただし，このときの音速は 333 m/s であるとする。

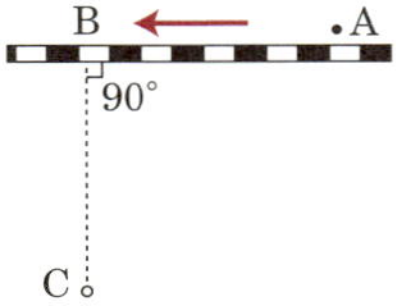

（解答➡別冊 p.30）

TYPE 94 風が吹く場合のドップラー効果

B 重要度

風が吹くと，地面に対する音の速さが変わる。

着眼 無風のときの音の伝わる速さを V〔m/s〕，風速を w〔m/s〕とすれば，地上に静止している観測者から見た音速は，

音源が風上にある場合…$\boldsymbol{V+w}$〔m/s〕

音源が風下にある場合…$\boldsymbol{V-w}$〔m/s〕

となる。

この値を音速として，ドップラー効果の式を用いればよい。

例　題　風がある場合の振動数

一直線上で，振動数 f_0〔Hz〕の音を出す音源が，速さ v〔m/s〕で観測者に向かって運動し，観測者も音源と同じ向きに速さ u〔m/s〕で運動している。このとき，観測者から音源に向かって風速 w〔m/s〕の風が吹いていたとすると，観測者に聞こえる音の振動数はいくらか。ただし，空気に対する音の伝わる速さを V〔m/s〕とする。

解き方 観測者から見て音の伝わる速さは $V-w$ であるから，ドップラー効果の式の V のかわりに $V-w$ を用いて，求める振動数 f は，

$$f=\frac{V-w-u}{V-w-v}f_0$$

答 $\dfrac{V-w-u}{V-w-v}f_0$

類題133 一直線上を振動数 670 Hz の音を出す音源が，速さ 10 m/s で観測者に向かって運動している。このとき，音源から観測者に向かって風速 5.0 m/s の風が吹いていたとすると，観測者が聞く音の振動数はいくらか。ただし，空気に対する音の伝わる速さを 340 m/s とする。 （解答➡別冊 *p.30*）

類題134 図のように，速さ w の一様な風がつねに真横に吹いている場合について考えよう。振動数 f_0 の音を発する音源が，O 点で静止している観測者に向かって，一定の速さ v でまっすぐに進んでいる。観測者が聞く音の振動数 f_1 を，v，w，C，f_0 を用いて表せ。ただし，C は音速を表し，音源の移動する速さ v，風速 w は，ともに音速 C に比べてじゅうぶんに小さいものとする。 （解答➡別冊 *p.30*）

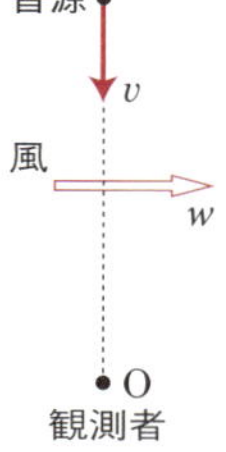

練習問題

解答→別冊 p.67

TYPE

49　図のように，壁にフックAで一端を固定した細い弦が，xだけ離れた位置にあるコマBで支えられ，滑車を通しておもりで張られている。弦を振動させて，その近くで振動数f_0のおんさを鳴らすと，うなりが観測された。弦は基本振動をするとして，以下の問いに答えよ。ただし，弦を伝わる波の速さをvとする。

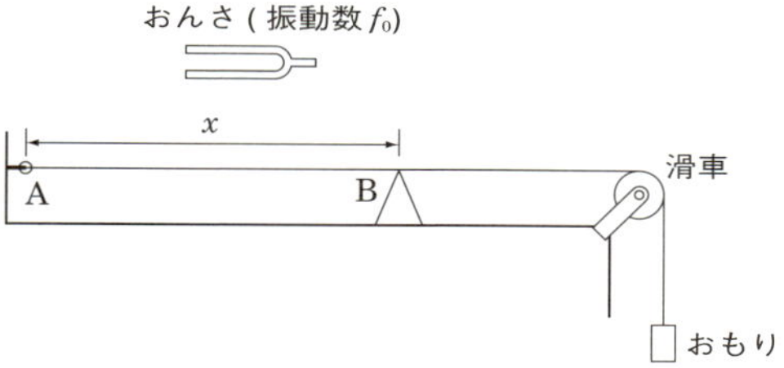

(1)　コマBの位置が$x=x_1$のとき，弦の基本振動数f_1を求めよ。

(2)　コマBの位置が$x=x_1$のとき，うなりの周期はT_1であった。コマBをフックAより遠ざかる方向に動かすと，うなりの周期は単調に短くなり，位置$x=x_2$では周期がT_2となった。f_0をx_1，x_2，T_1，T_2で表せ。

(3)　$x_1=40.0$ cm，$x_2=40.1$ cm，$T_1=2.00$ s，$T_2=1.00$ sのとき，f_0とvを求めよ。

以下では，弦を伝わる波の速さは，弦を張るおもりの質量の平方根に比例するとして答えよ。

(4)　小問(3)の条件でコマBの位置を$x=x_2$の位置に固定し，おもりの質量を増加させる。おもりがある質量のとき，おんさの振動数と一致し，その質量のa倍のときに，うなりの周期が0.500 sとなった。aを有効数字3桁で求めよ。（電気通信大）

➔ 87

50　図のような目盛りつきガラス管，ゴム管と水位調節用水だめからなる気柱共鳴装置に水を満たしておき，ある振動数のおんさをガラス管の上端近くで鳴らしながら水位調節用水だめを下に降ろしてガラス管の水位を下げていったところ，水面がガラス管の上端から23 cmおよび74 cm下がったときにそれぞれ共鳴音がした。気温がt℃のときの空気中の音速は，$v=331.5+0.6t$〔m/s〕である。以下の問いに答えよ。ただし，答えは小数点以下1桁まで求めよ。

TYPE

(1)　共鳴したときにできる定常波のガラス管口における腹の位置は，ガラス管の上端よりどれだけ上にあるか。単位は cm で答えよ。
(2)　おんさの音の波長はいくらか。単位は cm で答えよ。
(3)　このときの気温が 10 ℃であったとすれば，おんさの振動数はいくらか。
(4)　気温が 20 ℃になると，おんさの音の波長はいくらになるか。単位は cm で答えよ。
(5)　気温が 20 ℃になると，このおんさの最初に聞こえる共鳴音は水面がガラス管の上端からどれだけ下がったときになるか。ただし，定常波の腹の位置は(1)のときと同じであるとする。単位は cm で答えよ。
(6)　気温が 10 ℃で水面をガラス管の上端から 23 cm に保ち，おんさのかわりに振動数が可変である音源をおき，振動数を 20 Hz ぐらいから徐々に上げていったところ，音の強弱が交互に起こった。最初から 2 回目に共鳴して音が大きく聞こえるときの音源の振動数はいくらか。ただし，定常波の腹の位置は(1)のときと同じであるとする。

→ 89

（奈良教育大）

51　図のように，振動数 f〔Hz〕の音源 A，B が図の右向きにそれぞれ u_1〔m/s〕，u_2〔m/s〕で動いているとき，以下の問いに答えよ。ただし，音源 A，B および観測者は一直線上にある。また，音の速さを C〔m/s〕とし，$u_1 < u_2 < C$ であるとする。

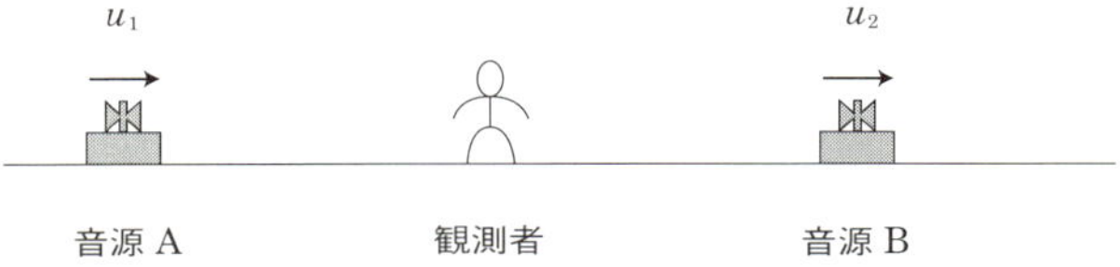

(1)　観測者が音源 A と B の間で静止している場合，音源 A および B から観測者が直接聞く音の振動数をそれぞれ求めよ。
(2)　(1)の場合，観測者が 1 秒間に聞くうなりの回数を求めよ。
(3)　観測者が AB を結ぶ直線上を速さ V〔m/s〕で移動したとき，うなりは聞こえなくなった。観測者の移動する向きと速さ V を求めよ。
(4)　観測者が速さ V〔m/s〕でうなりが聞こえない状態で移動し続けたとき，観測者は音源とすれ違うことがあるか論ぜよ。　（東京海洋大）

→ 90, 91

ヒント　51 (3) 音源 A，B から直接聞く音の振動数が等しくなる場合である。
(4) u_1，u_2 と V との大小関係から判断する。

3 光 波

1 屈折率

1 絶対屈折率　真空(または空気)中からある媒質に光が入射するときの屈折率をその媒質の**絶対屈折率**という。

2 相対屈折率　絶対屈折率 n_1 の媒質Ⅰから絶対屈折率 n_2 の媒質Ⅱへ光が入射するとき，媒質Ⅰに対する媒質Ⅱの**相対屈折率** n_{12} は，　$n_{12}=\dfrac{n_2}{n_1}$

2 全反射

1 臨界角　屈折角が90°になるときの入射角を**臨界角**という。

2 全反射　臨界角より大きい入射角で入射した光はすべて反射する。これを**全反射**といい，光学的に密な(屈折率の大きい)媒質から光学的に疎な(屈折率の小さい)媒質へ光が進むときにのみ起こる。

3 薄いレンズがつくる像

1 写像公式　レンズの焦点距離を f〔m〕，レンズの中心から，物体までの距離を a〔m〕，像までの距離を b〔m〕とすると，次の式がなりたつ。

$$\frac{1}{a}+\frac{1}{b}=\frac{1}{f} \tag{3·9}$$

(実像：$b>0$，虚像：$b<0$；凸レンズ：$f>0$，凹レンズ：$f<0$)

2 レンズの倍率　上の場合と同じ記号を用いると，レンズの倍率 m は，

$$m=\left|\frac{b}{a}\right| \tag{3·10}$$

4 光の干渉

1 光学距離　物質中の距離を物質中の光の波長をもとにして測り，それを同じ光の真空中の波長で測った距離に換算した値を**光学距離**という。絶対屈折率 n の媒質中の距離 l〔m〕は光学距離では $\boldsymbol{nl}$〔m〕となる。

2 反射光の位相　光学的に密な物質から疎な物質へ向かうときの反射では，位相の変化は起こらないが，光学的に疎な物質から密な物質へ向かうときの反射では，**反射光の位相が π〔rad〕ずれる**。

3 光の干渉　2つの光線の経路の光学距離の差を**光路差**という。

同位相の場合，光路差が
- **波長の整数倍**ならば，光は**強め合う**。
- **波長の整数倍＋半波長**ならば，光は**弱め合う**。

TYPE 95 像の浮き上がり

重要度 A

見かけの深さは実際の $\frac{1}{n}$ 倍（n は屈折率）。

着眼 絶対屈折率 n の媒質中で，その表面から d_0 の深さにある物体を，真上の空気中から見ると，物体は $\frac{d_0}{n}$ の深さにあるように見える。

水面から深さ d_0〔m〕の場所を泳いでいる魚がいる。この魚を，空気中から見たとき，魚が泳いでいる見かけの深さ d〔m〕を求めてみよう。

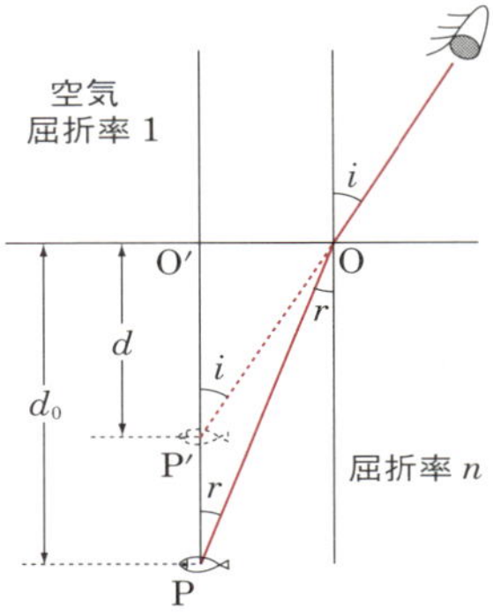

点 O において，屈折の法則の式をつくると，

$$\frac{\sin i}{\sin r} = n$$

ゆえに，$\sin i = n \sin r$

△OO′P′ において，$\tan i = \frac{OO'}{d}$

△OO′P において，$\tan r = \frac{OO'}{d_0}$

ほぼ真上から見ているとすれば，$i \ll 1$，$r \ll 1$ であるから，

$\sin i \fallingdotseq \tan i$，$\sin r \fallingdotseq \tan r$ と近似できる。

よって，$\frac{OO'}{d} = n\frac{OO'}{d_0}$ となるので，$d = \frac{d_0}{n}$ と求められる。

例 題　浮き上がって見える距離

水面から深さ 12 cm の所に点光源がある。この光源を鉛直上方から見ると，何 cm 浮き上がって見えるか。ただし，水の屈折率を $\frac{4}{3}$ とする。

解き方 光源の見かけの深さ h〔cm〕は，$h = \frac{h_0}{n} = 12 \div \frac{4}{3} = 9.0$ cm

よって，浮き上がって見える距離 Δh〔cm〕は，

$\Delta h = 12 - 9.0 = 3.0$ cm

答 3.0 cm

類題135 厚さ 17.53 cm の透明物質と厚さ 16.82 cm のガラス板（屈折率 1.54）とが，上方から見ると同じ厚さに見えた。この透明物質の屈折率はいくらか。

（解答➡別冊 *p.30*）

TYPE 96 全反射

重要度 A

入射角が臨界角を越えると，全反射が起こる。
臨界角は屈折角 90° のときの入射角。

着眼 図のように，屈折率 n_2 の媒質Ⅱから屈折率 n_1 の媒質Ⅰへ光が屈折して進むとき，入射角 θ_2 と屈折角 θ_1 との間には，

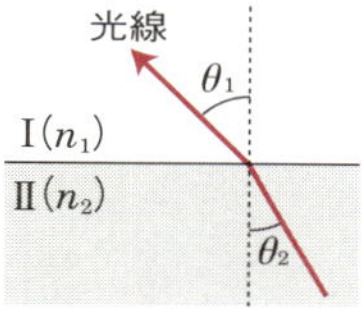

$$n_1 \sin \theta_1 = n_2 \sin \theta_2$$

の関係がなりたつ。これを**スネルの法則**という。
臨界角は，$\theta_1 = 90°$ になるときの θ_2 の値であるから，臨界角を θ_0 とすると，

$$n_1 \sin 90° = n_2 \sin \theta_0 \qquad \text{ゆえに，} \sin \theta_0 = \frac{n_1}{n_2}$$

例 題　光源を隠す円板の半径

水面から深さ 12 cm の所に点光源がある。この点光源からの光が空気中に出ないようにするには，半径何 cm 以上の円板を点光源の真上の水面上に置かなければならないか。ただし，水の屈折率を $\frac{4}{3}$ とする。

解き方 円板のふちに当たる光の入射角が臨界角に等しければ，円板の外側の水面に当たる光は全反射する。臨界角を θ とすると，

$$\frac{4}{3} \sin \theta = 1 \qquad \text{ゆえに，} \sin \theta = \frac{3}{4}$$

このときの円板の半径を R〔cm〕とすると，

$$R = 12 \tan \theta = 12 \times \frac{\sin \theta}{\cos \theta}$$

$$= 12 \times \frac{\sin \theta}{\sqrt{1 - \sin^2 \theta}} = 12 \times \frac{\frac{3}{4}}{\sqrt{1 - \left(\frac{3}{4}\right)^2}} = 13.6 \text{ cm}$$

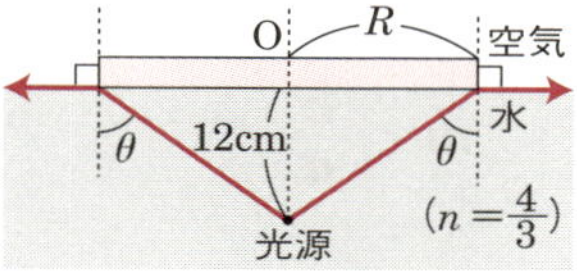

答 14 cm

類題136 図のように，屈折率 n_1 の媒質Ⅰでできた平板を屈折率 n_2 の媒質Ⅱではさみ，媒質Ⅰの端面から入射角 θ で光を入射した。

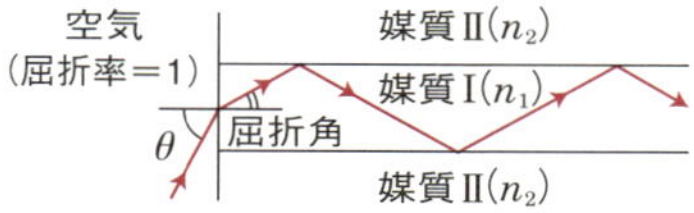

(1) 屈折角の正弦の値はいくらか。
(2) 入射した光が媒質Ⅱに入ることなく境界面で全反射されて，媒質Ⅰの中だけを進むための条件を求めよ。

(解答➡別冊 p.30)

TYPE 97 写像公式の導出

A 重要度

相似形になる三角形を見つけて，辺の比で求める。

着眼　作図に使われる 3 本の光線を用いてレンズの**写像公式(レンズの式)**を求める。図のように，レンズと物体との距離を a，レンズと像との距離を b，レンズの焦点距離を f とする。

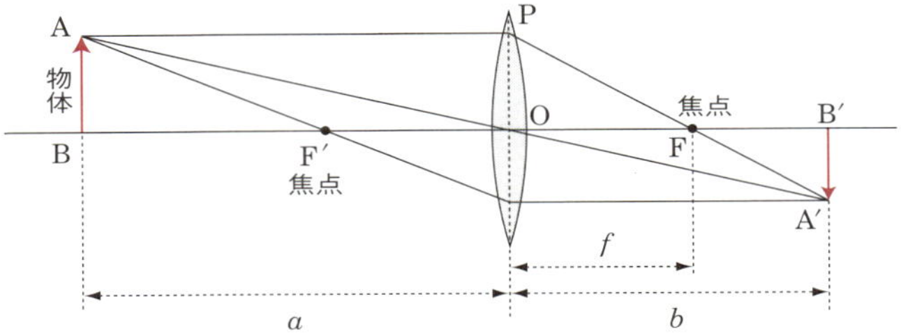

△ABO は △A′B′O に相似なので，$\dfrac{A'B'}{AB}=\dfrac{OB'}{OB}=\dfrac{b}{a}$

△OPF は △B′A′F に相似なので，$\dfrac{A'B'}{OP}=\dfrac{FB'}{OF}=\dfrac{b-f}{f}$

AB＝OP から，$\dfrac{b}{a}=\dfrac{b-f}{f}$

これを変形すれば，次の写像公式(レンズの式)が導かれる。

$$\boldsymbol{\frac{1}{a}+\frac{1}{b}=\frac{1}{f}}$$

また，物体の大きさに対する結像の倍率 m は，a，b を用いて，次のようになる。

$$\boldsymbol{m=\left|\frac{b}{a}\right|}$$

例 題　凹レンズの写像公式

図を参照して，凹レンズによる結像を考えよう。凹レンズの中心を O とし，距離 a だけ左にある物体 AB は，レンズの結像作用によりレンズの左，距離 b に A′B′ の像を結ぶ。レンズの焦点距離を f とするとき，これらの間の関係式と倍率を求めよ。なお，レンズの厚さは無視できるものとする。

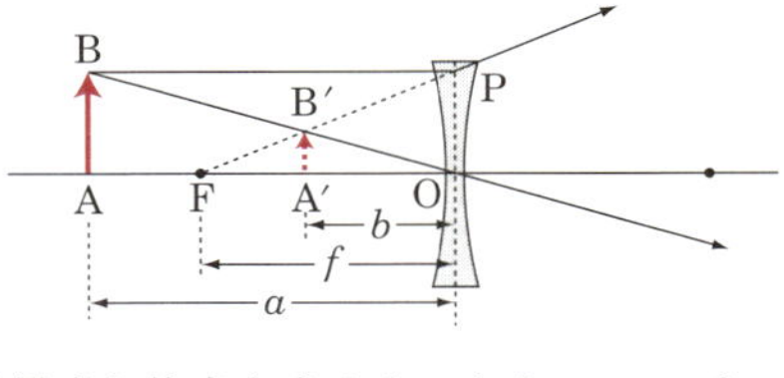

解き方 △ABO は △A′B′O に相似なので，

$$\frac{A'B'}{AB}=\frac{OA'}{OA}=\frac{b}{a}$$

△OPF は △A′B′F に相似なので，

$$\frac{A'B'}{OP}=\frac{A'F}{OF}=\frac{f-b}{f}$$

AB＝OP から，$\frac{b}{a}=\frac{f-b}{f}$

よって，凹レンズの場合の写像公式

$$\frac{1}{a}-\frac{1}{b}=-\frac{1}{f}$$

が導かれる。

また，物体の大きさに対する結像の倍率 m は，a，b を用いて

$$m=\left|\frac{b}{a}\right|$$

となる。

答 **関係式：$\frac{1}{a}-\frac{1}{b}=-\frac{1}{f}$，倍率：$\left|\frac{b}{a}\right|$**

〈類題137〉 空欄［①］〜［⑦］に適当な記号，文字を記入せよ。

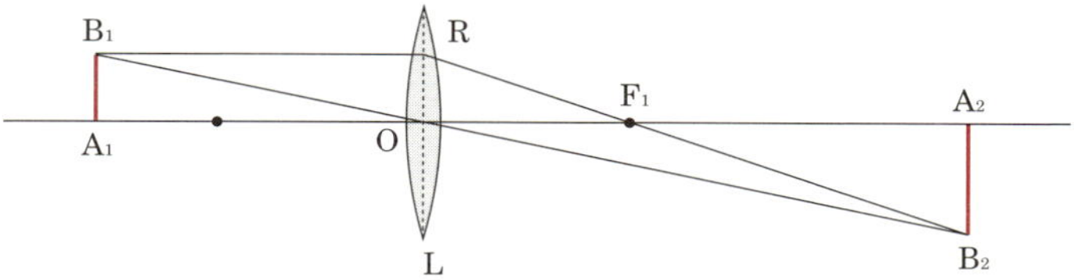

　レンズ L における物体 A_1B_1 と A_2B_2 の像の大きさの関係を求める。
物体の B_1 より出た光のうち，レンズ L の中心 O を通る光線はそのまま直進し B_2 へ到達する。また中心線と平行に B_1 より L へ入射する光線は，［①］して焦点 F_1 を通過して B_2 へ到達する。

$\triangle B_1A_1O$ と［②］は相似であるから，

　$OA_1：OA_2＝A_1B_1：$［③］

となる。さらに $\triangle ROF_1$ と［④］は相似となるので，

　$OF_1：A_2F_1＝OR：$［⑤］

となる。ここで $OR＝A_1B_1$ であるから，OA_1，OA_2，OF_1 のみを用いて整理すると，次の式のように写像公式またはレンズの式とよばれる関係式が得られる。

　［⑥］$=\frac{1}{OF_1}$

このときレンズ L の倍率は，$\frac{A_2B_2}{A_1B_1}=$［⑦］となる。　（解答➡別冊 *p.30*）

TYPE 98 レンズによる像の位置と倍率

重要度 A

写像公式 $\frac{1}{a}+\frac{1}{b}=\frac{1}{f}$ を使う。

凸レンズ ⇨ $f>0$　　実像 ⇨ $b>0$

凹レンズ ⇨ $f<0$　　虚像 ⇨ $b<0$

着眼 レンズによってできる像の位置や倍率は，作図をして幾何学的に求めることもできるが，**写像公式**を用いて，計算で求めるのも簡単である。写像公式を用いるとき，**焦点距離 f に代入する値は，凸レンズでは正，凹レンズでは負**の値である。また，**像の位置 b に代入する値は，実像では正，虚像では負**の値である。

例題 凸レンズによる像の位置

図のように，焦点距離 20 cm の薄い凸レンズの光軸上，レンズの中心から 30 cm の所に光源を置いた。

(1) 光源の像のできる位置はどこか。

(2) このときの倍率はいくらか。

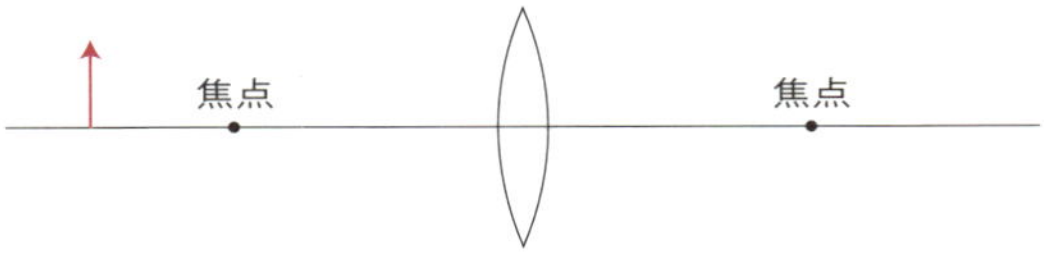

解き方 (1) レンズから像までの距離を b〔cm〕とすれば，写像公式より，

$$\frac{1}{30}+\frac{1}{b}=\frac{1}{20}$$

ゆえに，$b=60$ cm　($b>0$ だから実像)

(2) 倍率は，倍率の公式より，

$$m=\frac{60}{30}=2.0 \text{ 倍}$$

答 (1) レンズの右側 60 cm の位置　(2) 2.0 倍

類題138 図のように，焦点距離 30 cm の薄い凹レンズの光軸上，レンズの中心から 15 cm の所に光源を置いた。

(1) 光源の像のできる位置はどこか。

(2) このときの倍率はいくらか。

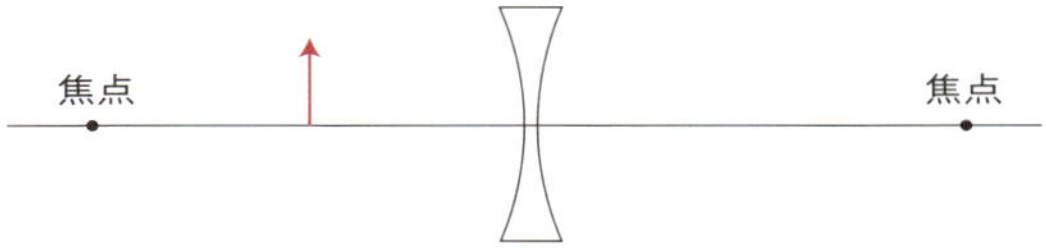

(解答➡別冊 p.31)

TYPE 99 ダブルスリットによる光の干渉

重要度 A

2 つのスリットから出る光の光路差は $\dfrac{dx}{l}$

着眼 間隔 d の 2 つのスリット S_1, S_2 から回折して出た単色光は干渉して，スクリーン上に明暗の縞模様をつくる。2 つのスリットからスクリーン上の点 P までの距離の差（光路差）Δl は，$l \gg d$ のとき，

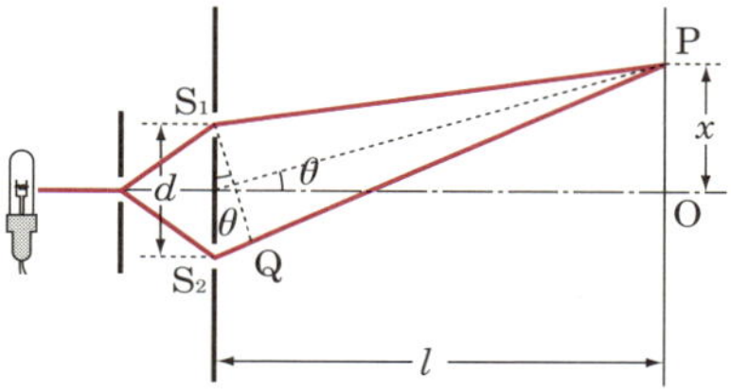

$$\Delta l = S_2Q \fallingdotseq d\sin\theta \fallingdotseq d\tan\theta = d\cdot\frac{x}{l} = \frac{dx}{l}$$

となるので，干渉の条件は，$m=0$, 1, 2, … として，

$$\frac{dx}{l} = \begin{cases} m\lambda & \text{……強め合う} \\ \left(m+\dfrac{1}{2}\right)\lambda & \text{……弱め合う} \end{cases}$$

例 題　ダブルスリットによる明線

図に示すように，スリット S の後ろに 2 つの接近したスリット S_1, S_2 を置き，S を単色光で照らすと，後方のスクリーン上に明暗の縞模様ができる。

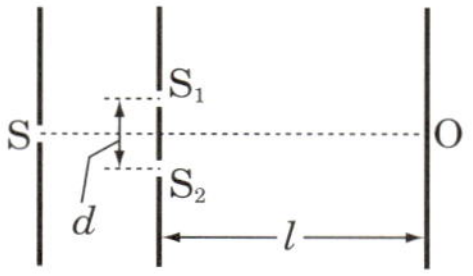

(1) S_1, S_2 の間隔を d, S_1, S_2 からスクリーンまでの距離を l, 単色光の波長を λ とすると，明線はスクリーンの中心 O からいくらの距離の点にできるか。ただし，d は l に比べて非常に小さいとする。

(2) 明線間の間隔はいくらか。

解き方 (1) スクリーン上の明線のできる点を P とし，OP $= x$ とする。また，S_1 と S_2 の中点を R とし，∠PRO $= \theta$ とする。S_1 から RP に垂線をおろし，S_2P との交点を Q とすると，$\angle S_2S_1Q = \theta$ となる。光路 S_1P と S_2P の差（光路差）を Δl とすると，$l \gg d$ から，$\angle S_1QS_2$ は直角とみなせるので，

$$\Delta l \fallingdotseq d\sin\theta \fallingdotseq d\tan\theta = \frac{dx}{l}$$

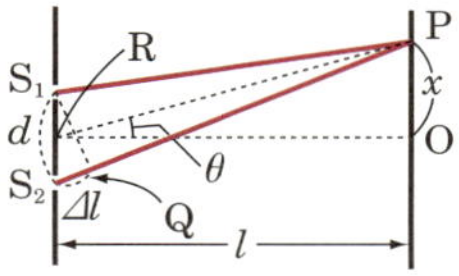

P 点に明線ができるためには，光格差 Δl が波長の整数倍になっていなければならないから，m を整数とすると，

$$\frac{dx}{l}=m\lambda \qquad \text{ゆえに，} x=\frac{ml\lambda}{d}$$

(2)　(1)で求めた式で，左辺の x を x_m とすると，明線間の距離は，

$$x_{m+1}-x_m=\frac{(m+1)l\lambda}{d}-\frac{ml\lambda}{d}=\frac{l\lambda}{d}$$

答　(1)　$\frac{ml\lambda}{d}$（m は整数）　(2)　$\frac{l\lambda}{d}$

〈類題139〉　1 つのスリットを出た単色光をさらに 2 つのスリットに通して，スクリーン上に干渉縞を作らせたとき，明線と明線の間隔は 1.0 mm であった。第 2 のスリット間の間隔は 0.60 mm，スリットとスクリーンの距離は 1.0 m である。この単色光の波長はいくらか。

（解答➡別冊 *p.31*）

〈類題140〉　図のように，光源から出た単色光（波長 λ_0〔m〕）が，衝立 T_0 の中心 O_0 から距離 a〔m〕だけ離れたスリット S_0 を通過すると，光は回折により広がる。その後，距離 l〔m〕だけ離れた衝立 T_1 の中心から $\frac{b}{2}$〔m〕だけ離れた 2 つのスリット S_1，S_2 を通って回折した光は，さらに距離 l だけ離れたスクリーン T_2 上で，強め合ったり弱め合ったりして，明暗の縞模様（干渉縞）が観測される。スクリーンの中心 O_2 は中心 O_0，O_1 と同一直線上にある。次の問いに答えよ。

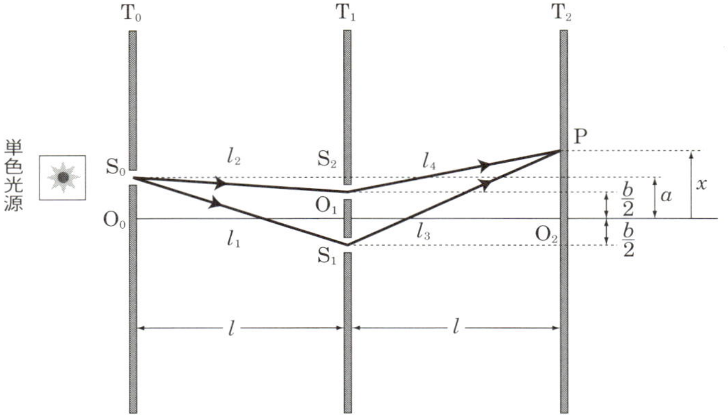

(1)　スクリーン T_2 上の任意の点を P とし，図のように距離 S_0S_1 を l_1〔m〕，距離 S_0S_2 を l_2〔m〕，距離 S_1P を l_3〔m〕，距離 S_2P を l_4〔m〕とする。点 P で明線が観測される条件式を，距離 l_1，l_2，l_3，l_4，波長 λ_0 と任意の整数 m を用いて表せ。

(2)　スクリーン T_2 上の中心 O_2 を原点として上向きに x 軸をとり，任意の点 P の位置座標を x で表す。a，b，$|x|$ が l に比べてじゅうぶんに小さいとき，(1)で求めた明線が観測される点 P の位置座標 x を a，b，l，λ_0，m を用いて表せ。ただし，$|t|\ll 1$ のとき，$\sqrt{1+t}\doteqdot 1+\frac{1}{2}t$ と近似できることを使うこと。

（解答➡別冊 *p.31*）

TYPE 100 薄膜の干渉

重要度 A

薄膜の表面と裏面での反射光の光路差は $2nd\cos r$
反射の際の位相の変化に注意する。

着眼 図のように，厚さ d〔m〕，屈折率 n の薄膜に光が当たったとき，表面の点Aで反射する光と，表面の点A′で屈折して薄膜内に入り，裏面の点Bで反射した後，表面の点Aで屈折して薄膜から出ていく光とが干渉する。この 2 つの光路の差 Δl は，CBA（＝CD）を光学距離になおしたものに等しいから，$\Delta l = n\mathrm{CD} = n\times 2d\cos r = 2nd\cos r$

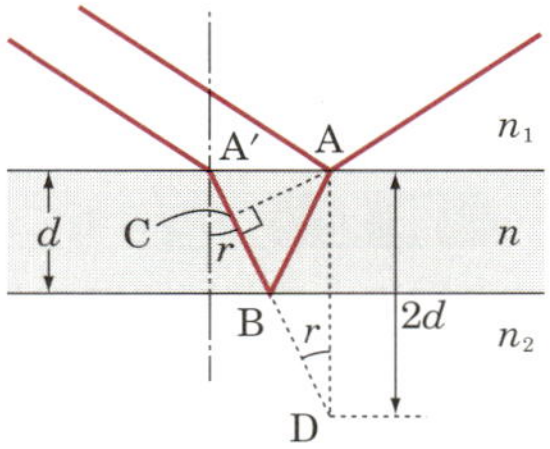

薄膜の上下の媒質の屈折率をそれぞれ n_1，n_2 とすると，**$n_1<n$ のとき A 点での，$n<n_2$ のとき B 点での，反射光の位相が π だけずれる。**

例 題 薄膜の厚さ

屈折率 2.0 の透明な薄膜を接着したガラス板がある。このガラス板に垂直に波長 440 nm の単色光を照射したところ，反射光線は観測されなかった。薄膜の厚さが 300 nm から 400 nm の間であることがわかっていたとすると，薄膜の厚さはいくらか。ただし，ガラス板の屈折率を 1.5 とする。

解き方 反射光線が観測されないのは，薄膜の表面で反射した光と裏面で反射した光が干渉して弱め合うからである。薄膜の厚さを d〔nm〕とすると，薄膜の表面で反射した光と裏面で反射した光の経路の差は $2d$〔nm〕であるから，光路差は，$2.0\times 2d = 4d$〔nm〕

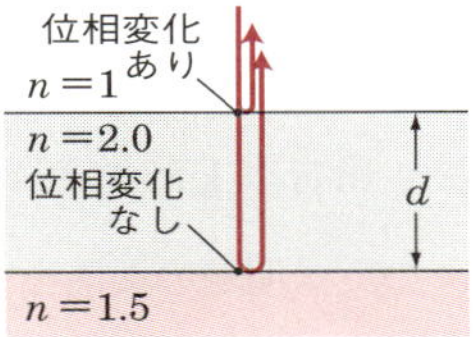

薄膜の裏面で反射する光は位相の変化が起こらないが，薄膜の表面で反射する光は位相が π ずれるから，上で求めた光路差が波長の整数倍のときに弱め合うことになる。

よって，$4d = m\lambda$　　ゆえに，$d = \dfrac{m\lambda}{4} = \dfrac{m\times 440}{4} = 110m$

$300 \leqq d \leqq 400$ であるから，m の値としては，$m=3$ だけがあてはまる。

よって，$d = 110\times 3 = 330$ nm　　**答 330 nm**

注意 **反射の際，位相が π〔rad〕ずれると，波長にして半波長ずれたことになるので，干渉によって強め合う条件と弱め合う条件は，位相がずれない場合と比べて入れかわってしまう。なお，屈折するときは，位相の変化は起こらない。**

〈類題141〉 図は，真空中に置かれた薄膜に，真空における波長λの単色光が入射するようすを示している。光(Ⅰ)は，薄膜の表面(上側)の点Aから入射角α，屈折角βで薄膜内に入射する。

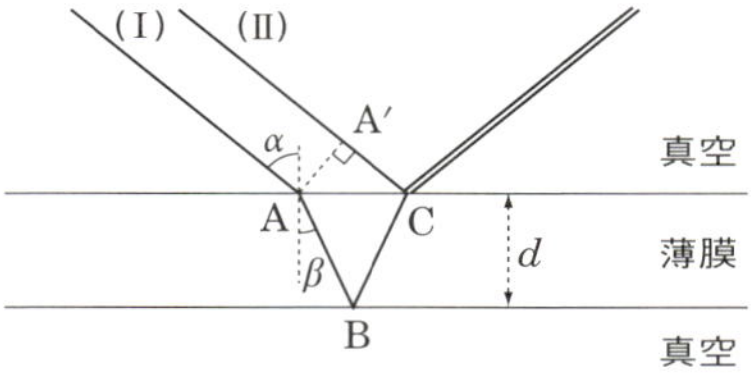

(1)　n，α，βの関係を式で表せ。

(2)　光(Ⅰ)の経路A→B→Cと光(Ⅱ)の経路A′→Cの光路長の差(光路差)をn，d，βを用いて表せ。

(解答➡別冊 ***p.31***)

例題　ガラス板による干渉縞

図のように，2枚の透明なガラス板の間に厚さd〔m〕のアルミ箔をはさんだ。ガラス板は図の点Aで接しており，アルミ箔は点AからL〔m〕だけ離れた点Bに置かれている。空気の屈折率は1とする。

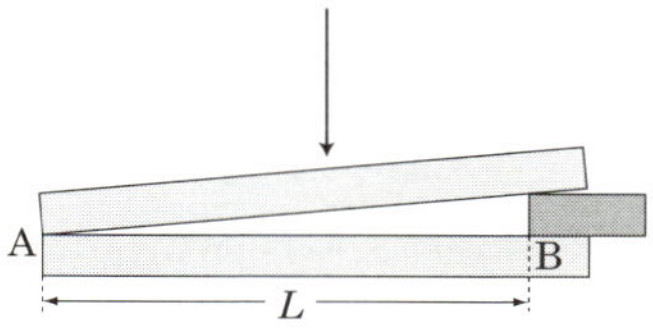

(1)　波長λ〔m〕の単色光を上から垂直に入射させたところ，干渉縞が見られた。明線の間隔を求めよ。

(2)　ガラス板の間の隙間を屈折率1.25の液体で満たした。明線の間隔を求めよ。

解き方　(1)　隣どうしの明線では，光路差が波長λだけ違うので，明線の間隔をΔx〔m〕とすれば，$\Delta x : \dfrac{\lambda}{2} = L : d$

よって，$\Delta x = \dfrac{L\lambda}{2d}$

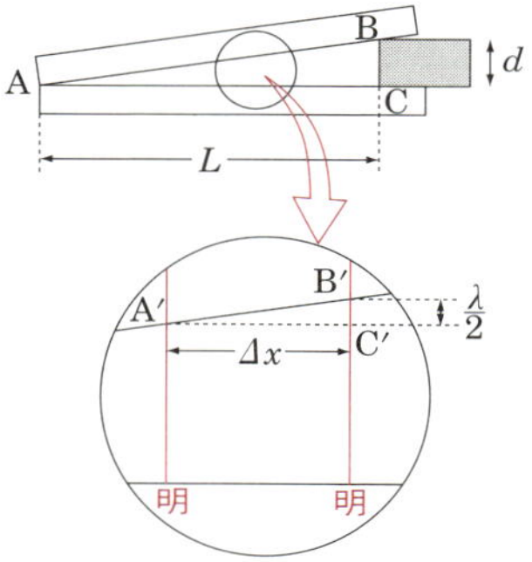

相似形の直角三角形△ABCと△A′B′C′の辺の比を使う

(2)　屈折率1.25の媒質中では波長が$\dfrac{\lambda}{1.25}$となるので，明線の間隔を$\Delta x'$〔m〕とすれば，

$\Delta x' : \dfrac{\frac{\lambda}{1.25}}{2} = L : d$　　よって，$\Delta x' = \dfrac{L\lambda}{2.5d}$

答　(1) $\dfrac{L\lambda}{2d}$　(2) $\dfrac{L\lambda}{2.5d}$

〈類題142〉 2枚のガラス板の間に薄い紙Pを1枚はさみ，真上から波長590 nmの光を当てて上方から観察したら，ガラスの交線に平行な縞模様が見られた。縞模様の隣り合う暗線の間隔は2.0 mm，2枚のガラスの交線から紙の端までの距離は24 cmであった。紙の厚さを求めよ。(解答➡別冊 ***p.32***)

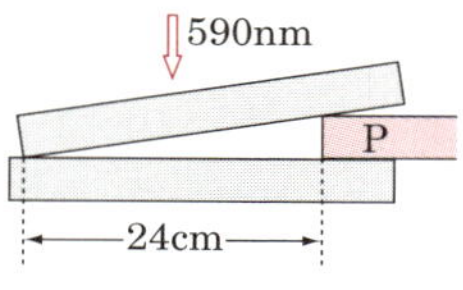

TYPE 101 ニュートンリング

A 重要度

レンズ面での反射光と平面ガラスでの反射光との光路差は $\dfrac{r^2}{R}$
反射光の位相変化を考える。

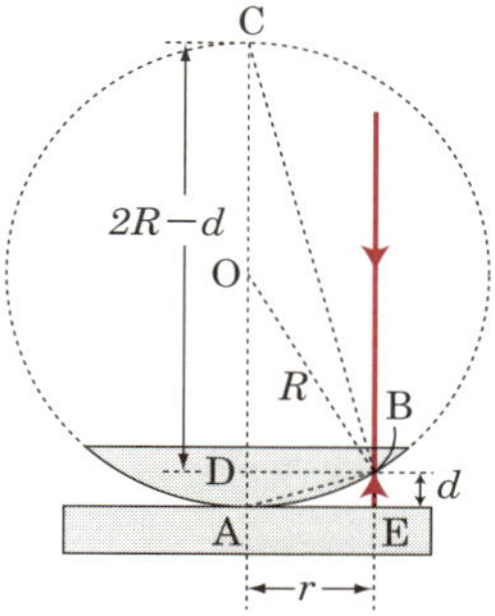

着眼 図のように，平面ガラスの上に平凸レンズを置き，レンズの上方から光を当てると，レンズ面のB点で反射した光と平面ガラス上のE点で反射した光とが干渉して，明暗のリングができる。レンズの中心から距離 r〔m〕の点での空気層の厚さを d〔m〕とすると，△BCDと△ABDが相似であるから，

$$\frac{r}{2R-d}=\frac{d}{r} \qquad \text{ゆえに，} r^2=d(2R-d)$$

$d \ll R$ であるから，$2R-d \fallingdotseq 2R$ とすると，

$$r^2 \fallingdotseq 2Rd \qquad \text{ゆえに，} d=\frac{r^2}{2R}$$

よって，光路差は，$\boldsymbol{2d=\dfrac{r^2}{R}}$ となる。

例題　干渉環の半径

平面ガラスの上に半径10 mの平凸レンズの凸側を下に向けてのせ，波長600 nmの単色光を真上から照らし，そのときにできる同心円状の干渉環を真上から観察した。このときの一番内側の明るい干渉環の半径を求めよ。

解き方 干渉の条件から，中心から距離 x〔m〕の点で反射光が強め合う条件は，

$$\frac{x^2}{10}=\left(m+\frac{1}{2}\right)\times 600\times 10^{-9}$$

一番内側の明るい干渉環は，$m=0$ のときなので，

$$x=\sqrt{300\times 10^{-8}}=1.7\times 10^{-3}\ \text{m}$$

答 $\boldsymbol{1.7\times 10^{-3}}$ **m**

類題143 平面ガラスの上に半径10 mの平凸レンズを凸側を下に向けてのせ，波長600 nmの単色光を真上から照らして，そのときにできる同心円状の干渉環を真下から観察した。このときの一番内側の明るい干渉環の半径を求めよ。

（解答➡別冊 *p.32*）

TYPE 102 回折格子

重要度 A

隣り合うスリットからの回折光の光路差($d\sin\theta$)が波長の整数倍のとき，強め合う。

着眼 回折格子は，ガラス板に細いすじを等間隔に密に引いたもので，すじとすじの間がスリットのはたらきをする。回折格子に垂直に光を当てたとき，隣り合うスリットで回折して，角θだけふれた方向に進む光の光路差は，スリット間の間隔をdとすると，

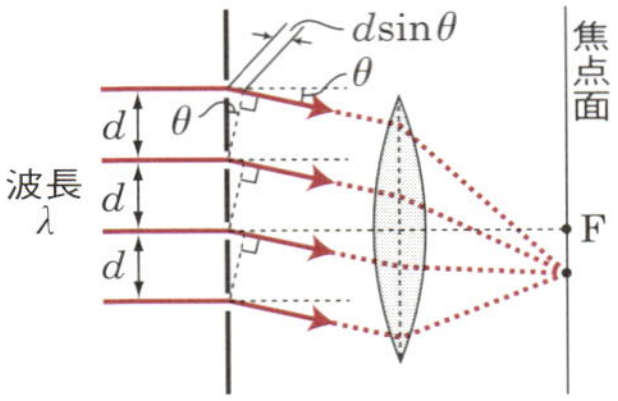

$d\sin\theta$であるから，$\boldsymbol{d\sin\theta=m\lambda}$を満たす$\theta$の方向に進む光は強め合う。

例題　光の波長

1 cmあたり5000本の溝がある回折格子に対して，垂直に光を入射した。図のように，回折格子をまっすぐに透過した光による明線以外に，入射光の方向に対し上下対称に，順に角度θ_1，θ_2，θ_3の方向に明線が生じた。これを観測すると，$\theta_2=30°$だった。この光の波長λの値を求めよ。

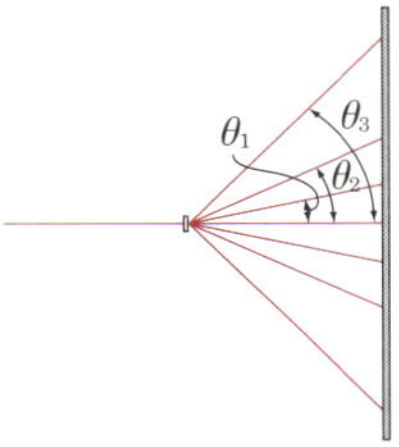

解き方 角度θ_2の明線は2次の明線($d\sin\theta=m\lambda$の式の$m=2$)を意味しているので，$d=\dfrac{0.01}{5000}$ mであることを用いて，

$$\lambda=\frac{1}{2}\times\frac{0.01}{5000}\sin 30°=5.0\times10^{-7}\ \text{m}$$

答 5.0×10^{-7} m

類題144 図のように回折格子の格子定数をd〔m〕，回折格子とスクリーンの距離をL〔m〕，中央のスリットを通る入射光に平行な光とスクリーンとの交点をO，スクリーン上に映し出されたある明線の位置(点P)と点Oとの距離をx〔m〕とする。ここで，Lはdおよびxに比べてじゅうぶん大きいとする。このとき，隣り合う明線の間隔Δxをd，Lおよびλを用いて表せ。

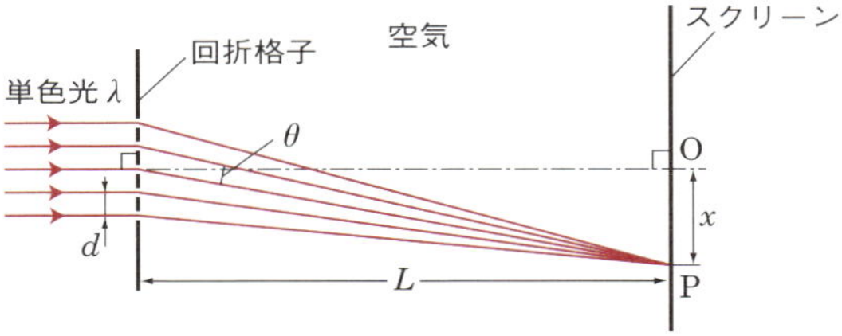

(解答➡別冊 *p.32*)

■練習問題

解答➔別冊 p.69

TYPE

52　媒質Ⅱ(屈折率 n_2)で作られた頂角 β のプリズムが，媒質Ⅰ(屈折率 n_1)中に置かれている。いま，図のように光がプリズムを通りぬける場合を考える。すなわち，プリズムの表面上の点Aにおける法線より下方から点Aに光が入射し，プリズム中を進む。

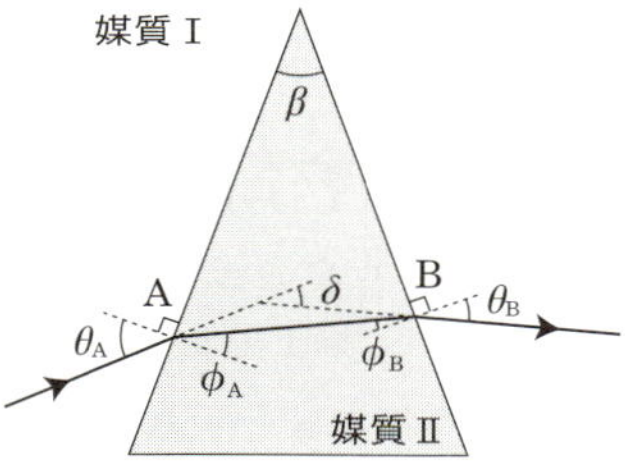

プリズム中を進んだ光はプリズムの対面上の点Bを通り，点Bでの法線より下方へ向かって通りぬける。このとき，点Aにおける入射角，屈折角をそれぞれ θ_A，ϕ_A とし，点Bにおける入射角，屈折角をそれぞれ ϕ_B，θ_B とする。点Aから入射する光線と点Bから出る光線のなす角度を偏角 δ と定義する。

(1)　角度 ϕ_A，ϕ_B とプリズムの頂角 β の関係を示せ。

(2)　偏角 δ を角度 θ_A，θ_B，ϕ_A，ϕ_B を用いて表せ。

(3)　点Aでの入射角 θ_A とプリズムの頂角 β がともに小さいとき，点Bでの屈折角 θ_B も小さくなる。そのときの偏角 δ を，$|x| \ll 1$ のときに $\sin x \fallingdotseq x$ の近似式を用いて，n_1，n_2，β で表せ。　(横浜国大 改)

➔ 95, 96

53　ガラス製の凸レンズLから5.0 cmの所に物体PQを置き，PQと反対の側からLに目を近づけたらPQの 2 倍の正立虚像Iが見えた。以下の問いに答えよ。ただし，Lの焦点距離は左右で等しいものとする。

(1)　図 1 に正立虚像Iを作図し，さらに，Qから発してレンズの中心Oを通る光線の進む経路とQから光軸に平行に発した光線の進む経路をそれぞれ描け。

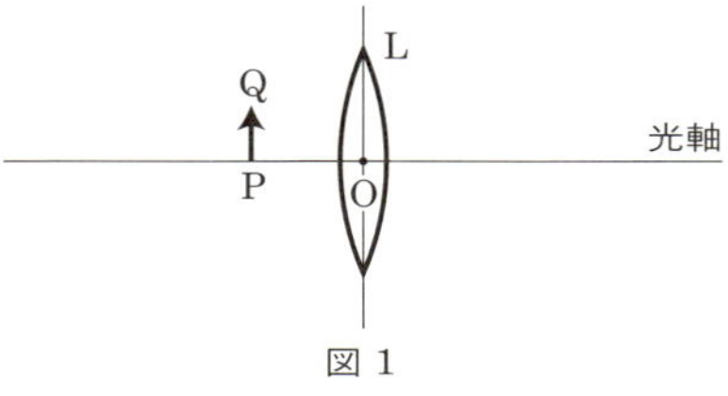

図 1

(2)　Lの焦点距離 f〔cm〕を求めよ。

(3)　物体の位置を動かすとPQの倍率 m の正立虚像がLから距離 b〔cm〕の位置に見えた。b と m の関係を示すグラフを図 2 に描け。　(山梨大)

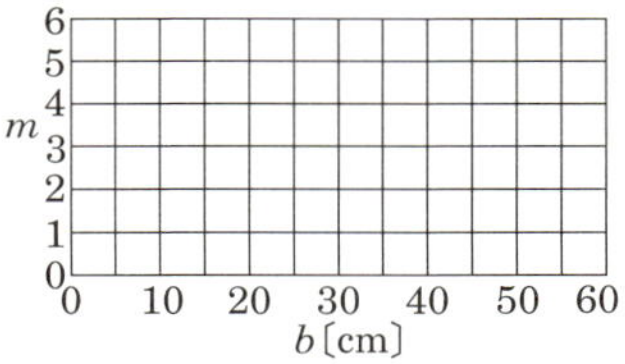

図 2

➔ 97, 98

TYPE

54　下図のように，波長λの光を出す単色光源の前に，スリットSをもつスリット板1と，2つのスリットS_1とS_2をもつスリット板2を置き，その先の距離L離れた位置にスクリーンを立てた。2枚のスリット板とスクリーンはすべて平行である。S_1とS_2はSから等距離にあり，その間隔はdである。Lはdに比べてじゅうぶんに大きい。光源とSを結ぶ直線はS_1S_2の中点を通って，スクリーンと直角に交わる。この交点Oを原点として，スクリーンに上向きに座標軸をとる。スクリーン上の任意の点Pの座標をxとする。光源から出た光は各スリットで回折し，スクリーン上に干渉縞を作っている。

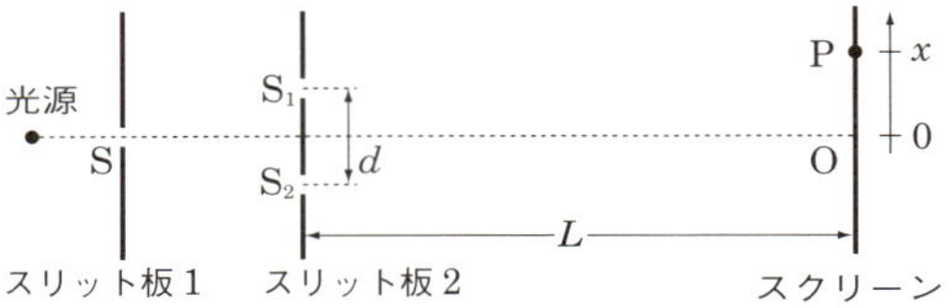

(1)　距離S_1PとS_2Pの差を求めよ。ただし，xはLに比べてじゅうぶん小さいとして，yが1よりじゅうぶん小さいときになりたつ近似式$\sqrt{1+y^2} \fallingdotseq 1+\dfrac{y^2}{2}$を用いよ。

(2)　干渉縞の間隔を求めよ。

(3)　次に下図のように，スリット板2のS_1とS_2の中間の位置に新しくスリットS_0を作った。さらにS_0の光源側に適当な透明膜を配置して，光源から出た光がS_0，S_1，S_2を通過した直後に同位相になるようにした。

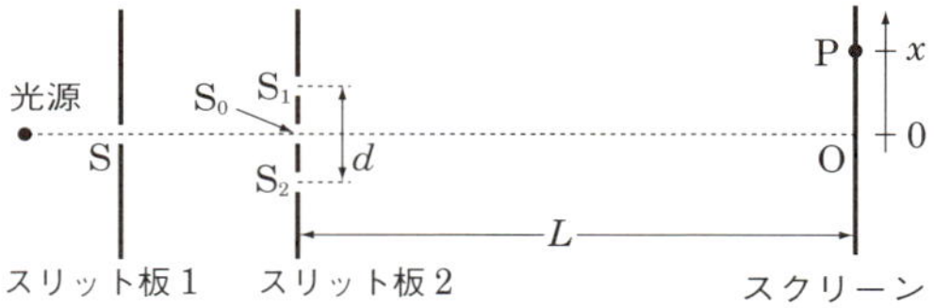

①　(1)で与えた近似式を利用して，距離S_2PとS_0Pの差と，距離S_0PとS_1Pの差を求めよ。

②　dに比べてLがじゅうぶん大きいと見なせる領域では，①で求めた2つの距離の差が近似的に等しくなる。このとき，S_0を通過した光とS_1またはS_2を通過した光との間で生じる干渉縞の間隔を求めよ。

（佐賀大）

→ 99

ヒント　54 (1) まず，S_1PとS_2Pを三平方の定理を使って求めてから，与えられた近似式を使う。

4 電気と磁気

1 静電気

1 クーロンの法則

q_1〔C〕と q_2〔C〕の**点電荷**(大きさの無視できる電荷)が r〔m〕離れて存在するとき，この 2 つの点電荷が及ぼし合う力の大きさ F〔N〕は,

$$F = k\frac{q_1 q_2}{r^2} \quad (k\text{は比例定数}) \tag{4·1}$$

2 電　位

無限遠点を電位 0 V の基準点とすると，q〔C〕の点電荷から r〔m〕離れた点の電位 V〔V〕は,

$$V = k\frac{q}{r} \quad (k\text{はクーロンの法則の比例定数}) \tag{4·2}$$

3 電　場

❶ 電荷が電場から受ける力　$\vec{E}$〔N/C〕の電場の中で q〔C〕の点電荷が受ける力 $\vec{F}$〔N〕は,

$$\vec{F} = q\vec{E} \tag{4·3}$$

❷ 点電荷による電場　q〔C〕の点電荷から r〔m〕離れた点の電場の強さ E〔N/C〕は,

$$E = k\frac{q}{r^2} \quad (k\text{はクーロンの法則の比例定数}) \tag{4·4}$$

❸ 一様な電場　一様な電場中で，電位差 V〔V〕の 2 点が電場に沿って d〔m〕離れているとき，この電場の強さ E〔V/m〕は,

$$E = \frac{V}{d} \tag{4·5}$$

〔V/m〕と〔N/C〕は同じ単位を表す。

4 電気力のする仕事

電位差 V〔V〕の 2 点間を q〔C〕の点電荷を動かすために，電気力がこの電荷に対してする仕事 W〔J〕は,

$$W = qV \tag{4·6}$$

5 電気容量

1 平行平板コンデンサーの電気容量　面積 S〔m^2〕の極板を間隔 d〔m〕離して平行に置いたコンデンサーの電気容量 C〔F〕は，

$$C = \varepsilon \frac{S}{d} \tag{4·7}$$

ただし，ε は極板間にはさまれた物質の**誘電率**である。

2 誘電率　誘電率 ε とクーロンの法則の比例定数 k の間には，

$$\varepsilon = \frac{1}{4\pi k} \tag{4·8}$$

の関係がある。

3 比誘電率　物質の誘電率 ε と真空の誘電率 ε_0 との比を**比誘電率** ε_r という。

$$\varepsilon_r = \frac{\varepsilon}{\varepsilon_0} \tag{4·9}$$

極板間が真空のときの電気容量が C_0〔F〕である平行平板コンデンサーの，極板間を比誘電率 ε_r の物質で満たすと，電気容量 C〔F〕は，

$$C = \varepsilon_r C_0 \tag{4·10}$$

になる。

4 コンデンサーに蓄えられる電荷　電気容量 C〔F〕のコンデンサーに V〔V〕の電位差をかけたとき，コンデンサーに蓄えられる電荷(電気量) Q〔C〕は，

$$Q = CV \tag{4·11}$$

6 コンデンサーの合成容量

電気容量 C_1〔F〕，C_2〔F〕，…，C_n〔F〕のコンデンサーを並列または直列に接続したときの合成容量 C〔F〕は，次式で与えられる。

1 並列接続　$C = C_1 + C_2 + \cdots + C_n$　(4·12)

2 直列接続　$\dfrac{1}{C} = \dfrac{1}{C_1} + \dfrac{1}{C_2} + \cdots + \dfrac{1}{C_n}$　(4·13)

7 コンデンサーに蓄えられるエネルギー(静電エネルギー)

電気容量 C〔F〕のコンデンサーに V〔V〕の電位差をかけたとき，コンデンサーに蓄えられる静電エネルギー U〔J〕は，

$$U = \frac{1}{2} CV^2 \tag{4·14}$$

TYPE 103 点電荷にはたらく力と電場，電位

重要度 A

点電荷どうしが及ぼす力 ⇨ $F=k\dfrac{q_1q_2}{r^2}$

点電荷のつくる電場 ⇨ $E=k\dfrac{q}{r^2}$

点電荷による電位 ⇨ $V=k\dfrac{q}{r}$

着眼 この3つの公式はよく似ているので，混同しないよう，正確に覚えること。真空中でのクーロンの法則の比例定数は，MKSA単位系では，

$$k=9.0\times10^9\ \mathrm{N\cdot m^2/C^2}$$

である。

電場はベクトルなので，2つの点電荷が1つの点につくる電場の強さを求めるときは，ベクトルの和を求めなければならない

電位は無限遠方の点を基準(0 V)として表す。電位はスカラーなので，2つ以上の点電荷による電位を求めるときは，単純に数値を加え合わせればよい。

例題 点電荷による電場・電位

図のように，真空中で1.0 m離れた2点A，Bに，$+2.0\times10^{-5}$ Cと-2.0×10^{-5} Cの点電荷がある。線分ABの垂直二等分線上の，ABから0.50 m離れた点をPとする。クーロンの法則の比例定数を$k=9.0\times10^9\ \mathrm{N\cdot m^2/C^2}$として，問いに答えよ。

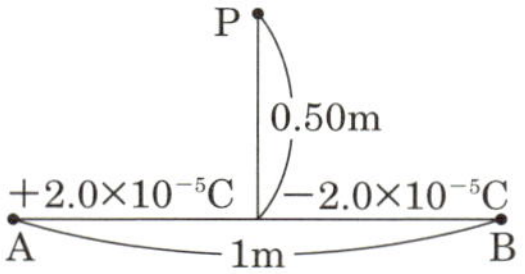

(1) 点Pにおける電場の強さとその向きを求めよ。

(2) 無限遠点を電位0 Vとしたとき，点Pにおける電位を求めよ。

(3) 点Pに$+3.0\times10^{-5}$ Cの点電荷を置いたとき，この点電荷にはたらく力の大きさと向きを求めよ。

解き方 (1) $\mathrm{AP}=\mathrm{BP}=\dfrac{0.50}{\sin 45°}=0.50\sqrt{2}$ mであるから，点A，Bにある点電荷が点Pにつくる電場の強さE_A，E_Bは，(4･4)式より，

$$E_A=E_B=9.0\times10^9\times\frac{2.0\times10^{-5}}{(0.50\sqrt{2})^2}=3.6\times10^5\ \mathrm{N/C}$$

電荷の正負を考えると，$\vec{E_A}$，$\vec{E_B}$ の向きは右図のようになる。点Pの電場 $\vec{E}$ は，$\vec{E_A}$，$\vec{E_B}$ の和であるから，

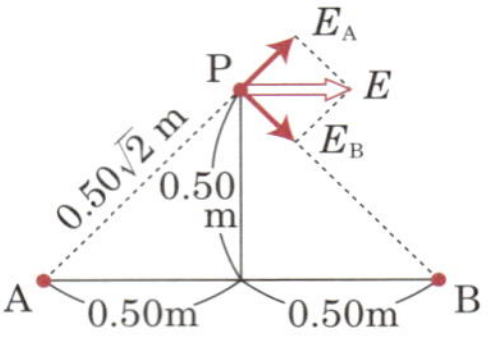

$$E = \frac{E_A}{\sin 45°}$$
$$= 3.6 \times 10^5 \times \sqrt{2} = 5.1 \times 10^5 \text{ N/C}$$

(2)　A，Bの点電荷による点Pの電位をそれぞれ V_A，V_B〔V〕とすると，(4·2)式より，

$$V_A = 9.0 \times 10^9 \times \frac{2.0 \times 10^{-5}}{0.50\sqrt{2}} = 2.55 \times 10^5 \text{ V}$$

$$V_B = 9.0 \times 10^9 \times \frac{-2.0 \times 10^{-5}}{0.50\sqrt{2}} = -2.55 \times 10^5 \text{ V}$$

よって，点Pの電位 V〔V〕は，

$$V = V_A + V_B = 0$$

(3)　点Pの電場の強さは(1)で求めたから，(4·3)式より，

$$F = qE = 3.0 \times 10^{-5} \times 5.1 \times 10^5 = 15.3 \text{ N}$$

力の向きは電場の向きと同じ。

答　(1) **5.1×10^5 N/C，ABに平行でA→Bの向き**　(2) **0 V**
(3) **15 N，ABに平行でA→Bの向き**

!注意　電位を計算する場合は，電荷に＋，－の符号をつけなければならない。

類題145　1辺が長さ40 cmの正三角形PQRの頂点P，Qに $+6.0 \times 10^{-6}$ Cの点電荷が置いてある。クーロンの法則の比例定数を $k = 9.0 \times 10^9$ N·m²/C² として，以下の問いに答えよ。

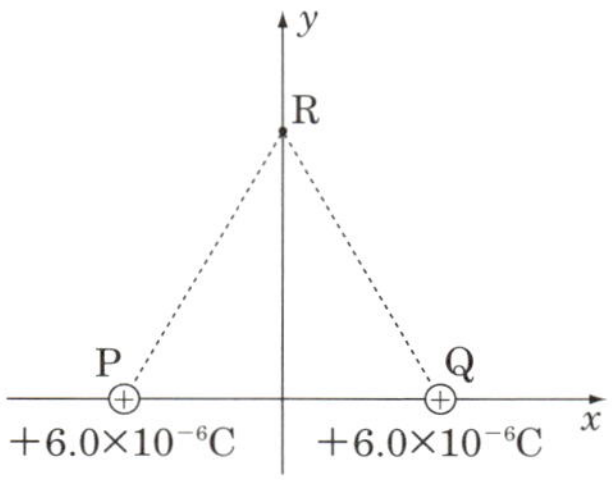

(1)　点Rにおける電場の強さとその向きを求めよ。
(2)　無限遠点を電位0 Vとしたとき，点Rにおける電位を求めよ。
(3)　点Rに $+3.0 \times 10^{-6}$ Cの点電荷を置いたとき，この点電荷にはたらく力の大きさと向きを求めよ。

（解答➡別冊 *p.33*）

類題146　図のように x 軸上の原点に $+9.0 \times 10^{-6}$ Cの点電荷，$x = 4$ に -3.0×10^{-6} Cの点電荷を固定した。ただしクーロンの法則の比例定数を $k = 9.0 \times 10^9$ N·m²/C²，無限遠方の電位を0として，以下の問いに答えよ。

(1)　電場の強さが0になる，x 軸上の点の座標を求めよ。
(2)　2つの点電荷間 $(0 < x < 4)$ で電位が0になる，x 軸上の点の座標を求めよ。

（解答➡別冊 *p.33*）

TYPE 104 電場中で電荷を動かす仕事

A 重要度

$W = qV$ を用いる。

着眼　電場中の電位差 V〔V〕の 2 点間で，q〔C〕の電荷に電気力に逆らってする仕事は，$W = qV$〔J〕である。この値は**経路に無関係**である。

例題　平面電極間の電位差と力

5.0 mm 離れて 2 枚の平行平面電極 A，B がある。いま 1.6×10^{-19} C の電荷を電極 A から B まで運んだとき，その仕事が 2.4×10^{-17} J であった。AB 間の電位差と AB 間で電荷が受ける力を求めよ。

解き方　AB 間の電位差を V〔V〕とすると，(4·6) 式より，

$$V = \frac{W}{q} = \frac{2.4 \times 10^{-17}}{1.6 \times 10^{-19}} = 1.5 \times 10^2 \text{ V}$$

AB 間で電荷が受ける力は，(4·3)，(4·5) 式を用いて，

$$F = qE = q \cdot \frac{V}{d} = 1.6 \times 10^{-19} \times \frac{1.5 \times 10^2}{5.0 \times 10^{-3}} = 4.8 \times 10^{-15} \text{ N}$$

答　電位差：1.5×10^2 V，力：4.8×10^{-15} N

類題147　電位差 5.0 V の 2 点間で電荷を運んだところ，10 J の仕事を要した。この電荷の電気量はいくらか。　（解答➡別冊 *p.33*）

類題148　図のように，点 A $(-3,\ 0)$ と点 B $(3,\ 0)$ に電気量 $+4.0 \times 10^{-6}$ C の点電荷を固定した。原点 O にある，電気量 -2.0×10^{-6} C の点電荷を点 C $(0,\ 4)$ まで移動させる仕事を求めよ。ただし，クーロンの法則の比例定数を 9.0×10^9 N·m²/C² とする。　（解答➡別冊 *p.33*）

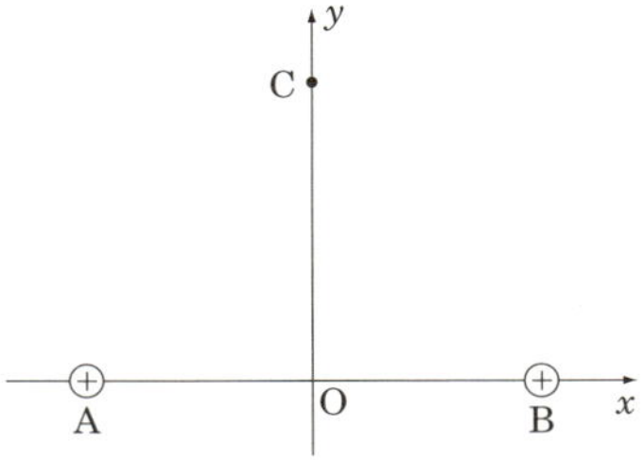

TYPE 105 一様な電場

重要度 A

電場の強さ ⇨ $E=\dfrac{V}{d}$

距離 a 離れた 2 点間の電位差 ⇨ $V=Ea$

着眼 極板を平行にして正負の電荷を与えると，極板間に一様な電場ができる。極板間の電位差を V〔V〕，極板間の距離を d〔m〕とすると，極板間の電場の強さ E〔V/m〕は，どこでも，$E=\dfrac{V}{d}$ である。また，電場に沿って距離 a〔m〕離れた 2 点間の電位差 V〔V〕は，$V=Ea$ と表される。

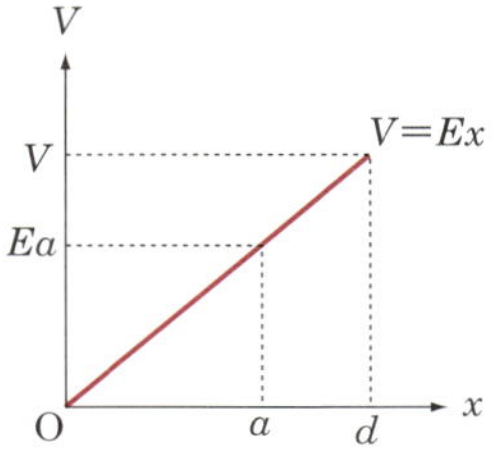

V-x 図の傾きが電場の強さ→一様な電場では直線

例題 平面電極間の電場・電位

図のような平行平面電極があり，電極間の電位差は V〔V〕，その間隔は d〔m〕である。A 点および B 点は，それぞれ極板から a〔m〕，b〔m〕の距離にあり，AB 間は S〔m〕離れているとして，次の問いに答えよ。

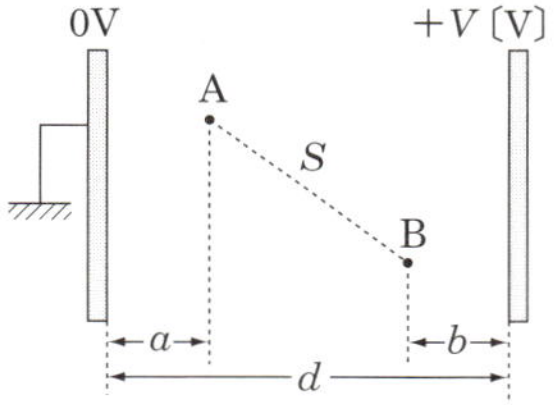

(1)　A 点の電場の強さはいくらか。

(2)　B 点の電場の強さはいくらか。

(3)　A 点の電位はいくらか。

(4)　B 点の電位はいくらか。

(5)　A 点に $-q$〔C〕の電荷を置くと，電荷は電場からいくらの力をどの向きに受けるか。

(6)　$+Q$〔C〕の電荷が B 点から A 点まで移動するとき，電場がする仕事はいくらか。

解き方 (1)，(2)　平行平面極板間の電場は一様であるから，A 点と B 点の電場の強さは等しい。その大きさは，(4･5)式により，

$$E=\frac{V}{d}\text{〔V/m〕}$$

(3)　電位は，0 V の極板から V〔V〕の極板まで，距離に比例して大きくなる。A 点の

電位 V_A〔V〕は，0 V の極板と A 点との電位差に等しい。

0 V の極板と A 点との距離は a〔m〕であるから，電位差は，

$$V_A = Ea = \frac{Va}{d}\text{〔V〕}$$

(4)　B 点の電位 V_B〔V〕は，0 V の極板と B 点との電位差に等しい。0 V の極板と B 点との距離は $d-b$〔m〕であるから，電位差は，

$$V_B = E(d-b) = \frac{V(d-b)}{d}\text{〔V〕}$$

(5)　電荷が電場から受ける力の大きさ F〔N〕は，(4･3) 式より，

$$F = qE = \frac{qV}{d}\text{〔N〕}$$

力の向きは，負電荷だから，電場の向きと反対向き。

(6)　電場に沿って測った AB 間の距離は $d-(a+b)$〔m〕であるから，AB 間の電位差 V_{AB} は，

$$V_{AB} = E\{d-(a+b)\} = \frac{V(d-a-b)}{d}\text{〔V〕}$$

したがって，求める仕事は，(4･6) 式より，

$$W = QV_{AB} = \frac{QV(d-a-b)}{d}\text{〔J〕}$$

答　(1) $\frac{V}{d}$　(2) $\frac{V}{d}$　(3) $\frac{Va}{d}$　(4) $\frac{V(d-b)}{d}$

(5) $\frac{qV}{d}$，右向き　(6) $\frac{QV(d-a-b)}{d}$

〈類題149〉 電場の強さが 5.0 V/m の一様な電場内で，+8.0 C の電荷を電場の向きと反対の向きに 2.0 m 移動させるには，何 J の仕事を必要とするか。（解答➡別冊 *p.33*）

〈類題150〉 図のような，一様な電場内で，電場の向きに 1.2 m 離れている点 A，点 B 間の電位差が 100 V である。以下の問いに答えよ。

(1)　電場の強さはいくらか。

(2)　AC 間の電位差はいくらか。

A 点に 2.0×10^{-6} C で質量が 1.0×10^{-2} kg の点電荷を置き，静かに放した。

(3)　B 点に達するまでに電場からされた仕事はいくらか。

(4)　B 点に達したときの速さはいくらか。

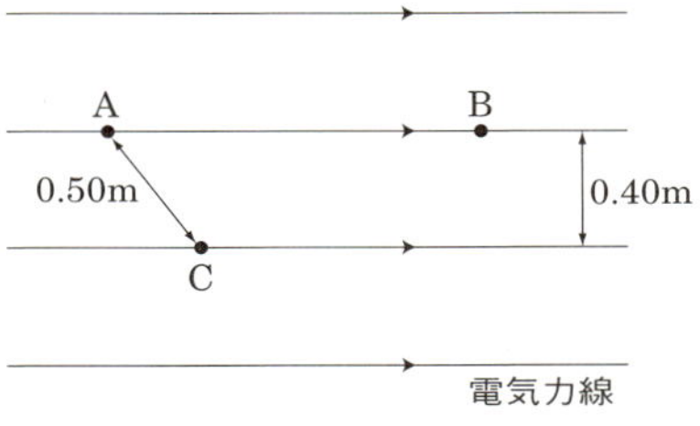

（解答➡別冊 *p.33*）

TYPE 106 コンデンサーの電気容量

A 重要度

電気容量 ⇨ $C=\varepsilon\dfrac{S}{d}$

蓄えられる電荷 ⇨ $Q=CV$

着眼 面積 S〔m^2〕の 2 枚の金属板(極板)を間隔 d〔m〕離して平行に置き，極板間に誘電率 ε〔F/m〕の物質を満たした平行平板コンデンサーの電気容量 C〔F〕は，$C=\varepsilon\dfrac{S}{d}$ で表される。

電気容量 C〔F〕のコンデンサーの極板間の電位差を V〔V〕にすると，コンデンサーに蓄えられている電荷 Q〔C〕は，$Q=CV$ で与えられる。

例 題　コンデンサーの容量

面積 1.0 m^2 の 2 枚の金属板を真空中で 1.0 mm の間隔で平行に置いて平行平板コンデンサーを作った。真空の誘導率は 8.9×10^{-12} F/m である。

(1)　このコンデンサーの電気容量はいくらか。

(2)　金属板間の電位差を 100 V に保ったまま，金属板の間隔を 0.50 mm にすると，コンデンサーに何 C の電荷が蓄えられるか。

解き方 (1)　コンデンサーの電気容量 C〔F〕は，(4·7)式より，

$$C=\varepsilon\frac{S}{d}=8.9\times10^{-12}\times\frac{1.0}{1.0\times10^{-3}}=8.9\times10^{-9}\text{ F}$$

(2)　極板の間隔を半分にすると，電気容量は極板間隔に反比例するから，2 倍($2C$)になる。よって，コンデンサーに蓄えられる電荷 Q〔C〕は，

$$Q=2\times8.9\times10^{-9}\times100=1.78\times10^{-6}\text{ C}$$

答 (1) 8.9×10^{-9} F　(2) 1.8×10^{-6} C

類題151 図のように，平行平板コンデンサーとスイッチ，V〔V〕の直流電源がつながれている。コンデンサーの極板の面積を S〔m^2〕，極板の間隔を d〔m〕，極板間の物質の誘電率を ε〔F/m〕とする。いま，回路のスイッチを閉じてじゅうぶん時間が経過した。

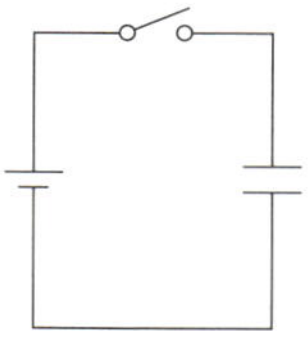

(1)　スイッチを閉じたまま極板間の間隔を Δd〔m〕広げたとき，コンデンサーに蓄えられている電荷はいくらになるか。

(2)　スイッチを開いてから，極板の間隔を元に戻すと，極板間の電位差はいくらになるか。

(解答➡別冊 p.34)

TYPE 107 コンデンサーの組み合わせ

A 重要度

並列 ⇨ 個々のコンデンサーにかかる電圧は等しい。
直列 ⇨ 個々のコンデンサーに蓄えられる電荷は等しい。

着眼 いくつかのコンデンサーを**並列**につないで電圧をかけたとき，**各コンデンサーにかかる電圧はすべて等しい**。また，各コンデンサーに蓄えられた電荷の和が全体として蓄えられた電荷になる。

あらかじめ充電されていないコンデンサーをいくつか**直列**につないで電圧をかけると，**各コンデンサーに等しい大きさの電荷が蓄えられる**。また，各コンデンサーにかかる電圧の和が全体にかかる電圧に等しい。

例題　コンデンサーの電荷

充電されてない 4 個のコンデンサーを図のように接続し，30 V の電源に接続した。

各コンデンサーに蓄えられる電荷はいくらか。

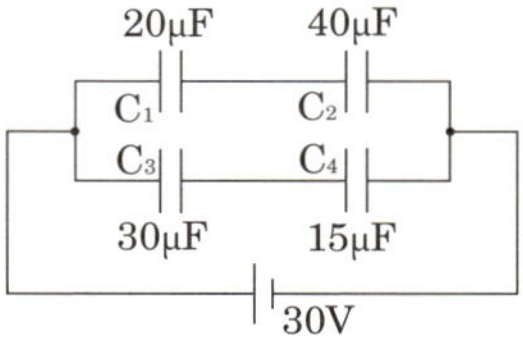

解き方 C_1 と C_2 の合成容量を C〔μF〕とすると，(4・13) 式より，

$$\frac{1}{C}=\frac{1}{20}+\frac{1}{40}\qquad ゆえに，\ C=\frac{40}{3}\,\mu F$$

よって，C_1 と C_2 に蓄えられる電荷 Q〔C〕は，(4・11) 式より，

$$Q=CV=\frac{40}{3}\times10^{-6}\times30=4.0\times10^{-4}\,C$$

C_3 と C_4 の合成容量を C'〔μF〕とすると，(4・13) 式より，

$$\frac{1}{C'}=\frac{1}{30}+\frac{1}{15}\qquad ゆえに，\ C'=10\,\mu F$$

よって，C_3 と C_4 に蓄えられる電荷 Q'〔C〕は，(4・11) 式より，

$$Q'=C'V=10\times10^{-6}\times30=3.0\times10^{-4}\,C$$

答 C_1，C_2：**4.0×10^{-4} C**；C_3，C_4：**3.0×10^{-4} C**

類題152 あらかじめ充電していない 4 個のコンデンサーを図のように接続し，AC 間に 200 V の電圧をかけると，AB 間の電位差は何 V になるか。

（解答➡別冊 *p.34*）

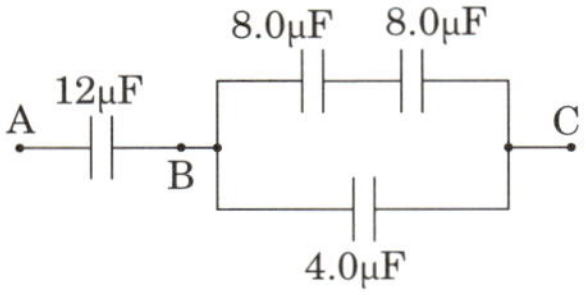

TYPE 108 極板間への物体の挿入

B 重要度

導体の挿入 ⇨ 導体の厚さだけ極板間がせまくなったコンデンサーと同じ。

誘電体の挿入 ⇨ 挿入した部分と挿入しない部分を別べつのコンデンサーと見る。

着眼 面積 S〔m²〕，極板間隔 d〔m〕の平行平板コンデンサーに，極板と同じ形をした厚さ x〔m〕の金属板を挿入すると，金属板とそれぞれの極板との間にコンデンサー C_1，C_2 が形成されるので，電気容量は C_1 と C_2 を直列に接続したものの合成容量 $\boldsymbol{\varepsilon_0 \dfrac{S}{d-x}}$**〔F〕**と同じである。これは**極板間が $d-x$〔m〕のコンデンサーの容量**に等しい。誘電体を挿入した場合については，例題を参照せよ。

例 題　コンデンサーの容量

面積 1.0 m² の 2 枚の金属板を，真空中で 1.0 mm の間隔で平行に置いて，平行平板コンデンサーを作った。真空の誘電率を 8.9×10^{-12} F/m として，以下の問いに答えよ。

(1) 金属板の間に，面積 1.0 m²，厚さ 0.40 mm の導体を挿入した。このときの電気容量はいくらか。

(2) 金属板の間に，面積 1.0 m²，厚さ 0.50 mm，比誘電率 3.0 の誘電体を挿入した。このときの電気容量はいくらか。

解き方 (1) 金属板の面積を S，金属板の間隔を d，挿入した導体の厚さを x，導体と両方の金属板との間隔を x_1，x_2 とする。導体と金属板とで形成されるコンデンサーの電気容量をそれぞれ C_1，C_2 とすると，(4·7)式より，

$$C_1 = \varepsilon_0 \frac{S}{x_1}$$

$$C_2 = \varepsilon_0 \frac{S}{x_2}$$

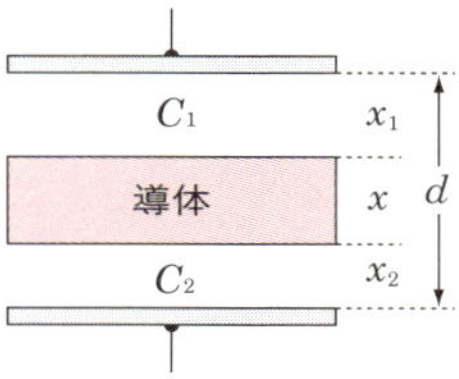

全体の容量 C は，C_1 と C_2 を直列接続したものの合成容量と同じであるから，(4·13)式より，

$$\frac{1}{C} = \frac{1}{C_1} + \frac{1}{C_2} = \frac{x_1 + x_2}{\varepsilon_0 S} = \frac{d-x}{\varepsilon_0 S}$$

ゆえに，$C=\dfrac{\varepsilon_0 S}{d-x}=\dfrac{8.9\times10^{-12}\times1.0}{(1.0-0.40)\times10^{-3}}=1.5\times10^{-8}\,\mathrm{F}$

(2)　誘電体の厚さを y，比誘電率を ε_r とする。

誘電体の部分の電気容量を C_3 とすれば，この部分は，

$$C_3=\varepsilon_r\varepsilon_0\frac{S}{y}$$
$$=3.0\times8.9\times10^{-12}\times\frac{1.0}{0.50\times10^{-3}}$$
$$=5.34\times10^{-8}\,\mathrm{F}$$

のコンデンサーになる。

誘電体以外の真空の部分の電気容量を C_4 とすれば，この部分は(1)と同じように，

$$C_4=\frac{\varepsilon_0 S}{d-y}$$
$$=\frac{8.9\times10^{-12}\times1.0}{(1.0-0.50)\times10^{-3}}$$
$$=1.78\times10^{-8}\,\mathrm{F}$$

のコンデンサーになる。

全体の電気容量は，C_3 と C_4 の直列合成容量と同じだから，その大きさ C' は，(4·13)式より，

$$\frac{1}{C'}=\frac{1}{5.34\times10^{-8}}+\frac{1}{1.78\times10^{-8}}$$

ゆえに，$C'=1.3\times10^{-8}\,\mathrm{F}$

答 (1) **1.5×10^{-8} F**　(2) **1.3×10^{-8} F**

類題153　1 辺 a〔m〕の正方形の金属板 2 枚を真空中で x〔m〕離して平行に置き，平行平板コンデンサーを作った。真空の誘電率を ε_0〔F/m〕とする。

(1)　極板間に極板と同じ形をした厚さ y〔m〕，誘電率 ε〔F/m〕の誘電体を挿入すると，コンデンサーの電気容量はいくらになるか。

(2)　(1)の状態から誘電体を b〔m〕($a>b$) だけ引き抜くと，コンデンサーの電気容量はいくらになるか。

（解答➡別冊 *p.34*）

類題154　次の(1)，(2)の問いにそれぞれ答えよ。

(1)　0.0010 μF の平行平板コンデンサーを直流電源につないで，330 V に充電すると，蓄えられる電荷はいくらか。

(2)　次に，電源を切り，極板間にすきまなくパラフィンを入れたら，極板間の電位差は 150 V になった。このとき，コンデンサーの電気容量はいくらになっているか。また，パラフィンの比誘電率はいくらか。

（解答➡別冊 *p.35*）

TYPE 109 コンデンサーのつなぎかえ

A 重要度

他と絶縁されている極板について，電荷が保存することを用いる。

着眼　コンデンサーの問題を解くうえで重要な基本事項を以下に述べる。応用範囲が広いので，ぜひマスターしてほしい。

(1) コンデンサーの**相対する極板には，符号が逆で絶対値の等しい電荷**が蓄えられる。

(2) 正電荷を蓄えた極板の電位は負電荷を蓄えた極板の電位より高い。

(3) 静電状態にあるひとつながりの導体の電位はどこでも等しい。

(4) 他と絶縁された極板に蓄えられた**電荷の総和は一定**である。すなわち，電荷が保存する。

▸コンデンサーの問題の一般的な解き方の手順

① 個々のコンデンサーに蓄えられる電荷を Q_1，Q_2，…のように仮定し，極板ごとに＋，－も仮定する。

② 個々のコンデンサーの極板間の電圧を V_1，V_2，…のように仮定する。

③ 個々のコンデンサーごとに，$\boldsymbol{Q=CV}$ の式をつくる。

④ 回路中の他と絶縁された部分ごとに，**電荷保存の式**をつくる。

⑤ 極板の＋側の電位が高いことを考慮して，**電圧の関係式**をつくる。

⑥ ③，④，⑤で求めた式から未知数を求める。電荷の値が負になったときは，極板の＋，－の決め方が逆であったことを意味している。

例 題　コンデンサーの電圧

図のような回路で，スイッチ S_1 を閉じて C_1〔F〕のコンデンサーを電圧 V〔V〕の電源につないで充電した後，スイッチ S_1 を開いてからスイッチ S_2 を閉じた。コンデンサー C_2 の極板間の電圧はいくらになるか。ただし，コンデンサー C_1，C_2 は最初充電されていなかったものとする。

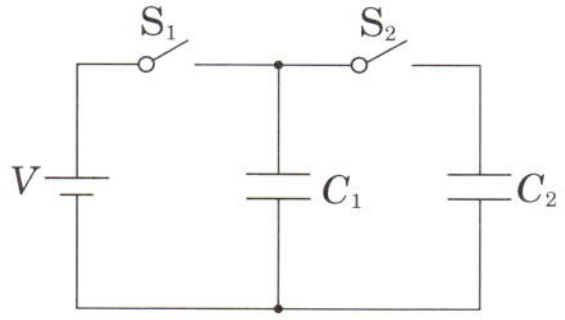

解き方　スイッチ S_1 を閉じているとき，コンデンサー C_1 に蓄えられる電荷 Q_1 は，

$Q_1=C_1V$

スイッチ S_1 を開いてからスイッチ S_2 を閉じ，じゅうぶん時間が経過したとき，コンデンサー C_1 にかかる電圧を V_1，蓄えられる電荷を Q_1'，コンデンサー C_2 にかかる電圧を V_2，蓄えられる電荷を Q_2' とすれば，

$$Q_1' = C_1V_1 \quad \cdots\cdots①$$

$$Q_2' = C_2V_2 \quad \cdots\cdots②$$

電荷が保存することから，

$$C_1V = Q_1' + Q_2' \quad \cdots\cdots③$$

キルヒホッフの第 2 法則より，

$$0 = -V_1 + V_2 \quad \cdots\cdots④$$

④より，$V_1 = V_2$ となり，コンデンサーにかかる電圧は等しいことがわかる。

よって，①，②，③より，

$$C_1V = C_1V_2 + C_2V_2$$

これから，

$$V_2 = \frac{C_1V}{C_1 + C_2}$$

答 $\dfrac{C_1V}{C_1 + C_2}$

〈類題155〉 図のような回路がある。はじめスイッチはすべて開かれており，コンデンサーは充電されていなかったものとして，次の問いに答えよ。

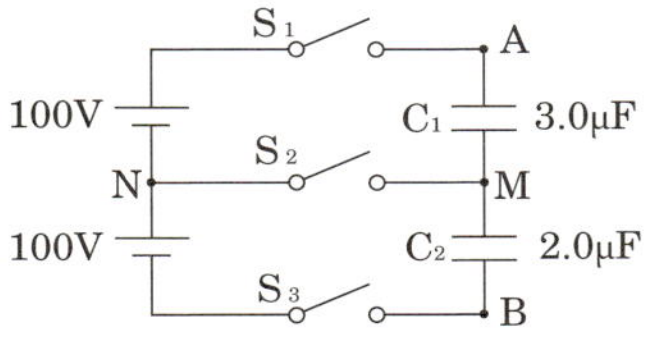

(1) スイッチ S_1，S_3 のみを閉じたとき，コンデンサー C_1 にかかる電圧と，C_1 に蓄えられる電荷はいくらか。

(2) 次に S_2 を閉じたとき，S_2 を流れた電荷はいくらか。

(3) (2)の状態で，コンデンサーが充電された後，すべてのスイッチを開き，A と B を別の導線で短絡すると，AM 間の電圧はいくらになるか。 （解答➡別冊 *p.35*）

〈類題156〉 70 V の電池 E，1.0 μF，2.0 μF，0.50 μF のコンデンサー C_1，C_2，C_3，スイッチ S_1，S_2 が図のように接続されている。コンデンサーは最初充電されていなかったものとして，問いに答えよ。

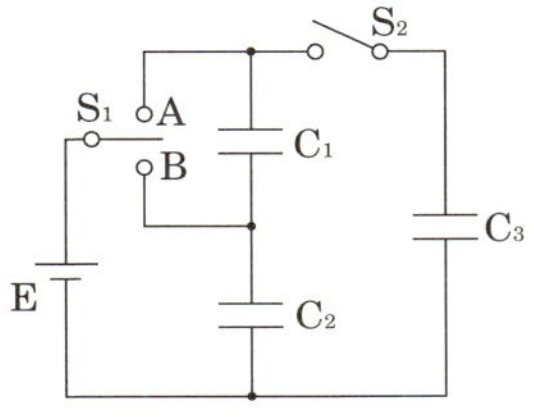

(1) スイッチ S_2 を開いた状態で，スイッチ S_1 を B 側に接続し，コンデンサー C_2 を充電した。この後，スイッチ S_1 を A 側に接続すると，コンデンサー C_1，C_2 にはそれぞれいくらの電荷が蓄えられるか。

(2) 次に，スイッチ S_1 を開き，スイッチ S_2 を閉じる。このとき，コンデンサー C_1，C_2，C_3 にはそれぞれいくらの電荷が蓄えられるか。 （解答➡別冊 *p.35*）

TYPE 110 コンダンサーに蓄えられるエネルギー

A 重要度

$$U=\frac{1}{2}QV=\frac{1}{2}CV^2=\frac{Q^2}{2C}$$

着眼　V〔V〕の電位差でQ〔C〕の電荷を蓄えているコンデンサーに蓄えられている静電エネルギーU〔J〕は，

$$U=\frac{1}{2}QV$$

である。この式を$Q=CV$の関係式を用いて変形すると，上のように表すことができる。

例題　コンデンサーのエネルギー

2つのコンデンサーがある。第1のコンデンサーにQ〔C〕の電荷を与えたら，極板間の電位差はV〔V〕になった。このコンデンサーに電気容量C〔F〕の第2のコンデンサーをつないだ。

(1)　第1のコンデンサーの電気容量はいくらか。

(2)　第1のコンデンサーに蓄えられたエネルギーはいくらか。

(3)　第2のコンデンサーをつないだとき，両コンデンサーに蓄えられたエネルギーはいくらか。

(4)　第2のコンデンサーをつないだとき，失われたエネルギーはいくらか。

解き方　(1)　第1のコンデンサーの電気容量をC'〔F〕とすると，

(4･11)式より，　$C'=\frac{Q}{V}$〔F〕

(2)　V〔V〕の電位差でQ〔C〕の電荷を蓄えているから，エネルギーは，

$U=\frac{1}{2}QV$〔J〕

(3)　第2のコンデンサーをつないだときの極板間の電位差をV'〔V〕，第1のコンデンサーに蓄えられた電荷をQ_1〔C〕，第2のコンデンサーに蓄えられた電荷をQ_2〔C〕とすると，

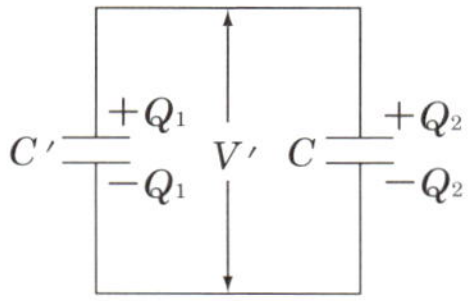

$Q_1=C'V'=\frac{Q}{V}V'$　……①

$Q_2=CV'$　……②

第1のコンデンサーの正極と第2のコンデンサーの正極は他から絶縁されている

ので，電荷が保存することから，

$$Q_1+Q_2=Q \quad \cdots\cdots③$$

①～③より，

$$V'=\frac{QV}{Q+CV}$$

となる。よって，両コンデンサーに蓄えられるエネルギー U'〔J〕は，

$$U'=\frac{1}{2}QV'=\frac{Q^2V}{2(Q+CV)}\text{〔J〕}$$

(4)　失われたエネルギーを ΔU〔J〕とすると，

$$\Delta U=U-U'=\frac{1}{2}QV-\frac{Q^2V}{2(Q+CV)}=\frac{QCV^2}{2(Q+CV)}$$

答　(1) $\frac{Q}{V}$　(2) $\frac{1}{2}QV$　(3) $\frac{Q^2V}{2(Q+CV)}$　(4) $\frac{QCV^2}{2(Q+CV)}$

類題157　次の問いに答えよ。

(1)　極板の面積 S〔m^2〕，極板の間隔 d〔m〕の平行板コンデンサーを V〔V〕の電源につないで充電し，電源を切り離してから極板を引き離して，その間隔を $2d$ にするとき，そのコンデンサーの静電エネルギーはどれだけ増加するか。ただし，d は極板の大きさに比べてはるかに小さいとし，また極板の間は空気であるとし，その誘電率を ε とする。

(2)　同じコンデンサーを同じ電源につないだまま，極板の間隔を d から $2d$ にするとき，静電エネルギーの増加量はどれだけか。

（解答➡別冊 *p.36*）

類題158　図のように，極板の面積 S〔m^2〕，極板の間隔 d〔m〕の平行板コンデンサーと V〔V〕の電源およびスイッチからなる回路がある。スイッチを閉じてじゅうぶん時間が経過した後，スイッチを開いた。空気の誘電率を ε_0〔F/m〕として，以下の問いに答えよ。

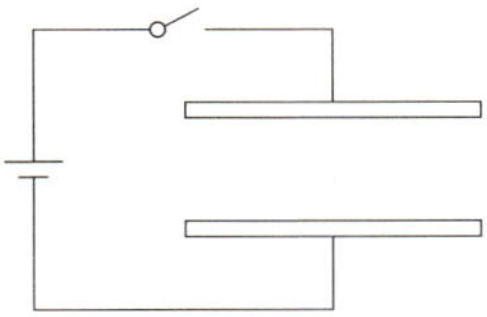

(1)　コンデンサーに蓄えられている電荷 Q〔C〕を求めよ。

(2)　コンデンサーに蓄えられている静電エネルギー U_0〔J〕を求めよ。

極板間に，面積 S〔m^2〕，厚さ d〔m〕で比誘電率 ε_r の誘電体を挿入した。

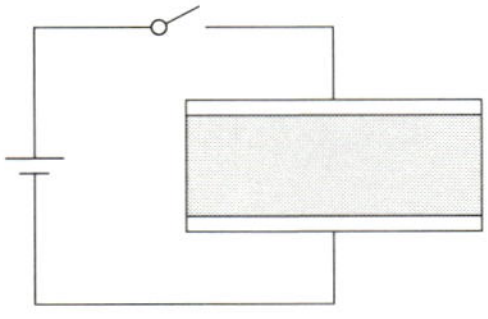

(3)　コンデンサーに蓄えられている静電エネルギー U_1〔J〕を求めよ。

再びスイッチを閉じ，じゅうぶん時間が経過した。

(4)　コンデンサーに蓄えられている静電エネルギー U_2〔J〕を求めよ。

（解答➡別冊 *p.36*）

TYPE 111 コンデンサーの極板間にはたらく力

B 重要度

極板間には $F=\dfrac{QV}{2d}$ の引力がはたらく。

着眼 図のように，2 枚の極板を間隔 d〔m〕離して平行に置き，極板間に電位差 V〔V〕を与え，Q〔C〕の電荷を蓄えたとき，一方の極板が他方の極板の所につくる電場の強さは $E=\dfrac{V}{2d}$〔N/C〕なので，極板間にはたらく力は，

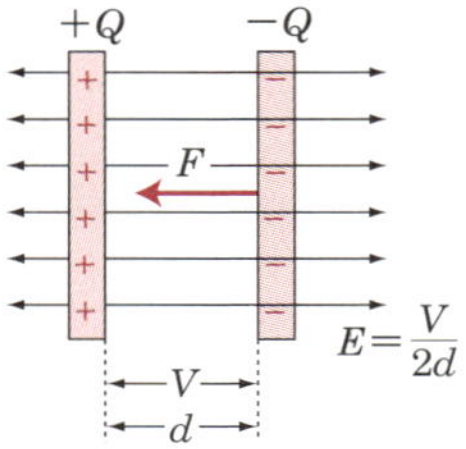

$$F=QE=\frac{QV}{2d}\text{〔N〕}$$

となる。

補足 ガウスの定理により，Q〔C〕の電荷から出る電気力線の本数は $\dfrac{Q}{\varepsilon}$ であるから，電場の強さ E は，$E=\dfrac{Q}{2\varepsilon S}$ と表される。

この式と $Q=\varepsilon\dfrac{S}{d}V$ から，$E=\dfrac{V}{2d}$ となる。

例題 コンデンサーのエネルギーと力

平行平板コンデンサーを Q〔C〕に充電した状態から，一方の極板を電気力に逆らって Δd〔m〕だけ動かした。コンデンサーの極板の面積を S〔m^2〕，極板間の間隔を d〔m〕，極板間の物質の誘電率を ε〔F/m〕とし，コンデンサーに蓄えられている電荷は変化しないものとして，以下の問いに答えよ。

(1) コンデンサーに蓄えられているエネルギーの増加量 ΔU〔J〕を求めよ。

(2) 極板間にはたらいている力はいくらか。

解き方 (1) 最初のコンデンサーの電気容量は，$C=\varepsilon\dfrac{S}{d}$

一方の極板を電気力(引力)に逆らって動かすということは，極板間を広げることであるから，そのときの電気容量は，

$$C'=\varepsilon\frac{S}{d+\Delta d}$$

よって，エネルギーの増加量 ΔU〔J〕は，

$$\Delta U=\frac{Q^2}{2C'}-\frac{Q^2}{2C}=\frac{Q^2}{2}\left(\frac{d+\Delta d}{\varepsilon S}-\frac{d}{\varepsilon S}\right)=\frac{Q^2\Delta d}{2\varepsilon S}\text{〔J〕}$$

(2)　極板間にはたらいている力(引力)をF〔N〕とすると，極板間の間隔を広げるためには，極板にF〔N〕の力を加えてΔd〔m〕動かさなければならないから，このとき外部から加えられる仕事W〔J〕は，

$$W=F\Delta d$$

このWとΔUが等しいから，

$$F\Delta d=\frac{Q^2\Delta d}{2\varepsilon S}$$

ゆえに，$F=\dfrac{Q^2}{2\varepsilon S}$〔N〕

答　(1) $\dfrac{Q^2\Delta d}{2\varepsilon S}$　(2) $\dfrac{Q^2}{2\varepsilon S}$

!注意　(2)の答えは，$C=\varepsilon\dfrac{S}{d}$と，$Q=CV$を用いると，$\varepsilon S=\dfrac{Qd}{V}$となるから，

$$F=\frac{Q^2}{2}\cdot\frac{V}{Qd}=\frac{QV}{2d}$$

と変形することができる。

〈類題159〉　極板の面積がS〔m^2〕，極板間の間隔がd〔m〕の平行平板コンデンサーに，電圧V〔V〕の直流電源がつながれている。極板の間隔をΔd〔m〕($\Delta d \ll d$)だけ広げた。空気の誘電率をε〔F/m〕として以下の問いに答えよ。ただし，$\Delta d \ll d$なので，$|x| \ll 1$のときになりたつ近似式$\dfrac{1}{1+x} \fallingdotseq 1-x$を用いること。

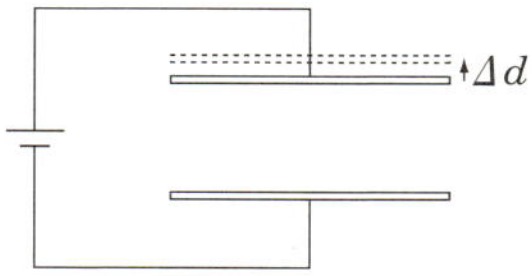

(1)　コンデンサーに蓄えられていた静電エネルギーの増加量を求めよ。
(2)　電源がした仕事を求めよ。
(3)　外力がした仕事を求めよ。
(4)　極板間にはたらく力の大きさを求めよ。ただし，Δdが微小量であることから，極板を動かすとき，極板間にはたらく力は一定であると考えてよい。

(解答➡別冊 *p.36*)

〈類題160〉　図のように，2枚の金属板を間隔d〔m〕で平行に置き，一方を固定し，他方にはばね定数k〔N/m〕のばねをつけ，ばねの軸の方向に自由に動けるようにする。ばねは最初自然の長さになっている。この金属板を電圧V〔V〕の直流電源につなぎ，スイッチを入れると，極板にQ〔C〕の電荷が蓄えられた。このとき，ばねはいくら伸びるか。　(解答➡別冊 *p.37*)

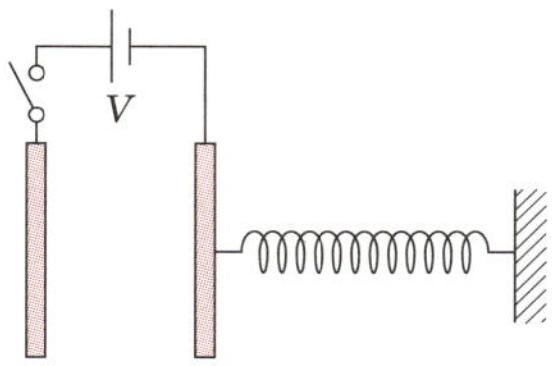

練習問題

解答→別冊 p.71

TYPE

55　図のように，平面上にたがいに垂直な座標軸 x 軸と y 軸をとり，原点をOとする。x 軸上の点 A（−1，0），点 B（1，0）に，電気量（電荷がもつ電気の量）がそれぞれ Q〔C〕（$Q>0$）の点電荷が固定されている。y 軸上の点 P の座標を（0，y_{P}）とする。クーロンの法則の比例定数を k〔N·m²/C²〕とし，電位 0 V の基準点を無限遠におくものとして，次の問いに答えよ。

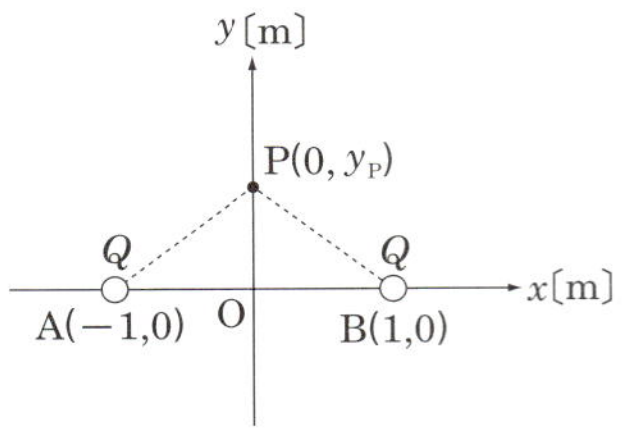

(1)　点 A の点電荷のみが点 P につくる，電位 V_{A}〔V〕，および電場（電界）ベクトル $\overrightarrow{E_{\mathrm{A}}}$〔N/C〕の x 成分と y 成分を求めよ。

(2)　点 A と点 B の 2 つの点電荷があわせて点 P につくる，電位 V〔V〕，および電場（電界）ベクトル $\vec{E}$〔N/C〕の x 成分と y 成分を求めよ。

➔ 103

（信州大 改）

56　以下の文章の［　　］に入る適切な数式を記せ。ただし，各問いに対する解答は，{　} 内に示された記号のうち必要なものを用いて表せ。

(1)　点電荷 q〔C〕（$q>0$）を考える。この点電荷から距離 r〔m〕離れた点での電場の強さは，クーロンの法則の比例定数 k〔N·m²/C²〕を用いると［ ① ］〔N/C〕{k，r，q} となる。次に，点電荷から出る電気力線の数を考える。ただし，電場の強さが E〔N/C〕のところでは，電場の方向に垂直な断面を通る電気力線を 1 m² 当たり E 本の割合で引くとする。点電荷を中心にした半径 r〔m〕の球面の面積は［ ② ］〔m²〕{k，r，q} であるから，電気力線の数は［ ③ ］本 {k，r，q} である。

(2)　面積 S〔m²〕のじゅうぶんに広い金属板（極板）に Q〔C〕（$Q>0$）の電荷を与えた場合を考える。極板から出る電気力線の総数は［ ④ ］本 {k，Q，S} である。

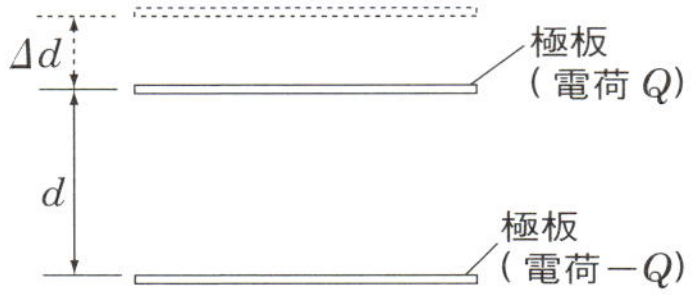

この極板に，$-Q$〔C〕の電荷をもつ同じ面積の極板を，極板間隔 d〔m〕で，図のように平行に向かい合わせて配置する。極板間には，極板に垂直で一様な電場が生じる。その強さ E'〔N/C〕は［ ⑤ ］〔N/C〕{k，Q，d，S} となり，極板間の電気容量は［ ⑥ ］〔F〕{k，Q，d，S}

となる。

(3)　(2)で述べた平行極板のうち一方を固定し，もう一方に外力を加え，極板間隔を d〔m〕から Δd〔m〕だけゆっくりと広げた。このとき，蓄えられた静電エネルギーの変化は，［　⑦　］〔J〕{k, Q, d, Δd, S} である。この変化が外力による仕事と等しいと考えると，外力は，［　⑧　］〔N〕{k, Q, d, Δd, S} である。　（岡山大）

TYPE

➔ 103, 106, 111

57　平行な極板間が真空で電気容量が C_1〔F〕のコンデンサー1，C_2〔F〕のコンデンサー2，C_3〔F〕のコンデンサー3，抵抗値が R〔Ω〕の抵抗，スイッチ S_1，スイッチ S_2，および内部抵抗の無視できる起電力 E〔V〕の電池を図のように接続した。S_1，S_2，および導線の抵抗は無視できる。はじめ，S_1，S_2 は開いており，いずれのコンデンサーにも電気はなかった。以下の問いに答えよ。

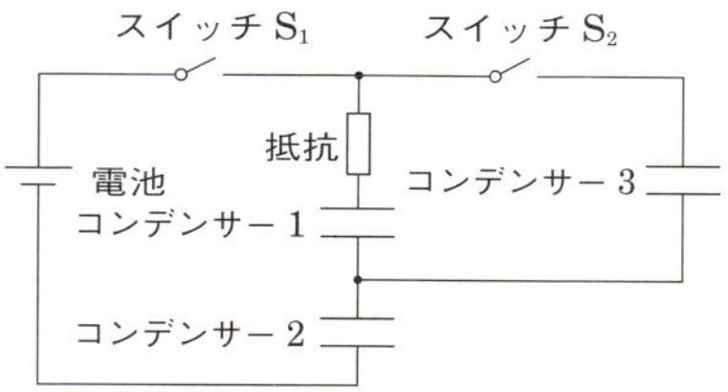

〔1〕　S_2 を開いたままで S_1 を閉じ，コンデンサー1と2を充電した。

(1)　コンデンサーを充電中，抵抗を流れる電流が I〔A〕のとき，コンデンサー1に蓄えられている電気量 q と極板間の電位差 V を求めよ。

(2)　コンデンサーの充電が完了した後，S_1 を開いた。コンデンサー1に蓄えられた電気量 Q_0 とエネルギー U_0 を求めよ。

〔2〕　次に，S_1 を開いたままで S_2 を閉じ，じゅうぶん時間が経過した。

(3)　コンデンサー1に蓄えられた電気量 Q_1 を，C_1，C_3，Q_0 を用いて表せ。

(4)　S_2 を閉じた後，コンデンサー1と3に蓄えられているエネルギーの和を U とし，U_0 と U の差 $(U_0 - U)$ を，C_1，C_3，Q_0 を用いて表せ。

〔3〕　その後に，スイッチは(2)の状態のままで，コンデンサー3の極板間を比誘電率 ε_r の誘電体で満たして，じゅうぶん時間が経過した。

(5)　コンデンサー3の極板間の電位差と蓄えられた電気量 Q_3 を，C_1，C_3，Q_0，ε_r を用いて表せ。　（徳島大）

➔ 106, 107, 108, 109

ヒント　57　(2)　充電が完了すると回路には電流は流れない。
(3)　S_1 を開くと，コンデンサー1と3の電圧は等しくなる。

2　直流回路

1　電　流

電流の大きさは，導体の断面を単位時間に通過する電荷の量で表す。ある断面を時間 Δt〔s〕の間に ΔQ〔C〕の電荷が通過したときの電流 I〔A〕は，

$$I=\frac{\Delta Q}{\Delta t} \tag{4·15}$$

2　オームの法則

導体を流れる電流は電圧に比例する。これを**オームの法則**という。R〔Ω〕の抵抗に I〔A〕の電流が流れるとき，抵抗の両端にかかる電圧 V〔V〕は，

$$V=RI \tag{4·16}$$

3　抵抗と抵抗率

1 抵抗率　導体の抵抗 R〔Ω〕は，長さ l〔m〕に比例し，断面積 S〔m²〕に反比例する。比例定数 ρ〔Ω·m〕を**抵抗率**という。

$$R=\rho\frac{l}{S} \tag{4·17}$$

2 抵抗率の温度変化　一般に金属の抵抗率は温度が上がると増加する。0℃における抵抗率を ρ_0 とすると，t〔℃〕における抵抗率 ρ は，

$$\rho=\rho_0(1+\alpha t) \tag{4·18}$$

で表される。α を**抵抗率の温度係数**という。

4　電流による発熱

R〔Ω〕の抵抗に V〔V〕の電圧をかけ，I〔A〕の電流を流したとき，抵抗が時間 t〔s〕の間に発生する熱量 Q〔J〕は，

$$Q=IVt=I^2Rt=\frac{V^2}{R}t \tag{4·19}$$

抵抗が単位時間に発生する熱量 P〔W〕を**電力**という。

$$P=IV=I^2R=\frac{V^2}{R} \tag{4·20}$$

5　合成抵抗

抵抗 R_1，R_2，R_3，…，R_n〔Ω〕を直列または並列につないだときの合成抵抗 R〔Ω〕は，次式で与えられる。

1 直列接続

$$R=R_1+R_2+R_3+\cdots+R_n \tag{4·21}$$

2 並列接続

$$\frac{1}{R}=\frac{1}{R_1}+\frac{1}{R_2}+\frac{1}{R_3}+\cdots+\frac{1}{R_n} \tag{4·22}$$

TYPE 112 簡単な回路を流れる電流

A 重要度

合成抵抗を求めてから全電流を求める。
並列 ⇨ 各抵抗にかかる電圧が等しい。
直列 ⇨ 各抵抗を流れる電流が等しい。

着眼　いくつかの抵抗がつながれている回路では，合成抵抗を求めてから，回路全体を流れる電流を求め，その後で各抵抗を流れる電流を求める。**直列**の場合は，**各抵抗を流れる電流が等しい**ので，各抵抗にかかる電圧は抵抗値に比例する。**並列**の場合は，**各抵抗にかかる電圧が等しい**ので，各抵抗を流れる電流は抵抗値に反比例する。

例題　回路の電流・電位差

右図のような回路がある。AB 間に 6.0 V の電圧をかけたとき，

(1)　各抵抗を流れる電流の強さを求めよ。

(2)　抵抗 R_3 の両端の電位差を求めよ。

(3)　AD 間の電位差はいくらか。

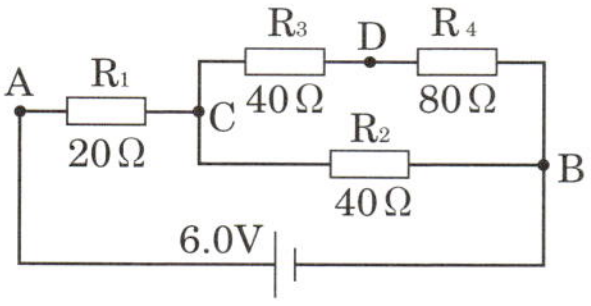

（内部抵抗なし）

解き方　(1)　**まず回路の全抵抗を求め，全電流を求める。**

R_3 と R_4 の合成抵抗 R_{34} は，

$$R_{34} = 40 + 80 = 120\ \Omega$$

次に R_2 と R_{34} の合成抵抗 R_{234} は，(4·22) 式を用いて，

$$\frac{1}{R_{234}} = \frac{1}{R_2} + \frac{1}{R_{34}} = \frac{1}{40} + \frac{1}{120} = \frac{1}{30}$$

より，$R_{234} = 30\ \Omega$

よって，回路の全抵抗 R は，

$$R = R_1 + R_{234} = 20 + 30 = 50\ \Omega$$

したがって，回路の全電流 I_1 は，(4·16) 式より，

$$I_1 = \frac{6.0}{50} = 0.12\ \text{A}$$

R_1 を流れる電流は全電流に等しいから，0.12 A である。

したがって，R_1 の両端の電位差 V_1 は，(4·16) 式より，

$$V_1 = 20 \times 0.12 = 2.4\ \text{V}$$

これから，BC 間の電位差 V_2 は，

$$V_2 = 6.0 - 2.4 = 3.6\ \mathrm{V}$$

よって，R_2 を流れる電流 I_2 は，

$$I_2 = \frac{3.6}{40} = 0.090\ \mathrm{A}$$

R_3，R_4 を流れる電流 I_3 は，

$$I_3 = I_1 - I_2 = 0.12 - 0.09 = 0.03\ \mathrm{A}$$

(2)　R_3 には 0.03 A の電流が流れるから，その両端の電位差 V_3 は，

$$V_3 = 40 \times 0.03 = 1.2\ \mathrm{V}$$

(3)　AD 間の電位差は，AC 間の電位差と CD 間の電位差の和に等しい。

$$V_1 + V_3 = 2.4 + 1.2 = 3.6\ \mathrm{V}$$

答　(1) **R_1：0.12 A，R_2：0.090 A，R_3, R_4：0.03 A**　(2) **1.2 V**　(3) **3.6 V**

類題161　5 本の抵抗 R_1，R_2，R_3，R_4，R_5 を図のようにつなぎ，内部抵抗のない 120 V の直流電源につないだ。このとき，R_2 を流れる電流の強さと，R_5 の両端の電位差を求めよ。　（解答➡別冊 p.37）

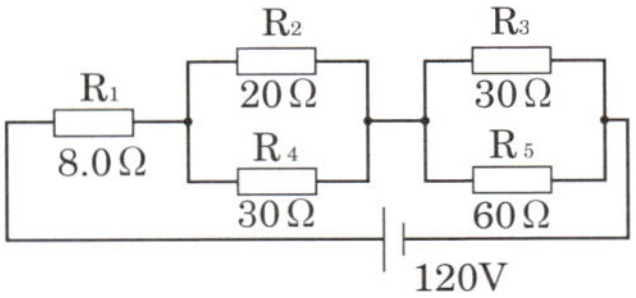

類題162　次の文中の ① から ③ に適当な語句を入れ，その後の問いに答えよ。

長さ 1 m のときの電気抵抗が R〔Ω〕の一様な金属線を考える。
この金属線 L〔m〕の電気抵抗は ① 〔Ω〕である。
この L〔m〕の金属線の両端に電圧 V〔V〕をかけると，流れる電流は ② 〔A〕である。
さらに，この L〔m〕の金属線を N 本束ねた。この束の電気抵抗は ③ 〔Ω〕となる。

(1)　上記の金属線で図 1 のように 1 辺の長さが各々1 m の正三角形 ABC を作った。これを 2 点 A，B を両端とする抵抗と考えるときの合成抵抗の大きさを R_1 とする。この R_1 を求めよ。

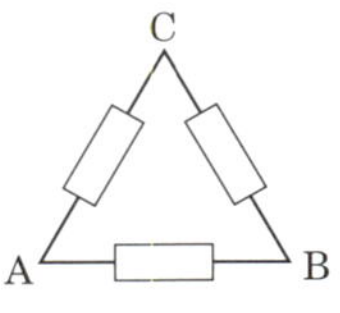

図 1

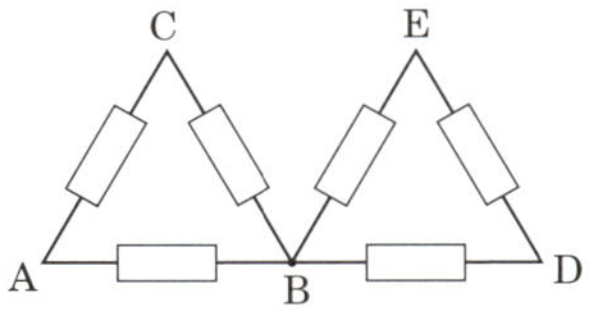

図 2

(2)　(1)の正三角形 ABC と同じものを 2 つ使って，図 2 のようにつないだ。これを 2 点 C，E を両端とする抵抗と考えるときの合成抵抗の大きさを R_2 とする。この R_2 を求めよ。
（解答➡別冊 p.37）

TYPE 113 電力とジュール熱

重要度 B

電力 ⇨ $P=IV=\dfrac{V^2}{R}=I^2R$

ジュール熱 ⇨ $Q=Pt$

着眼 電力Pには上のように3つの表し方がある。問題に与えられた量に応じて使い分けるとよい。**ジュール熱は電力と時間の積**で表される。

例題 電熱線の電力

100 V，500 W の電熱線がある。いま，断線のため，この電熱線の全長が10 %短くなった。

(1) この電熱線を 100 V で使用すると，何 W の電力を消費するか。

(2) 消費電力を元と同じにするには，電源電圧を何 V にすればよいか。

解き方 **元の電熱線は，100 V の電圧で 500 W の電力を消費する。**

(1) 元の電熱線の抵抗をRとすると，

$$R=\frac{V^2}{P}=\frac{100^2}{500}=20\ \Omega$$

であるから，短くなった電熱線の抵抗R'は，

$$R'=0.9R=18\ \Omega$$

よって，100 V で使用したときの電力は，

$$P=\frac{V^2}{R'}=\frac{100^2}{18}=556\ \mathrm{W}$$

(2) $500=\dfrac{V^2}{18}$ より，

$$V=95\ \mathrm{V}$$

答 (1) **560 W**　(2) **95 V**

類題163 100 V 用，300 W のヒーターが 2 個ある。

(1) 1 個のヒーターの電気抵抗R〔Ω〕を求めよ。

(2) 2 個のヒーターを直列に接続し，両端に 100 V の電圧を加えたとき，2 個のヒーターの全体の消費電力P〔W〕を求めよ。

(3) 2 個のヒーターを並列に接続し，両端に 100 V の電圧を加えたとき，2 個のヒーターの全体の消費電力P〔W〕を求めよ。

（解答➡別冊 *p.37*）

TYPE 114 複雑な回路を流れる電流

重要度 A

合成抵抗が求めにくい場合は，キルヒホッフの法則を用いよ。

着眼 **キルヒホッフの法則**には，第 1 法則(電流に関する法則)と第 2 法則(電圧に関する法則)とがある。**第 1 法則は回路の分岐点で適用**し，**第 2 法則は 1 回りできる回路に適用**する。キルヒホッフの法則は，抵抗の回路のみでなく，あらゆる回路に適用することができるので，便利である。

▶キルヒホッフの法則の使い方

次の手順で考える。

① 各導線を流れる**電流の強さを I_1，I_2 などと仮定し，電流の向きも仮定する。**

② 回路の分岐点について，第 1 法則の式をつくる。分岐点の総数より 1 つ少ない数の式をつくればよい。

③ 任意の閉回路をとり，第 2 法則の式をつくる。まず，閉回路を回る向きを決め，電池の起電力の向きがこの向きと同じならば正，反対ならば負として，閉回路内の起電力の総和を求める。

④ 次に，閉回路を回る向きと，仮定した電流の向きとが同じならば正，反対ならば負として，閉回路内の電圧降下の総和を求める。

⑤ ③と④の結果を用いて，

(起電力の総和)＝(電圧降下の総和)

という式を閉回路の総数より 1 つ少ない数だけつくる。

⑥ 未知数と同じ数だけの式ができたら，それらを連立方程式として解く。その結果，電流の値が負になったら，仮定した向きが反対であったことになる。

例 右図の回路では，次のようになる。

② 分岐点 B　$I_1+I_2=I_3$

③ 閉回路 A → B → C → D → E → F → A

起電力の総和　E_1-E_2

④ 閉回路 A → B → C → D → E → F → A

電圧降下の総和　$R_1I_1-R_2I_2$

⑤ 閉回路 A → B → C → D → E → F → A

$E_1-E_2=R_1I_1-R_2I_2$

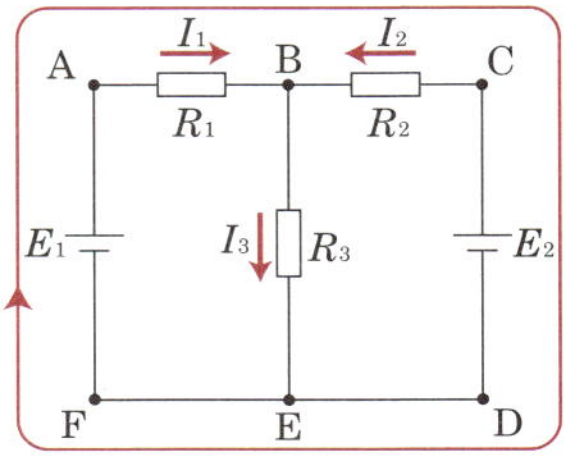

例 題　回路を流れる電流

図で，E_1 は起電力 4.0 V，内部抵抗 1.0 Ω の電池，E_2 は起電力 2.0 V，内部抵抗 0.50 Ω の電池である。抵抗 R_1 は 10 Ω，R_2 は 5.0 Ω，R_3 は 2.0 Ω であるとして，問いに答えよ。

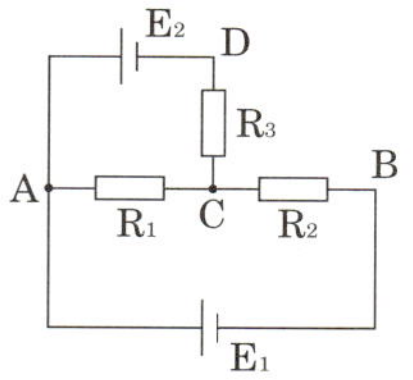

(1)　R_3 を流れる電流は何 A か。

(2)　A と C では，どちらがどれだけ電位が高いか。

解き方　**合成抵抗が求めにくいので，キルヒホッフの法則で解く。**

(1)　R_1 を流れる電流を I_1，R_3 を流れる電流を I_2 とし，それらの向きを下図のように仮定すると，R_2 を流れる電流は (I_1-I_2) となる。

次に回路 A → C → D → A について見ると，起電力は 2.0 V である。電圧降下の和は，

$$10I_1+2.0I_2+0.50I_2$$

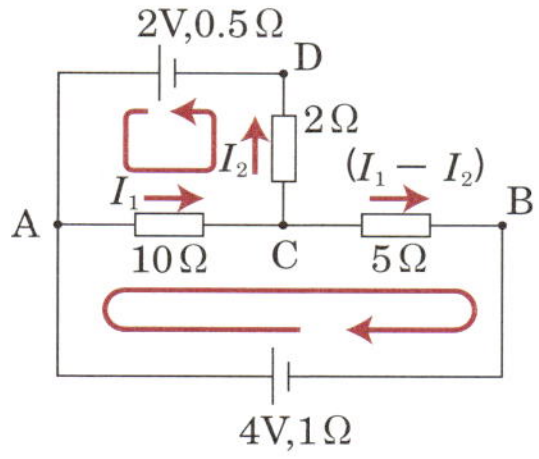

であるから，キルヒホッフの第 2 法則より，

$$2.0=10I_1+2.0I_2+0.50I_2 \quad \cdots\cdots①$$

次に，閉回路 A → C → B → A について，キルヒホッフの第 2 法則を用いると，

$$4.0=10I_1+5.0(I_1-I_2)+1.0(I_1-I_2) \quad \cdots\cdots②$$

①，②より，

$$I_1=0.22\text{ A} \qquad I_2=-0.08\text{ A}$$

$I_2<0$ だから，I_2 の向きは仮定した向きと逆向き。

(2)　AC 間の電流は仮定した向きと同じだから，A のほうが電位が高い。電位差は，

$$V=10\times0.22=2.2\text{ V}$$

答　(1) **0.08 A**　(2) **A のほうが 2.2 V 高い。**

補足　**キルヒホッフの法則は，コンデンサー回路でも交流回路でもなりたつ。**いわば，電気回路の万能法則である。これがうまく使えるようになれば，電気の問題に強くなれるので，じゅうぶん練習してもらいたい。

類題164　図で，E_1 は起電力 16 V，内部抵抗 1.0 Ω の電池，E_2 は起電力 8.0 V，内部抵抗 1.0 Ω の電池，R_1 は 15 Ω，R_2 は 7.0 Ω，R_3 は 24 Ω の抵抗である。

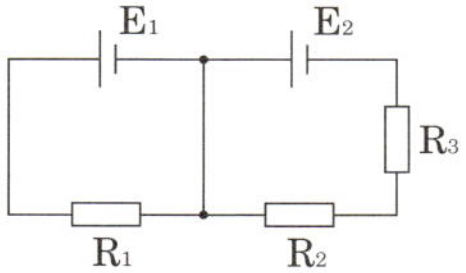

(1)　R_1 および R_2 を流れる電流はそれぞれいくらか。

(2)　R_3 の両端の電位差はいくらか。　(解答➡別冊 *p.38*)

TYPE 115 直流回路での電位と電位差

A 重要度

アースされた点または電池の－極の電位を 0 V とし，電流の向きと逆向きにさかのぼればよい。

着眼 R〔Ω〕の抵抗に I〔A〕の電流が流れると，抵抗の両端に $\boldsymbol{RI}$〔V〕の電位差が生じる。抵抗では電流の流れる方向に向かって電位が下がる。したがって，電位 0 の点から回路を電流の向きと反対の向きにたどっていくと，**抵抗を通りすぎるたびにその両端の電位差の分だけ電位が上がる。**

例 題 回路の電位差

図において，E_1 は起電力 8.0 V，内部抵抗 0.50 Ω，E_2 は起電力 4.0 V，内部抵抗 0.50 Ω の電池，R_1 は 5.0 Ω，R_2 は 15.0 Ω，R_3 は 3.0 Ω の抵抗である。D 点は接地されているものとして，問いに答えよ。

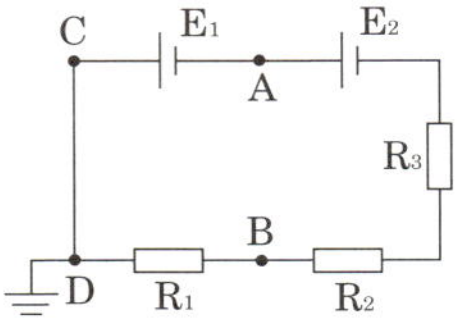

(1) AB 間の電位差はいくらか。また，どちらが電位が高いか。

(2) A 点の電位はいくらか。

解き方 回路の全抵抗は，$R = 5.0 + 15.0 + 3.0 + 0.50 + 0.50 = 24.0\ \Omega$

であるから，回路を流れる電流は，$I = \dfrac{8.0 + 4.0}{24.0} = 0.50\ \text{A}$

B 点の電位 V_B は，D 点の電位（0 V）より電流の向きにたどるから，R_1 の両端の電位差の分だけ低くなる。

$$V_B = 0 - R_1 I = 0 - 5.0 \times 0.50 = -2.5\ \text{V}$$

A 点の電位 V_A は，D 点の電位（0 V）より E_1 の起電力だけ低くなるが，電流の向きと反対にさかのぼるので，E_1 の内部抵抗による電圧降下の分だけ高くなる。

$$V_A = 0 - 8.0 + 0.50 \times 0.50 = -7.75\ \text{V}$$

よって，AB 間の電位差 V_{AB} は，$V_{AB} = -2.5 - (-7.75) = 5.25\ \text{V}$

答 (1) **5.25 V，B が高い**　(2) **−7.75 V**

類題165 2.0 Ω，3.0 Ω，4.0 Ω，5.0 Ω，6.0 Ω の各抵抗と，起電力が 2.0 V で内部抵抗の無視できる 5 個の電池とを図のように接続した回路がある。2.0 Ω，3.0 Ω，5.0 Ω の各抵抗を流れる電流および，A，B 点の電位をそれぞれ求めよ。

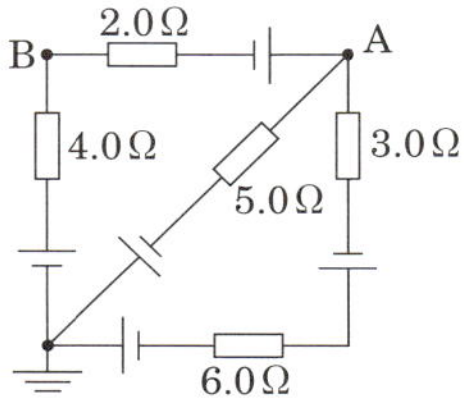

（解答➡別冊 *p.38*）

TYPE 116 電流計・電圧計を含む回路

重要度 A

電流計・電圧計の内部抵抗を含めて計算する。

着眼　電流計や電圧計にもそれぞれ**内部抵抗**があるから，それが回路内に入っているときは，その**内部抵抗をふつうの抵抗と同じように扱って計算**すればよい。メーターの針は，その計算で得られた値を示す。

例題　内部抵抗のある回路の電流・電圧

図でⒶは内部抵抗 0.020 Ω の電流計，Ⓥは内部抵抗 750 Ω の電圧計，E は起電力 6.0 V，内部抵抗 1.0 Ω の電池である。スイッチ S を閉じると，Ⓥの針は何 V を示し，Ⓐの針は何 mA を示すか。

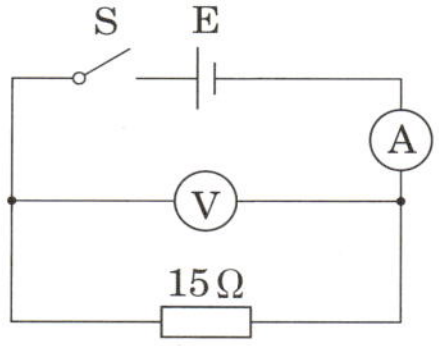

解き方　回路の全抵抗を求めて，全電流を求める。

15 Ω とⓋの合成抵抗 R_1 は，

$$\frac{1}{R_1}=\frac{1}{15}+\frac{1}{750}=\frac{51}{750}$$

より，$R_1=14.7\ \Omega$

よって，回路の全抵抗 R は，$R=14.7+0.020+1.0=15.7\ \Omega$

ゆえに，全電流 I は，

$$I=\frac{6.0}{15.7}=0.382\ \text{A}\fallingdotseq 380\ \text{mA}$$

これが電流計の示す値となる。Ⓥを流れる電流 I' は，

$$I'=0.382\times\frac{15}{750+15}=0.00750\ \text{A}$$

であるから，Ⓥの示す値は，

$$V=750\times 0.00750=5.6\ \text{V}$$

答　Ⓥ：**5.6 V**　Ⓐ：**380 mA**

類題166　起電力と内部抵抗のわからない電池 E，1.0 kΩ の抵抗 R_1，2.0 kΩ の抵抗 R_2，内部抵抗 9.0 kΩ の電圧計Ⓥを図のようにつないだ回路がある。スイッチを A 側に接続したら，電圧計は 63 V を示し，B 側に接続したら，20 V を示した。電池 E の起電力と内部抵抗はそれぞれいくらか。

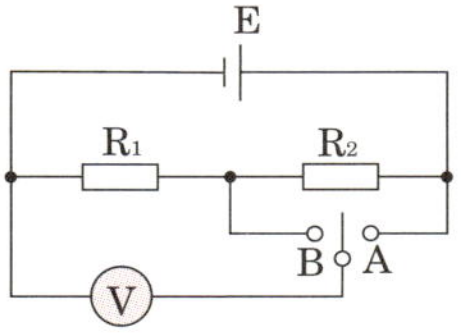

（解答➡別冊 *p.38*）

TYPE 117 電池の起電力と内部抵抗

A 重要度

電池の起電力＝電流 0 のときの電池の端子電圧
電池の内部抵抗＝V–I グラフの傾きの絶対値

着眼　電池の端子電圧 V は，電池の起電力 E から電池の内部抵抗 r による電圧降下 rI を引いたものに等しい。　$V=E-rI$

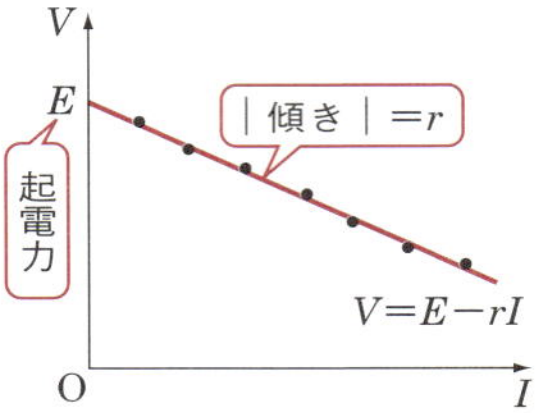

電池を流れる電流 I と端子電圧を測定して，V–I グラフをかくと，**グラフが V 軸を切る点の値が起電力 E** を表す。また，**グラフの傾きの絶対値が電池の内部抵抗 r** を示す。

例題　電池の起電力と内部抵抗

図で，E は電池，Ⓥは電圧計，Ⓐは電流計，R は可変抵抗である。いま，R の値を変えながら，ⒶとⓋの値を読み取ったところ，表の結果が得られた。電圧計の抵抗は非常に大きいものとして，次の問いに答えよ。

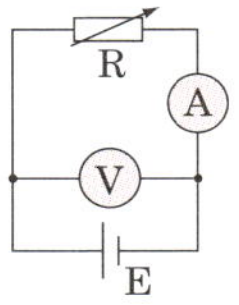

(1)　この電池の起電力はいくらか。

(2)　この電池の内部抵抗はいくらか。

電流〔A〕	0.50	1.0	2.0	3.0	4.0	5.0	6.0
電圧〔V〕	1.12	1.04	0.88	0.72	0.56	0.39	0.21

解き方　(1)　電圧計は電池の端子電圧，電流計は電池を流れる電流を示すから，表の測定値を用いて V–I グラフをかくと右図のようになる。グラフを左上にのばして，V 軸との交点を求めると，$V=1.2\,\mathrm{V}$ となる。これが起電力に等しい。

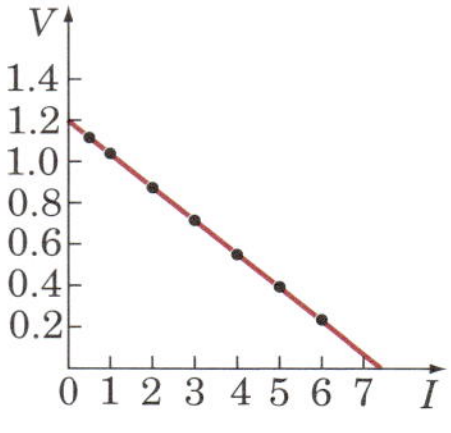

(2)　電池の内部抵抗は，グラフの傾きの絶対値に等しいから，

$$\frac{1.2}{7.5}=0.16\,\Omega$$

答　(1) **1.2 V**　(2) **0.16 Ω**

類題167　ある乾電池に抵抗をつなぎ，電池を流れる電流と電池の端子電圧との関係を調べたところ，右の V–I グラフのような結果が得られた。これから，この乾電池の起電力と内部抵抗の大きさを求めよ。　(解答➡別冊 *p.39*)

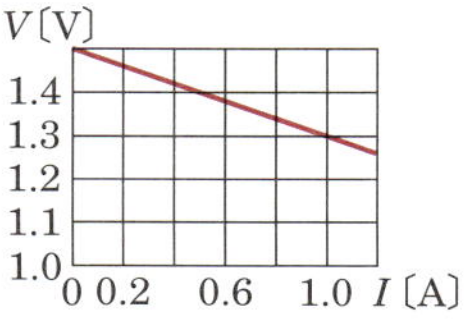

TYPE 118 ブリッジ回路

B 重要度

ブリッジ部分に電流が流れないとき，ブリッジの両端の電位は等しい。

着眼 図のような回路を**ブリッジ回路**という。この回路で，**検流計Ⓖに電流が流れないように各抵抗を調節する**と，ブリッジBCの両端の電位が等しくなり，

$$R_1I_1 = R_2I_2 \qquad R_3I_1 = R_4I_2$$

となるので，

$$\frac{R_1}{R_2} = \frac{R_3}{R_4}$$

という関係がなりたつ。

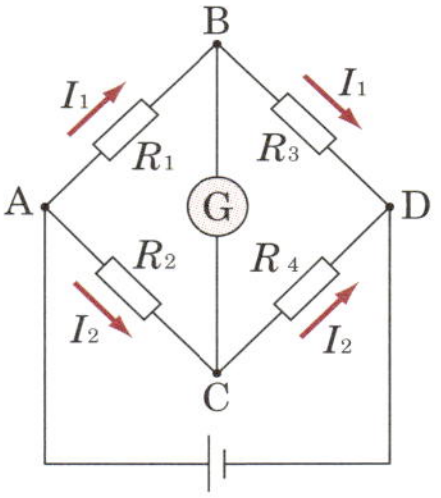

補足 ブリッジ回路の抵抗の間になりたつ関係 $\frac{R_1}{R_2} = \frac{R_3}{R_4}$ は，回路の抵抗の配置と同じ形になっていることに着目して覚えるとよい。また，この式を $R_1R_4 = R_2R_3$ と変形すると，向かい合った抵抗の積が等しいという関係がある。

例題 ブリッジ回路の抵抗

図の回路で，$R_1 = 1000\,\Omega$，$R_2 = 10\,\Omega$，$R_3 = 1500\,\Omega$ のとき，AB間に検流計をつないだところ，検流計の針はどちらへも動かなかった。R_4 の抵抗はいくらか。

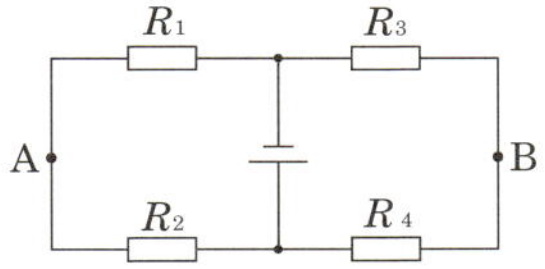

解き方 回路をかきなおすと，右図のようなホイートストンブリッジ回路になっているから，

$$\frac{R_2}{R_4} = \frac{R_1}{R_3}$$

ゆえに，$R_4 = \dfrac{R_2R_3}{R_1} = \dfrac{10 \times 1500}{1000} = 15\,\Omega$

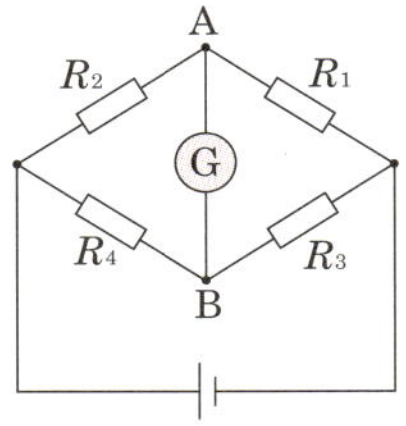

答 15 Ω

類題168 図の回路で，ABは一様な直線状の抵抗線で，その長さは120 cm，その全抵抗は60 Ωである。いま，接点NをAB上で滑らせたとき，AN間の長さが40 cmの位置で，検流計Ⓖの針の振れが0になった。抵抗 R の大きさはいくらか。

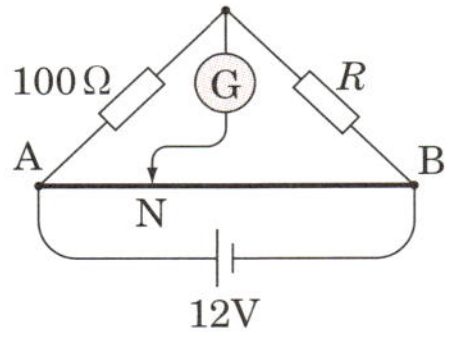

（解答➡別冊 p.39）

TYPE 119 電位差計（ポテンシオメーター）

C 重要度

検流計に電流が流れないとき，
（電池の起電力）＝（電池と並列の抵抗の電圧降下）

着眼　図のような回路で，検流計Ⓖに電流が流れないとき，電池Eの正極とA点とは同電位，負極とP点とは同電位になるから，**電池Eの起電力はAP間の電位差**に等しい。

したがって，AP間の抵抗による電圧降下を求めれば，電池の起電力が求められる。

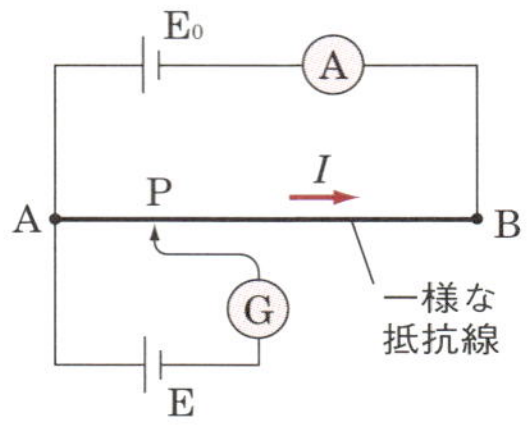

補足　一様な抵抗線では，抵抗値は抵抗線の長さに比例するので，**抵抗線の電位差は長さに比例することになる。**

例題　電池の起電力

図で，E_0，Eは電池，PQは太さ一様な長さ100.0 cmの抵抗線で，その抵抗は20.0 Ωである。Ⓐは電流計，Ⓖは検流計，SはPQ上を滑り動く接点である。PS＝52.0 cmのとき，Ⓐの読みが0.150 Aで，Ⓖには電流が流れなかった。電池Eの起電力はいくらか。

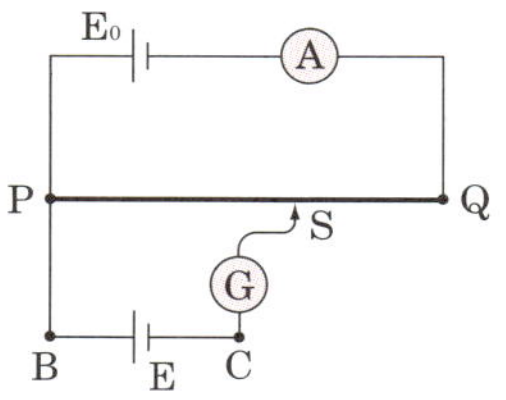

解き方　**電池Eの起電力はPS間の電位差に等しい。**

PS間の抵抗は，

$$20.0\times\frac{52.0}{100.0}=10.4\,\Omega$$

であるから，PS間の電位差は，

$$10.4\times0.150=1.56\text{ V}$$

答　**1.56 V**

類題169　図の回路で，E_0は起電力1.02 V，内部抵抗1.0 Ωの電池，E_xは起電力未知の電池，Eは起電力2.0 V，内部抵抗0 Ωの電池，ABは抵抗12 Ωの一様な抵抗線である。スイッチSをE_0側に倒したとき，AC_0＝51.0 cmで，またE_x側に倒したときは，AC＝74.0 cmでⒼに電流が流れなかった。E_xの起電力を求めよ。　（解答➡別冊 *p.39*）

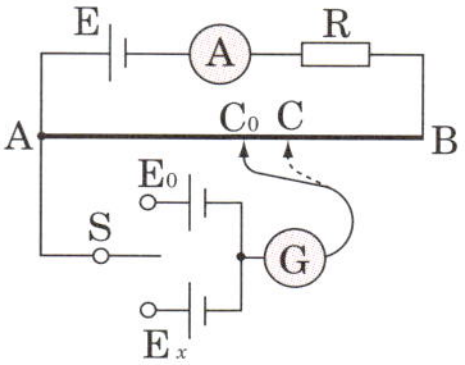

TYPE 120 非線形抵抗(非直線抵抗)を含む回路

重要度 B

非線形抵抗の電圧－電流特性曲線と回路についてなりたつ電圧－電流グラフとの交点を求める。

着眼 電球や半導体などは，電圧－電流のグラフが直線にならないので，これらを**非線形抵抗**(非直線抵抗)という。非線形抵抗の電流や電圧はオームの法則では求められないので，グラフを利用して解く。

非線形抵抗にかかる電圧を V〔V〕，流れる電流を I〔A〕として V と I との関係式をつくり，その**グラフと電圧－電流特性曲線の交点**を読む。

例題 非線形抵抗の電流

ある電球の電圧－電流特性曲線は，右図のグラフのようになる。この電球と 100 Ω の抵抗とを下図のように直列につなぎ，50 V の電圧をかけると，回路に何 A の電流が流れるか。抵抗は温度によって変わらないものとする。

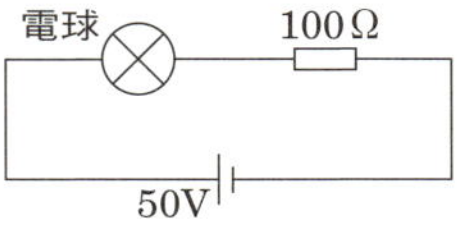

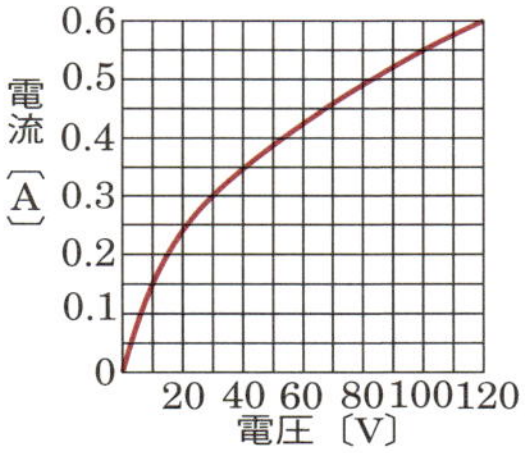

解き方 電球を流れる電流を I〔A〕，電球にかかる電圧を V〔V〕として，I と V の関係式を求める。抵抗に I〔A〕の電流が流れるから，抵抗の両端の電位差は $100I$〔V〕である。よって，電圧の関係から，次の式がなりたつ。

$50 = V + 100I$　　すなわち，$I = -0.01V + 0.5$

求める電流は，上式と特性曲線が同時になりたつ値であるから，上式のグラフを特性曲線上にかき込み，交点の電流値を読み取ればよい(右図)。 **答 0.27 A**

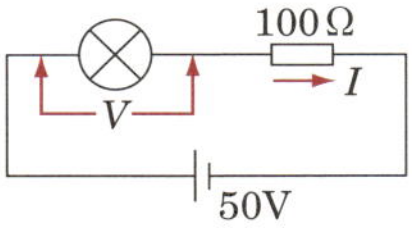

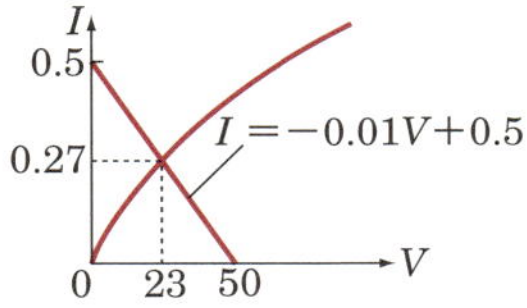

類題170 ある電球の電圧－電流特性曲線は右図のとおりである。この電球 2 個を並列または直列につないで，下図(1)，(2)の回路を作った。電池を流れる電流は，それぞれいくらか。電池の内部抵抗は無視する。

(解答➡別冊 p.39)

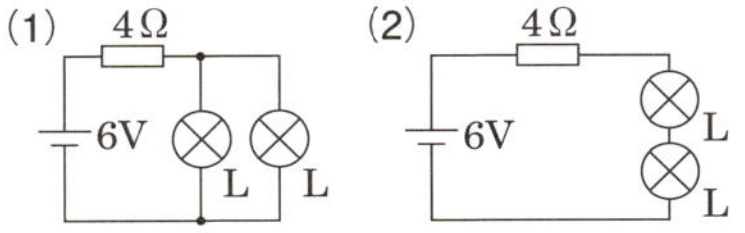

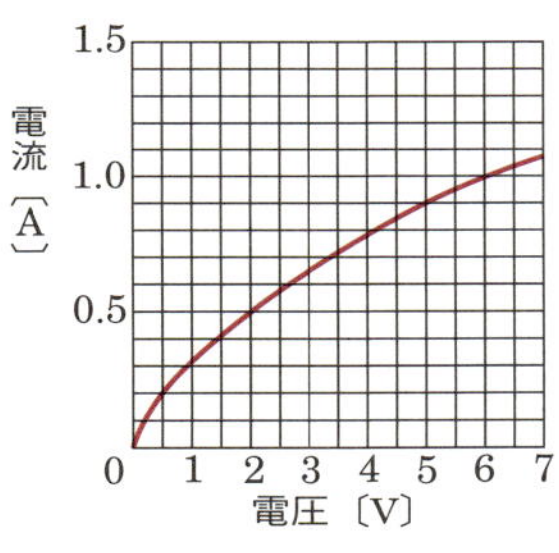

TYPE 121 コンデンサーを含む直流回路

重要度 A

コンデンサーの電圧，抵抗の電圧降下，電池の起電力の関係式をつくる。

着眼　充電していないコンデンサーを図のようにつなぎ，スイッチを入れると，コンデンサーが充電されるまでの短い間，電流が流れる。このとき，電源電圧 E〔V〕，コンデンサーにかかる電圧 V〔V〕，抵抗による電圧降下 RI〔V〕の間に，次の関係がなりたつ。

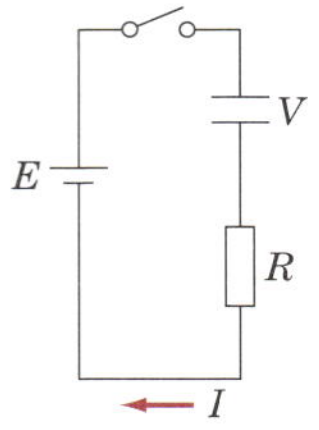

$$\boldsymbol{E = V + RI}$$

コンデンサーが充電されると，電流は流れなくなるから，**コンデンサーと直列になっている抵抗には電流が流れない。** コンデンサーと並列になった抵抗に電流が流れていれば，その抵抗の電圧降下とコンデンサーの電圧は等しい。

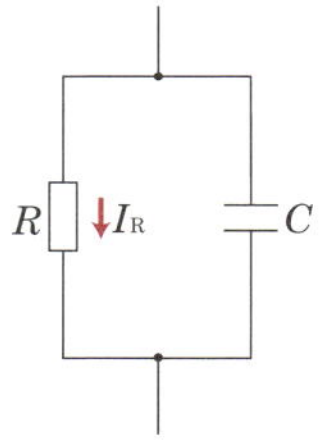

たとえば，抵抗に I_R〔A〕の電流が流れているとき，抵抗にかかる電圧 V_R〔V〕は，$V_R = RI_R$

並列に接続されているコンデンサーにも RI_R の電圧がかかるので，このときコンデンサーに蓄えられる電荷 Q〔C〕は，$Q = CV_R = CRI_R$

例題　コンデンサーと抵抗を含む回路

電気容量 0.30 μF のコンデンサー C と 200 Ω の抵抗 R，起電力 12 V で内部抵抗の無視できる電池 E，スイッチ S を，図のようにつないだ回路がある。最初コンデンサーは充電されていなかったとして，問いに答えよ。

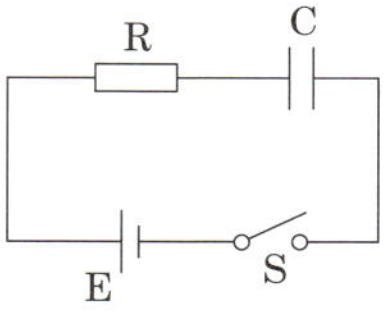

(1)　スイッチを入れた瞬間に抵抗を流れる電流はいくらか。

(2)　コンデンサーに 1.2 μC の電荷が蓄えられたとき，抵抗に流れる電流はいくらか。

(3)　スイッチを入れてからじゅうぶん時間がたったとき，

①　抵抗に流れる電流はいくらか。

②　コンデンサーに蓄えられた電荷とエネルギーはいくらか。

③　スイッチを入れてからの電池のした仕事はいくらか。

④　抵抗で発生したジュール熱はいくらか。

解き方 (1) スイッチを入れた瞬間は，コンデンサーに電荷が蓄えられていないので，コンデンサーの極板間の電位差は0 V。よって，抵抗に流れる電流をI〔A〕とすれば，$12=0+200I$　　ゆえに，$I=0.060$ A

(2) コンデンサーに1.2 μCの電荷が蓄えられたとき，コンデンサーの極板間の電位差V〔V〕は，(4·11)式より，$V=\dfrac{Q}{C}=\dfrac{1.2\times10^{-6}}{0.30\times10^{-6}}=4.0$ V

であるから，抵抗に流れる電流をI'〔A〕とすれば，

$12=4.0+200I'$　　ゆえに，$I'=0.040$ A

(3) ① じゅうぶん時間がたつと，コンデンサーの充電が完了し，電流が流れなくなるので，コンデンサーと直列になっている抵抗にも電流が流れない。

② 抵抗による電圧降下が0だから，コンデンサーにかかる電圧V'〔V〕は，

$12=0+V'$　　より，　　$V'=12$ V

よって，コンデンサーに蓄えられる電荷Q〔C〕は，(4·11)式より，

$Q=CV'=0.30\times10^{-6}\times12=3.6\times10^{-6}$ C

コンデンサーに蓄えられるエネルギーU〔J〕は，(4·14)式より，

$$U=\frac{1}{2}C(V')^2=\frac{1}{2}\times0.30\times10^{-6}\times12^2=21.6\times10^{-6}=2.2\times10^{-5}\text{ J}$$

③ 電池は12 Vの電位差のところを3.6 μCの電荷を運んだのだから，電池のした仕事は，(4·6)式より，$W=qV=3.6\times10^{-6}\times12=43.2\times10^{-6}=4.3\times10^{-5}$ J

④ 抵抗で発生したジュール熱は，電池のした仕事Wとコンデンサーに蓄えられたエネルギーUとの差に等しい。よって，

$W-U=(43.2-21.6)\times10^{-6}=21.6\times10^{-6}=2.2\times10^{-5}$ J

答 (1) **0.060 A**　(2) **0.040 A**
(3) ① **0 A**　② 電荷：**3.6×10^{-6} C**，エネルギー：**2.2×10^{-5} J**
③ **4.3×10^{-5} J**　④ **2.2×10^{-5} J**

類題171 電気容量C〔F〕のコンデンサーとR_1，R_2〔Ω〕の抵抗，内部抵抗r〔Ω〕をもつ起電力V〔V〕の電池を右図のようにつなぐ。これについて，次の文中の□に適当な式を書き入れよ。

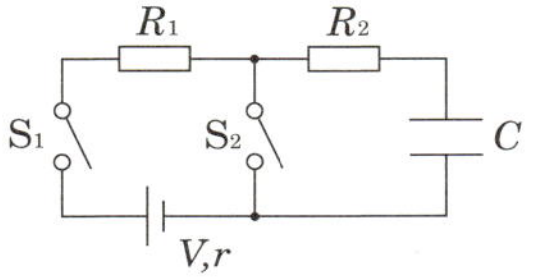

はじめスイッチS_1が開いており，S_2が閉じてじゅうぶん時間がたっている。次にスイッチS_2を開いてからスイッチS_1を閉じる。スイッチS_1を閉じた直後，R_1の両端の電位差は ① 〔V〕である。スイッチS_1を閉じてからじゅうぶん時間がたつまでにR_1で発生する全ジュール熱をC，Vを用いて表すと ② 〔J〕である。また，その間にこの抵抗器を通過した電荷の総量は ③ 〔C〕である。 （解答➡別冊 ***p.39***）

例 題　コンデンサーと抵抗を含む回路

図において，C_1，C_2 は電気容量がそれぞれ 0.30 μF，0.20 μF のコンデンサー，R_1，R_2 はそれぞれ 200 Ω，400 Ω の抵抗，E は起電力 12 V の電池で，内部抵抗は無視してよい。

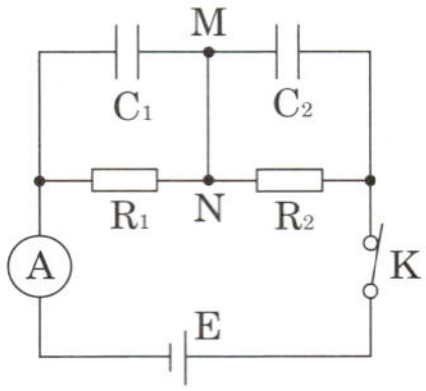

(1) スイッチ K を閉じてじゅうぶん時間がたったとき，C_1 に蓄えられる電荷とエネルギーを求めよ。

(2) スイッチ K を開いた後，導線 MN を流れる電荷の総量を求めよ。

解き方 (1) R_1，R_2 を流れる電流を I〔A〕とすると，オームの法則より，

$12=(200+400)I$　　ゆえに，$I=0.020$ A

R_1 の両端の電位差 V_1〔V〕は，

$V_1=R_1I=200\times0.020=4.0$ V

よって，C_1 に蓄えられる電荷 Q_1〔C〕は，(4·11)式より，

$Q_1=C_1V_1=0.30\times10^{-6}\times4.0=1.2\times10^{-6}$ C

また，C_1 に蓄えられるエネルギー U_1〔J〕は，

$$U_1=\frac{1}{2}Q_1V_1=\frac{1}{2}\times1.2\times10^{-6}\times4.0=2.4\times10^{-6}\text{ J}$$

(2) スイッチ K を開くと，電流 I が 0 になるので，R_1，R_2 の電位差，したがって，C_1，C_2 の電位差が 0 になり，C_1，C_2 の電荷も 0 になる。

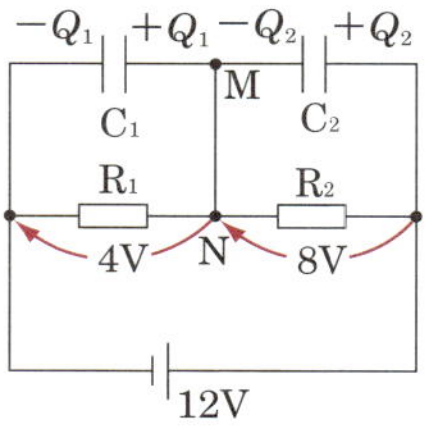

スイッチ K を開く前，C_1 の M 側の極板には，

$+Q_1=+1.2\times10^{-6}$ C

の電荷があり，C_2 の M 側の極板には，

$-Q_2=-C_2V_2=-0.20\times10^{-6}\times(12-4.0)=-1.6\times10^{-6}$ C

の電荷があったから，これがなくなるためには，

$+Q_1+(-Q_2)=(1.2-1.6)\times10^{-6}=-4.0\times10^{-7}$ C

より，4.0×10^{-7} C が N から M に流出しなければならない。

答 (1) **電荷：1.2×10^{-6} C，エネルギー：2.4×10^{-6} J**　(2) **4.0×10^{-7} C**

類題172 図のようなスイッチ K の開いた回路がある。電池の内部抵抗は無視して，次の問いに答えよ。

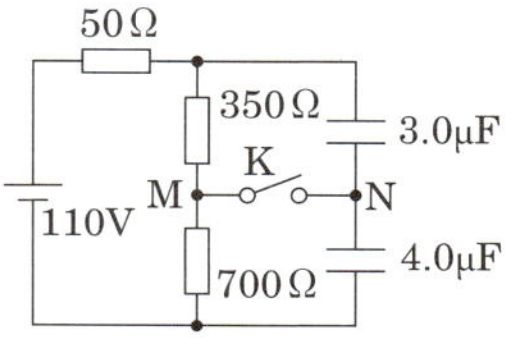

(1) MN 間の電位差はいくらか。

(2) スイッチ K を閉じると，K を通って何 C の電荷が流れるか。

(解答➡別冊 *p.40*)

練習問題

解答→別冊 p.73

TYPE

58 図のような断面積S〔m²〕，長さL〔m〕の金属棒の両端に電位差V〔V〕を与える。電気素量をe〔C〕として以下の問いに答えよ。

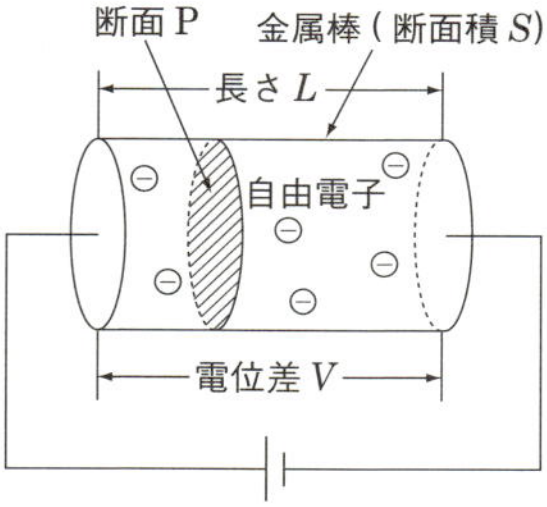

(1) このとき，金属棒の内部には一様な電場（電界）が生じる。この電場の向きと大きさを答えよ。

(2) (1)の電場により金属棒中の自由電子が受ける力の大きさを答えよ。

自由電子は金属内部の一様な電場により加速される。このとき自由電子は金属中で熱振動している金属イオンに衝突しながら運動する。このように自由電子は加速と減速をくり返し，金属中の自由電子全体としては，電場と逆向きに一定の速さで移動している。このことは自由電子の流れが，自由電子が受ける力につり合う一種の抵抗力を受けたためとみることができる。この抵抗力は自由電子の平均の速さに比例すると仮定し，その比例定数をα〔N·s/m〕とする。

(3) 自由電子の平均の速さを答えよ。

(4) 図に示す金属棒に垂直な断面P（断面積S）を，1秒間に通過する自由電子の数を答えよ。ここで，単位体積あたりの自由電子の数をn〔個/m³〕とする。

(5) 電流の大きさを答えよ。

(6) (5)の式をオームの法則と比較することにより，この金属棒の抵抗を求めよ。

（大阪府大 改）

→ 105, 112

59 図に示す4つの抵抗（R_1，R_2，R_3，R_4）と起電力Eで内部抵抗を無視できる電池とを用いたホイートストンブリッジ回路について，文中の空欄に適する式を求めよ。

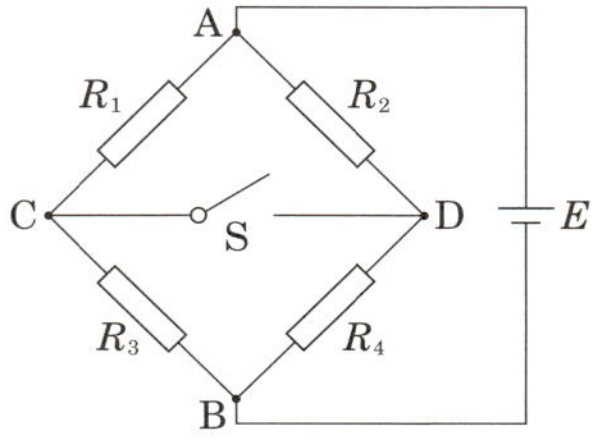

(1) スイッチSが開いている状態での，電池から流れ出る電流は［ ① ］となる。また，スイッチSが閉じている状態での，電池から流れ出る電流は［ ② ］となる。

(2) スイッチSが開いている状態を考える。

TYPE

経路ACBと経路ADBは並列接続されており，まず経路ACBを考える。経路ACBにおけるAB間の電圧 V_{ACB} は［③］となる。経路ACB間の合成抵抗 R_{ACB} は［④］である。よって，経路ACB間を流れる電流 I_{ACB} は［⑤］となる。CD間の電圧を求めるために，B点を基準点としたC点の電圧 V_{CB} を求める。CB間の抵抗値は R_3 なので，電圧 V_{CB} は［⑥］となる。同様の考えを経路ADBに適用すると，B点を基準点としたD点の電圧 V_{DB} は［⑦］となる。よって，CD間の電圧 V_{CD} は［⑧］となる。CD間の電圧 $V_{CD}=0$ の場合は，4つの抵抗に［⑨］の関係がある。

4つの抵抗がすべて同じ抵抗値 R のときは $V_{CD}=0$ になるが，4つの抵抗のうち1つのみ値が異なる場合($R_1=R+\Delta R$, $R_2=R_3=R_4=R$)の V_{CD} は［⑩］となる。　（室蘭工大）

➔ 114, 118

60　電池はすべて内部に電気抵抗(内部抵抗)をもっている。この内部抵抗のために，電池の両端の電圧は電池を流れる電流によって変化する。したがって，電池の両端に電圧計を直接つないでも，電池の起電力を測ったことにはならない。図1は電池の内部抵抗 r〔Ω〕と起電力 E〔V〕を求めるための回路図である。この実験において，外部の可変抵抗 R〔Ω〕を変化させたときの，電池を流れる電流 I〔A〕と電池の両端の電圧(端子電圧) V〔V〕の測定データと近似直線のグラフが図2に示されている。ただし，電流計の内部抵抗はきわめて小さく，電圧計の内部抵抗はきわめて大きいものとする。以下の問いに答えよ。

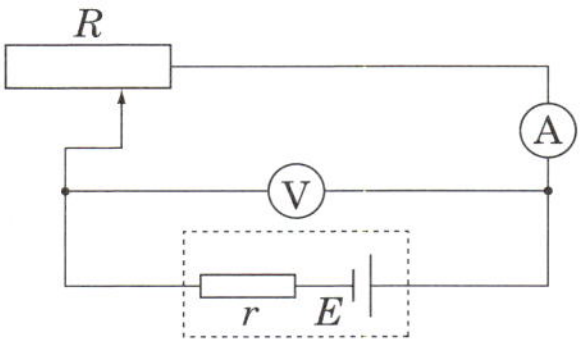

図1

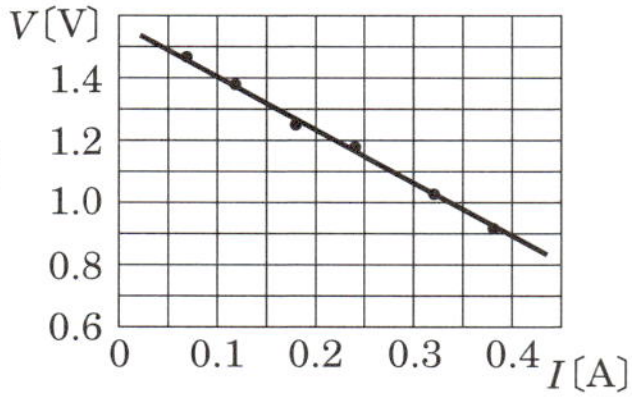

図2

(1)　図2から，電池を流れる電流が0.1 Aのときの端子電圧を求めよ。

(2)　電池を流れる電流が I，内部抵抗が r であることを用いて，電池の端子電圧 V と起電力 E との関係式を書け。

(3)　この電池の起電力 E を求めよ。

(4)　この電池の内部抵抗 r を求めよ。　（宮崎大 改）

➔ 116, 117

3 電気と磁気

1 電流がつくる磁場

1 直線電流がつくる磁場　無限に長い直線状の導線にI〔A〕の電流を流したとき，導線からr〔m〕離れた点に生じる磁場の強さH〔A/m〕は，$H=\dfrac{I}{2\pi r}$　(4·23)

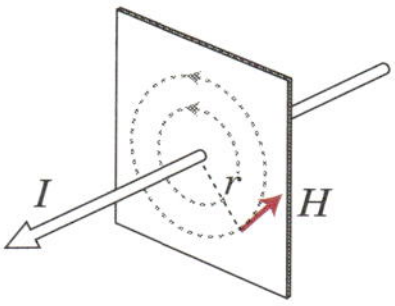

2 円形電流の中心の磁場　半径r〔m〕の円形の導線にI〔A〕の電流を流したとき，中心にできる磁場の強さH〔A/m〕は，

$$H=\frac{I}{2r} \quad (4·24)$$

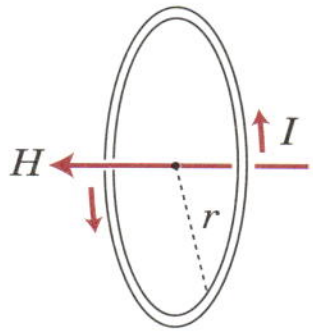

3 ソレノイド内部の磁場　導線を1 mあたりn回密に巻いて作ったソレノイドにI〔A〕の電流を流したとき，ソレノイド内に生じる磁場の強さH〔A/m〕は，$H=nI$　(4·25)

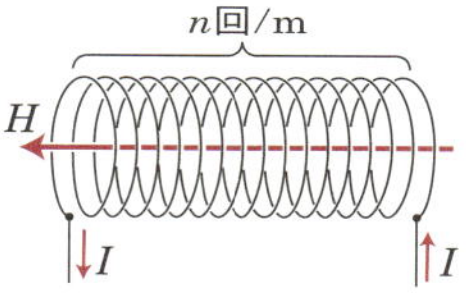

2 磁束密度

透磁率μの物質中にH〔A/m〕の磁場が生じたときの磁束密度B〔T〕は，

$$B=\mu H \quad (4·26)$$

3 電流が磁場から受ける力

1 導線の受ける力　磁束密度B〔T〕の磁場中に，磁場と角θをなす方向に置いた長さl〔m〕の導線にI〔A〕の電流を流したとき，導線が受ける力F〔N〕は，

$$F=IBl\sin\theta \quad (4·27)$$

力の向きは，次のフレミングの左手の法則によって決める。

2 フレミングの左手の法則　左手の親指，人さし指，中指を，図のように互いに垂直に開き，中指を電流I，人さし指を磁場Bの向きに向けると，親指が，電流が磁場から受ける力の向きを示す。

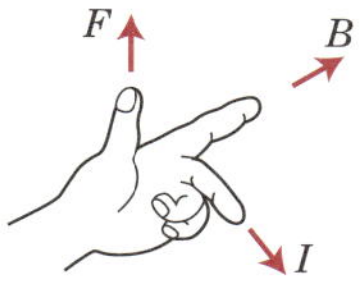

3 ローレンツ力　q〔C〕の電荷をもつ粒子が，磁束密度B〔T〕の磁場中を，磁場と垂直にv〔m/s〕の速さで運動するとき，粒子が受けるローレンツ力の大きさF〔N〕は，$F=qvB$　(4·28)

ローレンツ力の向きは，正の荷電粒子の運動方向を電流の向きとみなして，フレミングの左手の法則にあてはめて決めればよい。

TYPE 122　平行導線間にはたらく力

A 重要度

同方向に流れる電流間には引力がはたらく。
逆方向に流れる電流間には斥力がはたらく。
力の大きさは，$F=IBl$

着眼　導線a，bを間隔 r〔m〕で平行に張り，それぞれに電流 I_1〔A〕，I_2〔A〕を流すと，電流 I_2 は電流 I_1 がつくる磁場（磁束密度 B_1〔T〕とする）中を流れることになる。

空気の透磁率を μ_0 とすると，(4·23)，(4·26)式より，

$$B_1=\mu_0 H=\frac{\mu_0 I_1}{2\pi r}$$

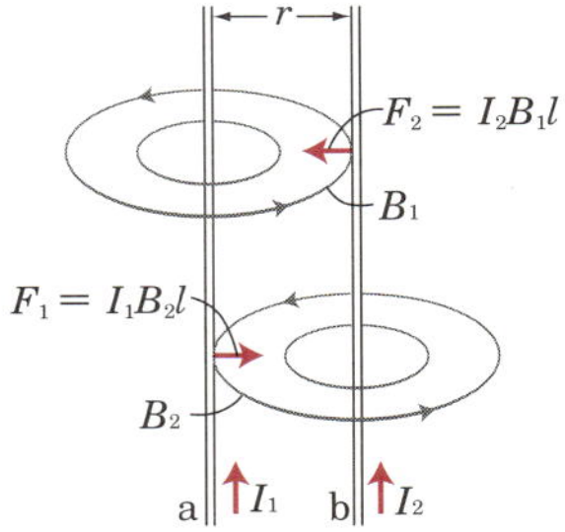

よって，導線bが長さ1mあたりに受ける力 F_2〔N〕は，(4·27)式より，

$$F_2=I_2B_1l=\frac{\mu_0 I_1 I_2}{2\pi r}$$

となる。

同様に，導線aが長さ1mあたりに受ける力 F_1〔N〕は，

$$F_1=I_1B_2l=\frac{\mu_0 I_1 I_2}{2\pi r}$$

となり，$F_1=F_2$ である（$\vec{F_1}$ と $\vec{F_2}$ は作用・反作用の力である）。

力の向きは，右ねじの法則とフレミングの左手の法則を使って調べると，電流が**同方向のときは引力，反対方向のときは斥力**になることがわかる。

例題　導線にはたらく力

3本の導線a，b，cを互いに20cmの間隔をへだてて平行に張り，aに10A，bに6.0A，cに3.0Aの電流を流す。aとbの電流は同じ向き，cの電流はそれらと反対向きに流れるとして，aの導線の10cmあたりにはたらく力の大きさと向きを求めよ。空気の透磁率を $4\pi\times10^{-7}$ N/A^2 とする。

解き方　aとbとは引力，aとcとは斥力を及ぼし合う。b，cの電流がaの所につくる磁場の磁束密度を B_b，B_c〔T〕とすると，

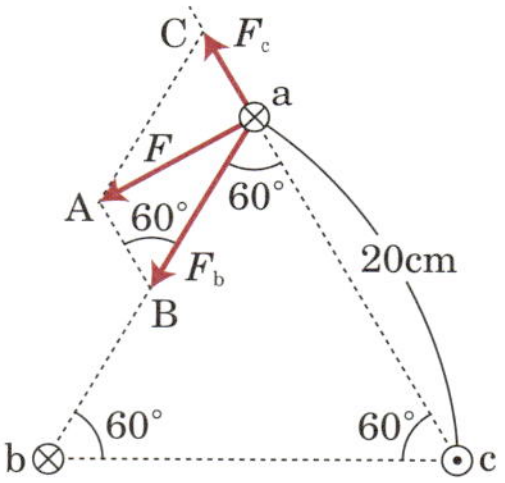

$$B_b = 4\pi \times 10^{-7} \times \frac{6.0}{2\pi \times 0.20} = 6.0 \times 10^{-6}\,\mathrm{T}$$

$$B_c = 4\pi \times 10^{-7} \times \frac{3.0}{2\pi \times 0.20} = 3.0 \times 10^{-6}\,\mathrm{T}$$

よって，aの電流がb，cの電流から受ける力をF_b，F_c〔N〕とすると，

$$F_b = I_a B_b l = 10 \times 6.0 \times 10^{-6} \times 0.10 = 6.0 \times 10^{-6}\,\mathrm{N}$$

$$F_c = I_a B_c l = 10 \times 3.0 \times 10^{-6} \times 0.10 = 3.0 \times 10^{-6}\,\mathrm{N}$$

$\vec{F_b}$と$\vec{F_c}$の向きは右図のようになる。

求める力$\vec{F}$は$\vec{F_b}$と$\vec{F_c}$の合力であるから，平行四辺形の法則によって合成する。

図の三角形aABは∠aBA＝60°，AB：aB＝1：2より，∠aAB＝90°の直角三角形になるので，

$$F = F_b \sin 60° = 6.0 \times 10^{-6} \times \frac{\sqrt{3}}{2} = 5.2 \times 10^{-6}\,\mathrm{N}$$

答 大きさ：**5.2×10^{-6}N**，向き：**a→bの向きから時計まわりに30°の向き**

類題173 長い導線と長方形のコイルABCDが，図のように同一平面内に置かれている。コイルの辺ABの長さはa〔m〕，辺ADの長さはb〔m〕で，辺ABは導線と平行になっており，その間隔はd〔m〕である。

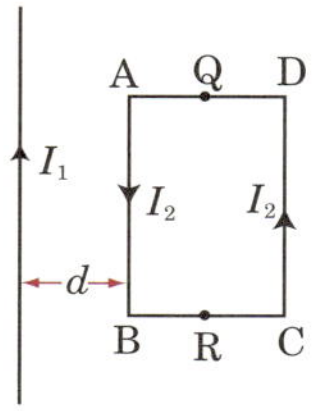

いま，導線にI_1〔A〕，コイルにI_2〔A〕の電流を図の向きに流した。これについて，問いに答えよ。

(1) 直線電流I_1〔A〕により，辺ADの中点Qおよび辺BCの中点Rが受ける力の向きは，それぞれQ→R，R→Qのどちらか。

(2) コイルABCDが直線電流I_1から受ける力の合力を求めよ。ただし，空気の透磁率を$4\pi \times 10^{-7}$ N/A^{2}とする。

（解答➡別冊 *p.40*）

類題174 図のように，点A$(-a,\ 0)$，点B$(a,\ 0)$，点C$(0,\ a)$に，紙面の表から裏向きにI〔A〕の電流が流れる，長い直線状の導線が固定されている。空気の透磁率をμ〔N/A^2〕として，以下の問いに答えよ。

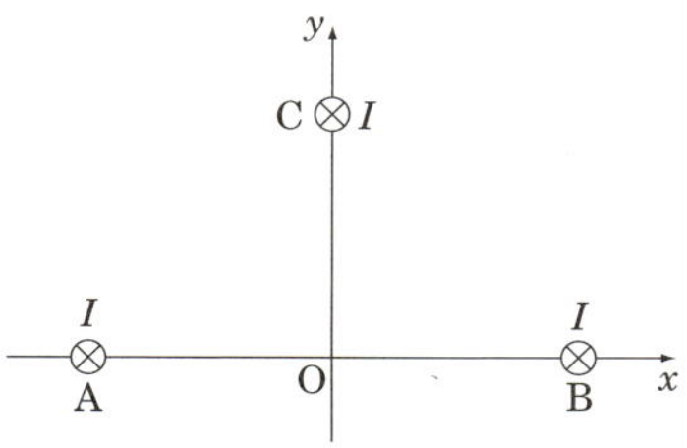

(1) 点Aと点Bの電流が，点Cにつくる磁場の強さと向きを求めよ。

(2) 点Cの導線が，磁場から受ける，単位長さあたりの力の大きさと向きを求めよ。

（解答➡別冊 *p.40*）

TYPE 123 荷電粒子の磁場中の運動

重要度 A

ローレンツ力が向心力となって等速円運動をする。

運動方程式は，$m\dfrac{v^2}{r}=qvB$

着眼　一様な磁場 B に荷電粒子(電荷 q)が磁場に垂直に速度 v で飛び込むと，荷電粒子はその進行方向に垂直な向きにローレンツ力 qvB を受けるので，**磁場に垂直な平面内で等速円運動**をする。粒子の質量を m，円軌道の半径を r とすると，運動方程式は，

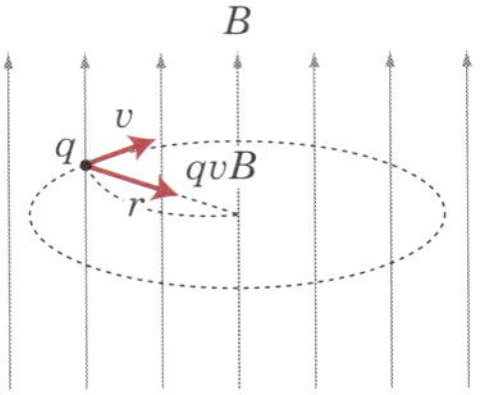

$$m\frac{v^2}{r}=qvB$$

荷電粒子が磁場と垂直でなく，角 θ をなす向きに飛び込むと，粒子は磁場と垂直な平面内で速さ $v\sin\theta$ の等速円運動をしながら，磁場の方向に速さ $v\cos\theta$ で等速度運動をするので，**らせん形の軌道上**を進む。

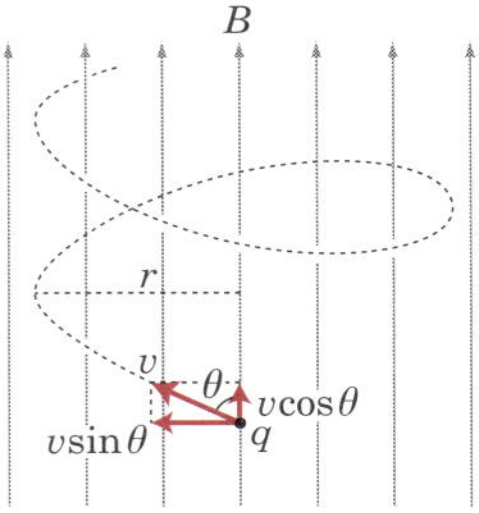

例題　荷電粒子の運動

次の問いに答えよ。

(1)　真空中に z 軸方向の一様な磁場(磁束密度 B〔T〕)がある。質量 m〔kg〕，電荷 q〔C〕の荷電粒子を速さ v〔m/s〕で，この磁場に垂直に入射させると，粒子は xy 平面内で図 1 のような等速円運動をした。この円軌道の半径および回転周期を求めよ。また，荷電粒子の電荷は正か負か。

図 1

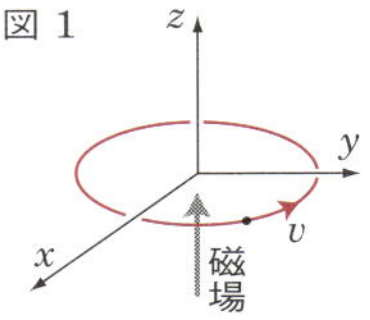

(2)　次に，図 1 の磁場に重ねて，図 2 のように y 軸方向に一様な電場 E〔V/m〕をかける。いま，正の荷電粒子を x 軸方向に速度 v で入射させると，粒子は x 軸上を直進した。粒子の速度 v と磁場の磁束密度 B，電場 E の間にはどんな関係があるか。

図 2

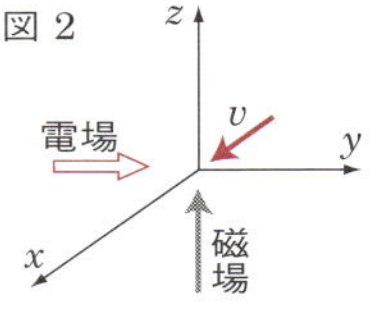

解き方　(1)　荷電粒子が磁場から受けるローレンツ力が向心力となって等速円運動をする。円軌道の半径を r〔m〕とすると，運動方程式は，

$$m\frac{v^2}{r}=qvB \qquad \text{ゆえに，} \ r=\frac{mv}{qB}$$

回転周期 T〔s〕は，円周を 1 周する時間だから，$T=\dfrac{2\pi r}{v}=\dfrac{2\pi}{v}\cdot\dfrac{mv}{qB}=\dfrac{2\pi m}{qB}$

次に，電荷の符号について考えてみよう。荷電粒子が y 軸を横切る瞬間について，フレミングの左手の法則をあてはめてみる。荷電粒子の電荷を正と仮定すると，電流の向きは $-x$ 方向，磁場の向きは $+z$ 方向であるから，ローレンツ力の向きは $+y$ 方向でなければならないが，向心力は $-y$ 方向なので，電荷は負である。

(2) 荷電粒子が直進したのは，磁場から受けるローレンツ力 qvB と電場から受ける静電気力 qE とがつり合ったからである。よって，

$$qvB=qE \qquad \text{ゆえに，} \qquad v=\frac{E}{B}$$

答 (1) 半径：$\dfrac{mv}{qB}$，周期：$\dfrac{2\pi m}{qB}$，電荷：負　(2) $v=\dfrac{E}{B}$

〈類題175〉 図の点Oを中心とする半径 r_0〔m〕の円内に，紙面に垂直な一様な磁場（磁束密度 B〔T〕）がある。点電荷 q〔C〕，質量 m〔kg〕の荷電粒子を，紙面内で円の中心に向けて初速度 v〔m/s〕で入射させる場合について，次の文中の［　　］にあてはまる式を書け。

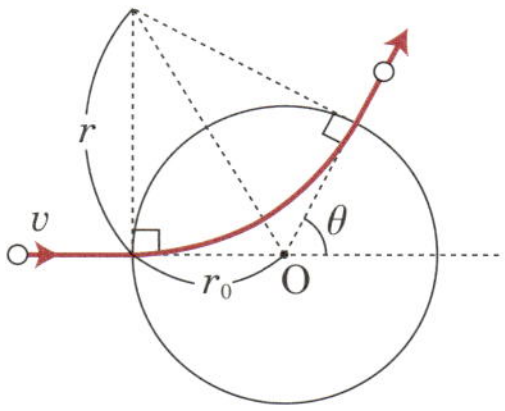

荷電粒子は磁場内で大きさ［　①　］〔N〕のローレンツ力をつねに運動方向と垂直な方向に受けるため，等速円運動をする。この円軌道の半径は，$r=$［　②　］〔m〕である。荷電粒子が磁場に入る方向と磁場から出る方向とのなす角を θ とすると，r は r_0 と θ を用いて，$r=$［　③　］と表される。したがって，角 θ を測定すれば，荷電粒子の比電荷は，$q/m=$［　④　］と算出される。（解答➡別冊 *p.41*）

〈類題176〉 図のように z 軸方向に一様な電場（強さ E）と一様な磁場（磁束密度の大きさ B）がかけられている。時刻 $t=0$ に，質量 m で電荷 q $(q>0)$ の粒子が初速度 v で原点を出発した。初速度のベクトルは xz 平面内にあり，z 軸となす角を θ $\left(0<\theta\leqq\dfrac{\pi}{2}\right)$ とする。

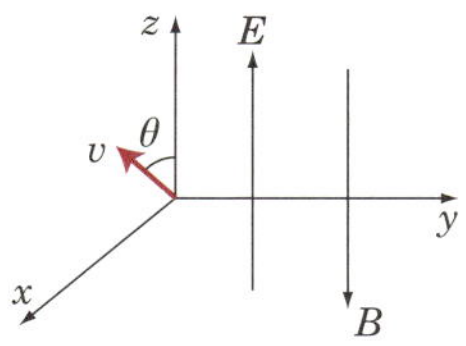

(1) 粒子の軌跡を xy 平面に射影すると，円になる。この円の中心の x 座標と y 座標を求めよ。

(2) 粒子が原点を出発した後，はじめて z 軸を通る時刻とそのときの運動エネルギーを求めよ。

(3) 粒子が原点を出発した後，n 回目に z 軸を通るときの z 座標を求めよ。

（解答➡別冊 *p.41*）

TYPE 124 ホール効果

B 重要度

磁場から受けるローレンツ力と電場から受ける静電気力のつり合いを考える。

着眼　磁場内を流れる電流は，ローレンツ力によって電流の流れる位置にかたよりを生じる。このかたよりによって，物質内に電場が発生し，**電場から受ける電気力とローレンツ力がつり合うと，定常状態となる。**

例題　ホール効果による電位差

図のように，磁束密度 B〔T〕の一様な紙面裏向きの磁場中に，幅 w〔m〕，厚さ t〔m〕の断面をもつ細長い銅板が，磁場に垂直に置かれている。直流電源を用いて，この銅板の矢印の向きに I〔A〕の電流を流したとき，c，d の 2 点間に生じる電位差 V_d〔V〕を求めよ。銅の自由電子密度を n〔m^{-3}〕，電子の電荷を $-e$〔C〕とする。

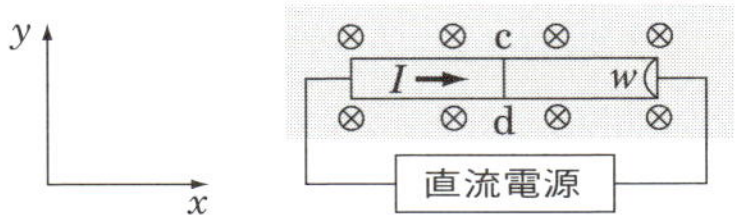

解き方　銅板の断面積は wt であるから，単位時間に導線の一断面を通る電子の個数は，$n \times vwt$ である。よって，電流 I は，

$$I = envwt \qquad ゆえに,\ v = \frac{I}{enwt}$$

電子が $+x$ 方向に運動すると，$-y$ 方向のローレンツ力を受けるので，電子の分布が d 側にかたより，c 側の電位が d 側より高くなる。このため，cd 間には電場 $E = \dfrac{V_d}{w}$ が生じ，電子はこの電場から静電気力を受ける。定常状態では，この静電気力とローレンツ力がつり合うから，

$$eE = \frac{eV_d}{w} = evB \qquad ゆえに,\ V_d = vBw = \frac{BI}{ent}〔V〕$$

答　$\dfrac{BI}{ent}$

類題177　図のように，直方体をした半導体に I〔A〕の電流を流し，磁束密度 B〔T〕の一様な磁場をかけたところ，面 Q，R 間に V_H〔V〕の電位差を生じた。この半導体のキャリアの密度 N〔m^{-3}〕を求めよ。

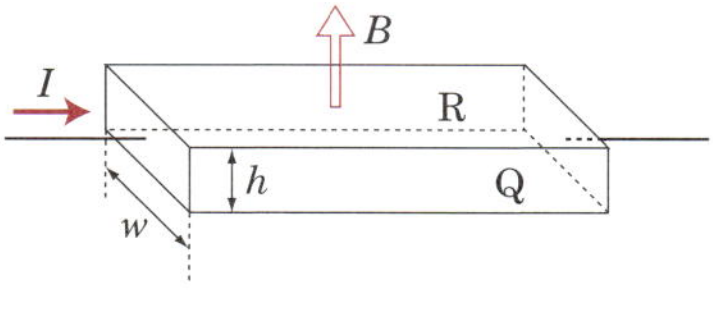

また，面 Q のほうが電位が高かったとすれば，この半導体の種類は p 型か，n 型か。ただし，キャリアの電荷の大きさを e〔C〕とする。

（解答➡別冊 *p.42*）

練習問題

解答→別冊 p.75

TYPE

61 電磁場中の荷電粒子の運動に関する下の問いに答えよ。ただし，重力の影響は無視できるものとする。

図のように，真空中に領域1と領域2がある。領域1の縦の幅は一定でdであり，横の幅はじゅうぶんに大きい。この2つの領域には，磁束密度Bの一様な磁場が紙面の表から裏向きにかけられている。質量m，電荷q $(q>0)$の荷電粒子を点Oから速さvで領域1に垂直に入射させたところ，図のように円運動をした。

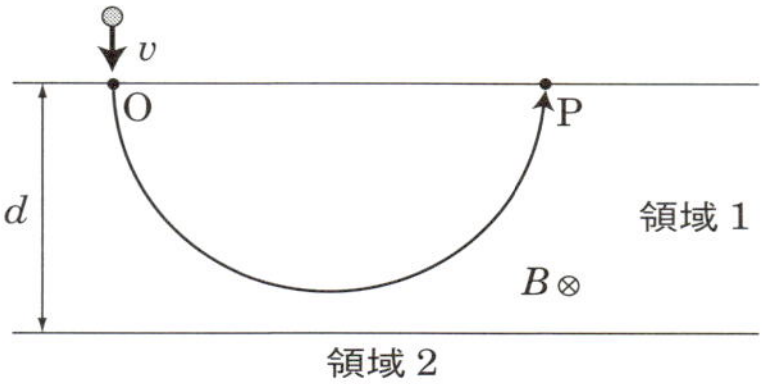

(1) 領域1内で荷電粒子にはたらく力の大きさを求めよ。

(2) 荷電粒子が図の領域2に出て行かないための速さvの条件を，m，d，q，Bを用いて表せ。

(3) 図のように荷電粒子が領域1内で半周して点Pに到達した。荷電粒子が入射するときの速さvを変えるとき，OP間の距離が最大となる速さv_mはいくらか。m，d，q，Bを用いて表せ。（東京学芸大 改）

→123

62 以下の［　　］に適切な式，語句または数値を入れよ。ただし，②～④については{　}内から選択せよ。

図のように，x軸方向の幅がd〔m〕，z軸方向の幅がh〔m〕の直方体の金属にy軸の正の向きに電流を流す。このとき，自由電子（電荷を$-e$〔C〕とする）は電流と逆向きに速さv〔m/s〕で移動したとする。自由電子の数密度をn〔個/m^3〕とすると，金属を流れる電流の大きさI〔A〕は［　①　］〔A〕で与えられる。

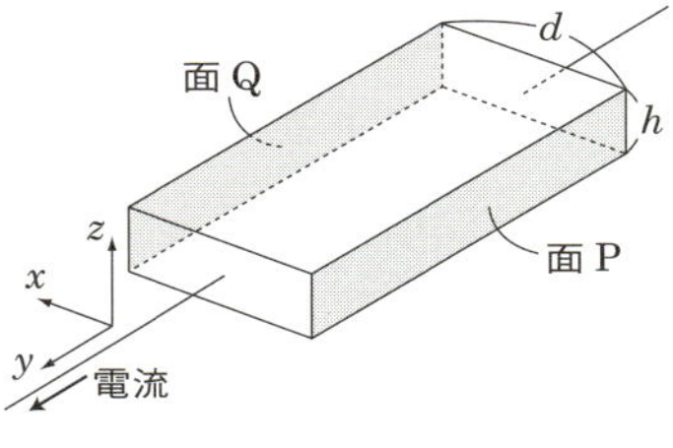

次に一様な磁束密度B〔T〕の磁場をz軸の正の向きに加えた。このとき，ローレンツ力によって自由電子は金属の面② {P，Q} に集まり，面

ヒント　**61** (2) 円運動の半径がdより小さければよい。
(3) 円運動の半径がちょうどdになるときである。

Pは③{正，負}に，面Qは④{正，負}に帯電する。その結果，x軸方向に電場が生じる。磁場によるローレンツ力とx軸方向の電場からの力がつり合うと，自由電子はy軸方向に直進するようになり，これ以上帯電は進まなくなる。このとき，ローレンツ力の大きさは［⑤］〔N〕で与えられるので，x軸方向の電場の大きさは［⑥］〔V/m〕である。面Pの電位を基準にとった場合の面Qの電位V_H〔V〕を，I，B，h，n，eで表すと［⑦］〔V〕となる。よって，$\frac{V_H h}{IB}$をn，eで表すと［⑧］〔(V·m)/(A·T)〕となる。ある金属で$\frac{V_H h}{IB}$を求めたところ，-3.0×10^{-11} (V·m)/(A·T)であった。このとき，$e=1.6\times10^{-19}$ Cとして，この金属の自由電子の数密度は［⑨］個/m^{3}と計算される。(信州大)

TYPE

→ 124

63　図のように，じゅうぶん長い直線状の導線と1辺の長さがaの正方形のコイルABCDが同一面内に置かれている。z軸上の導線には定常電流Iが流れている。電流の流れる向きをz軸の正の向きとし，コイルの1辺ADがx軸上にあるように直交座標xyzを定めた。ここで，y軸は紙面(xz面)に垂直で，紙面の表から裏への向きをy軸の正の向きとする。また，導線とコイルは空気中にあり，空気の透磁率は真空の透磁率μ_0に等しいとする。コイルの1辺ABと導線との距離をdとして，以下の問いに答えよ。

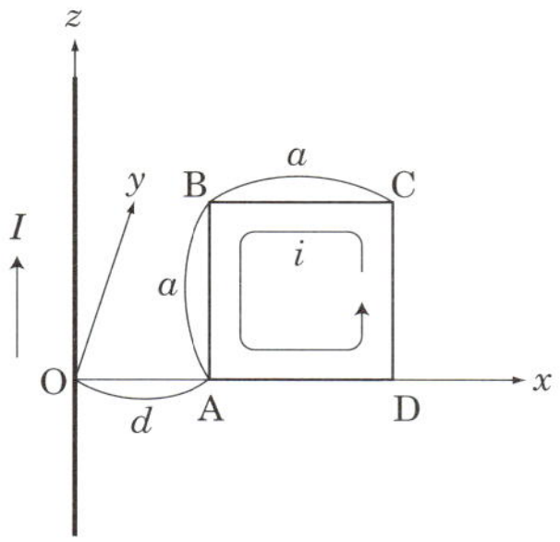

(1)　Aの位置での直線電流による磁場(磁界)の強さと，その向きを答えよ。

(2)　正方形のコイルABCDに，図に示す向きに電流iを流すと，直線電流はコイルABCDに力を及ぼす。

① 直線電流が辺ABに及ぼす力の大きさとその向きを答えよ。

② 直線電流が辺CDに及ぼす力の大きさとその向きを答えよ。

③ 直線電流がコイル全体に及ぼす力の大きさとその向きを答えよ。

→ 122

(奈良女子大 改)

ヒント　62 ⑦ 面Qは面Pより電位が低いことに注意する。
63 (2) ABとCDでは電流の流れる向きが逆である。

4 電磁誘導と交流

1 電磁誘導の法則

磁束密度 B〔T〕の磁場中に断面積 S〔m^2〕のコイルを，コイル面を磁場に垂直に置いたとき，コイルを貫く磁束 Φ〔Wb〕は，

$$\Phi = BS \tag{4・29}$$

と表される。コイルを貫く磁束が変化すると，コイルに誘導起電力が生じる。N 回巻きのコイルを貫く磁束が，短い時間 Δt〔s〕の間に $\Delta\Phi$〔Wb〕だけ変化すると，そのときの誘導起電力 V〔V〕は，次のように表される。

$$V = -N\frac{\Delta\Phi}{\Delta t} \tag{4・30}$$

負号は起電力が磁束の変化をさまたげる向きに起こることを意味する。

2 磁場中を運動する導線の誘導起電力

磁束密度 B〔T〕の磁場中を，磁場に垂直に，長さ l〔m〕の導線が v〔m/s〕の速さで運動するとき，導線の両端に生じる誘導起電力の大きさ V〔V〕は，

$$V = vBl \tag{4・31}$$

3 自己誘導と相互誘導

1 自己誘導起電力　コイルを流れる電流が変化すると，そのコイル自身に誘導起電力を生じる。コイルを流れる電流が短い時間 Δt〔s〕に ΔI〔A〕だけ変化したときの自己誘導起電力 V〔V〕は，

$$V = -L\frac{\Delta I}{\Delta t} \tag{4・32}$$

L はそれぞれのコイルに特有の比例定数で，**自己インダクタンス**（単位はヘンリー〔H〕）と呼ばれる。

2 相互誘導起電力　2 つのコイルを接近させ，1 次コイルに生じた磁束が 2 次コイルをも貫くようにすると，1 次コイルの電流の変化によって 2 次コイルに誘導起電力を生じる。1 次コイルの電流が短い時間 Δt〔s〕の間に ΔI_1〔A〕だけ変化したとき，2 次コイルに生じる相互誘導起電力 V_2〔V〕は，

$$V_2 = -M\frac{\Delta I_1}{\Delta t} \tag{4・33}$$

M は 2 つのコイルの組み合わせ方などによって決まる比例定数で，**相互インダクタンス**（単位はヘンリー〔H〕）と呼ばれる。

4 コイルの磁気エネルギー

自己インダクタンスL〔H〕のコイルにI〔A〕の電流が流れているとき，コイルは，次の式で表される磁気エネルギーE〔J〕を蓄えている。

$$E=\frac{1}{2}LI^2 \tag{4·34}$$

5 交　流

1 交流電圧　交流電圧V〔V〕は，最大値をV_0〔V〕，発電機の回転角速度をω〔rad/s〕とすると，時間t〔s〕に対して次の式で示される変化をする。

$$V=V_0\sin\omega t \tag{4·35}$$

2 交流電流　(4·35)式で表される交流電圧が抵抗に加わったときに流れる交流電流I〔A〕は，最大値をI_0〔A〕とすると，

$$I=I_0\sin\omega t \tag{4·36}$$

3 実効値　交流電圧および交流電流の実効値は，それぞれの最大値V_0，I_0の$\dfrac{1}{\sqrt{2}}$である。

6 交流回路

1 コイルのリアクタンス　自己インダクタンスL〔H〕のコイルに角周波数ω〔rad/s〕の交流電流I〔A〕が流れるとき，コイルの両端の電圧V〔V〕は，

$$V=\omega LI \tag{4·37}$$

ただし，**電流の位相は電圧の位相より$\dfrac{\pi}{2}$だけ遅れている。**

2 コンデンサーのリアクタンス　電気容量C〔F〕のコンデンサーに角周波数ω〔rad/s〕の交流電流I〔A〕が流れるとき，コンデンサーに加わる電圧V〔V〕は，

$$V=\frac{I}{\omega C} \tag{4·38}$$

ただし，**電流の位相は電圧の位相より$\dfrac{\pi}{2}$だけ進んでいる。**

7 電気振動

自己インダクタンスL〔H〕のコイルと電気容量C〔F〕のコンデンサーからなる電気振動回路の固有周波数f〔Hz〕は，

$$f=\frac{1}{2\pi\sqrt{LC}} \tag{4·39}$$

TYPE 125 磁場中を動く導線の誘導起電力

A 重要度

誘導起電力の大きさ ⇨ $V=\dfrac{\Delta\Phi}{\Delta t}$ または，$V=Blv$

着眼 図のようなコの字形の導線のわくABCDを磁束密度B〔T〕の磁場中に置き，その上で導線PQを速さv〔m/s〕で動かす。このとき，長方形の導線わくPBCQを貫く磁束は，時間Δt〔s〕の間に，$\Delta\Phi=B\Delta S=B(lv\Delta t)$だけ増加するから，誘導起電力の大きさは，

$$V=\frac{\Delta\Phi}{\Delta t}=Blv$$

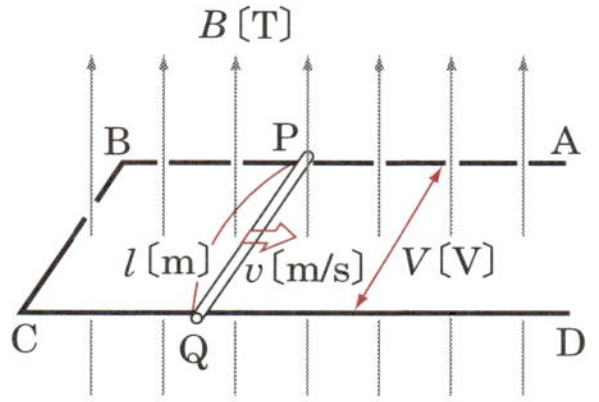

この誘導起電力によって導線PQに電流I〔A〕が流れると，この電流は磁場からIBl〔N〕の力を進行方向と逆向きに受けるから，導線PQを等速で動かすためには，$F=IBl$の力を進行方向に加え続けなければならない。

例題　磁場中の長方形回路

図のように一様な磁束密度Bの磁場と垂直な面をもつ長方形回路AEFCA（EFは自由に動ける）がある。導線EFがACの位置から，一定の速さvで右方に動く。AC$=l$として，以下の問いに答えよ。

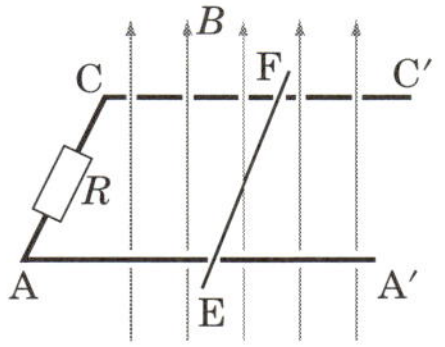

(1)　抵抗Rを流れる電流を求めよ。
(2)　単位時間に抵抗Rにおいて消費されるエネルギーを求めよ。
(3)　導線EFを速さvで動かすために必要な単位時間あたりの仕事を求めよ。

解き方 (1)　導線EFに生じる誘導起電力の大きさVは，$V=Blv$であるから，オームの法則により，抵抗に流れる電流Iは，$I=\dfrac{V}{R}=\dfrac{Blv}{R}$

(2)　ジュールの法則により，$P=RI^2=R\left(\dfrac{Blv}{R}\right)^2=\dfrac{B^2l^2v^2}{R}$

(3)　導線EFに電流Iが流れると，(4・27)式により，磁場から次の力Fを受ける。

$$F=IBl=\frac{Blv}{R}\times Bl=\frac{B^2l^2v}{R}$$

単位時間あたりの仕事は，仕事率に等しいから，$P=Fv=\dfrac{B^2l^2v}{R}\times v=\dfrac{B^2l^2v^2}{R}$

答 (1) $\dfrac{Blv}{R}$　(2) $\dfrac{B^2l^2v^2}{R}$　(3) $\dfrac{B^2l^2v^2}{R}$

〈**類題178**〉 鉛直上向きの一様な磁場(磁束密度B〔T〕)中で，l〔m〕間隔で平行に並べたなめらかなレールを水平面に対して角θをなすように支え，レールの上端をR〔Ω〕の抵抗線で結ぶ。このレールの上に質量m〔kg〕の金属棒PQ(抵抗は無視)をレールに垂直に渡し，静かに手放す。重力加速度の大きさをg〔m/s^2〕とし，レールの抵抗は無視するものとして，次の問いに答えよ。

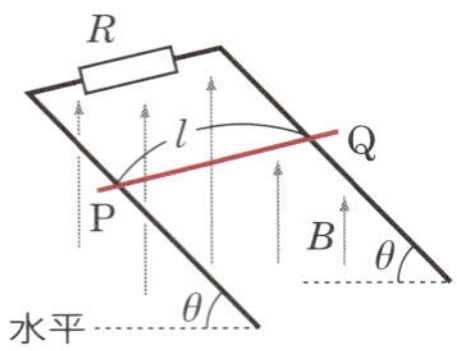

(1)　棒PQが速さvでレールの上を滑り落ちていくとき，PQを流れる電流はいくらか。また，そのときPQにはたらく電磁力はいくらか。

(2)　レールがじゅうぶん長いとすると，棒PQの終端速度はいくらか。

(解答➡別冊 ***p.42***)

例題　磁場中の回転運動

紙面に垂直で表から裏に向かう磁束密度B〔T〕の一様な磁場がある。この磁場の中で，紙面上に図のような形の針金OXYおよびOAを置き，針金OAを固定点Oのまわりに一定の角速度ω〔rad/s〕で矢印の向きに回転させる。回路に発生する起電力は何Vか。ただし，OAの長さをa〔m〕とする。

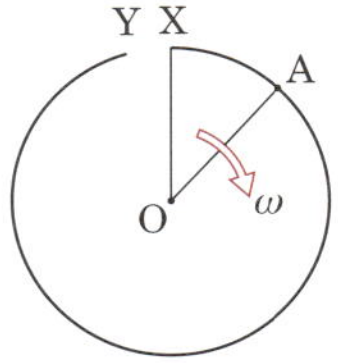

解き方　扇形OAXの時間Δt間の面積の増加量は，

$$\Delta S=\pi a^2\times\frac{\omega\Delta t}{2\pi}=\frac{a^2\omega\Delta t}{2}\text{〔m}^2\text{〕}$$

であるから，時間Δt間の磁束の増加量は，$\Delta\Phi=B\Delta S=\dfrac{Ba^2\omega\Delta t}{2}$〔Wb〕

よって，起電力Vは，$V=\dfrac{\Delta\Phi}{\Delta t}=\dfrac{Ba^2\omega}{2}$〔V〕

答　$\dfrac{1}{2}Ba^2\omega$

〈**類題179**〉 図のように，磁束密度Bの鉛直上向きの一様な磁場中に，半径rの金属円板とその中心Oを通り円板に垂直な金属棒が一体となった導体がある。この金属棒と金属円板の縁に導線を接触させ，抵抗値Rの抵抗からなる回路を作った。金属棒を回転軸として，上から見て反時計回りに一定の角速度ωで金属円板を磁場と垂直に保ったまま回転させたとき，抵抗に流れる電流の向きと大きさを求めよ。

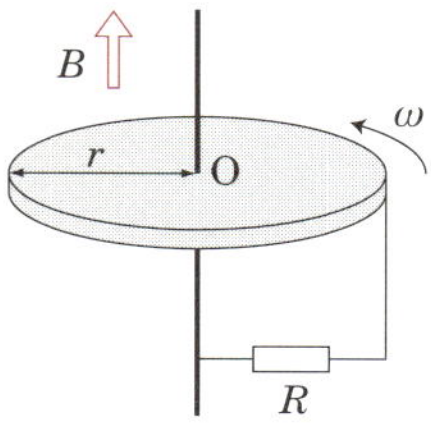

ただし，金属円板，金属棒，導線の抵抗および金属棒の太さは無視でき，金属と導線の接触による摩擦はないものとする。

(解答➡別冊 ***p.42***)

TYPE 126 一様な磁場内を運動するコイル

A 重要度

誘導起電力の大きさは $V = vBl$ または $V = \dfrac{\Delta\Phi}{\Delta t}$ を使う。
起電力の向きはレンツの法則を使う。

着眼　コイルの各辺に生じる誘導起電力は $V = vBl$ を使い，起電力の向きを考えて，コイル全体の起電力を求める。

例題　磁場内のコイルの電流

図のように，真空中の $x \geqq 0$ の領域に磁束密度 B〔T〕の磁場が，紙面に垂直で裏から表向きに一様にかかっている。1 辺の長さが L〔m〕の正方形コイル abcd があり，コイルはつねに xy 面内にあり，かつ辺 ab が x 軸上にある状態で，外力により一定の速さ v〔m/s〕で x 軸の正の向きに移動している。コイルの点 a の位置 x_a が $0 < x_a < L$ の領域にあるとき，コイルに流れる電流の大きさと向きを求めよ。コイル全体の抵抗を R〔Ω〕とし，コイルの自己インダクタンスは無視できる。

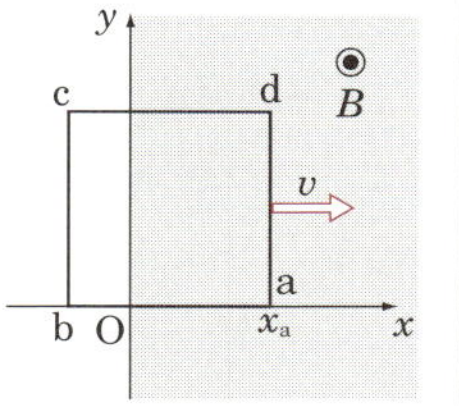

解き方　磁束を横切るのは，辺 ad のみであるから，辺 ad のみに誘導起電力が発生する。よって，コイルに誘導される起電力の大きさ V〔V〕は，$V = vBL$ である。コイルに流れる電流を I〔A〕とすれば，オームの法則より，$I = \dfrac{vBL}{R}$ である。
コイルを貫く磁束が増えているので，コイルを貫く磁束を減らす向きに電流は流れる。よって，コイルに流れる電流は，a→b→c→d の向きである。

答　大きさ：$\dfrac{vBL}{R}$，向き：a→b→c→d

類題180　図のように，$x \geqq 0$ の領域のみに，磁束密度 B の一様な磁場が xy 平面に垂直に紙面裏から表向きにかかっている。1 辺の長さ $\sqrt{2}l$ の正方形の 1 回巻きコイル abcd を，$+x$ 方向に一定の速さ v で xy 平面上を動かす。このとき，対角線 ac は x 軸に平行に保たれている。時刻 $t=0$ のときに，コイルの頂点 a が y 軸を通過する。時刻 t においてコイルに生じる誘導起電力の大きさ $E(t)$ を，v，B と t を用いて表せ。コイルの自己インダクタンスは無視する。

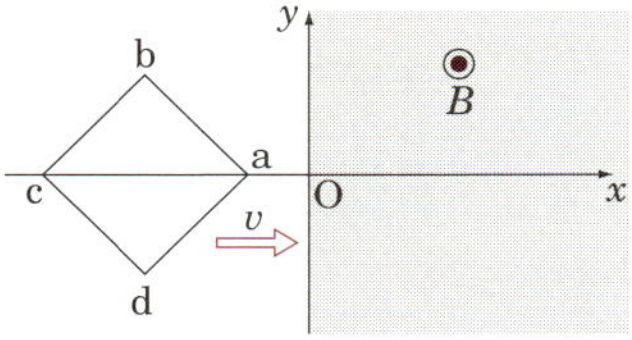

（解答➡別冊 p.42）

TYPE 127 一様でない磁場中を動く導線の電磁誘導

A 重要度

1 辺に生じる誘導起電力の大きさは，$V = vBl$
コイル全体の誘導起電力は，対辺の誘導起電力の差。

着眼 いま，図のように，長方形のコイルが磁場中を一定の速さ v で運動しているとする。AB の長さを l，AB の位置の磁束密度を B_1 とすると，辺 AB に生じる誘導起電力 V_1 は，(4･31)式より，

$$V_1 = vB_1l$$

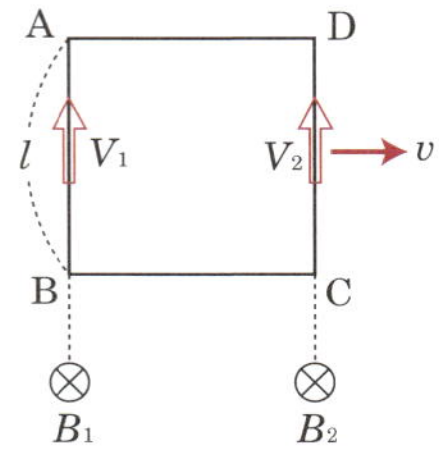

同様にして，辺 CD に生じる誘導起電力 V_2 は，

$$V_2 = vB_2l$$

V_1 と V_2 の起電力の向きが反対だから，コイル全体の起電力の大きさは，

$$V_1 - V_2 = v(B_1 - B_2)l$$

また，コイルを貫く磁束の変化をもとにして考えると，辺 CD の移動による磁束の増加 $\Delta\Phi_2$ は，$\Delta\Phi_2 = B_2(lv\Delta t)$

辺 AB の移動による磁束の減少 $\Delta\Phi_1$ は，

$$\Delta\Phi_1 = B_1(lv\Delta t)$$

したがって，コイルを貫く磁束の変化 $\Delta\Phi$ は，

$$\Delta\Phi = \Delta\Phi_2 - \Delta\Phi_1 = (B_2 - B_1)lv\Delta t$$

よって，コイルに生じる誘導起電力は，(4･30)式より，

$$V = -\frac{\Delta\Phi}{\Delta t} = (B_1 - B_2)lv$$

例 題　変化する磁場内での誘導起電力

図のように磁束密度が $B = B_0 + ky$〔T〕(B_0，k は定数)で表される z 軸方向の静磁場があり，1 辺 a〔m〕の正方形のコイル ABCD が，AB が x 軸に平行になるように xy 平面上に置かれている。

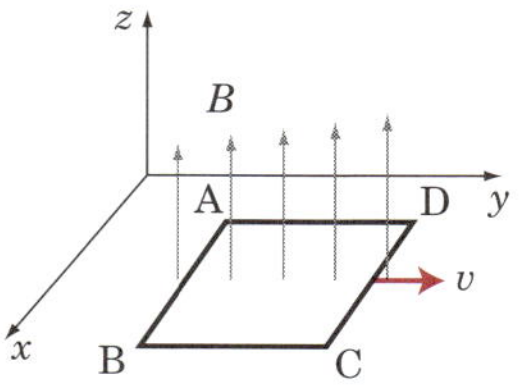

(1)　このコイルを速さ v〔m/s〕で y 軸に沿って y の正方向へ動かす。コイルの辺 AB の y 座標が b〔m〕のとき，辺 AB に生じる誘導起電力の向きと大きさを求めよ。

(2)　(1)の場合に，コイル全体に生じる誘導起電力の向きと大きさを求めよ。

解き方 (1)　コイルの辺ABの位置での磁束密度B_1は，$B_1=B_0+kb$

したがって，辺ABに生じる誘導起電力の大きさV_1は，(4·31)式より，

$$V_1=vB_1a=v(B_0+kb)a$$

辺ABはコイルを貫く磁束を減らす向きに動くから，レンツの法則により，誘導起電力の向きはA→Bの向きである。

(2)　コイルの辺ADとBCには誘導起電力は生じない。コイルの辺CDの位置の磁束密度B_2は，

$$B_2=B_0+k(b+a)$$

であるから，辺CDに生じる誘導起電力の大きさV_2は，(4·31)式より，

$$V_2=vB_2a=v\{B_0+k(b+a)\}a$$

辺CDはコイルを貫く磁束を増やす向きに動くから，レンツの法則により，誘導起電力の向きはD→Cの向きである。辺ABと辺CDの誘導起電力の向きは反対であるから，全体の起電力Vは，

$$V=V_2-V_1=v\{B_0+k(b+a)\}a-v(B_0+kb)a=vka^2$$

答 (1) 向き：**A→B**，大きさ：$\boldsymbol{v(B_0+kb)a}$

(2) 向き：**D→C**，大きさ：$\boldsymbol{vka^2}$

類題181　真空中で紙面内に直線状の電流Iが流れており，1辺$2a$の正方形の回路ABCDがABをIと平行に保ったまま，速度vでIから遠ざかっている。真空の透磁率をμ_0とおく。

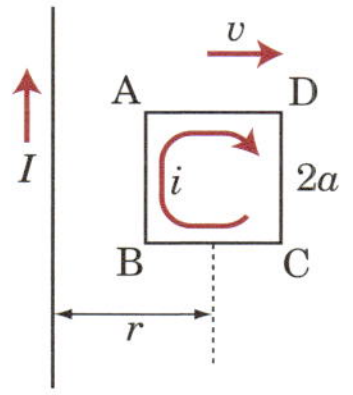

(1)　電流Iと回路の中心との距離がrのとき，Iが辺AB，CD上につくる磁場の強さH_1，H_2を求めよ。

(2)　微小時間Δtの間の回路を貫く磁束の変化$\Delta\Phi$をrの関数として求めよ。

(3)　回路の全抵抗をRとするとき，流れる電流iを求めよ。

(4)　回路を速度vで動かすのに必要な力Fを求めよ。

(解答➡別冊 *p.43*)

類題182　図のように，細い導線でできた1辺の長さlの正方形のコイルPQRSを4辺が磁場と直交するように置く。コイルを固定し，磁場の強さを変化させる場合を考える。磁束密度を0から単位時間当たり$b(b>0)$の一定の割合でゆっくり増やすと，導線に沿って一定の大きさの電場ができ，電流が流れる。このとき導線を流れる電流の大きさと向きを答えよ。

ただし，磁場の向きは紙面に垂直に裏から表へ向かう向きである。導線の電気抵抗はRである。また，コイルの自己誘導は考えなくてよい。

(解答➡別冊 *p.43*)

TYPE 128 自己誘導・相互誘導

B 重要度

自己誘導の式 $V=-L\dfrac{\Delta I}{\Delta t}$，相互誘導の式 $V_2=-M\dfrac{\Delta I_1}{\Delta t}$ とファラデーの電磁誘導の法則 $V=-N\dfrac{\Delta\Phi}{\Delta t}$ を使う。

着眼　コイルに流れる電流によるコイル内の磁場の強さは $H=nI$ から求める。磁束密度 B は，$B=\mu H$ から求め，コイルを貫く磁束 Φ は，**$\Phi=BS=\mu nIS$** と求められる。

例題　誘導起電力と自己インダクタンス

図のように，長さ l，断面積 S，巻き数が N のソレノイドコイルと抵抗と直流電源Eを含む回路が，真空中に置かれている。コイルの長さ l はその半径に比べてじゅうぶん長いとし，真空の透磁率を μ_0 とする。

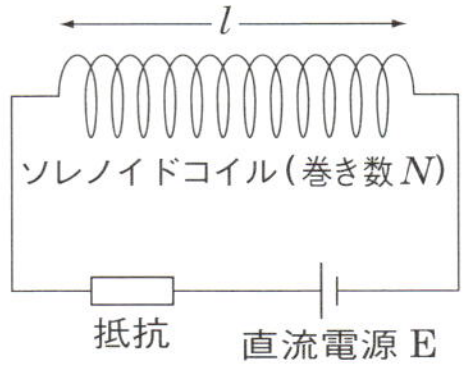

(1)　流れている電流が，時間 Δt 後に I から $I+\Delta I$ になったとする。磁束の時間変化は電流の時間変化に比例することより，コイルの誘導起電力 V を求めよ。

(2)　コイルの自己インダクタンス L を求めよ。

解き方　(1)　電流が I から $I+\Delta I$ に変化したとき，コイル内の磁束の変化 $\Delta\Phi$ は，

$$\Delta\Phi=\left\{\mu_0\times\frac{N}{l}\times(I+\Delta I)\times S\right\}-\left(\mu_0\times\frac{N}{l}\times I\times S\right)=\frac{\mu_0 NS\Delta I}{l}$$

となるので，コイルに生じるの誘導起電力 V は，$V=-N\dfrac{\Delta\Phi}{\Delta t}=-\dfrac{\mu_0 N^2 S\Delta I}{l\Delta t}$

(2)　自己インダクタンスを L としたとき，自己誘導による起電力 V は，$V=-L\dfrac{\Delta I}{\Delta t}$ であるから，(1)の結果より，$L=\dfrac{\mu_0 N^2 S}{l}$

答　(1) $\dfrac{\mu_0 N^2 S\Delta I}{l\Delta t}$　(2) $\dfrac{\mu_0 N^2 S}{l}$

類題183　図のように，長さと半径が同じで巻き数が N と N' のソレノイドコイルA，Bに，じゅうぶんに長い断面積 S の鉄しんを通した。ただし，発生した磁場は鉄しん内にあり，鉄しんからもれ出ることはないとする。

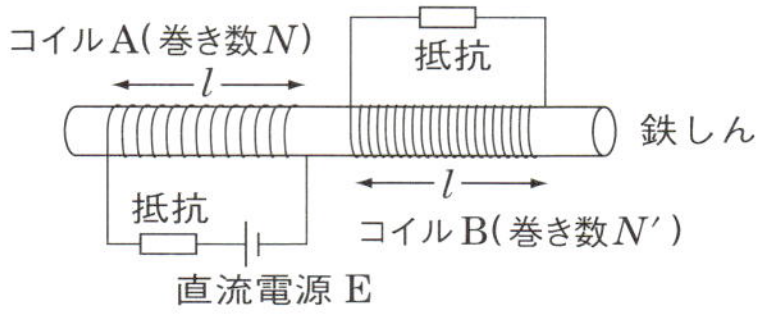

また，鉄しん内の磁場の大きさは，真空の場合の a 倍になるものとする。コイルA，Bの相互インダクタンス M を求めよ。真空の透磁率を μ_0 とする。（解答➡別冊 *p.44*）

TYPE 129 交流発電

重要度 B

コイルを貫く磁束が $\Phi = BS\cos\omega t$ のとき，交流起電力は，$V = NBS\omega\sin\omega t$

着眼　断面積 S のコイルを磁束密度 B の磁場中でコイルの軸のまわりに角速度 ω で回転させる。コイル面に立てた法線と磁場とのなす角が 0 のときの時刻を $t=0$ とすると，時刻 t においてコイルを貫く磁束 Φ は，

$$\Phi = BS\cos\omega t$$

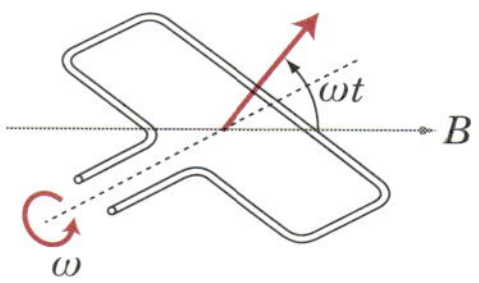

時刻 $t+\Delta t$ における磁束を $\Phi+\Delta\Phi$ とすると，

$$\Phi+\Delta\Phi = BS\cos\omega(t+\Delta t)$$

この 2 式から

$$\Delta\Phi = BS\{\cos\omega(t+\Delta t) - \cos\omega t\}$$
$$= BS(\cos\omega t\cdot\cos\omega\Delta t - \sin\omega t\cdot\sin\omega\Delta t - \cos\omega t)$$

ここで，$\omega\Delta t \fallingdotseq 0$ であるから，$\cos\omega\Delta t \fallingdotseq 1$，$\sin\omega\Delta t \fallingdotseq \omega\Delta t$ とすると，上式は，

$$\Delta\Phi = -BS\omega\Delta t\sin\omega t$$

となる。コイルの巻き数を N とすると，コイルに発生する誘導起電力 V は，(4·30)式より，

$$V = -N\frac{\Delta\Phi}{\Delta t} = NBS\omega\sin\omega t$$

例題　コイルに発生する交流電圧

文中の □ に適当な式を入れよ。

磁束密度 B の一様な磁場の中に，2 辺の長さがそれぞれ a，b の長方形のコイルが，磁場に垂直な軸のまわりに回転できるように置かれている。コイル面が磁場に垂直な位置から θ〔rad〕傾いているとき，このコイルを貫く磁束は ① である。コイルがこの位置からさらに微小な角度 $\Delta\theta$ 傾くと，コイルを貫く磁束は ② だけ変化する(ただし，$\sin\Delta\theta \fallingdotseq \Delta\theta$，$\cos\Delta\theta \fallingdotseq 1$ としてよい)。コイルの角速度を ω〔rad/s〕とすると，このときコイルの端子 P，Q 間に発生する交流電圧は $V = V_0\sin\omega t$ と表される。ここで，$V_0 =$ ③ である。

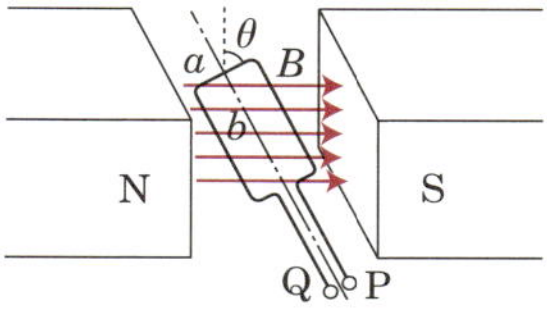

解き方　① (4·29)式より，

$$\Phi = BS = Bab\cos\theta \quad \cdots\cdots ⓐ$$

② コイル面と磁場に対する垂線とのなす角が $\theta + \Delta\theta$ になったとき，コイルを貫く磁束が $\Phi + \Delta\Phi$ になったとすると，

$$\Phi + \Delta\Phi = Bab\cos(\theta + \Delta\theta)$$
$$= Bab(\cos\theta \cdot \cos\Delta\theta - \sin\theta \cdot \sin\Delta\theta)$$

ここで，$\sin\Delta\theta \fallingdotseq \Delta\theta$，$\cos\Delta\theta \fallingdotseq 1$ とすると，上式は，

$$\Phi + \Delta\Phi = Bab(\cos\theta - \Delta\theta\sin\theta) \quad \cdots\cdots ⓑ$$

ⓐ，ⓑより，

$$\Delta\Phi = -Bab\Delta\theta\sin\theta$$

③ コイルに発生する誘導起電力は，(4·30)式より，

$$V = -\frac{\Delta\Phi}{\Delta t} = Bab \cdot \frac{\Delta\theta}{\Delta t}\sin\theta$$

ここで，$\theta = \omega t$ とすると $\dfrac{\Delta\theta}{\Delta t} = \omega$ であるから，

$$V = Bab\omega\sin\omega t$$

よって，$V_0 = Bab\omega$

答　① $Bab\cos\theta$　② $Bab\Delta\theta\sin\theta$　③ $Bab\omega$

〈類題184〉 次の□に適当な式を記入せよ。

図1に示すように，磁束密度 B〔T〕の一様な磁場の中に，KL $= a$〔m〕，LM $= b$〔m〕の1巻きの長方形状コイルKLMNがある。このコイルを磁場に垂直な軸のまわりに一定の角速度 ω〔rad/s〕で回転させると，KLとMNは等速円運動をし，その速さ v は，$v =$ □①□〔m/s〕となる。図2に示すように，コイルの面の法線ベクトルと磁場の方向ベクトルのなす角が θ〔rad〕のとき，KL，MNは □②□〔m/s〕の速さで磁場を横切ることになる。時刻 $t = 0$ のとき $\theta = 0$ とすると，時刻 t〔s〕では，$\theta =$ □③□〔rad〕となる。コイルを貫く磁束 Φ を ω の関数として表すと，

$\Phi =$ □④□〔Wb〕

このときコイルKLMNに生じる起電力 V は，

$V =$ □⑤□〔V〕

となる。

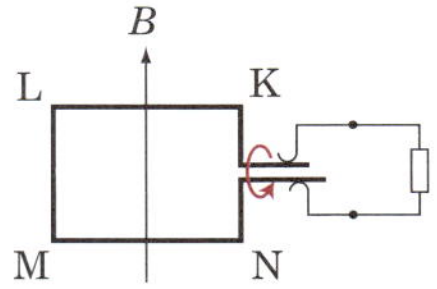

図1

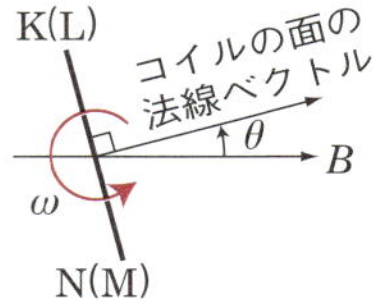

図2

(解答➡別冊 *p.44*)

TYPE 130 交流回路

重要度 B

直列回路では，電流の位相はどこでも等しい。
コイルの電圧は位相が $\frac{\pi}{2}$ 進み，
コンデンサーの電圧は位相が $\frac{\pi}{2}$ 遅れる。

着眼 R〔Ω〕の抵抗，自己インダクタンス L〔H〕のコイル，電気容量 C〔F〕のコンデンサーを直列につなぎ，角振動数 ω〔rad/s〕の交流電源につなぐ。直列回路では，電流の位相はどこでも等しい。この電流を $I=I_0\sin\omega t$ と表すと，電圧の位相はそれぞれ次のようになる。

抵抗　⇨ **電流と同じ**　$V_R=RI_0\sin\omega t$

コイル　⇨ **電流より $\frac{\pi}{2}$ 進む**　$V_L=\omega LI_0\sin\left(\omega t+\frac{\pi}{2}\right)$

コンデンサー ⇨ **電流より $\frac{\pi}{2}$ 遅れる**　$V_C=\frac{I_0}{\omega C}\sin\left(\omega t-\frac{\pi}{2}\right)$

電圧の位相は図のような回転ベクトルで表すとよい。電流のベクトルは $\overrightarrow{RI_0}$ と同じ向きである。図から，全電圧ベクトルの大きさは，

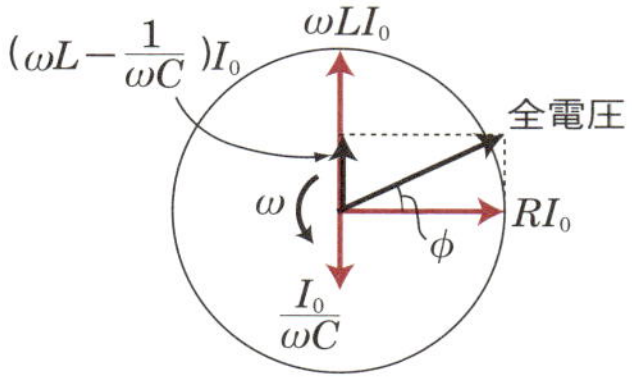

$$\boldsymbol{V_0=I_0\sqrt{R^2+\left(\omega L-\frac{1}{\omega C}\right)^2}}$$

上式の根号部分がこの直列回路の**インピーダンス**である。全電圧と電流の位相差 ϕ は，

$$\cos\phi=\frac{RI_0}{\sqrt{R^2+\left(\omega L-\frac{1}{\omega C}\right)^2}I_0}=\frac{R}{\sqrt{R^2+\left(\omega L-\frac{1}{\omega C}\right)^2}}$$

例題　交流回路の最大電流

6.28 V，500 Hz の正弦波交流電源にコイル L をつないだら，2.50 mA の電流が流れた。次にコンデンサー C をつないだら，3.94 mA の電流が流れた。

(1)　コイル L のインダクタンスはいくらか。

(2)　コンデンサー C の電気容量はいくらか。

(3)　このコイル L とコンデンサー C と 10 kΩ の抵抗 R とを直列に上記の電源につないだ。電源の周波数を変えると，電流を最大にすることができる。そのときの周波数と電流を求めよ。

解き方　(1)　コイルLのインダクタンスをL〔H〕，交流の周波数をf〔Hz〕とすると，(4・37)式より，$V=\omega LI=2\pi fLI$

ゆえに，$L=\dfrac{V}{2\pi fI}=\dfrac{6.28}{2\times 3.14\times 500\times 2.50\times 10^{-3}}=8.00\times 10^{-1}\,\mathrm{H}$

(2)　コンデンサーCの電気容量をC〔F〕とすると，(4・38)式より，

$$V=\frac{I}{\omega C}=\frac{I}{2\pi fC}$$

ゆえに，$C=\dfrac{I}{2\pi fV}=\dfrac{3.94\times 10^{-3}}{2\times 3.14\times 500\times 6.28}=2.00\times 10^{-7}\,\mathrm{F}$

(3)　電流が最大になるのは，回路のインピーダンスが最小になるときである。こうなるのは前ページの式より，次の場合である。

$$\omega L-\frac{1}{\omega C}=0 \qquad \text{ゆえに，}\ \omega=\frac{1}{\sqrt{LC}}$$

$\omega=2\pi f$であるから，求める周波数fは，

$$f=\frac{1}{2\pi\sqrt{LC}}$$
$$=\frac{1}{2\times 3.14\times\sqrt{8.00\times 10^{-1}\times 2.00\times 10^{-7}}}$$
$$=3.98\times 10^{2}\,\mathrm{Hz}$$

また，$\omega L-\dfrac{1}{\omega C}=0$であるから，回路のインピーダンスは$R$に等しい。

よって，電流は，　$I=\dfrac{V}{R}=\dfrac{6.28}{10\times 10^{3}}=6.28\times 10^{-4}\,\mathrm{A}$

答　(1) **8.00×10^{-1} H**　(2) **2.00×10^{-7} F**
(3) 周波数：**3.98×10^{2} Hz**，電流：**6.28×10^{-4} A**

〈類題185〉　文中の空欄に適当な式を記入せよ。

抵抗Rと自己インダクタンスLのコイルを直列に接続し，その両端に交流電圧

$$V=V_0\sin\omega t$$

をかける。このとき回路に流れる電流を

$$I=I_0\sin(\omega t-\alpha)$$

とすると，コイルに流れる電流が時間Δt間にΔIの割合で変化しているとして，任意の瞬間にキルヒホッフの法則$V-L\dfrac{\Delta I}{\Delta t}=RI$を適用すると，

$$\boxed{\quad ①\quad}\times\sin\omega t+\boxed{\quad ②\quad}\times I_0\cos\omega t=0$$

が得られる。任意の瞬間にこの式がなりたつためには，

$$V_0-\boxed{\quad ③\quad}=0 \quad \text{かつ} \quad \boxed{\quad ④\quad}=0$$

でなければならない。これらからI_0とαが決定される。　(解答➡別冊 *p.44*)

TYPE 131 電気振動

B 重要度

振動回路の固有周波数 ⇨ $f=\dfrac{1}{2\pi\sqrt{LC}}$

着眼 自己インダクタンスL〔H〕のコイルと電気容量C〔F〕のコンデンサーを図のように接続し，コンデンサーを充電した後，スイッチを入れると，回路に振動電流が流れる。**振動電流の周波数f〔Hz〕はLとCの値によって決まる。**

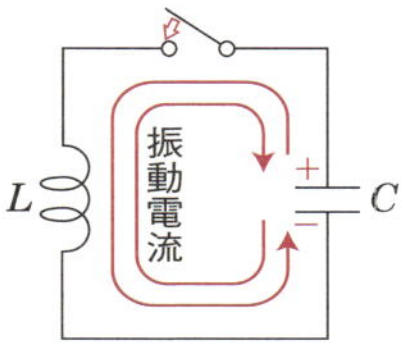

電気振動は，コイルとコンデンサーが互いにエネルギーをやりとりする現象で，よく振り子運動における位置エネルギーと運動エネルギーの移り変わりの現象にたとえられる。

例題 振動回路の電流

電気容量C〔F〕のコンデンサーCと自己インダクタンスL〔H〕のコイルLを図のように接続した回路がある。まずCに電荷Q_0〔C〕を充電した後スイッチを閉じる。この回路の電気的エネルギーは一定に保たれるものとして，問いに答えよ。

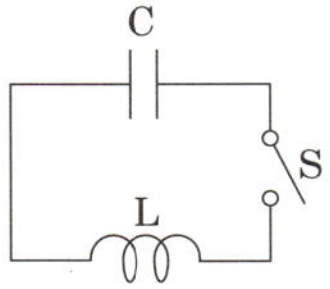

(1) 回路に電流が流れ出し，コンデンサーに電荷Q〔C〕が蓄えられている状態での回路での電気的エネルギー保存の関係を式で表せ。ただし，そのときの電流をI〔A〕とせよ。
(2) 電流の最大値はいくらか。
(3) 電流が最大になるとき，コイルの両端の電圧はいくらか。
(4) 電流が最大になるとき，電流の時間変化の割合はいくらか。
(5) スイッチを閉じてから電流が最大になるまでの時間はいくらか。

解き方 (1) 最初コンデンサーに蓄えられた電気エネルギーは，$\dfrac{1}{2}\cdot\dfrac{Q_0^2}{C}$〔J〕

コンデンサーに電荷Qが蓄えられているときの電気エネルギーは，$\dfrac{1}{2}\cdot\dfrac{Q^2}{C}$〔J〕

コイルに電流I〔A〕が流れているときの磁気エネルギーは，$\dfrac{1}{2}LI^2$〔J〕

これから，エネルギー保存の式は，

$$\frac{1}{2}\cdot\frac{Q_0^2}{C}=\frac{1}{2}\cdot\frac{Q^2}{C}+\frac{1}{2}LI^2$$

(2)　電流 I が最大になるのは，$Q=0$ になるときであるから，

$$\frac{1}{2}LI^2=\frac{1}{2}\cdot\frac{Q_0{}^2}{C}$$

ゆえに，$I=\dfrac{Q_0}{\sqrt{LC}}$

(3)　電流 I が最大になるとき，$Q=0$ で，コンデンサーの極板間の電圧は 0 になるから，コイルの両端の電圧も 0 になる。スイッチを入れたときを $t=0$ とすると，コイルを流れる電流と電圧の時間変化は右図のようになる。

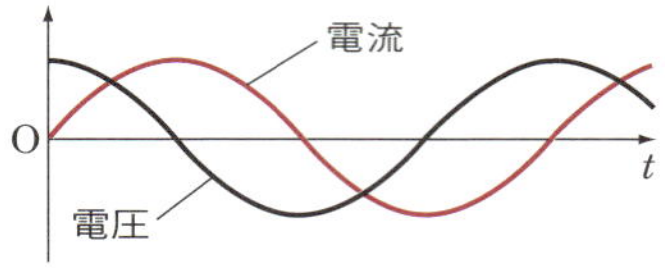

(4)　電流の時間変化の割合($\Delta I/\Delta t$)は，上図の電流のグラフの曲線に引いた接線の傾きで表される。電流が最大になったときは，接線は横軸に平行になるから，傾きは 0 である。

(5)　$t=0$ から電流が最大になるまでの時間は，周期の $\dfrac{1}{4}$ である。周期 T は周波数 f の逆数であるから，(4・39)式より，

$$\frac{T}{4}=\frac{1}{4}\cdot\frac{1}{f}=\frac{2\pi\sqrt{LC}}{4}=\frac{\pi\sqrt{LC}}{2}$$

答　(1) $\dfrac{1}{2}\cdot\dfrac{Q_0{}^2}{C}=\dfrac{1}{2}\cdot\dfrac{Q^2}{C}+\dfrac{1}{2}LI^2$　(2) $\dfrac{Q_0}{\sqrt{LC}}$

(3) **0 V**　(4) **0**　(5) $\dfrac{\pi\sqrt{LC}}{2}$

類題186　図の回路において，R は 1.0 kΩ の抵抗，L は自己インダクタンスが 10 mH のコイル，C は電気容量が 5.0 μF のコンデンサー，E は起電力が 12 V の電池である。コイルの直流抵抗および電池の内部抵抗は無視できるものとする。はじめ，スイッチ S を閉じてしばらくおき，定常状態になってから S を急に開く。

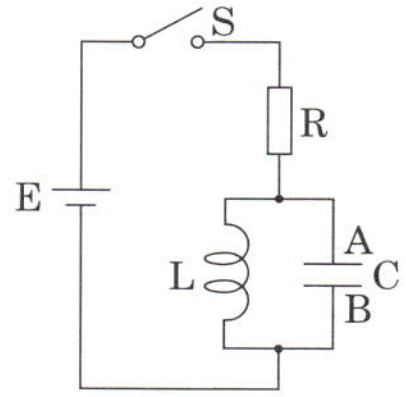

(1)　S を開く前のこの回路の消費電力はいくらか。

(2)　S を開く直前にコンデンサーに蓄えられている電荷はいくらか。

(3)　S を開いた直後は，コンデンサーの電極 A，B のどちらの電位が高いか。

(4)　S を開いた後，コイルを流れる電流の変化の周期を求めよ。　(解答➡別冊 *p.45*)

■練習問題

解答→別冊 p.76

TYPE

64 鉛直上向きの一様な磁束密度B〔Wb/m^2〕の磁場中に，水平に置かれた図のような回路がある。abとcdは間隔がl〔m〕の平行導線である。Rは抵抗値R〔Ω〕の抵抗，Sはスイッチである。PQは質量m〔kg〕の導体棒で，平行導線ab，cd上に置かれており，ab，cdに垂直になめらかに動くことができる。また導体棒は，なめらかに動く軽い滑車を通して，質量M〔kg〕のおもりと軽いひもでつながれている。スイッチSを閉じてしばらくすると，おもりが床面に到達する前に，おもりの下降速度は一定となった。導線と導体棒の電気抵抗は無視できるものとし，重力加速度の大きさをg〔m/s^2〕として，次の問いに答えよ。

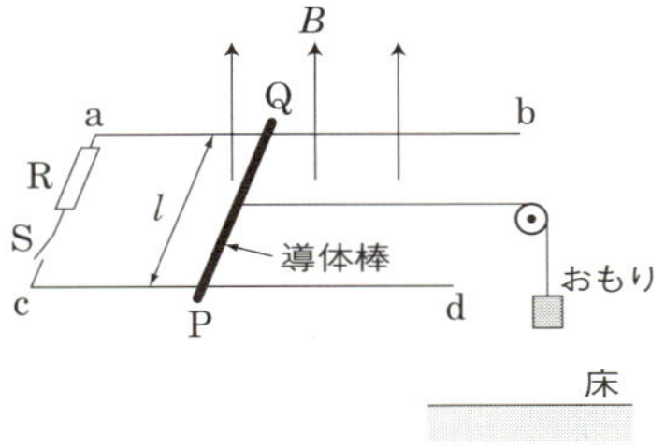

(1) このときのひもの張力を求めよ。

(2) 回路に流れる電流の大きさと向きを求めよ。向きはP→Q，もしくはQ→Pの形で答えよ。

(3) おもりの下降速度の大きさを求めよ。　（信州大 改）

➔ 125

65 図のように原点をOとするxy平面の$x \geqq 0$の領域のみに紙面に垂直で表から裏の方向に磁束密度B〔T〕の一様な磁場があり，Oのまわりに半径r〔m〕，中心角π〔rad〕の扇形コイルOPQが，y軸にPOQが重なるように置かれている。コイルの抵抗をR〔Ω〕とする。いま，時刻$t=0$よりOを中心としてコイルを図の矢印の方向に角速度ω〔rad/s〕で回転させた。以下の問いに答えよ。ただし，コイルを流れる電流がつくる磁場は無視できるものとする。

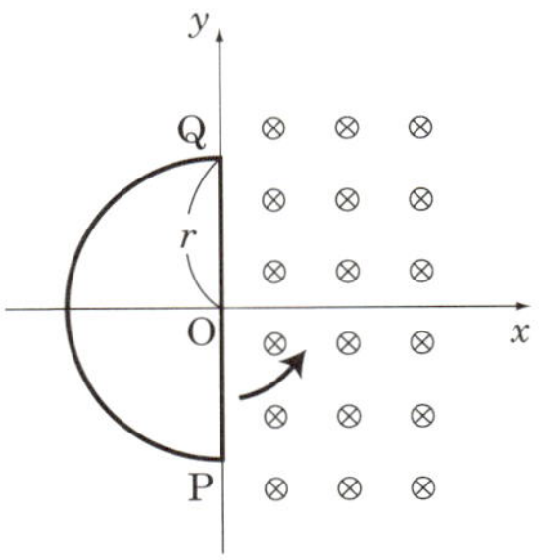

(1) $0<\omega t<\pi$のとき，コイルに発生する誘導起電力の大きさを求めよ。

ヒント　**64** (1) ひもの張力はおもりにはたらく重力に等しくなっている。
(2) 回路に電流Iが流れると，IBlの力を受ける。

TYPE

(2)　コイルが1回転する間のコイルに流れる電流の時間変化を表すグラフを描け。ただし，O→Qの向きを正とする。

(3)　コイルが1回転する間に発生するジュール熱の大きさを求めよ。

(4)　$0<\omega t<\pi$ のとき，コイルのOP間を流れる電流が磁場から受ける，OPに垂直な力の大きさを求めよ。　（福島大 改）

➔ 126

66　次の文章の□に適切な数式または語句を入れよ。

時刻 t〔s〕における交流電源の電圧 V〔V〕を $V=V_0\cos\omega t$ とする。ただし，V_0〔V〕と ω〔rad/s〕は正の定数とし，P_2 に対する P_1 の電位を V とする。

図1のように，電気容量 C〔F〕のコンデンサーを交流電源に接続した。時刻 t〔s〕におけるコンデンサーの P_1 側の極板に蓄えられる電荷 Q〔C〕は，$Q=$ ① 〔C〕である。また，電流は1秒間に流れる電気量であるから，微小時間 Δt〔s〕にコンデンサーの P_1 側の極板の電荷が ΔQ〔C〕増加したとすると，コンデンサーに流れ込む電流 I〔A〕は，$I=\dfrac{\Delta Q}{\Delta t}$ である。この式の右辺は Q-t グラフの接線の傾きに等しいので電流 I は，$I=\dfrac{\Delta Q}{\Delta t}=$ ② 〔A〕となる。

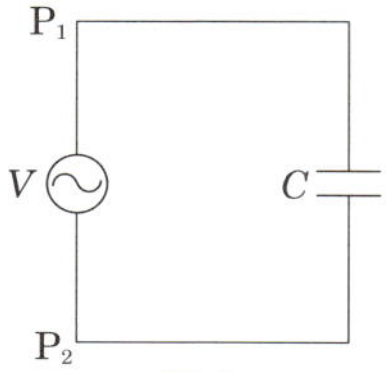

図1

よって，電流の位相は電圧の位相より $\dfrac{\pi}{2}$ だけ ③ いることがわかる。

図2のように，自己インダクタンス L〔H〕のコイルを交流電源に接続した。微小時間 Δt〔s〕の間の電流の変化を ΔI〔A〕とすると，コイルには電流を妨げる起電力 $V'=$ ④ 〔V〕が発生する。コイルの抵抗を無視すると，電源電圧 V と起電力 V' の関係は，キルヒホッフの第2法則より

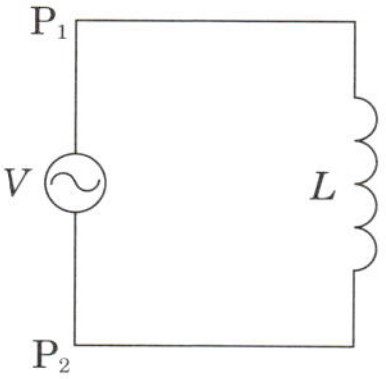

図2

$V=$ ⑤ 〔V〕

となる。$\dfrac{\Delta I}{\Delta t}$ は I-t グラフの接線の傾きに等しいので，電流の位相は電圧の位相より $\dfrac{\pi}{2}$ だけ ⑥ いることがわかる。　（信州大）

➔ 130

ヒント　65 (2) $0<\omega t<\pi$ のときと $\pi<\omega t<2\pi$ のときとでは，誘導電流の流れる向きは逆である。

5 原子と原子核

1 粒子性と波動性

1 電子ボルト

電子を1Vの電位差で加速したとき電子が得るエネルギーを **1 電子ボルト**〔eV〕といい，エネルギーの単位として用いる。　$\mathbf{1\ eV = 1.60 \times 10^{-19}\ J}$

2 光　子

振動数 ν〔Hz〕の光（X線や γ 線も含む）は $h\nu$〔J〕（h はプランク定数：$h = 6.6 \times 10^{-34}$ J·s）のエネルギーをもつ**光子**と呼ばれる粒子の集まりである。光の波長を λ〔m〕，光の速さ（光速，光速度）を c〔m/s〕とすると，光子のエネルギー E〔J〕と運動量 p は，次の式で示される。

$$E = h\nu = h\frac{c}{\lambda} \qquad (5\cdot1)$$

$$p = \frac{E}{c} = \frac{h\nu}{c} = \frac{h}{\lambda} \qquad (5\cdot2)$$

3 光電効果

金属に光を当てると電子が飛び出す現象を**光電効果**という。電子を金属原子から引き離す仕事を W〔J〕（これを**仕事関数**という）とすると，ν〔Hz〕の光を当てたときに飛び出す電子の運動エネルギーの最大値は，次の式で示される。

$$\frac{1}{2}mv^2 = h\nu - W \qquad (5\cdot3)$$

4 X線の発生

高速の電子を金属に衝突させると，X線が発生する。1個の電子のもつ運動エネルギーがすべて1個のX線光子のエネルギーになるとき，X線の振動数 ν〔Hz〕が最大（波長 λ〔m〕は最小）になる。

$$\frac{1}{2}mv^2 = h\nu = \frac{hc}{\lambda} \qquad (5\cdot4)$$

5 物質波

電子のような質量をもつ粒子も波動性をもつ。これを**物質波**という。質量 m〔kg〕の粒子が速度 v〔m/s〕で運動しているときの物質波の波長 λ〔m〕は，

$$\lambda = \frac{h}{mv} \qquad (5\cdot5)$$

TYPE 132 電場で加速される荷電粒子の速さ

重要度 A

次の関係を使って v を求める。

$$\frac{1}{2}mv^2 = qV$$

着眼 **電荷が電場からの力によって仕事をされると，その仕事の量だけ運動エネルギーが増加する。** 質量 m〔kg〕，電荷 q〔C〕の静止していた荷電粒子が，V〔V〕の電位差で加速されて，速さが v〔m/s〕になったとすると，次の関係式がなりたつ。

$$\frac{1}{2}mv^2 = qV$$

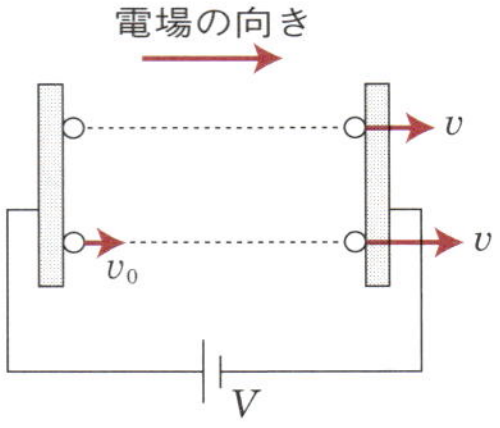

荷電粒子が，最初，速さ v_0〔m/s〕で電場の向きに運動していた場合は，次の式がなりたつ。

$$\frac{1}{2}mv^2 - \frac{1}{2}mv_0^2 = qV$$

例題　電子の速さ

静止している電子が，4000 V の電圧で加速されると，速さはいくらになるか。ただし，電子の質量を 9.1×10^{-31} kg，電子の電荷を -1.6×10^{-19} C とする。

解き方 電子の質量を m，電荷を $-e$，加速電圧を V，求める速さを v とすると，次の関係がなりたつ。

$$\frac{1}{2}mv^2 = eV$$

ゆえに，$v = \sqrt{\frac{2eV}{m}}$

上式に数値を代入すると，

$$v = \sqrt{\frac{2\times1.6\times10^{-19}\times4000}{9.1\times10^{-31}}}$$
$$= 3.8\times10^7 \text{ m/s}$$

答 3.8×10^7 m/s

類題187 速さ v_0〔m/s〕で陰極を飛び出した質量 m〔kg〕，電荷 $-q$〔C〕の荷電粒子が V〔V〕の電圧で加速されると，速さはいくらになるか。 （解答➡別冊 p.45）

TYPE 133 電場中での荷電粒子の運動

A 重要度

荷電様子について運動方程式をつくる。
一様な電場中では放物線軌道を描く。

着眼　質量 m〔kg〕，電荷 q〔C〕の荷電粒子が E〔N/C〕の電場から受ける力 F〔N〕は，

$$F = qE$$

である。このとき荷電粒子に生じる加速度を a〔m/s²〕とすれば，荷電粒子の運動方程式は，

$$ma = qE$$

となるので，加速度は，

$$a = \frac{qE}{m}$$

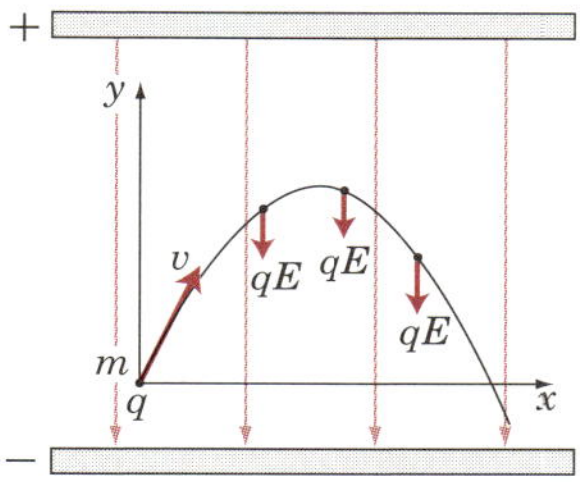

となる。電場が一様な場合は，荷電粒子にはたらく力は一定なので，重力がはたらく物体の運動と同じように，**荷電粒子は，電場の方向では等加速度運動，電場と垂直な方向では等速直線運動**をし，その**軌跡は放物線**になる。

例題　電場中の電子の軌道

長さ b〔m〕の 2 枚の極板 P，Q を間隔 d〔m〕で平行に保ち，P，Q 間に V〔V〕の電位差を与える。いま，この極板間に，電子（電荷 $-e$〔C〕，質量 m〔kg〕）が電場と垂直に v_0〔m/s〕の速さで入射したとすると，電子の軌道はどのくらい曲げられるかを考える。

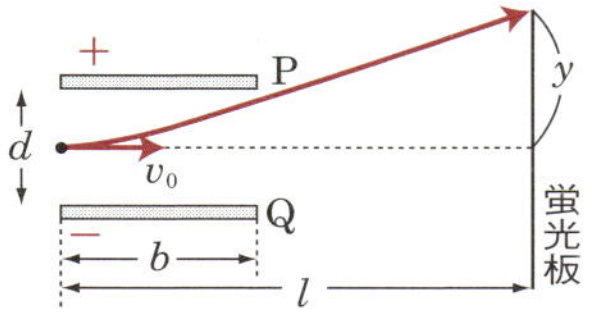

電場がないときに電子が蛍光板に当たってできる輝点と，電場をかけたときにできる輝点との間の距離 y〔m〕を求めよ。ただし，極板の左端から蛍光板までの距離を l〔m〕とする。

解き方　極板間の電場の強さは $\dfrac{V}{d}$〔V/m〕であるから，電場内で電子に加わる力は，上向きに $e\dfrac{V}{d}$〔N〕である。

したがって，電子の運動方程式は，$ma = e\dfrac{V}{d}$

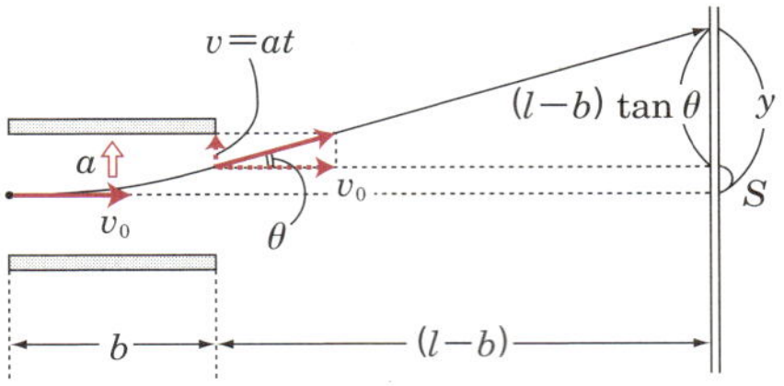

よって，電子の加速度は，$a=\dfrac{eV}{md}$

電子は電場と垂直な方向には，速さv_0で等速直線運動をするから，電子が極板間を通り抜けるのに要する時間tは，

$$t=\frac{b}{v_0}$$

よって，電子が極板の右端に達したときの電場方向の変位S〔m〕は，

$$S=\frac{1}{2}at^2=\frac{1}{2}\cdot\frac{eV}{md}\left(\frac{b}{v_0}\right)^2=\frac{eVb^2}{2mdv_0{}^2}$$

電子が極板の右側に達したときの電場方向の速度成分vは，

$$v=at=\frac{eV}{md}\cdot\frac{b}{v_0}=\frac{eVb}{mdv_0}$$

であるから，このときの速度の向きが入射方向となす角をθとすると，

$$\tan\theta=\frac{v}{v_0}=\frac{eVb}{mdv_0{}^2}$$

電子は極板間を出た後は力を受けないので，等速直線運動をして蛍光板に当たる。
したがって，求める値yは，

$$y=S+(l-b)\tan\theta$$
$$=\frac{eVb^2}{2mdv_0{}^2}+\frac{(l-b)eVb}{mdv_0{}^2}$$
$$=\frac{(2l-b)eVb}{2mdv_0{}^2}$$

答 $\dfrac{(2l-b)eVb}{2mdv_0{}^2}$

＋補足 上で求めたyの式を書きなおすと，

$$y=\frac{eVb}{mdv_0{}^2}\left(l-\frac{b}{2}\right)=\left(l-\frac{b}{2}\right)\tan\theta$$

となる。このことから，**極板間を通り抜けた後の電子の軌跡を反対側に延長すると，極板の中央で，電子の入射方向を延長した直線と交わることがわかる。**

〈類題188〉 真空中で，1辺l〔m〕の正方形の極板を2枚，間隔d〔m〕で平行に向かい合わせ，V〔V〕の電位差を与えてある。いま，電子（電荷$-e$〔C〕，質量m〔kg〕）が速さv〔m/s〕で極板と平行に進んできて，極板間の中央に入射した。この電子が極板に衝突しないで極板間を通り抜けるためには，電位差Vはどんな範囲でなければならないか。

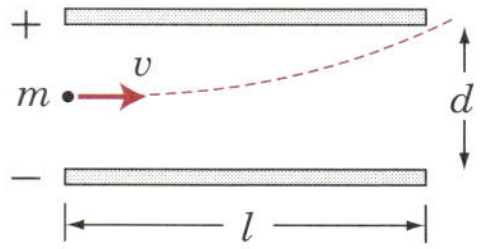

（解答➡別冊 p.45）

TYPE 134 ミリカンの油滴の実験

B 重要度

電気素量は，ミリカンの油滴の実験から求められた。

着眼 この実験は，油滴が空気中で等速度運動をするときの速さや電場から油滴の電荷を求めるので，**油滴にはたらく力のつり合いの式**が解法の手がかりとなる。

例題　油滴の電荷

極板間に，わずかに帯電した霧状の油滴を浮かせた。極板間に電場を与えないとき，油滴は一定の速さ v_1 で落下した。極板間に強さ E の電場を鉛直上向きに与えたとき，油滴は一定の速さ v_2 で上昇した。油滴に帯電した電荷 q を求めよ。ただし，重力加速度の大きさを g，油滴が速さ v で運動するときの空気からの抵抗力を kv とする。

解き方 油滴の質量を m とすれば，電場を与えていないときの油滴にはたらく力のつり合いの式は，

$$mg = kv_1$$

電場を与えたときの力のつり合いの式は，

$$mg + kv_2 = qE$$

となるので，

$$qE = kv_1 + kv_2$$

よって，

$$q = \frac{k(v_1 + v_2)}{E}$$

答 $\dfrac{k(v_1 + v_2)}{E}$

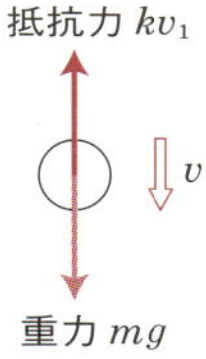

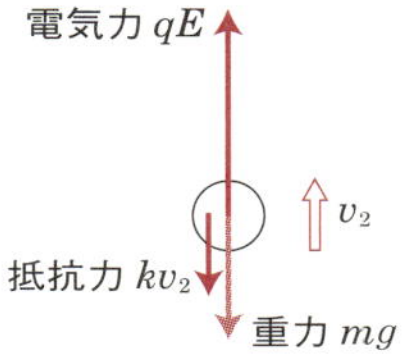

類題189 質量 m〔kg〕，半径 r〔m〕で，負電荷 $-q$〔C〕を帯びている油滴が，右図のような平行板電極間の空気中を静かに落下している。このとき油滴に作用する空気の抵抗力は，油滴の速度と半径の積に比例する（比例定数を k とする）ものとする。空気の密度を ρ〔kg/m^3〕，重力加速度の大きさを g〔m/s^2〕として，次の問いに答えよ。

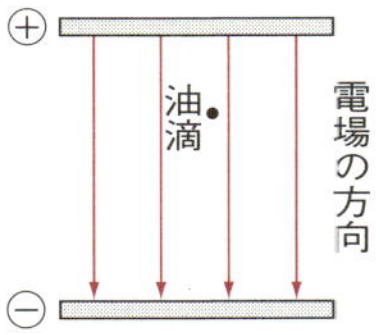

(1) 電極間に強さ E〔V/m〕の電場を下向きに与えると，油滴が空気中に静止した。このときの電場の強さ E を，m，r，q，ρ，g で表せ。

(2) 電極間の電場の強さを E'〔V/m〕にすると，油滴は v〔m/s〕の速さで静かに上昇しはじめた。油滴の電荷 q を，k，v，r，E，E' で表せ。 （解答➡別冊 p.45）

TYPE 135 光電効果

B 重要度

光子のエネルギー $h\nu \leqq$ 仕事関数 W のとき，光電子は出ない。

着眼 光電効果では，1個の光子が1個の電子をたたき出す。光子のエネルギー $h\nu$ のうち W は電子を引き離す仕事に消費されるから，**光電子の運動エネルギーになるのは最大で $(h\nu - W)$** である。

したがって，

$$h\nu - W \leqq 0$$

$$\boldsymbol{h\nu \leqq W}$$

のときは，光電子は出ない。

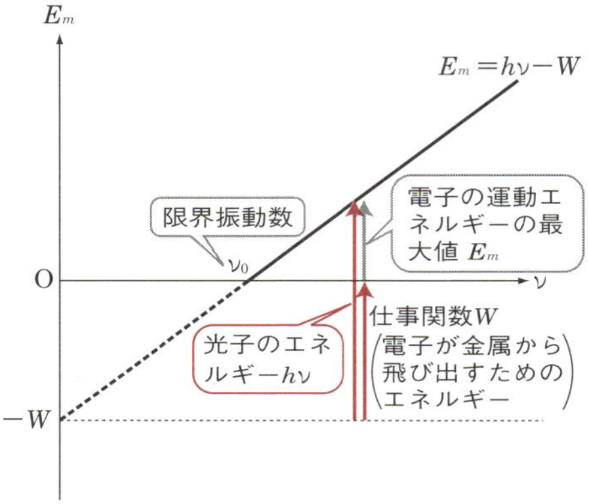

例題　電子のエネルギーと光の波長

表面上にセシウムを塗った金属板に波長 λ の光を当てたら，電子が飛び出した。プランク定数を h，光の速さを c とし，セシウムの仕事関数を W とする。

(1)　飛び出した電子の運動エネルギーの最大値はいくらか。

(2)　当てる光の波長がある値 λ_m より長いと電子は出ない。λ_m はいくらか。

解き方 (1)　振動数を ν とすると，$c = \nu\lambda$ の関係があるから，(5·3)式は次のように変形できる。

$$\frac{1}{2}mv^2 = h\nu - W = h\frac{c}{\lambda} - W$$

(2)　光電子が出なくなるのは，$h\nu - W \leqq 0$ のときであるから，

$$h\nu = h\frac{c}{\lambda} \leqq W$$

ゆえに，$\lambda_m = \dfrac{hc}{W}$

答 (1) $h\dfrac{c}{\lambda} - W$　(2) $\dfrac{hc}{W}$

類題190 波長が λ 以上の光を当てると光電子を出さず，λ 以下の波長ならば光電子を出す金属がある。この金属に波長 $\dfrac{\lambda}{2}$ の光を当てたとき，飛び出してくる電子の速さの最大値はいくらか。ただし，電子の質量を m，光速を c，プランク定数を h とする。

（解答➡別冊 *p.46*）

TYPE 136 コンプトン効果

B 重要度

運動量保存とエネルギー保存の式をつくる。
光子の運動量は $\frac{h}{\lambda}$，エネルギーは $h\nu\left(=\frac{hc}{\lambda}\right)$ である。

着眼　X線を物質に当てると，物質中の電子がX線にはね飛ばされ，散乱されたX線は最初より波長が長くなる。この現象を**コンプトン効果**という。コンプトン効果では，**X線を運動量 $\frac{h}{\lambda}$，エネルギー $h\nu$ をもつ光子**と考え，運動量保存の法則とエネルギー保存の法則を使う。

補足　運動量を $p(=mv)$ とすると，物質波の波長（ド・ブロイ波長）は $\lambda=\frac{h}{p}$ となる。これは，コンプトン効果の説明で，光子の運動量を $p=\frac{h}{\lambda}$ と表すことに対応する。

例題　電子の運動量と散乱X線の波長

右図に示すように，静止している質量 m の電子に振動数 ν_0 のX線が当たり，その入射方向と角 θ をなす方向に振動数 ν のX線が散乱され，電子は角 ϕ の方向に速度 v ではね飛ばされた。光の速度を c，プランク定数を h として，問いに答えよ。

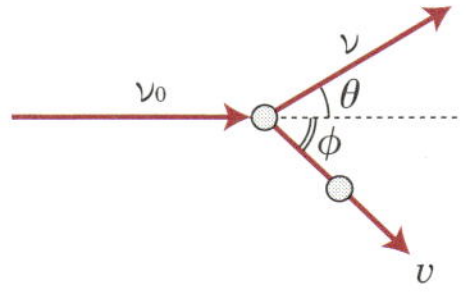

(1)　はね飛ばされた電子の運動量を h，c，ν_0，ν，θ で表せ。

(2)　入射X線の波長を λ_0 として，散乱されたX線の波長 λ を λ_0，m，c，h で表せ。ただし，ν_0 と ν とはほぼ等しいものとして最終的な式を整理せよ。

解き方　(1)　X線の入射方向とこれと直交する方向について，運動量保存の式をつくる。

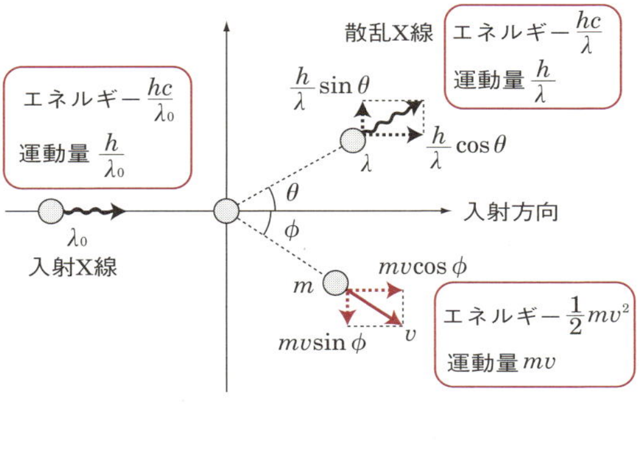

振動数 ν の X 線光子の運動量は，$\dfrac{h}{\lambda}=\dfrac{h\nu}{c}$ であるから，

入射方向：$\dfrac{h\nu_0}{c}=\dfrac{h\nu}{c}\cos\theta+mv\cos\phi$　……①

入射方向に垂直な方向：$0=\dfrac{h\nu}{c}\sin\theta-mv\sin\phi$　……②

①より，　$mv\cos\phi=\dfrac{h\nu_0}{c}-\dfrac{h\nu}{c}\cos\theta$　……③

②より，　$mv\sin\phi=\dfrac{h\nu}{c}\sin\theta$　……④

③^2＋④^2 により，ϕ を消去する（$\sin^2\phi+\cos^2\phi=1$ を利用する）と，

$$m^2v^2=\left(\frac{h\nu_0}{c}-\frac{h\nu}{c}\cos\theta\right)^2+\left(\frac{h\nu}{c}\sin\theta\right)^2$$

$$=\frac{h^2}{c^2}(\nu_0{}^2+\nu^2-2\nu_0\nu\cos\theta)$$

これから，$mv=\dfrac{h}{c}\sqrt{\nu_0{}^2+\nu^2-2\nu_0\nu\cos\theta}$　……⑤

(2)　エネルギー保存の法則より，

$h\nu_0=h\nu+\dfrac{1}{2}mv^2$　……⑥

⑤と⑥から v を消去し，ν_0 を $\dfrac{c}{\lambda_0}$，ν を $\dfrac{c}{\lambda}$ と書きなおすと，

$$\frac{c}{\lambda_0}=\frac{c}{\lambda}+\frac{h}{2m}\left(\frac{1}{\lambda_0{}^2}+\frac{1}{\lambda^2}-\frac{2\cos\theta}{\lambda_0\lambda}\right)$$

両辺に $\lambda_0\lambda$ をかけると，$c\lambda=c\lambda_0+\dfrac{h}{2m}\left(\dfrac{\lambda}{\lambda_0}+\dfrac{\lambda_0}{\lambda}-2\cos\theta\right)$

ここで，$\lambda=\lambda_0+\Delta\lambda$（ただし，$\Delta\lambda\ll\lambda_0$ とし，$\dfrac{\Delta\lambda}{\lambda_0}\fallingdotseq 0$ としてよい）とすると，

$$\frac{\lambda}{\lambda_0}=1+\frac{\Delta\lambda}{\lambda_0}\fallingdotseq 1,\quad \frac{\lambda_0}{\lambda}=\frac{1}{1+\dfrac{\Delta\lambda}{\lambda_0}}\fallingdotseq 1$$

であるから，

$$c\lambda=c\lambda_0+\frac{h}{2m}(2-2\cos\theta)$$

よって，$\lambda\fallingdotseq\lambda_0+\dfrac{h}{mc}(1-\cos\theta)$

答　(1) $\boldsymbol{\dfrac{h}{c}\sqrt{\nu_0{}^2+\nu^2-2\nu_0\nu\cos\theta}}$　(2) $\boldsymbol{\lambda\fallingdotseq\lambda_0+\dfrac{h}{mc}(1-\cos\theta)}$

〈類題191〉 運動量 p の X 線光子が，静止していた自由電子と弾性衝突を行い，衝突後の両者の進路が 90° の角をなした。衝突後の光子の運動量を求めよ。ただし，電子の質量を m，光速を c とする。

（解答➡別冊 ***p.46***）

TYPE 137 X 線の発生とブラッグ反射

B 重要度

X 線の最短波長は，$eV=\dfrac{hc}{\lambda_{min}}$ から求める。

ブラッグ反射 ⇨ $2d\sin\theta=n\lambda$

着眼 下図 1 のようにして，$-e$〔C〕の電荷をもつ電子を V〔V〕の電圧で加速すると，eV〔J〕のエネルギーをもつ。このエネルギーがすべて X 線光子のエネルギーになった場合の波長が X 線の最短波長 λ_{min} である。

$$eV=\frac{hc}{\lambda_{min}} \quad ゆえに, \quad \lambda_{min}=\frac{hc}{eV}$$

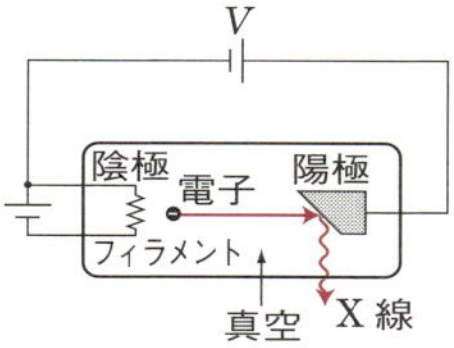

図 1

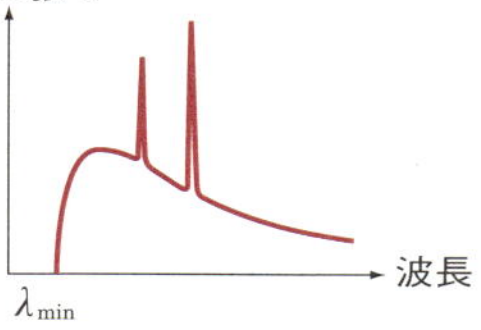

図 2

X 線を結晶に照射すると，結晶の原子配列面で反射する。X 線は透過度が大きいから，表面だけでなく，右図のように，第 2，第 3，… の配列面でも反射し，これらが干渉して強め合うと，その方向に強い反射 X 線が観測される。それぞれの**反射 X 線の光路差は $2d\sin\theta$** であるから，反射 X 線が強め合う条件は，

$$2d\sin\theta=n\lambda \quad (n=1,\ 2,\ 3,\ \cdots)$$

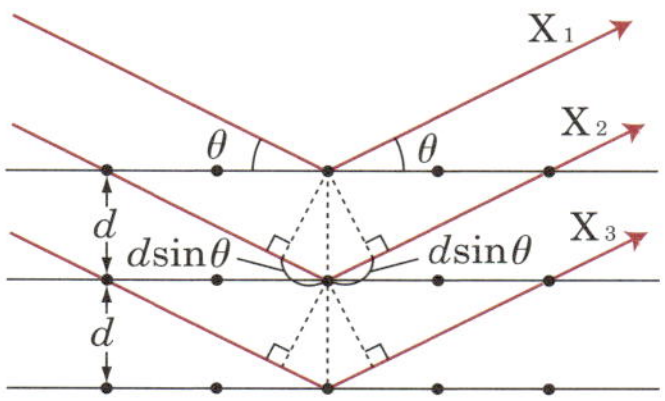

例題　X 線の波長の最小値

X 線は，X 線管で発生させることができる。いま，真空中でフィラメント（陰極）から出た電子（電荷 $-e$）が，陰極と陽極間に加えられた高電圧 V で加速されて陽極に到達する。衝突後，電子はそのエネルギーのすべてあるいは一部を失って X 線を発生させる。このようにして発生した連続 X 線には，波長の最小値 λ_0 が存在している。陰極から出た直後の電子の初速度を 0 として，λ_0 を e，V，光速 c，およびプランク定数 h を用いて表せ。

解き方 X線管で電圧 V で加速され，陽極に衝突する直前に電子のもつ運動エネルギーは eV である。電子のもっているエネルギーがすべて光子に与えられたとき，波長は最も短くなるので，

$$\frac{hc}{\lambda_0}=eV$$

よって，$\lambda_0=\dfrac{hc}{eV}$

答 $\dfrac{hc}{eV}$

〈**類題192**〉X線管にかける加速電圧 V〔V〕をいろいろに変化させ，放出される連続X線の最短波長 λ_0〔m〕を調べる実験を行った。その結果，$\lambda_0=\dfrac{1.25}{V}\times10^{-6}$ の関係があることがわかった。光速 $c=3.00\times10^8$ m/s，電気素量 $e=1.60\times10^{-19}$ C として，この実験結果からプランク定数を求めるといくらになるか。有効数字3桁で答えよ。

（解答➡別冊 ***p.46***）

例題　結晶の原子面間隔

X線（エックス線）のような波長 λ〔m〕がきわめて短い電磁波を用いて物質の構造を調べることができる。図のようにX線を結晶に当てると入射角度 θ がある条件を満たすときに強く反射する。この性質を利用して結晶の原子面間隔 d〔m〕を求めることができる。

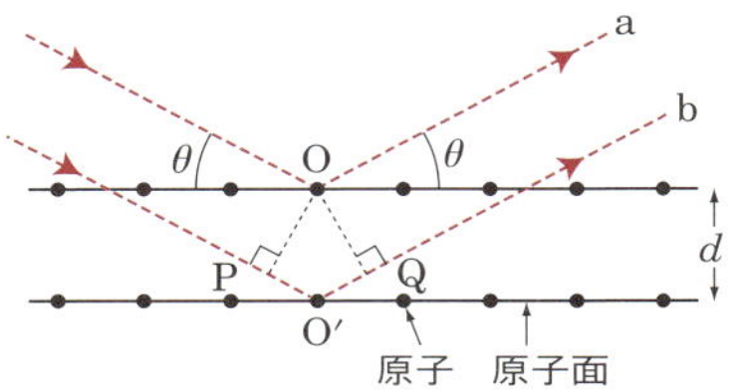

この方法で波長 7.1×10^{-11} m のX線を入射させると，$n=2$，$\theta=30°$ のときに強く反射した。原子面間隔 d〔m〕を求めよ。

解き方 2つの格子面で反射するX線の経路差PO′Qは，$2d\sin\theta$ であり，反射X線が強め合う条件は，

$$2d\sin\theta=n\lambda \quad (n\text{は自然数})$$

である。よって，

$$d=\frac{n\lambda}{2\sin\theta}=\frac{2\times7.1\times10^{-11}}{2\sin30°}=1.42\times10^{-10}\ \mathrm{m}$$

と求められる。

答 1.42×10^{-10} m

〈**類題193**〉ある結晶に波長 λ のX線を当てたとき，入射X線と結晶の格子面とのなす角 θ が $\theta=\theta_1$ のとき強い反射X線が観測された。ついで，θ をゆっくりと連続的に大きくすると，反射X線はいったん弱くなったが，$\theta=\theta_2$ のとき再び強くなった。格子面間の間隔 d はいくらか。

（解答➡別冊 ***p.46***）

■練習問題

解答→別冊 p.78

TYPE

67 X線光子と電子との衝突によって，入射X線の波長よりも長い波長をもつ散乱X線が観測されることがある。これはX線光子と電子との弾性衝突として説明できる。図のように，入射X線の波長をλ〔m〕，散乱X線の波長をλ'〔m〕，衝突後の電子の速さをv〔m/s〕とする。また，x，y軸を図のようにとり，x軸と散乱X線がなす角をϕ，衝突後の電子がなす角をθとする。光速をc，プランク定数をh，電子の質量をmとする。

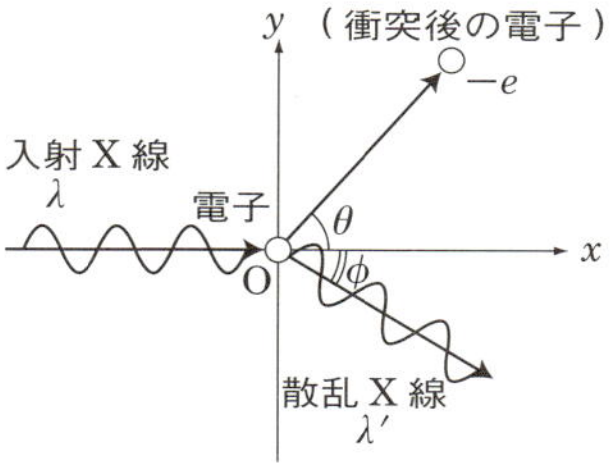

(1) 衝突前後の運動量保存の法則から導かれるx軸方向およびy軸方向に関する式を，λ，λ'，h，m，ϕ，θ，vで表せ。

(2) 衝突前後のエネルギー保存の法則から導かれる式を，λ，λ'，c，h，m，vで表せ。

(3) $\lambda \fallingdotseq \lambda'$のとき，$\dfrac{\lambda'}{\lambda}+\dfrac{\lambda}{\lambda'} \fallingdotseq 2$と近似できる。$\lambda'-\lambda$〔m〕を$h$，$m$，$\phi$，$c$で表せ。

（静岡県大 改）

→136

68 X線は図1のようなX線管と呼ばれる装置を使い，陰極(F)から飛び出した電子を高電圧で加速し陽極(T)に衝突させて発生させる。いま，TF間にVの加速電圧をかける。電子の質量をm，電荷を$-e$，プランク定数をh，光速をcとし，電子の初速度を0 m/sとする。

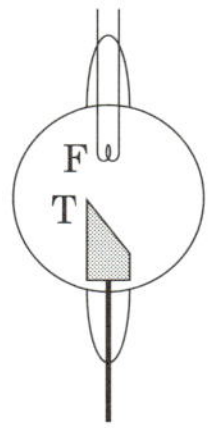

図1

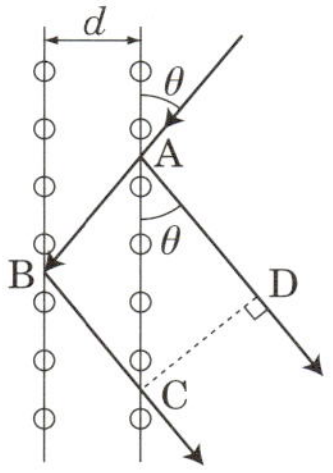

図2

(1) 電子がTに達する直前の速さv_1〔m/s〕を求めよ。

(2) 発生するX線の最短波長λ_0〔m〕を求めよ。

(3) 図2のように原子が規則正しく並んだ原子面が，面間距離d〔m〕で平行に並んでいる結晶に対して，波長λ〔m〕のX線を入射させたとする。原子配列面はX線に対して鏡面のような働きをするものとし，入射角と反射角をθとする。距離dで隣接した原子面のそれぞれで反射したX線が強め合う条件式(ブラッグの条件式)を，図2を利用して導出せよ。このとき用いる整数をNとする。

（大分大 改）

→137

TYPE

69　平行板電極の間に荷電粒子を入れ，粒子の運動を観測することによって，電気素量eの値を求めてみよう。粒子が運動時に空気から受ける抵抗力は，粒子の速さに比例し，その比例定数をkとする。重力加速度の大きさをg，粒子にはたらく浮力を無視して，以下の問いに答えよ。

(1)　図1のように，平行板電極に電圧をかけずに質量Mで電荷qの荷電粒子を自由落下させた。落下を始めてすぐに粒子は一定の速度(終端速度)v_1に達したとして，粒子の質量Mをv_1を用いて表せ。

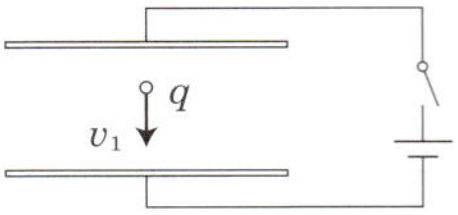

図1

(2)　図2のように平行板電極に電圧をかけ，一様な電場Eを生じさせた。荷電粒子はEからも力を受け，終端速度v_2で上昇した。粒子の質量Mをv_2を用いて表せ。

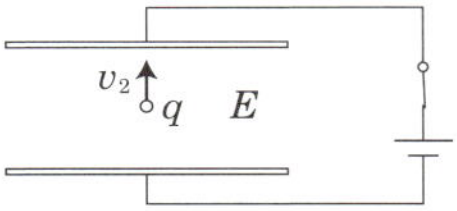

図2

(3)　電荷qを，(1)と(2)の結果からv_1，v_2を用いて表せ。
電荷q_1からq_6の粒子について上記の実験を行い，次の値を得た。

電　荷	q_1	q_2	q_3	q_4	q_5	q_6
電荷の値($\times 10^{-19}$ C)	-8.01	-4.82	-3.20	-6.45	-9.70	-12.88

(4)　表の値をすべて用いて，eの値を求めよ。　(浜松医大 改)

➔ 134

70　図は光電効果の実験装置である。光電管内の金属板Kに光を当て，光電効果によって生じた光電子を電極Pで捕らえるようになっている。また，すべり抵抗の接点Rを移動させて，金属板Kに対する電極Pの電位V〔V〕を正から負の範囲で変えることができる。

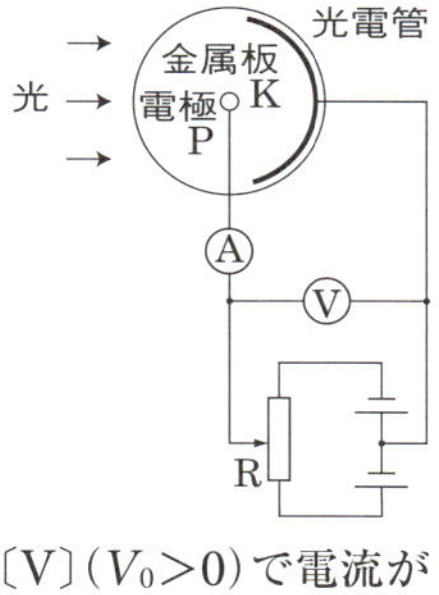

(1)　金属板Kに光を当てると電流計に電流が流れた。接点Rを移動させると，電位$V=-V_0$〔V〕($V_0>0$)で電流が流れなくなった。その理由を述べよ。

(2)　光の振動数をν〔Hz〕，プランク定数をh〔J·s〕，金属の仕事関数をW〔J〕，電気素量をe〔C〕として，Wをν，h，e，V_0を用いて表せ。

(3)　波長4.5×10^{-7} mの単色光を金属板Kに当てた。接点Rを動かして，$V=-0.82$ Vで電流計に電流が流れなくなった。金属の仕事関数は何eVか。ただし，プランク定数$h=6.6\times 10^{-34}$ J·s，光の速さ$c=3.0\times 10^{8}$ m/s，電気素量$e=1.6\times 10^{-19}$ Cとする。　(愛知教育大 改)

➔ 135

2 原子の構造

1 水素原子のスペクトル

水素原子のスペクトル線の波長 λ〔m〕には，次のような規則性がある。

$$\frac{1}{\lambda}=R\left(\frac{1}{n^2}-\frac{1}{m^2}\right) \quad (n=1,\ 2,\ \cdots;\ m=n+1,\ n+2,\ \cdots) \qquad (5\cdot6)$$

R は**リュードベリ定数**と呼ばれ，$R=1.10\times10^7\ \mathrm{m^{-1}}$ である。

2 水素原子の構造

1 原子核のまわりの電子の運動　水素原子の原子核（陽子）は $+e$〔C〕の電荷をもち，そのまわりを $-e$〔C〕の電荷をもつ電子が円運動している。電子の軌道半径を r〔m〕，電子の速さを v〔m/s〕，質量を m〔kg〕とすると，電子の運動方程式は，

$$m\frac{v^2}{r}=k\frac{e^2}{r^2} \quad (k\ \text{はクーロンの法則の定数}) \qquad (5\cdot7)$$

2 量子条件　電子の軌道としては，その**円周が電子波の波長の整数倍に等しい長さのものだけが存在する**。

$$2\pi r=n\frac{h}{mv} \qquad (5\cdot8)$$

3 振動数条件　(5·8)式の n を**量子数**といい，量子数 n のときの原子のエネルギー E_n を**エネルギー準位**という。原子がエネルギー準位 E_m から E_n $(E_m>E_n)$ に移るとき，そのエネルギー差に等しいエネルギーをもつ光子を放出する。光子の振動数を ν とすると，

$$h\nu=E_m-E_n \qquad (5\cdot9)$$

3 核エネルギー

1 質量とエネルギー　質量とエネルギーは同等で，互いに移り変わることができる。m〔kg〕の質量が E〔J〕のエネルギーに変わるとすると，

$$E=mc^2 \qquad (5\cdot10)$$

の関係がなりたつ。c は真空中の光速で，$c=3.0\times10^8\ \mathrm{m/s}$ である。

2 質量欠損と結合エネルギー　原子核の質量は，原子核を構成している核子がばらばらになっているときの質量の和より小さい。この質量の減少分を**質量欠損**という。この質量欠損に相当するエネルギーを原子核の**結合エネルギー**という。**核反応が起こると，結合エネルギーの差に等しいエネルギーが放出あるいは吸収される。**

4 原子核の構成

1 核子　原子核を構成する**陽子**と**中性子**を総称して**核子**という。

① **陽子**　正の電気素量をもつ。質量は電子の質量のおよそ1836倍である。ほとんどの水素原子核は陽子1個からなる。

② **中性子**　質量は陽子よりわずかに大きい。電荷はもっていない。

2 原子番号　原子核中に含まれる陽子の数を**原子番号**という。

3 質量数　原子核を構成する**核子**(**陽子と中性子**)の数を**質量数**という。

4 同位体　原子番号が等しく，質量数の異なる原子を**同位体**いう。

5 放射線の種類

1 α 線　高速のヘリウム原子核 ${}^{4}_{2}He$ の流れである。

2 β 線　高速の電子の流れである。

3 γ 線　きわめて波長の短い電磁波である。

6 放射性崩壊

1 α 崩壊　原子核から α 線を放出し，**原子番号が2減少し，質量数が4減少**した原子核になる。

2 β 崩壊　原子核から β 線を放出し，**原子番号が1増加し，質量数は元と同じ**原子核になる。

! 注意　γ 線を放出しても，原子番号，質量数は変化しない。

7 半減期

放射性原子核の数が元の数の半分になるまでの時間を**半減期**という。放射性原子核の数が N_0 の状態から時間 t〔s〕経過したときの放射性原子核の数 N は，半減期を T〔s〕とすると，次の式で表される。

$$N = N_0\left(\frac{1}{2}\right)^{\frac{t}{T}} \quad (5\cdot11)$$

TYPE 138 水素原子の構造

B 重要度

電子の円運動の向心力は電気力。
電子の軌道半径は量子条件を満足する。
水素原子から放出される光子の振動数は振動数条件により決まる。

着眼

水素原子は，陽子のまわりを電子が，電気力を向心力として等速円運動しているという力学的なモデルに，

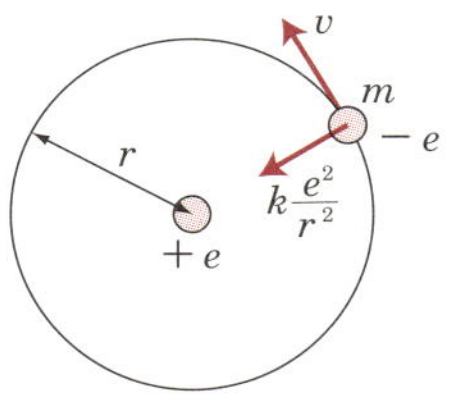

量子条件　$2\pi r = n\dfrac{h}{mv}$

電子波の波長 $\dfrac{h}{mv}$ の整数倍が円周の長さとなる定常波ができることを意味する。

振動数条件　$h\nu = E_n - E_{n'}$

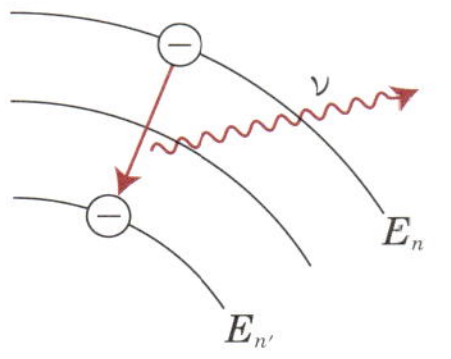

原子のエネルギーが減少した分だけ光子のエネルギーとして放出する。エネルギーが保存することを表している。

を適用し，水素原子の大きさとスペクトルを求める。

例題　水素原子内の電子運動

次の文中の空欄にあてはまる式を書け。

水素原子を，静止した陽子(電気量 $+e$〔C〕)のまわりを電子(質量 m〔kg〕，電気量 $-e$〔C〕)が等速円運動をしていると見なす。この運動では電気力が向心力になるので，電子の速さを v〔m/s〕，円軌道の半径を r〔m〕，クーロンの法則の比例定数を k とすると，v，m，e，r，k の間に，［　①　］がなりたつ。

ボーアによれば，プランク定数を h〔J·s〕，正の整数を n として，$2\pi r =$［　②　］を満たす円運動だけが起こる。①，②から v，r を求めると，

$v =$［　③　］　　$r =$［　④　］

次に，電子の電気力による位置エネルギー U〔J〕は，$U =$［　⑤　］，電子の運動エネルギー K〔J〕は，$K =$［　⑥　］となるので，電子の力学的エネルギーを原子のエネルギー準位 E_n とすると，$E_n =$［　⑦　］と表される。

原子がエネルギー準位 E_a からエネルギー準位 E_b に移ったときに放出される光子の振動数 ν〔Hz〕は，プランク定数を h として，$\nu =$［　⑧　］と表される。

解き方 ①　電子について等速円運動の運動方程式をたてる。

$$m\frac{v^2}{r}=k\frac{e^2}{r^2}$$

ゆえに，$mv^2=\frac{ke^2}{r}$

②　これは量子条件であるから，

$$2\pi r=n\frac{h}{mv}$$

③　上で求めた①，②の式から r を消去して，v を求めると，

$$v=\frac{2\pi ke^2}{nh}$$

④　③の式を②の式に代入して，r を求めると，

$$r=\frac{n^2h^2}{4\pi^2ke^2m}$$

⑤　電子の位置エネルギーの式 $U=-k\frac{e^2}{r}$ に④の式を代入して，

$$U=-k\frac{e^2}{r}=-\frac{4\pi^2k^2e^4m}{n^2h^2}$$

⑥　電子の運動エネルギーの式 $K=\frac{1}{2}mv^2$ に③の式を代入して，

$$K=\frac{1}{2}mv^2=\frac{2\pi^2k^2e^4m}{n^2h^2}$$

⑦　電子の力学的エネルギーは

$$U+K$$

であるから，

$$E_n=U+K=-\frac{2\pi^2k^2e^4m}{n^2h^2}$$

⑧　光子のエネルギーは，

$$h\nu=E_a-E_b$$

であるから，

$$h\nu=-\frac{2\pi^2k^2e^4m}{a^2h^2}+\frac{2\pi^2k^2e^4m}{b^2h^2}$$

$$=\frac{2\pi^2k^2e^4m}{h^2}\left(\frac{1}{b^2}-\frac{1}{a^2}\right)$$

ゆえに，　$\nu=\frac{2\pi^2k^2e^4m}{h^3}\left(\frac{1}{b^2}-\frac{1}{a^2}\right)$

答 ①　$mv^2=\frac{ke^2}{r}$　②　$n\frac{h}{mv}$　③　$\frac{2\pi ke^2}{nh}$　④　$\frac{n^2h^2}{4\pi^2ke^2m}$　⑤　$-\frac{4\pi^2k^2e^4m}{n^2h^2}$

⑥　$\frac{2\pi^2k^2e^4m}{n^2h^2}$　⑦　$-\frac{2\pi^2k^2e^4m}{n^2h^2}$　⑧　$\frac{2\pi^2k^2e^4m}{h^3}\left(\frac{1}{b^2}-\frac{1}{a^2}\right)$

〈類題194〉 次の文中の空欄にあてはまる式を書け。

水素原子は 1 個の陽子とそのまわりを回る 1 個の電子からできている。この水素原子の構造について考えてみよう。

(A) 電子は，粒子としての性質だけでなく波動としての性質ももつ。電子にともなう波動性をもとにして，水素原子の定常状態について考えてみよう。

電子は陽子のまわりを半径 a の等速円運動をしていると考える。定常状態は円軌道の周の長さが，電子にともなう波(物質波)の波長 λ の整数倍になるときとすると，n を正の整数として，

$2\pi a =$ [①] ……ⓐ

と表される。プランク定数 h，電子の質量 m と速さ v を使うと，

$\lambda =$ [②]

であるから，式ⓐは

$mva = n \times$ [③] ……ⓑ

のようにも表される。

(B) 陽子がつくる，半径 a の円軌道上の電場の強さは，電気素量を e，真空の誘電率を ε_0 とし，陽子が座標原点にあるものとすると，[④] であり，軌道上にある電子にはたらく力は [⑤] となる。また，軌道上を円運動する電子には遠心力がはたらいている。

これらの力がつり合うことから，

[⑤] + [⑥] $= 0$ ……ⓒ

を得る。

式ⓑとⓒから，電子の軌道半径は，

$a =$ [⑦] ……ⓓ

となる。

(C) 陽子がつくる半径 a の円軌道上の電位は [⑧] であり，その軌道上にある電子の位置エネルギーは [⑨] となる。

軌道上を速さ v で運動する電子の全エネルギー E は運動エネルギーと位置エネルギーの和として求められる。

式ⓒとⓓを利用すると，電子のエネルギー(準位)は

$E =$ [⑩] ……ⓔ

のようになる。

(解答➡別冊 *p.46*)

TYPE 139 原子核の崩壊

B 重要度

α崩壊 ⇨ ヘリウム原子核が放出される
β崩壊 ⇨ 電子が放出され，中性子が陽子に変わる

着眼　不安定な原子核は，α崩壊やβ崩壊をくり返して，安定な原子核に変化する。α崩壊では，α線という放射線が放出される。**α線の実態はヘリウム原子核**なので，**原子核から中性子が2個，陽子が2個出てくる**ことになり，質量数が4，原子番号が2少ない原子核に変わる。β崩壊では，β線という放射線が放出される。**β線の実態は電子**で，**原子核の中の中性子が陽子に変わる**。そのため，質量数は変わらないが，陽子が1増えることになり，原子番号が1大きい原子核に変わる。

！注意　放射線の種類には，α線，β線の他に，γ線と呼ばれるものもある。**γ線の実態は波長のきわめて短い電磁波**である。γ線を放出しても，原子核内の中性子や陽子の数が変わらないので，原子核の種類は変わらない。

例 題　放射性崩壊の回数

放射性原子核の $^{238}_{92}U$ が，安定な原子核 $^{206}_{82}Pb$ に変わるウラン－ラジウム系列では，α崩壊とβ崩壊は，それぞれ何回起こるか。

解き方　放射性崩壊において，質量数が変わるのはα崩壊のみである。質量数は238から206に変化したので，質量数の変化量は $238-206=32$ である。1回のα崩壊で質量数は4減少するので，α崩壊の回数は $\dfrac{32}{4}=8$ である。1回のα崩壊で原子番号は2減少するので，α崩壊により原子番号は $2\times8=16$ 減少するはずであるが，原子番号の変化量は $92-82=10$ である。原子番号を $16-10=6$ 増やす崩壊が起こっていなければならない。1回のβ崩壊では原子番号は1増えるので，β崩壊の回数が6回であることがわかる。

答　**α崩壊：8回，β崩壊：6回**

〈類題195〉 放射性原子核の $^{232}_{90}Th$ が，安定な原子核 $^{208}_{82}Pb$ に変わるトリウム系列では，α崩壊とβ崩壊は，それぞれ何回起こるか。 (解答➡別冊 *p.47*)

〈類題196〉 放射性原子核の $^{235}_{92}U$ が，安定な原子核 $^{207}_{82}Pb$ に変わるアクチニウム系列では，α崩壊とβ崩壊は，それぞれ何回起こるか。 (解答➡別冊 *p.47*)

TYPE 140 核反応と原子核の運動

C 重要度

原子核の衝突・分裂でも，運動量保存則が成立。
質量欠損 Δm から結合エネルギー Δmc^2 を求める。
質量エネルギーを含めたエネルギー保存則を考える。

着眼　原子核が分裂したり衝突したりするときでも，運動量保存則がなりたつので，必ず**運動量保存の式**をつくること。核反応が起こる場合は必ず質量欠損を生じるので，質量エネルギーを含めた**エネルギー保存の式**をつくる。だいたいこの 2 つの式で解ける問題が多い。

＋補足　核反応においては，運動量を p，運動エネルギーを K として，考えさせる場合も多い。そのときは，運動量保存則の式とエネルギー保存則の式だけでは解けないので，**粒子の質量を m としたとき，$p^2 = 2mK$ の関係式を用いる。**質量 m の粒子が速さ v で運動しているとき，

$$p = mv \quad \cdots\cdots①$$

$$K = \frac{1}{2}mv^2 \quad \cdots\cdots②$$

がなりたつ。
①の両辺を 2 乗し，②の両辺に $2m$ をかけると，①も②も右辺は m^2v^2 となるので，
$p^2 = 2mK$ の関係式を導くことができる。

例題　核反応によるエネルギー

それぞれ 1.0 MeV の運動エネルギーをもつ 2 つの重水素核 ${}^2_1\mathrm{H}$ が正面衝突して，

$${}^2_1\mathrm{H} + {}^2_1\mathrm{H} \longrightarrow {}^3_1\mathrm{H} + {}^1_1\mathrm{H}$$

の反応が起こったとする。
${}^1_1\mathrm{H}$，${}^2_1\mathrm{H}$，${}^3_1\mathrm{H}$ の原子核の質量は，それぞれ，

1.0073 u，　2.0136 u，　3.0156 u

である。また，

$1\,\mathrm{u} = 1.66 \times 10^{-27}\,\mathrm{kg}$，　$1\,\mathrm{J} = 6.24 \times 10^{12}\,\mathrm{MeV}$

であるとし，光速度は $3.00 \times 10^8\,\mathrm{m/s}$ として，以下の問いに答えよ。

(1)　この核反応によって発生したエネルギーは何 MeV か。
(2)　(1)のエネルギーがすべて ${}^3_1\mathrm{H}$ と ${}^1_1\mathrm{H}$ の運動エネルギーに変換するとすれば，${}^3_1\mathrm{H}$ と ${}^1_1\mathrm{H}$ の運動エネルギーはそれぞれ何 MeV か。

解き方　(1)　この核反応による質量欠損は,

$$\Delta m = 2\times 2.0136 - (3.0156 + 1.0073) = 0.0043\ \mathrm{u}$$

この質量欠損をエネルギーに換算すると,(5・10)式により,

$$\begin{aligned} E &= mc^2 \\ &= 0.0043\times 1.66\times 10^{-27}\times (3.00\times 10^8)^2 \\ &= 6.42\times 10^{-13}\ \mathrm{J} \\ &= 6.42\times 10^{-13}\times 6.24\times 10^{12}\ \mathrm{MeV} \\ &= 4.01\ \mathrm{MeV} \end{aligned}$$

(2)　${}^3_1\mathrm{H}$ と ${}^1_1\mathrm{H}$ の質量を m_1,m_2,核反応後の ${}^3_1\mathrm{H}$ と ${}^1_1\mathrm{H}$ の速度を v_1,v_2 とすると,運動量保存則より,

$$0 = m_1v_1 + m_2v_2 \quad \cdots\cdots①$$

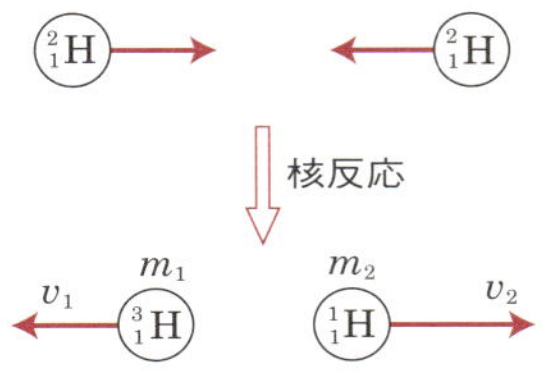

核反応後の ${}^3_1\mathrm{H}$ と ${}^1_1\mathrm{H}$ の運動エネルギーを K_1,K_2 とすると,エネルギー保存則より,

$$K_1 + K_2 = 2\times 1.0 + 4.0 = 6.0 \quad \cdots\cdots②$$

また,$K_1 = \dfrac{1}{2}m_1{v_1}^2$,$K_2 = \dfrac{1}{2}m_2{v_2}^2$ であるから,

$$\frac{K_1}{K_2} = \frac{m_1{v_1}^2}{m_2{v_2}^2} \quad \cdots\cdots③$$

①より,$\dfrac{v_1}{v_2} = -\dfrac{m_2}{m_1}$ を③に代入して,

$$\frac{K_1}{K_2} = \frac{m_1}{m_2}\times\left(-\frac{m_2}{m_1}\right)^2 = \frac{m_2}{m_1} = \frac{1.0073}{3.0156}$$

ゆえに,$K_2 = 2.99K_1$

これを②に代入して,K_1,K_2 を求めると,　$K_1 = 1.5\ \mathrm{MeV}$　　$K_2 = 4.5\ \mathrm{MeV}$

答　(1) **4.0 MeV**　(2) ${}^3_1\mathrm{H}$:**1.5 MeV**,${}^1_1\mathrm{H}$:**4.5 MeV**

類題197　陽子 p を運動エネルギーが 1.10×10^6 eV になるまで加速し,静止したリチウム原子核に当てたところ,核反応

$$\mathrm{p} + {}^7_3\mathrm{Li} \longrightarrow {}^4_2\mathrm{He} + {}^4_2\mathrm{He}$$

により 2 個の α 粒子 ${}^4_2\mathrm{He}$ が発生した。この核反応について以下の問いに答えよ。

(1)　核反応によって減少した質量〔kg〕を計算せよ。ただし,陽子,リチウム原子核,α 粒子の質量をそれぞれ 1.672×10^{-27} kg,11.650×10^{-27} kg,6.6465×10^{-27} kg とする。

(2)　減少した質量をエネルギー〔J〕に換算せよ。真空中の光速を 3.00×10^8 m/s とする。

(3)　核反応後 2 個の α 粒子が等しい運動エネルギーをもったとする。このときの α 粒子の速さ〔m/s〕を求めよ。1 eV $= 1.60\times 10^{-19}$ J とする。　(解答➡別冊 *p.47*)

TYPE 141 半減期

重要度 B

N_0 個が N 個に減ったとき，$N=N_0\left(\frac{1}{2}\right)^{\frac{t}{T}}$

着眼　**放射性原子は，半減期ごとに現在量の半分が崩壊して**，他の原子に変わる。いま，半減期 T の放射性原子が N_0 個あるとすると，その数は，時間 T 後に $\frac{1}{2}N_0$，$2T$ 後に $\left(\frac{1}{2}\right)^2 N_0$，$3T$ 後に $\left(\frac{1}{2}\right)^3 N_0$，… となり，一般に，時間 nT 後には $\left(\frac{1}{2}\right)^n N_0$ になる。よって，時間 t 後の放射性原子の数を N とすると，$nT=t$ より，$n=\frac{t}{T}$ として，

$$N=\left(\frac{1}{2}\right)^n N_0=\left(\frac{1}{2}\right)^{\frac{t}{T}} N_0$$

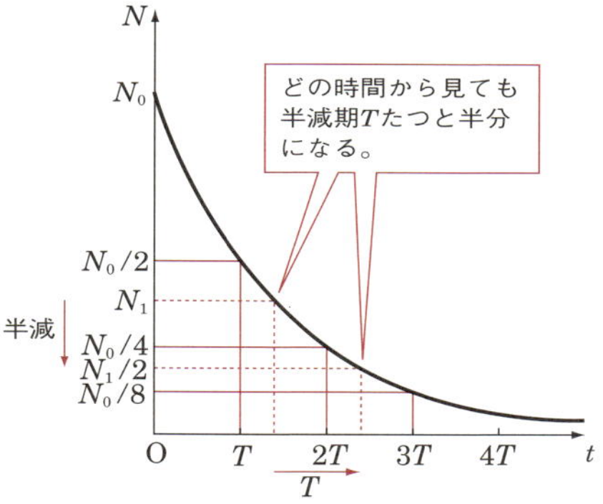

例題　ラジウムの半減期

Ra の半減期は約 1600 年である。いま，ある量の Ra があるとすれば，6400 年後には，この Ra は現在量の何分の 1 になっているか。また，800 年後には現在量の何倍になっているか。

解き方　現在の原子数を N_0 とすると，6400 年後の原子数 N は，

$$N=N_0\left(\frac{1}{2}\right)^{\frac{6400}{1600}}=N_0\left(\frac{1}{2}\right)^4=\frac{1}{16}N_0$$

また，800 年後の原子数を N' とすると，

$$N'=N_0\left(\frac{1}{2}\right)^{\frac{800}{1600}}=N_0\left(\frac{1}{2}\right)^{\frac{1}{2}}=\frac{1}{\sqrt{2}}N_0$$

答　**6400 年後：$\frac{1}{16}$，800 年後：$\frac{1}{\sqrt{2}}$ 倍**

類題198　^{235}U の半減期は 7.5×10^8 年，^{238}U の半減期は 4.5×10^9 年である。

(1)　$n\times7.5\times10^8$ 年後には，^{235}U の量は現在の何倍になっているか。

(2)　地上における ^{238}U と ^{235}U との存在比（原子数の比）は，どんな試料についても 139：1 である。いまから，4.5×10^9 年前における ^{238}U と ^{235}U との存在比を求めよ。

（解答➡別冊 p.47）

練習問題

解答→別冊 *p.79*

TYPE

71　1913年，ボーアは水素原子のスペクトルに注目し，水素原子の構造について2つの大胆な仮説を提唱した。水素原子は，質量m〔kg〕，電気量$-e$〔C〕の電子が電気量$+e$〔C〕の原子核のまわりを速さv〔m/s〕，軌道半径r〔m〕で等速円運動をしていると考えてよい。

次の問いに答えよ。ただし，静電気力に関するクーロンの法則の比例定数をk〔$N \cdot m^2/C^2$〕，プランク定数をh〔$J \cdot s$〕とする。

(1)　電子は，原子核との間の静電気力を向心力として等速円運動をしている。電子の運動方程式を記せ。

(2)　ボーアの量子条件を，量子数をnとして式で表現せよ。

(3)　電子の軌道半径rをk，h，m，e，nを用いて表せ。

(4)　量子数nの軌道半径rをr_nとする。軌道半径r_nの電子のエネルギー準位E_n〔J〕は，静電気力による位置エネルギーと運動エネルギーの和で与えられる。E_nをk，h，m，e，nを用いて表せ。

(5)　ボーアの振動数条件を，式で表現せよ。

(6)　光の波長をλ〔m〕とすると，$\frac{1}{\lambda}=R\left(\frac{1}{(n')^2}-\frac{1}{n^2}\right)$の関係が導かれる。光の速さを$c$〔m/s〕として，$R$（リュードベリ定数）を$k$，$h$，$m$，$e$，$c$を用いて表せ。　（愛知教育大 改）　→ **138**

72　質量が4.0015 uの^{4}He原子核は，陽子2個と中性子2個からできている。原子核の質量を，それを構成する陽子と中性子の質量の和から差し引いたものを質量欠損という。以下の問いに答えよ。ただし，1 uを1.66×10^{-27} kgとし，真空中の光の速さを3.0×10^8 m/sとする。また，陽子の質量は1.0073 u，中性子の質量は1.0087 uとする。

(1)　^{4}Heの質量欠損は何uか。

(2)　^{4}Heの1核子あたりの結合エネルギーは何Jか。

(3)　^{3}He原子核に中性子が吸収され，質量が4.0015 uの^{4}Heとγ線になったとする。その核反応で放出されるエネルギーは何Jか。ただし，中性子が吸収される前の^{3}Heと中性子の運動エネルギーは無視できるとし，^{3}Heの原子核の質量を3.0149 uとする。　（県立広島大）　→ **140**

ヒント　**71** (2) 円周の長さが電子波の波長の整数倍になる条件である。

TYPE

73 次の文章中の空欄①については図中のア〜ウのうち正しいものを1つ選び，②，③，⑥は数式で埋め，④，⑤，⑦は数値を記入せよ。

ウランやラジウムのように，原子核の中には不安定なものがあり，放置すると自然に放射線を出して他の原子核に変化する。この現象を放射性崩壊といい，このような原子核を放射性原子核という。

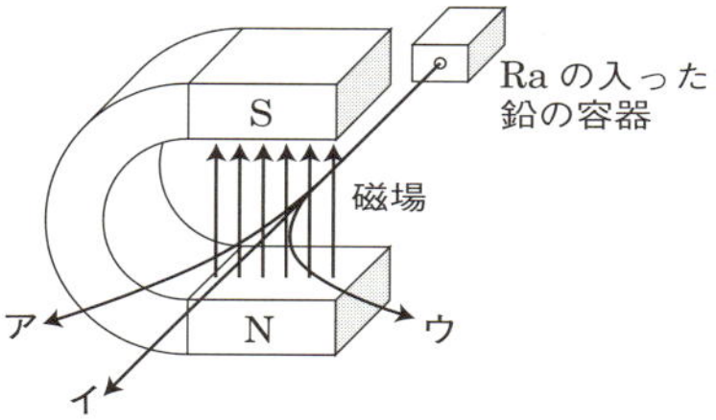

$^{226}_{88}$Ra は，α 線とよばれる放射線を放出して，$^{222}_{86}$Rn に放射性崩壊(α 崩壊)する原子核である。α 線を一様な磁場中に通すと図の[①]の軌跡を描く。

このことから，ラザフォードによって α 線の正体がヘリウム原子核であることが明らかにされた。α 崩壊ではヘリウム原子核が放出されるため，元の原子核の質量数を A，原子番号を Z とすると，α 崩壊後の原子核の質量数は[②]，原子番号は[③]と表される。

放射性崩壊には原子核内の中性子が陽子に変化して電子を放出する現象もある。これを β 崩壊といい，原子核は質量数が同じで原子番号が1だけ大きな原子核に変わる。$^{226}_{88}$Ra は最終的に安定な原子核である $^{206}_{82}$Pb に変化するが，以上のことから $^{206}_{82}$Pb に変化するまでに α 崩壊を[④]回，β 崩壊を[⑤]回くり返すことがわかる。

放射性原子核は放射性崩壊して他の原子核に変わるため，元の原子核の数は時間とともに減少する。半減期が T である放射性原子核の数を N_0，時間 t の後に崩壊しないで残っている原子核の数を N とすると，$N=$[⑥]がなりたつ。$^{226}_{88}$Ra の半減期は 1.60×10^3 年であるので，はじめあった $^{226}_{88}$Ra の数が $\frac{1}{10}$ になるのは約[⑦]年後である。ただし，$\log_{10}2=0.301$ とし，有効数字2桁で求めよ。　(秋田大)

→ 139, 141

ヒント　73　②③ α 崩壊では，原子核からヘリウム原子核が出てくる。
⑥⑦ $\frac{N}{N_0}\left(=\frac{1}{10}\right)$ を t，T で表して両辺の対数をとればよい。

③

シグマベスト

物理の考え方解き方

〈物理基礎収録版〉

著　者　土屋博資

発行者　益井英郎

印刷所　中村印刷株式会社

発行所　株式会社　**文 英 堂**

〒601-8121　京都市南区上鳥羽大物町28

〒162-0832　東京都新宿区岩戸町17

(代表)03-3269-4231

●落丁・乱丁はおとりかえします。

ΣBEST
シグマベスト

物理の考え方解き方

物理基礎収録版

正解答集

文英堂

類題の解答

1 力と運動

1 解き方　0 s から 5 s までは正方向に変位している。その大きさはグラフと t 軸に囲まれる台形の面積に等しい。

$$x_1=\frac{1}{2}\{(4-2)+5\}\times 3=10.5\ \mathrm{m}$$

5 s から 10 s までは負方向に変位し，その大きさは，

$$x_2=\frac{1}{2}\{(9-6)+(10-5)\}\times 3=12\ \mathrm{m}$$

よって，全体の変位は，

$$x_1+(-x_2)=10.5-12=-1.5\ \mathrm{m}$$

すなわち，初速度と反対向きに **1.5 m** …答

2 解き方　(1) 移動距離は v-t グラフの面積によって表されるので，

$$\frac{1}{2}\times 20\times 20+\frac{1}{2}\times(20+30)\times 40$$
$$=1200\ \mathrm{m}$$

答　**1.2 km**

(2) 加速度は v-t グラフの傾きで表されるので，

$$a=\frac{30-20}{60-20}=\mathbf{0.25\ m/s^2}$$ …答

(3) 200 s までに移動した距離は

$$1200+30\times(120-60)$$
$$+\frac{1}{2}\times 30\times(200-120)$$
$$=4200\ \mathrm{m}$$

よって，平均の速さ $\bar{v}$ は，

$$\bar{v}=\frac{4200}{200}=\mathbf{21\ m/s}$$ …答

3 解き方　(1) $0=10\times 5.0+\frac{1}{2}\times a\times 5.0^2$

より，$a=-\frac{10\times 2}{5.0}=-4.0\ \mathrm{m/s^2}$

よって，左向きに **4.0 m/s²** …答

(2) 折り返し点では速さが 0 になるので，

$v=v_0+at$ より，$0=10-4.0\times t$

ゆえに，$t=\frac{10}{4.0}=\mathbf{2.5\ s}$ …答

(3) 折り返し点までに動いた距離 x は，

$x=v_0t+\frac{1}{2}at^2$ より，

$$x=10\times 2.5-\frac{1}{2}\times 4.0\times 2.5^2$$
$$=\mathbf{12.5\ m}$$ …答

(4) 5.0 秒後の速度 v は，

$$v=10-4.0\times 5.0=-10\ \mathrm{m/s}$$

よって，左向きに **10 m/s** …答

4 解き方　B が自由落下をはじめてから 1 秒たったとき，A は 3 秒間落下している。その落下距離の差を求めればよい。

$$\frac{1}{2}g\times 3^2-\frac{1}{2}g\times 1^2=\frac{1}{2}\times 9.8\times(9-1)$$
$$=39.2\fallingdotseq \mathbf{39\ m}$$ …答

5 解き方　初速度を v_0 とすると，

$$19.6=v_0\times 1.5+\frac{1}{2}\times 9.8\times 1.5^2$$

ゆえに，$v_0=\mathbf{5.7\ m/s}$ …答

6 解き方　初速度を v_0，最高点の高さを h とする。最高点では速さが 0 になるから，

$$0^2-v_0{}^2=-2gh$$

ゆえに，$h=\frac{v_0{}^2}{2g}$ …①

速さが $\frac{v_0}{2}$ になる高さを h' とすると，

$$\left(\frac{v_0}{2}\right)^2-v_0{}^2=-2gh'$$

ゆえに，$h'=\frac{3v_0{}^2}{8g}$ …②

①，②より，$\frac{h'}{h}\times 100=\mathbf{75\ \%}$ …答

7 解き方　初速度を v_0 とする。2 秒後と 4 秒後の変位が等しいから，

$$v_0\times 2-\frac{1}{2}g\times 2^2=v_0\times 4-\frac{1}{2}g\times 4^2$$

ゆえに，$v_0=3g=3\times 9.8=29.4\ \mathrm{m/s}$

点 P の高さは，

$$y=29.4\times 2-\frac{1}{2}\times 9.8\times 2^2=39.2\ \mathrm{m}$$

最高点の高さをhとすると，最高点では速さが0になるから，

$$0^2-29.4^2=-2\times9.8\times h$$

ゆえに，$h=44.1\ \mathrm{m}$

答 (1) **39 m** (2) **29 m/s** (3) **44 m**

（別解） 2秒後と4秒後に同じ高さの点を通過したから，3秒後に最高点に達したと考えると，$0=v_0-9.8\times3$

ゆえに，$v_0=29.4\ \mathrm{m/s}$

8 解き方 鉛直上向きにy軸をとり，小石を投げ上げたときの気球の位置を原点とする。地面に対する小石の初速度をv_0とすると2秒後の小石の変位は$4.6\times2\ \mathrm{m}$であるから，

$$4.6\times2=v_0\times2-\frac{1}{2}\times9.8\times2^2$$

ゆえに，$v_0=14.4\fallingdotseq$ **14 m/s** …答

2秒後の小石の速度は，

$$v=14.4-9.8\times2=-5.2\ \mathrm{m/s}$$

気球に対する相対速度は，

$-5.2-4.6=$ **−9.8 m/s** …答

（別解） 気球に対する相対運動として考えると，2秒後に元の点まで落ちてくるから，

$$0=v_0'\times2-\frac{1}{2}\times9.8\times2^2$$

ゆえに，$v_0'=9.8\ \mathrm{m/s}$

地面に対する小石の初速度は，気球の速度との合成速度で，

$9.8+4.6=14.4\fallingdotseq$ **14 m/s** …答

すれちがうときの小石の相対速度は，初速度と同じ大きさで反対向きだから，

$-v_0'=$ **−9.8 m/s** …答

9 解き方 360 km/h を m/s 単位にすると，

$$360\ \mathrm{km/h}=\frac{360\times1000\mathrm{m}}{3600\mathrm{s}}=100\ \mathrm{m/s}$$

(1) 高さ 490 m の点から自由落下するのにかかる時間を求めればよいので，

$$490=\frac{1}{2}\times9.8\times t^2$$

$t=$ **10 s** …答

(2) 水平方向には，速さ 100 m/s で 10 s 間等速直線運動をするから，

$x=100\times10=$ **1000 m** …答

(3) 速度の水平成分と鉛直成分を平行四辺形の法則で合成すればよい。

水平成分は$v_x=100\ \mathrm{m/s}$，鉛直成分は，

$$v_y=gt=9.8\times10=98\ \mathrm{m/s}$$

であるから，これらを合成すると，

$$v=\sqrt{{v_x}^2+{v_y}^2}$$

$=\sqrt{100^2+98^2}=$ **140 m/s** …答

10 解き方 (1) 水平方向は等速直線運動なので，

$x=\boldsymbol{v_0t}$ …答

(2) 鉛直方向は自由落下運動なので，

$y=\boldsymbol{\frac{1}{2}gt^2}$ …答

(3) (1)の式より，$t=\dfrac{x}{v_0}$

この式を(2)の式に代入すると，

$y=\dfrac{1}{2}g\left(\dfrac{x}{v_0}\right)^2=\boldsymbol{\dfrac{g}{2{v_0}^2}x^2}$ …答

11 解き方 (1) 最高点に達するまで 3.0 s かかるから，最高点から地面までの時間も 3.0 s である。最高点に達した後の鉛直方向の運動は自由落下と同じだから，最高点の高さhは，

$$h=\frac{1}{2}gt^2=\frac{1}{2}\times9.8\times3.0^2=44.1\ \mathrm{m}$$

答 **44 m**

(2) 水平方向には等速直線運動をするから，

その初速度は，$v_{0x}=\dfrac{120}{6.0}=20\ \mathrm{m/s}$

初速度の鉛直成分をv_{0y}とすると，3.0 s 後に鉛直方向の速度が0になるから，

$$0=v_{0y}-gt=v_{0y}-9.8\times3.0$$

ゆえに，$v_{0y}=29.4\ \mathrm{m/s}$

よって，初速度v_0は，

$$v_0=\sqrt{{v_{0x}}^2+{v_{0y}}^2}$$

$$=\sqrt{20^2+29.4^2}=35.5\ \mathrm{m/s}$$

答 **36 m/s**

12 **解き方** Aの速度を$\overrightarrow{v_A}$，Bの速度を$\overrightarrow{v_B}$とすると，Aに対するBの相対速度は$\overrightarrow{v_B}-\overrightarrow{v_A}$で，これらを図示すると，右図のようになる。これは直角三角形であるから，$\overrightarrow{v_B}-\overrightarrow{v_A}$の大きさは，三平方の定理より，

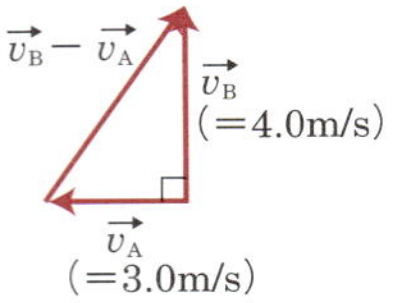

$\sqrt{3.0^2+4.0^2}=$ **5.0 m/s** …**答**

13 **解き方** おもりには，右図のように，重力$2.0\,g$，水平な糸の張力T_1，おもりをつるしている糸の張力T_2の3つの力がはたらいてつり合っている。

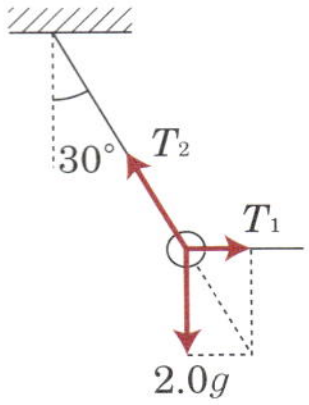

水平方向のつり合いの式は，

$T_1=T_2\sin 30°$ …①

鉛直方向のつり合いの式は，

$T_2\cos 30°=2.0g$ …②

②より，

$$T_2=\frac{2.0g}{\cos 30°}=\frac{2\times2.0\times9.8}{\sqrt{3}}=22.6\,\text{N}$$

これを①に代入して，

$$T_1=22.6\times\frac{1}{2}=11.3\,\text{N}$$

答 (1) **11 N** (2) **23 N**

14 **解き方** (1) 物体にはたらく力は，重力と糸1から受ける張力である。この2力を受けて物体は静止しているので，糸1の張力の大きさをT_1〔N〕とすれば，力のつり合いより，$T_1=$ ***mg*** …**答**

(2) 糸2の張力の大きさをT_2〔N〕，ばねの弾性力の大きさをF〔N〕として，糸とばねとの接合点での力のつり合いを考える。水平方向の力のつり合いの式は，

$F\cos 30°=T_2\cos 30°$ …①

鉛直方向の力のつり合いの式は，

$F\sin 30°+T_2\sin 30°=T_1$ …②

①より$F=T_2$であることがわかるので，(1)の結果と②を用いて，

$F=T_2=T_1=$ ***mg*** …**答**

(3) ばねの伸びの長さをx〔m〕とすれば，フックの法則より，$mg=kx$となるので，

$x=\dfrac{mg}{k}$ …**答**

15 **解き方** (1) 摩擦力はまだ最大摩擦力に達していないからμNとせず，単にfとする。斜面に平行な方向のつり合いの式は，

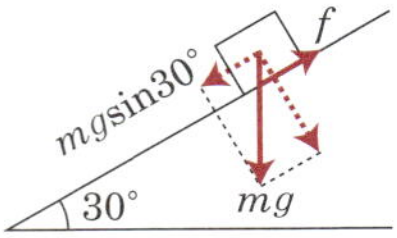

$f=mg\sin 30°=$ $\dfrac{1}{2}$***mg*** **〔N〕** …**答**

(2) 今度は摩擦力が最大摩擦力に達したのでμN(Nは垂直抗力)とおく。斜面に平行な方向のつり合いの式は，

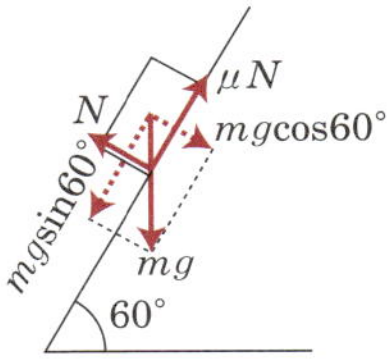

$\mu N=mg\sin 60°$ …①

斜面に垂直な方向のつり合いの式は，

$N=mg\cos 60°$ …②

①，②より，Nを消去して，

$\mu=\tan 60°=$ $\sqrt{3}$ …**答**

16 **解き方** Fが小さいと下に動き出してしまうので，摩擦力は上向きにはたらく。摩擦力が斜面平行上向きにはたらいているとき，摩擦力の大きさをf_1とすれば，力のつり合いを考えると，$f_1+F\cos\theta=mg\sin\theta$

ゆえに，$f_1=mg\sin\theta-F\cos\theta$

物体が静止しているための条件は静止摩擦力が最大摩擦力を超えなければよいので，

$$mg\sin\theta-F\cos\theta \le \mu(mg\cos\theta+F\sin\theta)$$

ゆえに，$F\ge\dfrac{\sin\theta-\mu\cos\theta}{\cos\theta+\mu\sin\theta}mg$

Fが大きいと上に動き出してしまうので，摩擦力は下向きにはたらく。摩擦力が斜面平行下向きにはたらいているとき，摩擦力の大きさをf_2とすれば，力のつり合いを考えると，

$F\cos\theta = mg\sin\theta + f_2$

ゆえに，$f_2 = F\cos\theta - mg\sin\theta$

物体が静止しているためには静止摩擦力が最大摩擦力を超えなければよいので，

$F\cos\theta - mg\sin\theta$
$\leqq \mu(mg\cos\theta + F\sin\theta)$

ゆえに，$F \leqq \dfrac{\sin\theta + \mu\cos\theta}{\cos\theta - \mu\sin\theta}mg$

$F>0$ であるから，$\sin\theta - \mu\cos\theta$ の正負で場合分けする。よって，

(a) $\mu < \tan\theta$ のとき

$$\frac{\sin\theta - \mu\cos\theta}{\cos\theta + \mu\sin\theta}mg \leqq F \leqq \frac{\sin\theta + \mu\cos\theta}{\cos\theta - \mu\sin\theta}mg$$ …答

(b) $\tan\theta \leqq \mu < \dfrac{1}{\tan\theta}$ のとき

$$0 < F \leqq \frac{\sin\theta + \mu\cos\theta}{\cos\theta - \mu\sin\theta}mg$$ …答

17 **解き方**　AとBにはたらく糸の張力は等しいから，どちらも T とおく。A，Bのそれぞれについて，斜面に平行な方向のつり合いの式をつくると，

A：$m_1 g\sin 30° = T$ …①

B：$m_2 g\sin 60° = T$ …②

①，②から T を消去して，$m_1 = \sqrt{3}m_2$ …答

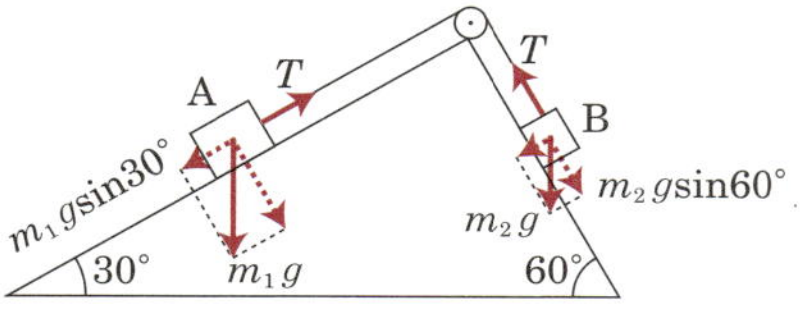

18 **解き方**　**1）物体Aが斜面上を下向きに動き出す直前のつり合い**

a）物体Aの力のつり合い　糸の張力を T〔N〕，斜面からの垂直抗力を N〔N〕とする。摩擦力は最大摩擦力 μN〔N〕になっていて，斜面に沿って上向きにはたらく。

斜面に平行な方向の力のつり合いの式は，

$T + \mu N = mg\sin\theta$ …①

斜面に垂直な方向の力のつり合いの式は，

$N = mg\cos\theta$ …②

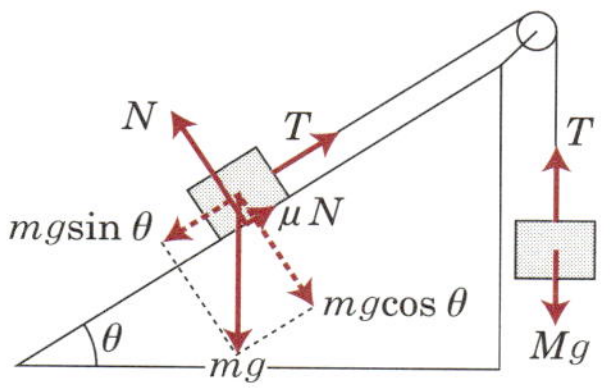

b）物体Bの力のつり合い　糸の張力はAと共通に T とおいてよい。

$T = Mg$ …③

①，②，③より，T と N を消去して，

$M = m(\sin\theta - \mu\cos\theta)$ …④

これが物体Aが静止しているための物体Bの質量の最小値となる。

2）物体Aが斜面上を上向きに動き出す直前のつり合い

a）物体Aの力のつり合い　糸の張力は1）の場合と変わるので，T'〔N〕とする。垂直抗力は1）と同じなので，N のままでよい。摩擦力は最大摩擦力 μN となって，斜面に沿って下向きにはたらく。

斜面に平行な方向の力のつり合いの式は，

$T' = mg\sin\theta + \mu N$ …⑤

斜面に垂直な方向の力のつり合いの式は，②と同じ。

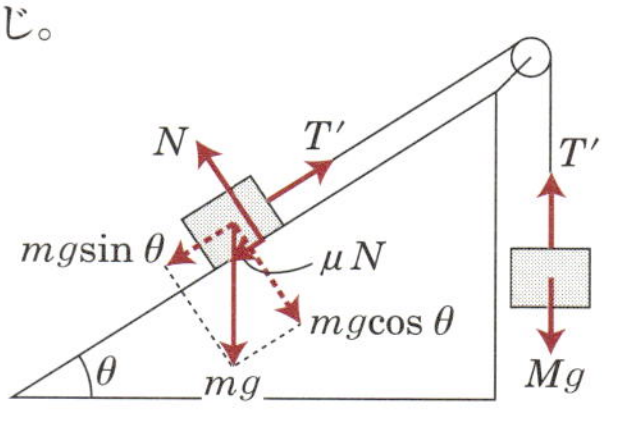

b）物体Bの力のつり合い　糸の張力はAと共通に T' とおく。

$T' = Mg$ …⑥

②，⑤，⑥より，T' と N を消去して，

$M = m(\sin\theta + \mu\cos\theta)$ …⑦

これが物体Aが静止しているための物体Bの質量の最大値となる。

よって，物体が静止しているための M の値は，④と⑦の間になければならない。

答　$m(\sin\theta - \mu\cos\theta) \leqq M \leqq m(\sin\theta + \mu\cos\theta)$

19 **解き方**　ばねA，Bのばね定数をそれぞれk_A，k_B〔N/m〕とすると，

$$2.0g = k_A \times 0.030 \quad より，\ k_A = \frac{200}{3}g$$

$$2.0g = k_B \times 0.050 \quad より，\ k_B = 40g$$

A，Bを直列につないで56 cmの長さまで伸ばしたときのA，Bのそれぞれの伸びをx_A，x_B〔m〕とすると，

$$x_A + x_B = 0.56 - 2 \times 0.20 = 0.16 \quad \cdots ①$$

ばねA，Bの張力は等しいから，

$$k_A x_A = k_B x_B \quad \cdots ②$$

①，②より，x_Bを消去し，k_A，k_Bの値を代入すると，$x_A = 0.06\ \mathrm{m} = 6\ \mathrm{cm}$

よって，Aの長さは，

$20 + 6 =$ **26 cm**　…答

20 **解き方**　底面積S〔$\mathrm{m^2}$〕，高さ0.760 mの水銀柱にはたらく重力の大きさG〔N〕は，

$$G = 1.36 \times 10^4 \times S \times 0.760 \times 9.8$$

水銀柱が底面に加える圧力(＝1気圧)p_0〔Pa〕は，

$$p_0 = \frac{G}{S}$$

$$= 1.36 \times 10^4 \times 0.760 \times 9.8$$

$$= 101292.8$$

答　**1.01×10^5 Pa**

21 **解き方**　液面から深さD〔m〕の液圧は，容器のある部分とない部分とで変わらないので，

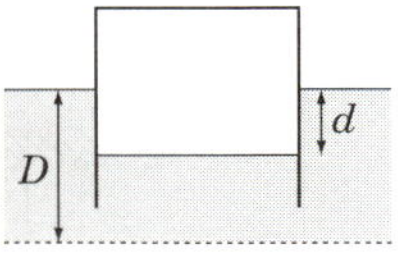

$$p + \rho(D - d)g = p_0 + \rho Dg$$

これから，$p - \rho dg = p_0$

よって，$p =$ **$p_0 + \rho dg$**　…答

22 **解き方**　容器には，重力と浮力がはたらいている。この2力がつり合って容器が静止しているので，$\rho Sdg = Mg$

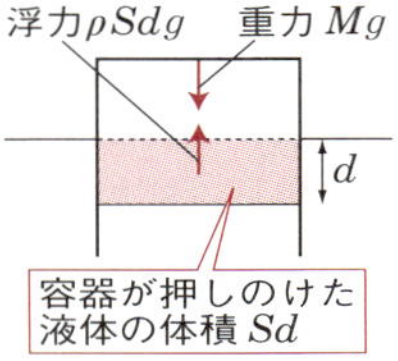

よって，$\rho =$ **$\dfrac{M}{Sd}$**　…答

23 **解き方**　棒のA端をつるしている糸の張力をTとする。Tを水平方向と鉛直方向の成分に分解し，棒にはたらいている力との水平方向のつり合いの式をつくると，

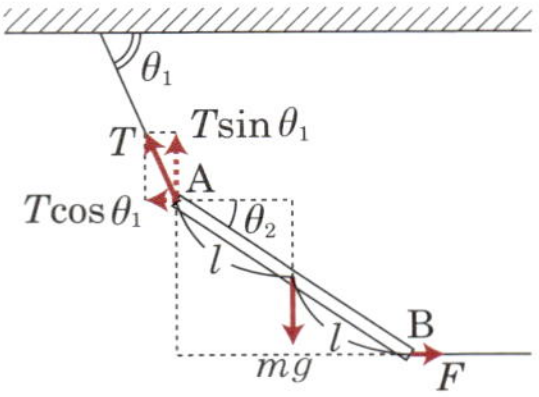

$$T\cos\theta_1 = F \quad \cdots ①$$

鉛直方向のつり合いの式は，

$$T\sin\theta_1 = mg \quad \cdots ②$$

棒の長さを$2l$として，棒のA端のまわりの力のモーメントのつり合いの式をつくると，

$$mg \times l\cos\theta_2 = F \times 2l\sin\theta_2 \quad \cdots ③$$

②÷①より，$\dfrac{\sin\theta_1}{\cos\theta_1} = \tan\theta_1 =$ **$\dfrac{mg}{F}$**　…答

③より，$\dfrac{\sin\theta_2}{\cos\theta_2} = \tan\theta_2 =$ **$\dfrac{mg}{2F}$**　…答

24 **解き方**　直方体が滑り出さないためには，

$$mg\sin\theta \leqq \mu mg\cos\theta$$

ゆえに，$\mu \geqq \tan\theta$

また，P点を支点として傾き出すのは，直方体の重心がP点の真上より右側に位置した場合なので，

$$\frac{b}{a} < \tan\theta$$

よって，板の傾きを大きくしていったとき，直方体が滑り出すよりも先に傾き出す条件は，

$\dfrac{b}{a} < \mu$　…答

25 **解き方**　小球の質量がM_0のとき，直方体にはたらく垂直抗力の作用点はA点になるので，直方体にはたらく重力のモーメントと張力のモーメントはつり合っている。このときの，A点のまわりの力のモーメントのつり合いの式は，

$$M_0 g \times \frac{b}{2} = mg \times \frac{a}{2}$$

よって，$M_0 =$ **$\dfrac{a}{b}m$**　…答

26 **解き方**　ばねがx〔m〕伸びたとき，ばねはA端をkx〔N〕の力で引いている。棒の重心の位置をA端からd〔m〕の点にあるとして，

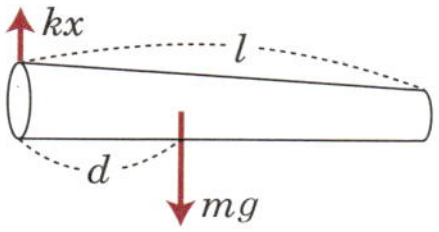

棒のA端の反対側を支点とするモーメントのつり合いの式をつくると，$mg(l-d)=kxl$

ゆえに，$d=l\left(1-\dfrac{kx}{mg}\right)$　…**答**

27 **解き方**　板の質量は面積に比例する。板の単位面積あたりの質量をmとすると，穴をあける前の板の重さは$4a^2mg$，切りぬいた部分の重さは$\dfrac{1}{2}a^2mg$であるから，穴をあけた板の重さは，

$$4a^2mg-\frac{1}{2}a^2mg=\frac{7}{2}a^2mg$$

元の板の重心をG，穴をあけた板の重心をG_1，切りぬいた部分の重心をG_2とする。穴をあけた板は$y=a$の直線に関して対称だから，

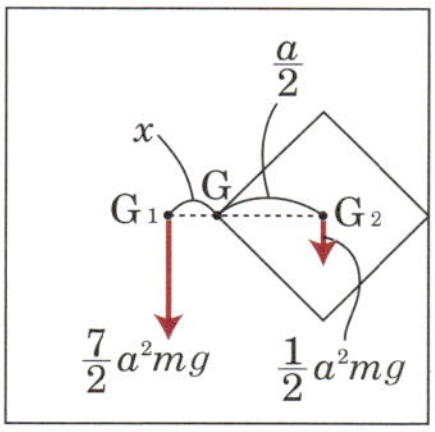

G，G_1，G_2はすべて$y=a$の直線上にある。GG_1の距離をxとして，点Gのまわりのモーメントのつり合いの式をつくると，

$$\frac{7}{2}a^2mg\times x=\frac{1}{2}a^2mg\times\frac{a}{2}$$

ゆえに，$x=\dfrac{a}{14}$

よって，G_1のx座標は，

$$a-x=a-\frac{a}{14}=\frac{13}{14}a$$

となり，G_1の座標は，$\left(\dfrac{13}{14}a,\ a\right)$　…**答**

28 **解き方**　物体の質量をm，物体にはたらく垂直抗力をN，物体と面との間の動摩擦係数をμ，重力加速度をgとする。物体は水平方向では一定の動摩擦力を受けて等加速度運動をするので，加速度をaとして運動方程式をつくると，

$ma=-\mu N$　…①

鉛直方向の力はつり合っているから，

$N=mg$　…②

①，②より，

$a=-\mu g=-0.4\times9.8=-3.92\ \mathrm{m/s^2}$

この物体が止まるまでの時間をtとすると，

$0=19.6+(-3.92)\times t$

ゆえに，$t=$**5.0 s**　…**答**

止まるまでに進む距離は，

$19.6\times5.0+\dfrac{1}{2}\times(-3.92)\times5.0^2$

$=$**49 m**　…**答**

29 **解き方**　物体を引く力が斜めになっているので，水平成分と鉛直成分に分解してから，運動方程式をつくる。

下図をもとに，水平方向について運動方程式をつくると，

$2.0a=20\cos30°-0.20N$　…①

鉛直方向について，つり合いの式をつくると，

$N+20\sin30°=2.0\times9.8$　…②

①，②より，$a=$**7.7 m/s²**　…**答**

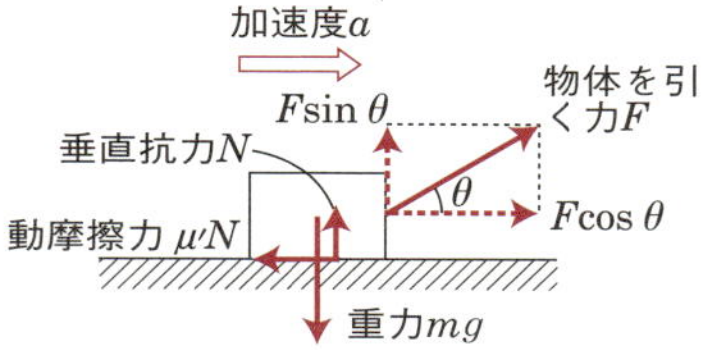

30 **解き方**　物体の質量をm，垂直抗力をN，物体と斜面との間の動摩擦係数をμ，重力加速度をgとすると，斜面に平行な方向の運動方程式は，上向きを正として，

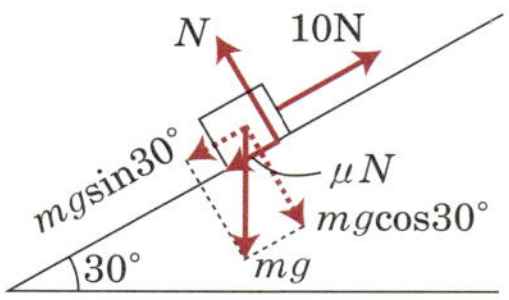

$ma=10-mg\sin30°-\mu N$　…①

斜面に垂直な方向では，力はつり合っているから，つり合いの式をつくると，

$N=mg\cos30°$　…②

①，②から N を消去して m で割ると，

$$a=\frac{10}{m}-g(\sin 30°+\mu\cos 30°)$$

上式に，

$m=0.400\ \mathrm{kg}$，$g=9.8\ \mathrm{m/s^2}$，$\mu=0.20$

を代入すると，

$a=\mathbf{18\ m/s^2}$ …答

〈31〉 **解き方** (1) 糸の張力はどこでも等しいから，A，Bにはたらく糸の張力を共通に T とおく。AとBは同じ加速度で運動するから，加速度も共通に a とおく。

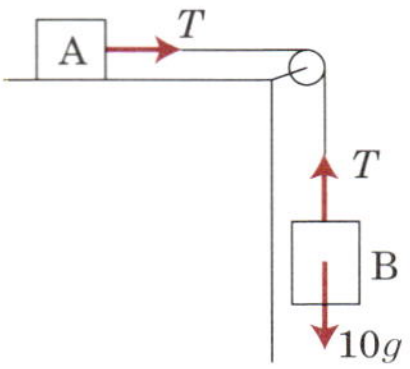

Aについての運動方程式は，

$5.0a=T$ …①

Bについての運動方程式は，

$10a=10g-T$ …②

①，②より，$a=\dfrac{2}{3}g=\mathbf{6.5\ m/s^2}$ …答

この値を①に代入すると，

$T=\dfrac{10}{3}g=\mathbf{33\ N}$ …答

(2) Aにはたらく動摩擦力の大きさは，

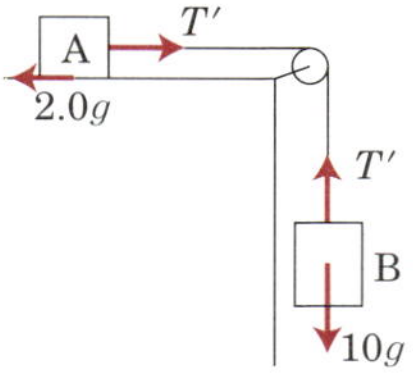

$\mu'N=\mu'mg$

$=0.40\times5.0g$

$=2.0g$

糸の張力を T'，A，Bの加速度を a' として，A，Bのそれぞれについて，運動方程式をつくると，

A：$5.0a'=T'-2.0g$ …③

B：$10a'=10g-T'$ …④

③，④より T' を消去して，

$a'=\dfrac{8}{15}g=\mathbf{5.2\ m/s^2}$ …答

この値を③に代入して，

$T'=\dfrac{14}{3}g=\mathbf{46\ N}$ …答

〈32〉 **解き方** A，Bの質量を m_A，m_B とする。動摩擦係数を μ とすると，A，Bにはたらく動摩擦力はそれぞれ $\mu m_A g$，$\mu m_B g$ となる。A，Bが押し合う力を f として，A，Bのそれぞれについて，運動方程式をつくると，

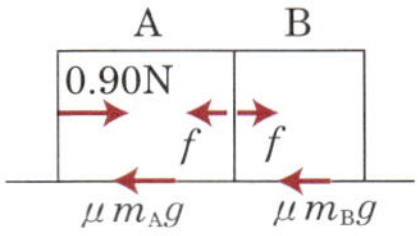

A：$m_A\times1.08=0.90-f-\mu m_A g$ …①

B：$m_B\times1.08=f-\mu m_B g$ …②

①，②から f を消去して，

$$\mu=\frac{1}{g}\left(\frac{0.90}{m_A+m_B}-1.08\right)$$

$$=\frac{1}{9.8}\left(\frac{0.90}{0.100+0.080}-1.08\right)$$

$=\mathbf{0.40}$ …(1)の答

②に μ の値を代入して，f を求めると，

$f=\mathbf{0.40\ N}$ …(2)の答

〈33〉 **解き方** ① 運動方程式は

$\boldsymbol{ma=mg-krv}$ …答

② $a=0$ のとき $v=v_s$ であるから，

$0=mg-krv_s$

ゆえに，$v_s=\boldsymbol{\dfrac{mg}{kr}}$ …答

③ 単位体積あたりの質量が密度なので，

$m=\boldsymbol{\dfrac{4}{3}\pi r^3\rho}$ …答

④ ②，③より，$v_s=\dfrac{\frac{4}{3}\pi r^3\rho g}{kr}=\dfrac{4\pi r^2\rho g}{3k}$

よって，r の 2 乗に比例する。 答 **2 乗**

〈34〉 **解き方** (1) 力の方向と移動方向が30°の角をなしているから，

$W_1=49\times4.0\times\cos 30°=\mathbf{170\ J}$ …答

(2) 重力の方向と移動方向は垂直だから，重力のする仕事は，$W_2=\mathbf{0}$ …答

(3) 垂直抗力と移動方向は垂直だから，垂直抗力のする仕事は，$W_3=\mathbf{0}$ …答

(4) 垂直抗力を N〔N〕とすると，鉛直方向のつり合いより，

$$N+49\sin 30° = 8.0\times 9.8$$

ゆえに，$N = 53.9$ N

よって，動摩擦力の大きさは，

$$\mu N = 0.40\times 53.9 = 21.6 \text{ N}$$

摩擦力のした仕事は，

$$W_4 = -21.6\times 4.0 = \mathbf{-86\ J}$$ …答

(5) $W_1+W_2+W_3+W_4 = 170-86$

$= \mathbf{84\ J}$ …答

35 解き方 物体が面から受ける垂直抗力を N とすると，鉛直方向の力のつり合いより，$N = 30\times 9.8$ N であるから，動摩擦力の大きさは，

$$\mu N = 0.30\times 30\times 9.8 = 88.2 \text{ N}$$

この動摩擦力にさからって，物体を 5.0 s の間に 4.0 m 動かす仕事率は，

$$P = \frac{W}{t} = \frac{88.2\times 4.0}{5.0} = \mathbf{71\ W}$$ …答

36 解き方 最高点の高さを h〔m〕とすれば，最高点で速さが 0 になることから，

$$0^2 - 14.7^2 = 2\times(-9.8)\times h$$

よって，$h = \dfrac{14.7^2}{2\times 9.8} = 11.025$ m

答 **11 m**

37 解き方 求める速さを v' とする。地面を位置エネルギーの基準として，力学的エネルギー保存則を用いると，

$$mgh + \frac{1}{2}mv^2 = \frac{1}{2}m(v')^2$$

(m は物体の質量)

ゆえに，$v' = \boldsymbol{\sqrt{v^2+2gh}}$ …答

38 解き方 最高点での物体の速さは初速度の水平成分 $v\cos\theta$ に等しい。最高点の高さを h，物体の質量を m とし，地面を位置エネルギーの基準として，力学的エネルギー保存則を用いると，

$$\frac{1}{2}mv^2 = mgh + \frac{1}{2}m(v\cos\theta)^2$$

ゆえに，$h = \boldsymbol{\dfrac{v^2\sin^2\theta}{2g}}$ …答

39 解き方 物体には重力と垂直抗力がはたらくが，垂直抗力は仕事をしないので，力学的エネルギー保存則がなりたつ。初速度を v とし，最高点で速度 0 になるとすれば，位置エネルギーの増加量は運動エネルギーの減少量に等しいから，

$$mgl\sin\theta = \frac{1}{2}mv^2$$ (m は物体の質量)

ゆえに，$v = \boldsymbol{\sqrt{2gl\sin\theta}}$ …答

40 解き方 (1) 小物体の速さを v〔m/s〕，質量を m〔kg〕とすれば，力学的エネルギー保存の法則より，

$$\frac{1}{2}mv^2 + m\times 9.8\times 12.25\times\sin 30°$$

$$= \frac{1}{2}m\times 14.7^2$$

となるので，$v^2 = 14.7^2 - 9.8\times 12.25$

よって，$v = \mathbf{9.8\ m/s}$ …答

(2) 最高点に達すると速さが 0 になるので，斜面を滑った距離を x〔m〕とすれば，力学的エネルギー保存の法則より，

$$mgx\sin 30° = \frac{1}{2}m\times 14.7^2$$

よって，$x = \dfrac{14.7^2}{9.8} = 22.05$ m

答 **22 m**

41 解き方 物体には重力と垂直抗力がはたらくが，垂直抗力は仕事をしないので，力学的エネルギー保存則がなりたつ。求める速さを v として，力学的エネルギー保存則を用いると，

$$\frac{1}{2}mv^2 = mg\times 0.10$$

ゆえに，$v = \sqrt{2\times 9.8\times 0.10}$

$= \mathbf{1.4\ m/s}$ …答

42 解き方 (1) 張力は運動方向に垂直にはたらくので仕事をしない。重力のみが仕事をしているので力学的エネルギーは保存する。A 点での速さを v とすれば，

$$\frac{1}{2}mv^2 = mgh$$

ゆえに，$v = \boldsymbol{\sqrt{2gh}}$ …答

(2) くぎに触れた後も力学的エネルギーは保存するので，点Dの高さを x とすれば，力学的エネルギー保存の法則より，

$$mgh = mgx$$

ゆえに，$x = \boldsymbol{h}$ …答

43 解き方 このばねのばね定数を k とすると，フックの法則により，$mg = ka$

ゆえに，$k = \dfrac{mg}{a}$ …①

ばねが自然長のときのおもりの位置を位置エネルギーの基準点として，力学的エネルギー保存則を用いると，

$$0 = \frac{1}{2}kb^2 - mgb \quad \cdots②$$

①，②より，$\boldsymbol{b = 2a}$ …答

44 解き方 求める速さを v として，力学的エネルギー保存則を用いると，

$$\frac{1}{2}mv^2 = \frac{1}{2}kx_0{}^2$$

ゆえに，$v = \boldsymbol{x_0\sqrt{\dfrac{k}{m}}}$ …答

45 解き方 小物体が斜面上で静止するつり合いの位置での，ばねの縮んだ長さを x_0〔m〕とすれば，小物体にはたらく力のつり合いの式は，$kx_0 = mg\sin\theta$ …①

つり合いの位置を通過するときの速さを v〔m/s〕とすれば，力学的エネルギー保存の法則より，

$$\frac{1}{2}mv^2 + \frac{1}{2}kx_0{}^2 - mgx_0\sin\theta$$
$$= \frac{1}{2}k(x_0 + x)^2 - mg(x_0 + x)\sin\theta$$

この式は，①を使うと，$\dfrac{1}{2}mv^2 = \dfrac{1}{2}kx^2$

となるので，$v = \boldsymbol{x\sqrt{\dfrac{k}{m}}}$ …答

46 解き方 動摩擦力の大きさは，垂直抗力 $N = mg$ であるから，$\mu N = \mu mg$〔N〕

よって，求める速さを v'〔m/s〕とすると，エネルギーの原理により，

$$\frac{1}{2}m(v')^2 - \frac{1}{2}mv^2 = Fs - \mu mgs$$

ゆえに，$v' = \boldsymbol{\sqrt{v^2 + \dfrac{2(F - \mu mg)s}{m}}}$ …答

47 解き方 最初の運動量を $m\vec{v}$，力が作用した後の運動量を $m\vec{v'}$ とすると，$m\vec{v'} - m\vec{v} = \vec{F}t$ という関係がなりたつ。これをベクトルで表すと，上図のようになる。

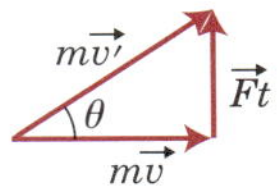

(1) 上図で，三平方の定理により，

$$mv' = \boldsymbol{\sqrt{(mv)^2 + (Ft)^2}} \quad \cdots答$$

(2) 上図より，$\tan\theta = \boldsymbol{\dfrac{Ft}{mv}}$ …答

48 解き方 (1) この力の力積は F-t 図の台形の面積で与えられるので，

$$\frac{1}{2} \times (5+1) \times 4 = \textbf{12 kg·m/s} \quad \cdots答$$

(2) 物体は加えられた力積だけ運動量が増加するので，質点の最終速度を v とすれば，

$$2.0 \times v = 12$$

ゆえに，$v = \textbf{6.0 m/s}$ …答

49 解き方 物体が斜面から受ける垂直抗力を N とすると，斜面に垂直な方向の力のつり合いの式は，

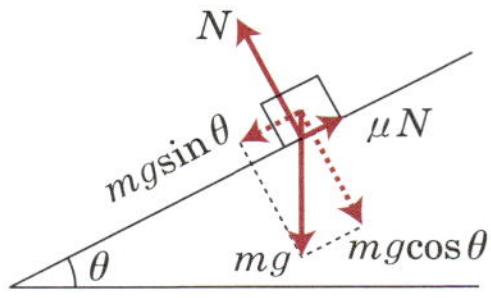

$$N = mg\cos\theta$$

であるから，物体にはたらく力の斜面に平行な方向の成分は，

$$f = mg\sin\theta - \mu N = mg(\sin\theta - \mu\cos\theta)$$

である。この力による力積が斜面の下端における物体の運動量に等しい。斜面の下端での物体の速さを v とすると，

$$mv = ft = mgt(\sin\theta - \mu\cos\theta)$$

ゆえに，$v = \boldsymbol{gt(\sin\theta - \mu\cos\theta)}$ …答

50 解き方 運動量の変化は，摩擦力による力積に等しい。垂直抗力を N とすると，

$$mv - mv_0 = (-\mu N)t = (-\mu mg)t$$

ゆえに，$v = \boldsymbol{v_0 - \mu gt}$ …答

51 **解き方** AとBの衝突について，運動量保存則より，$mv = mv_a{}' + 2mv_b$ …①

反発係数の関係より，

$$e = -\frac{v_a{}' - v_b}{v - 0} \quad \cdots ②$$

BとCの衝突について，運動量保存則より，

$$2mv_b = 2mv_b{}' + 3mv_c{}' \quad \cdots ③$$

反発係数の関係より，

$$e = -\frac{v_b{}' - v_c{}'}{v_b - 0} \quad \cdots ④$$

①〜④より，

$$v_a{}' = \frac{1-2e}{3}v,\quad v_b{}' = \frac{(1+e)(2-3e)}{15}v,$$

$$v_c{}' = \frac{2(1+e)^2}{15}v \quad \cdots 答$$

衝突後，小球が再び衝突しないためには，$v_a{}' \leqq v_b{}' \leqq v_c{}'$ であればよい。よって，

$$\frac{1-2e}{3}v \leqq \frac{(1+e)(2-3e)}{15}v \text{ より，}$$

$$\frac{3-\sqrt{5}}{2} \leqq e \leqq \frac{3+\sqrt{5}}{2} \quad \cdots ⑤$$

また，$\dfrac{(1+e)(2-3e)}{15}v \leqq \dfrac{2(1+e)^2}{3}v$ より，

$$e \leqq -1,\quad e \geqq -\frac{8}{13} \quad \cdots ⑥$$

反発係数は，$0 \leqq e \leqq 1$ …⑦

⑤〜⑦より，$\boldsymbol{\dfrac{3-\sqrt{5}}{2} \leqq e \leqq 1}$ …答

52 **解き方** 放出後は質量 m と $(M-m)$ の2つの部分に分かれる。それぞれの速度を v'，V' とすると，運動量保存則より，

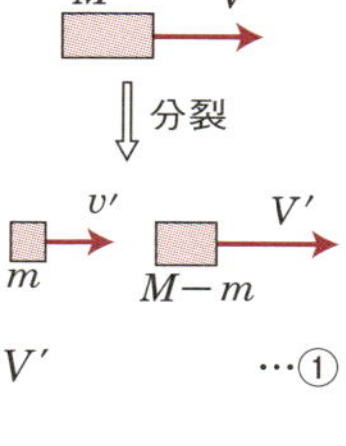

$$MV = mv' + (M-m)V' \quad \cdots ①$$

相対速度は，

$$-v = v' - V' \quad \cdots ②$$

①，②より，v' を消去して，

$$V' = \frac{\boldsymbol{MV + mv}}{\boldsymbol{M}} \quad \cdots 答$$

53 **解き方** 分裂後の物体Bの速度を v_B〔m/s〕とすれば，物体の分裂前の運動方向を正として，運動量保存の法則を用いると，

$$10 \times 2.0 = 6.0 \times 4.0 + 4.0 \times v_B$$

となるので，

$$v_B = \frac{10 \times 2.0}{4.0} - 6.0 = -1.0\ \text{m/s}$$

$v_B < 0$ となったので，物体Bの運動方向は，分裂前の物体の運動方向と逆向きであることがわかる。

答 **分裂前の物体の運動方向と逆向きに 1.0 m/s**

54 **解き方** 衝突後の小球A，Bの速さを v_A，v_B とする。小球Aの入射方向について運動量保存則の式をつくると，

$$mv = mv_A \cos 30° + mv_B \cos 60° \quad \cdots ①$$

小球Aの入射方向と垂直な方向について運動量保存則の式をつくると，

$$0 = mv_A \sin 30° - mv_B \sin 60° \quad \cdots ②$$

①，②より，$v_A = \boldsymbol{\dfrac{\sqrt{3}}{2}v}$，$v_B = \boldsymbol{\dfrac{v}{2}}$ …答

55 **解き方** 高さ h の点を通る水平面上に x，y 軸をとる。爆破によって，Aは $+x$ 方向に，Bは $-y$ 方向に飛んだとする。Cの飛び出した速さを v' とし，その x，y 成分を v'_x，v'_y とする。

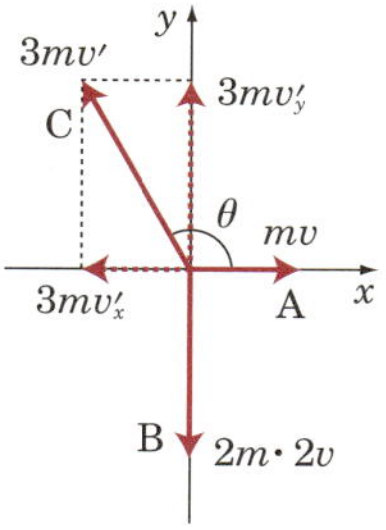

(1) x 方向について運動量保存則の式をつくると，

$$0 = mv - 3mv'_x \quad \cdots ①$$

y 方向について運動量保存則の式をつくると，

$$0 = -2m \times 2v + 3mv'_y \quad \cdots ②$$

①より，$v'_x = \dfrac{v}{3}$　②より，$v'_y = \dfrac{4}{3}v$

よって，v' の大きさは，

$$v' = \sqrt{(v'_x)^2 + (v'_y)^2}$$

$$= \sqrt{\left(\frac{v}{3}\right)^2 + \left(\frac{4}{3}v\right)^2} = \boldsymbol{\frac{\sqrt{17}}{3}v} \quad \cdots 答$$

(2) $\tan\theta = -\dfrac{3mv'_y}{3mv'_x} = -\dfrac{v'_y}{v'_x} = \mathbf{-4}$ …答

(3) 破片が落下するのに要する時間を t とすると，$h = \dfrac{1}{2}gt^2$

ゆえに，$t = \sqrt{\dfrac{2h}{g}}$

求める水平距離は，

$$v't = \frac{\sqrt{17}}{3}v \times \sqrt{\frac{2h}{g}} = \boldsymbol{\frac{v}{3}\sqrt{\frac{34h}{g}}}$$

…答

56 **解き方** (1) 衝突後の小球Bの x 軸方向の速さを $v_{\mathrm{B}x}'$〔m/s〕，y 軸方向の速さを $v_{\mathrm{B}y}'$〔m/s〕とすれば，x 軸方向の運動量保存の式は，$mv_{\mathrm{A}} = mv_{\mathrm{B}x}'$ …①

y 軸方向の運動量保存の式は，

$mv_{\mathrm{B}} = mv_{\mathrm{A}}' + mv_{\mathrm{B}y}'$ …②

①より，$v_{\mathrm{B}x}' = v_{\mathrm{A}}$

②より，$v_{\mathrm{B}y}' = v_{\mathrm{B}} - v_{\mathrm{A}}'$

よって，三平方の定理を用いて，

$v_{\mathrm{B}}' = \boldsymbol{\sqrt{v_{\mathrm{A}}^2 + (v_{\mathrm{B}} - v_{\mathrm{A}}')^2}}$ …答

(2) $\tan\theta = \dfrac{v_{\mathrm{B}y}'}{v_{\mathrm{B}x}'} = \boldsymbol{\dfrac{v_{\mathrm{B}} - v_{\mathrm{A}}'}{v_{\mathrm{A}}}}$ …答

57 **解き方** 小球の衝突直前の速さを v とすると，

$v^2 - 0^2 = 2 \times 9.8 \times 0.90$

ゆえに，$v = 4.2$ m/s

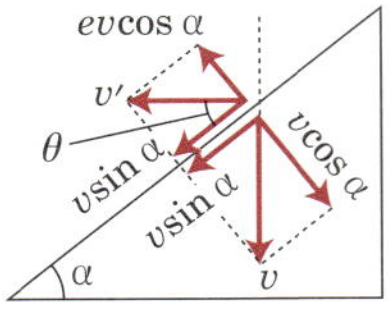

小球が衝突する直前の速度の斜面に平行な方向の成分は $v\sin\alpha$，垂直な方向の成分は $v\cos\alpha$ である。衝突によって斜面に平行な方向の成分は変わらず，斜面に垂直な方向の成分だけが e 倍(e は反発係数)になるから，衝突直後の速さを v'〔m/s〕とすると，

$$v' = \sqrt{(v\sin\alpha)^2 + (ev\cos\alpha)^2}$$
$$= v\sqrt{\sin^2\alpha + e^2\cos^2\alpha}$$

$\tan\alpha = \dfrac{3}{4}$ であるから，$\sin\alpha = \dfrac{3}{5}$，$\cos\alpha = \dfrac{4}{5}$

これらの値と $e = \dfrac{9}{16}$ を上式に代入すると，

$v' = \dfrac{3}{4}v = \dfrac{3}{4} \times 4.2 = \mathbf{3.2\ m/s}$ …答

速度 $\overrightarrow{v'}$ が斜面方向となす角を θ とすると，

$$\tan\theta = \frac{ev\cos\alpha}{v\sin\alpha} = \frac{(9/16)\times(4/5)}{3/5} = \frac{3}{4}$$

ゆえに，$\theta = \alpha$ となり，v' は**水平方向に左**を向いていることがわかる。 …答

58 **解き方** 質点が板に対して静止したとき，質点と板とは，机に対して同じ速さで走っている。この速さを v とすると，運動量保存則より，$mv_0 = (m+M)v$

ゆえに，$v = \boldsymbol{\dfrac{mv_0}{m+M}}$ …答

59 **解き方** (1) ばねが自然の長さになった瞬間の物体の速度を v〔m/s〕，板の速度を V〔m/s〕とすれば，運動量保存の法則より，

$0 = mv + MV$ …①

力学的エネルギー保存の法則より，

$\dfrac{1}{2}kx^2 = \dfrac{1}{2}mv^2 + \dfrac{1}{2}MV^2$ …②

①より，$V = -\dfrac{m}{M}v$ …③

③を②に代入して，

$$\frac{1}{2}kx^2 = \frac{1}{2}mv^2 + \frac{1}{2}M\left(-\frac{m}{M}v\right)^2$$
$$= \frac{1}{2}mv^2\left(1 + \frac{m}{M}\right)$$
$$= \frac{m(m+M)v^2}{2M}$$

物体の運動の向きを考えて，

$$v = x\sqrt{\frac{kM}{m(m+M)}}$$

これを③に代入して，

$$V = -\frac{m}{M} \times x\sqrt{\frac{kM}{m(m+M)}}$$
$$= -x\sqrt{\frac{km}{M(m+M)}}$$

ただし，負号は図の左向きを表す。

答 物体：$\boldsymbol{x\sqrt{\dfrac{kM}{m(m+M)}}}$，

板：$\boldsymbol{x\sqrt{\dfrac{km}{M(m+M)}}}$

(2) ばねが最も伸びた瞬間の物体の速度を v'〔m/s〕，板の速度を V'〔m/s〕とすれば，ばねが最も伸びた瞬間は，板に対する物体の相対速度が 0 になるので，$v'-V'=0$

よって，$v'=V'$ …④

物体と板との運動量は保存するので，④を用いて，$0=mv'+MV'=(m+M)v'$

これから，$v'=0$

よって，④より，$V'=0$

答 物体：**0**，板：**0**

60 **解き方** 衝突直後の速さを v〔m/s〕とすると，運動量保存則より，

$$3.0\times 10=(3.0+2.0)v$$

ゆえに，$v=6.0\ \mathrm{m/s}$

よって，失われた力学的エネルギーは，

$$\frac{1}{2}\times 3.0\times 10^2-\frac{1}{2}\times(3.0+2.0)\times 6.0^2$$

$$=\mathbf{60\ J}$$ …**答**

61 **解き方** (1) 衝突後の小球Aの速さを v_A〔m/s〕，小球Bの速さを v_B〔m/s〕とすれば，運動量保存の法則より，

$$mv_0=mv_A+Mv_B$$ …①

反発係数の式より，$e=-\dfrac{v_A-v_B}{v_0}$ …②

①，②より，

$$v_A=\frac{m-eM}{M+m}v_0$$ …**答**

$$v_B=\frac{(1+e)m}{M+m}v_0$$ …**答**

(2) 衝突で変化するのは運動エネルギーであるから，衝突によって失われた力学的エネルギー ΔE〔J〕は，

$$\Delta E=\frac{1}{2}mv_0{}^2-\left(\frac{1}{2}mv_A{}^2+\frac{1}{2}Mv_B{}^2\right)$$

$$=\frac{1}{2}mv_0{}^2-\frac{1}{2}\left\{m\left(\frac{m-eM}{M+m}v_0\right)^2+M\left(\frac{(1+e)m}{M+m}v_0\right)^2\right\}$$

$$=\frac{(1-e^2)Mmv_0{}^2}{2(M+m)}$$ …**答**

(3) 衝突後，小球Aの運動方向が衝突前の運動方向と逆向きになるためには，$v_A<0$ であればよいので，$\dfrac{m-eM}{M+m}v_0<0$

よって，$m-eM<0$

すなわち，$\boldsymbol{m<eM}$ …**答**

62 **解き方** (1) 電車内で見ると，物体には，鉛直方向に重力 mg，水平方向に慣性力 ma（m は物体の質量）がはたらき，物体はその合力の方向に等加速度運動をする。このとき，鉛直方向の加速度は g であるから，落下時間は自由落下の場合と同じで，

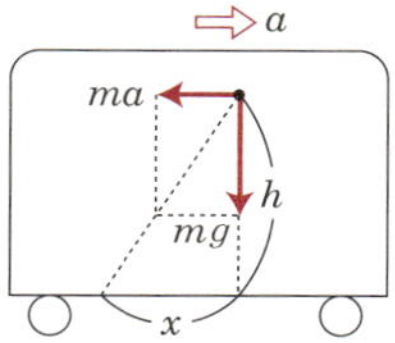

$h=\dfrac{1}{2}gt^2$ より，$t=\sqrt{\dfrac{2h}{g}}$ …**答**

(2) 求める距離は上図の x である。相似三角形の辺の比が等しいことから，$\dfrac{h}{x}=\dfrac{mg}{ma}$

ゆえに，$x=\dfrac{ah}{g}$ …**答**

63 **解き方** 物体の質量を m〔kg〕とすると，エレベーター内では，物体に $m\times 1.8$〔N〕の慣性力が鉛直上向きにはたらくため，見かけの重力は $mg-m\times 1.8$〔N〕となる。よって，斜面に沿った方向の運動方程式は，

$$ma=(mg-m\times 1.8)\sin 30°$$

ゆえに，$a=(9.8-1.8)\times\dfrac{1}{2}=4.0\ \mathrm{m/s^2}$

求める時間を t〔s〕とすると，

$$2.0=\frac{1}{2}\times 4.0\times t^2$$

ゆえに，$t=\mathbf{1.0\ s}$ …**答**

64 **解き方** 板を引くと，物体と板とは動摩擦力を及ぼし合い，物体は板の上をAからBに向かって動く。

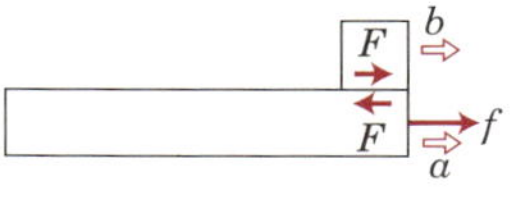

(1) 板の加速度を a〔m/s²〕，物体と板とが及ぼし合う動摩擦力を F〔N〕，垂直抗力を N〔N〕とすると，板の運動方程式は，

$$Ma = f - F \quad \cdots①$$

動摩擦力は，

$$F = \mu N \quad \cdots②$$

物体の鉛直方向の力のつり合いの式は，

$$N = mg \quad \cdots③$$

①～③より，

$$a = \frac{f - \mu mg}{M} \quad \cdots答$$

(2) 物体の加速度を b〔m/s²〕として，物体の運動方程式をつくると，

$$mb = F \quad \cdots④$$

②～④より，

$$b = \mu g \quad \cdots答$$

(3) 物体は板に対して相対加速度 $(b-a)$〔m/s²〕で動く。この加速度で L〔m〕動いたときの速さを v とすると，

$$v^2 = -2(b-a)L$$
$$= 2L\left(\frac{f-\mu mg}{M} - \mu g\right)$$

ゆえに，

$$v = \sqrt{\frac{2L\{f - \mu g(m+M)\}}{M}} \quad \cdots答$$

65 **解き方** (1) 斜面に垂直な方向の力はつり合っているので，垂直抗力を N とすれば，

$$N = mg\cos\theta + ma_1\sin\theta \quad \cdots答$$

(2) 斜面に平行な方向の力がつり合うので，

$$mg\sin\theta = ma_2\cos\theta$$

ゆえに，

$$a_2 = g\tan\theta \quad \cdots答$$

66 **解き方** (1) $\omega = \dfrac{v}{r} = \dfrac{4.0}{0.80}$

$$= 5.0\ \text{rad/s} \quad \cdots答$$

(2) $T = \dfrac{2\pi}{\omega} = \dfrac{2\times 3.14}{5.0}$

$$= 1.3\ \text{s} \quad \cdots答$$

(3) 糸の張力 T〔N〕が向心力となるから，運動方程式より，

$$T = mr\omega^2$$
$$= 0.020\times 0.80\times 5.0^2$$
$$= 0.40\ \text{N} \quad \cdots答$$

67 **解き方** 最初の文からゴムひもの弾性定数 k〔N/m〕を求めておく。

フックの法則より，

$$Mg = k(l - l_0)$$

ゆえに，$k = \dfrac{Mg}{l - l_0}$

(1) ゴムひもは $(L - l_0)$ だけ伸びているから，張力 T は，フックの法則より，

$$T = k(L - l_0) = \frac{Mg(L-l_0)}{l - l_0} \quad \cdots答$$

(2) おもりは，(1)で求めた張力を向心力として等速円運動をする。角速度を ω〔rad/s〕として，円運動の運動方程式をたてると，

$$ML\omega^2 = \frac{Mg(L-l_0)}{l-l_0}$$

ゆえに，$\omega = \sqrt{\dfrac{g(L-l_0)}{L(l-l_0)}}$ …答

68 **解き方** (1) ① $v = \dfrac{2\pi r}{T}$ …答

② 向心力は糸の張力だけだから，張力を F として，円運動の運動方程式をたてると，

$$m\frac{v^2}{r} = F$$

これに①で求めた v を代入して，

$$F = \frac{m}{r}\left(\frac{2\pi r}{T}\right)^2 = \frac{4\pi^2 mr}{T^2} \quad \cdots答$$

(2) ばね定数を k，角速度 ω_1，ω_2 のときのばねの伸びをそれぞれ x_1，x_2 とする。糸の張力はばねの弾性力に等しいから，円運動の運動方程式は，

$$mr_1\omega_1{}^2 = kx_1 \quad \cdots①$$
$$mr_2\omega_2{}^2 = kx_2 \quad \cdots②$$

円軌道の半径の差はばねの伸びの差に等しいから，

$$x_2 - x_1 = r_2 - r_1 \quad \cdots③$$

①，②，③から x_1，x_2 を消去して，

$$k = \frac{m(r_2\omega_2{}^2 - r_1\omega_1{}^2)}{r_2 - r_1} \quad \cdots答$$

〈69〉 **解き方** 管の上端からAまでの糸の長さはl〔m〕だから，この糸が鉛直方向となす角をθとすると，Aの円軌道の半径は$l\sin\theta$〔m〕。糸の張力をT〔N〕とすると，Bのつり合いより，$T=2mg$ …①
Aの円運動の向心力は糸の張力の水平成分$T\sin\theta$〔N〕だから，角速度をω〔rad/s〕とすると，円運動の運動方程式は，

$$m(l\sin\theta)\omega^2=T\sin\theta \quad \cdots②$$

①，②より，$\omega=\boldsymbol{\sqrt{\dfrac{2g}{l}}}$ …**答**

〈70〉 **解き方** ビー玉の質量をmとすると，ビー玉には重力mgとピアノ線からの垂直抗力Nがはたらき，その合力が水平方向を向いて向心力となる。

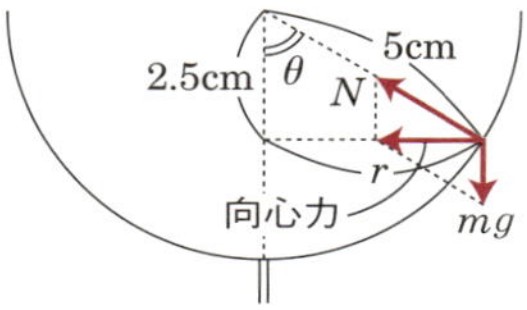

ビー玉が描く円軌道の半径をr，垂直抗力Nが鉛直方向となす角をθ，ビー玉の角速度をωとすると，ビー玉の円運動の運動方程式は，

$$mr\omega^2=mg\tan\theta \quad \cdots①$$

また，$\tan\theta=\dfrac{r}{2.5\times10^{-2}}$ …②

①，②より　$\omega=19.8$ rad/s

よって，周期は，

$$T=\frac{2\pi}{\omega}=\frac{2\times3.14}{19.8}=\mathbf{0.32\ s} \quad \cdots答$$

〈71〉 **解き方** (1) 点Pにおける小物体の速さをvとすると，力学的エネルギー保存則より，

$$mgR=\frac{1}{2}mv^2+mg(R-R\cos\theta)$$

ゆえに，$v=\boldsymbol{\sqrt{2gR\cos\theta}}$ …①**答**

(2) 小物体が円弧面から受ける垂直抗力をNとする。遠心力を考えると，OP方向の力はつり合っているから，

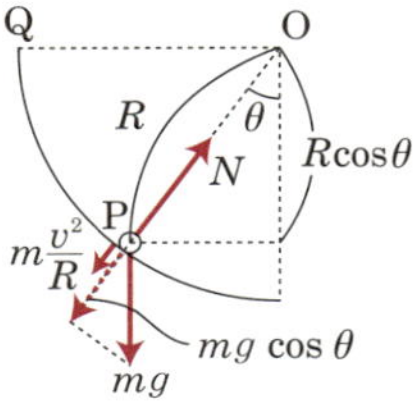

$$N-mg\cos\theta-m\frac{v^2}{R}=0 \quad \cdots②$$

①，②より，$N=\boldsymbol{3mg\cos\theta}$ …**答**

〈72〉 **解き方** (1) 力学的エネルギー保存の法則より，$\dfrac{1}{2}mv_0{}^2=mgR(1-\cos\theta_1)$

よって，$v_0=\boldsymbol{\sqrt{2gR(1-\cos\theta_1)}}$ …**答**

(2) 糸がくぎに触れる直前の円運動の方程式は，$m\dfrac{v_0{}^2}{R}=T_0-mg$となるので，

$$T_0=m\frac{v_0{}^2}{R}+mg$$
$$=2mg(1-\cos\theta_1)+mg$$
$$=\boldsymbol{mg(3-2\cos\theta_1)} \quad \cdots答$$

(3) 糸がくぎに触れた直後の円運動の方程式は，$m\dfrac{v_0{}^2}{r}=T_1-mg$となるので，

$$T_1=m\frac{v_0{}^2}{r}+mg$$
$$=m\frac{2gR(1-\cos\theta_1)}{r}+mg$$
$$=\boldsymbol{\frac{2R(1-\cos\theta_1)+r}{r}mg} \quad \cdots答$$

〈73〉 **解き方** (1) 初速度をv_0，質点が点Oの真上にきたときの速さをvとすると，力学的エネルギー保存則より，

$$\frac{1}{2}mv_0{}^2=mg\times2l\sin\alpha+\frac{1}{2}mv^2 \quad \cdots①$$

質点が円運動を行うためには，$v\geqq0$であればよいから，①より，

$$\frac{1}{2}mv^2=\frac{1}{2}mv_0{}^2-2mgl\sin\alpha\geqq0$$

ゆえに，$v_0\geqq\boldsymbol{2\sqrt{gl\sin\alpha}}$ …**答**

(2) 質点が点Oの真上にきたときの糸の張力をTとする。遠心力を考えると，このとき，糸の方向の力はつり合っているから，

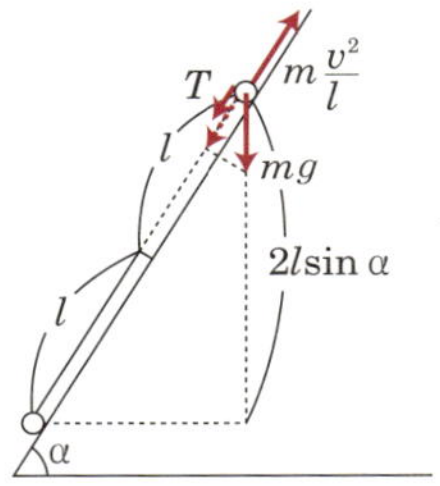

$$T+mg\sin\alpha-m\frac{v^2}{l}=0 \quad \cdots②$$

質点が円運動をするためには，$T \geqq 0$ でなければならないから，②より，

$$T = m\frac{v^2}{l} - mg\sin\alpha \geqq 0$$

ゆえに，$v^2 \geqq gl\sin\alpha$ …③

①，③より，

$$\frac{1}{2}mv_0{}^2 \geqq 2mgl\sin\alpha + \frac{1}{2}mgl\sin\alpha$$

ゆえに，$v_0 \geqq \sqrt{5gl\sin\alpha}$ …答

74 **解き方** (1) 力学的エネルギー保存の法則より，$\frac{1}{2}\cdot 2m\cdot v_0{}^2 = \frac{1}{2}kl_0{}^2$

ゆえに，$v_0 = \sqrt{\frac{kl_0{}^2}{2m}} = l_0\sqrt{\frac{k}{2m}}$ …答

(2) 運動量保存の法則より，

$$2mv_0 = 2mv_A + mv_B$$

反発係数の式より，$1 = -\frac{v_A - v_B}{v_0}$

よって，$v_A = \frac{1}{3}v_0$，$v_B = \frac{4}{3}v_0$ …答

(3) S点における運動方程式をつくると，

$$m\frac{v_{BS}{}^2}{r} = mg$$

ゆえに，$v_{BS} = \sqrt{gr}$ …答

力学的エネルギー保存の法則より，

$$\frac{1}{2}mv_{BS}{}^2 + 2mgr = \frac{1}{2}mv_B{}^2$$

ゆえに，$v_B{}^2 = 5gr$

(2)の結果より，$\left(\frac{4}{3}v_0\right)^2 = 5gr$

ゆえに，$v_0 = \frac{3}{4}\sqrt{5gr}$

(1)の結果より，

$$\frac{3}{4}\sqrt{5gr} = l_2\sqrt{\frac{k}{2m}}$$

ゆえに，$l_2 = \frac{3}{4}\sqrt{\frac{10mgr}{k}}$ …答

75 **解き方** ① 床からの点Bの高さは $a + a\cos\theta$ であるから，点Bの位置エネルギーは，$mga(1+\cos\theta)$ …答

② 力学的エネルギーが保存するので，求める速さを v_B とすると，

$$2mga = mga(1+\cos\theta) + \frac{1}{2}mv_B{}^2$$

ゆえに，$v_B = \sqrt{2ga(1-\cos\theta)}$ …答

③ 点Bでの物体が円柱から受ける垂直抗力の大きさを N とすれば，円運動の方程式は，

$$m\frac{v_B{}^2}{a} = mg\cos\theta - N$$

ゆえに，$N = mg\cos\theta - \frac{mv_B{}^2}{a}$

②の結果を代入すると，

$N = mg(3\cos\theta - 2)$ …答

④ 円柱から離れる瞬間に垂直抗力 $N=0$ となるので，そのときの角度を θ_0 とすれば，

$$0 = mg(3\cos\theta_0 - 2)$$

ゆえに，$\cos\theta_0 = \frac{2}{3}$

よって，点Cの高さは，

$a + a\cos\theta_0 = a + a\cdot\frac{2}{3} = \frac{5}{3}a$ …答

⑤ また，このときの速さ v_C は，

$v_C = \sqrt{2ga\left(1-\frac{2}{3}\right)} = \sqrt{\frac{2ga}{3}}$ …答

76 **解き方** (1) 力学的エネルギー保存の法則より，

$$mgh = \frac{1}{2}mv_1{}^2 + mgR(1-\cos\theta)$$

$$v_1{}^2 = 2gh - 2gR(1-\cos\theta)$$

よって，

$v_1 = \sqrt{2g\{h - R(1-\cos\theta)\}}$ …答

(2) 質点Pが円弧 $\overset{\frown}{AB}$ 間で O_1B とのなす角度が θ の位置にいるときの，円運動の方程式は，$m\frac{v_1{}^2}{R} = N_1 - mg\cos\theta$ となるので，

$$N_1 = m\frac{v_1{}^2}{R} + mg\cos\theta$$

$$= m\frac{2g\{h - R(1-\cos\theta)\}}{R} + mg\cos\theta$$

$$= \frac{2mgh}{R} - 2mg(1-\cos\theta) + mg\cos\theta$$

$= mg\left(\frac{2h}{R} - 2 + 3\cos\theta\right)$ …答

(3) 質点Pが円弧 $\overset{\frown}{CD}$ 間で O_2D とのなす角

度が θ の位置にいるときの速さを v_2〔m/s〕とすれば，力学的エネルギー保存の法則より，$mgh=\frac{1}{2}mv_2{}^2+mgr\cos\theta$ となるので，

$$v_2{}^2=2gh-2gr\cos\theta=2g(h-r\cos\theta)$$

このときの，円運動の方程式をつくると，

$$m\frac{v_2{}^2}{r}=mg\cos\theta-N_2$$

よって，

$$N_2=mg\cos\theta-m\frac{v_2{}^2}{r}=mg\cos\theta-m\frac{2g(h-r\cos\theta)}{r}$$

$$=mg\left(3\cos\theta-\frac{2h}{r}\right)$$ …答

(4) 円弧 $\overset{\frown}{ABC}$ 間と円弧 $\overset{\frown}{EF}$ 間では質点Pが面から離れることはあり得ない。円弧 $\overset{\frown}{CDE}$ 間で垂直抗力 N_2 が，$N_2>0$ であれば面から離れることはない。N_2 は θ が大きいほど小さくなるので，(3)の結果から，点Cで $N_2>0$ であればよい。

よって，$mg\left(3\cos\theta_2-\frac{2h}{r}\right)>0$

これより，$h<\frac{3}{2}r\cos\theta_2$ …答

〈77〉 解き方 (1) 等速円運動する物体の x 軸への正射影は単振動をするのだから，$\theta=\omega t$ として，$x=A\cos\omega t$ …答

(2) 等速円運動する物体の速度ベクトルの x 軸への正射影が単振動の速度 v を表すので，$v=-A\omega\sin\omega t$ …答

(3) 等速円運動する物体の加速度ベクトルの x 軸への正射影が単振動の加速度 a を表すので，$a=-A\omega^2\cos\omega t$ …答

(4) (1)，(3)より，変位 x における単振動の加速度 a は，$a=-\omega^2x$ と表されるから，単振動の運動方程式をつくると，

$$m\cdot(-\omega^2x)=-Kx$$

よって，$K=m\omega^2$ …答

(5) $E=\frac{1}{2}mv_x{}^2+\frac{1}{2}Kx^2$ に(1)，(2)，(4)の結果を代入すると，

$$E=\frac{1}{2}mv_x{}^2+\frac{1}{2}Kx^2=\frac{1}{2}m(-A\omega\sin\omega t)^2+\frac{1}{2}\cdot m\omega^2\cdot(A\cos\omega t)^2$$

$$=\frac{1}{2}mA^2\omega^2$$ …答

〈78〉 解き方 (1) つり合いの位置でのばねの伸びの長さは $l-l_0$ であるから，物体にはたらく力のつり合いを考えると，

$$mg=k(l-l_0)$$

ゆえに，$l=l_0+\frac{mg}{k}$ …答

(2) つり合いの位置から鉛直下方にばねを a だけ引き伸ばし，静かに手を離したのであるから，$t=0$ で $z=-a$ となる。

$z=-a\cos 2\pi\frac{t}{T}$ と表されるので，グラフは下図のようになる。 答 下図

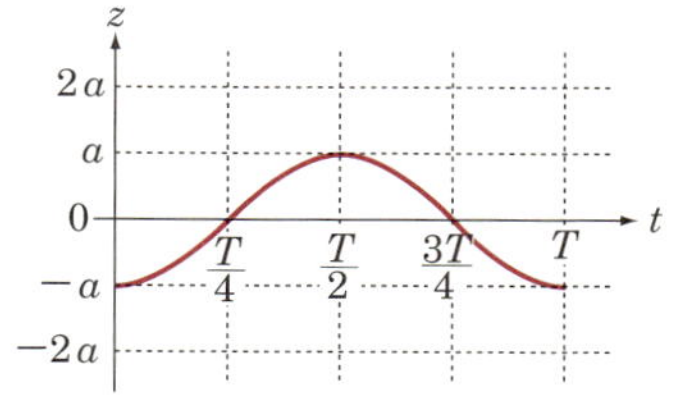

(3) 変位 z のときの運動方程式をつくると，そのときのばねの伸びの長さは $l-l_0-z$ であるから，$m\cdot(-\omega^2z)=k(l-l_0-z)-mg$

これから，$-m\omega^2z=-kz$

ゆえに，$\omega=\sqrt{\frac{k}{m}}$

よって，単振動の周期 T は，

$$T=\frac{2\pi}{\omega}=2\pi\sqrt{\frac{m}{k}}$$ …答

〈79〉 解き方

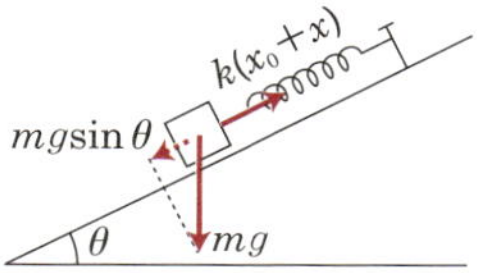

物体がつり合っているときのばねの伸びを x_0 とすると，斜面の方向のつり合いの式は，

$$mg\sin\theta=kx_0$$ …①

物体をつり合いの位置より斜面に沿って x だけ下方に変位させ，手を離した瞬間の斜面方向の合力(復元力)は，

$$F=mg\sin\theta-k(x_0+x) \quad \cdots②$$

①，②より，$F=-kx$

となるので，復元力の比例定数は k となる。

よって，周期は，$T=2\pi\sqrt{\dfrac{m}{k}}$ …**答**

80 **解き方** つり合いの位置での，力のつり合いの式をつくると，

$$Mg=\rho\cdot S\times\frac{3}{4}H\cdot g \quad \cdots①$$

ゆえに，$\rho=\dfrac{4M}{3SH}$ …②

鉛直上向きを正として，つり合いの位置より x だけ変位したときを考えると，液体に沈んでいる部分の高さは $\dfrac{3}{4}H-x$ であるから，物体にはたらく力の合力は，①を用いれば，

$$\rho\cdot S\times\left(\frac{3}{4}H-x\right)\cdot g-Mg=-\rho Sxg$$

となり，物体にはたらく力が変位に比例する復元力になっている。したがって，物体は単振動をすることがわかる。角振動数を ω として運動方程式をつくると，

$$M\cdot(-\omega^2x)=-\rho Sxg$$

ゆえに，$\omega=\sqrt{\dfrac{\rho Sg}{M}}$

よって，このときの振動の周期 T は，

$$T=\frac{2\pi}{\omega}=2\pi\sqrt{\frac{M}{\rho Sg}}$$

②を代入して，

$$T=2\pi\sqrt{\frac{3H}{4g}}=\pi\sqrt{\frac{3H}{g}} \quad \cdots\text{答}$$

81 **解き方** ① 張力の大きさは mg とみなせるのだから，角度 θ のとき，小球にはたらく x 方向の力の成分は，$-mg\sin\theta$ …**答**

② 角度 θ がじゅうぶん小さいので，$\sin\theta\fallingdotseq\theta$ と近似できる。よって，

$$-mg\sin\theta\fallingdotseq-mg\theta \quad \cdots\text{答}$$

③ $x\fallingdotseq L\theta$ の近似をすれば，$\theta=\dfrac{x}{L}$ となるので，小球にはたらく x 方向の力の成分は，

$$-mg\theta=-mg\frac{x}{L}=-\frac{mg}{L}x$$

よって，運動方程式は，

$$m\cdot(-\omega^2x)=-\frac{mg}{L}x \quad \cdots\text{答}$$

④ ③の運動方程式から，角振動数 ω は，

$\omega=\sqrt{\dfrac{g}{L}}$ となるので，周期 T は，

$$T=\frac{2\pi}{\omega}=2\pi\sqrt{\frac{L}{g}}$$

小球が動き出して壁に当たるまでの時間 t は，この単振り子の4分の1周期にあたるので，$t=\dfrac{1}{4}T=\dfrac{\pi}{2}\sqrt{\dfrac{L}{g}}$ …**答**

82 **解き方** 糸がくぎに触れているときの振動の周期 T は，$T=2\pi\sqrt{\dfrac{l_1-l_2}{g}}$ であり，糸がくぎに触れている時間 t は，この2分の1周期にあたるので，

$$t=\frac{1}{2}T=\pi\sqrt{\frac{l_1-l_2}{g}} \quad \cdots\text{答}$$

83 **解き方** (1) 小球にはたらく力は，重力，張力，慣性力の3力である。

重力と慣性力の合力は，張力と向きが反対で大きさが等しいので，右図のようになる。よって，

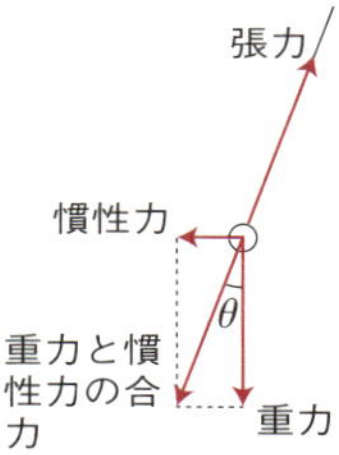

$$\tan\theta=\frac{ma}{mg}=\frac{a}{g} \quad \cdots\text{答}$$

(2) 重力と慣性力の合力の大きさは，

$$\sqrt{m^2g^2+m^2a^2}=m\sqrt{g^2+a^2}$$

となるので，見かけの重力加速度の大きさは，$\sqrt{g^2+a^2}$ であることがわかる。よって，この単振動の周期 T〔s〕は，

$$T=2\pi\sqrt{\frac{l}{\sqrt{g^2+a^2}}} \quad \cdots\text{答}$$

84 **解き方** 単振動の中心を求めるために，弾性力と動摩擦力のつり合いを考える。弾性力と動摩擦力がつり合うときの，ばねの伸びの長さを x_0〔m〕とすれば，

$kx_0 = \mu' mg$ …①

となるので，$x_0 = \dfrac{\mu' mg}{k}$

この位置 x_0 が単振動の中心である。

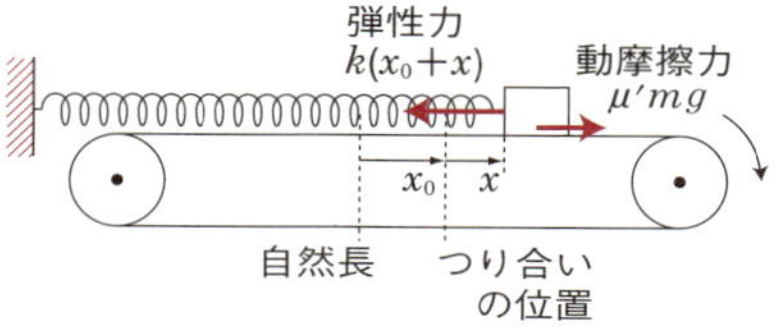

単振動の角振動数を ω〔rad/s〕とすれば，振動の中心から x〔m〕変位した位置で単振動の加速度は $-\omega^2 x$ であるから，運動方程式をつくれば，

$$m\cdot(-\omega^2 x) = \mu' mg - k(x_0 + x)$$

①を用いれば，

$$-m\omega^2 x = \mu' mg - kx_0 - kx = -kx$$

これから，$\omega = \sqrt{\dfrac{k}{m}}$

よって，$T = \dfrac{2\pi}{\omega} = \mathbf{2\pi\sqrt{\dfrac{m}{k}}}$ …答

85 **解き方** 物体Aから見ると，物体Bが振動して見える。物体Aに観測者が乗っている立場で考える。物体Bが振動の中心の位置にいるときのばねの伸びの長さを x_0〔m〕とすれば，観測者の加速度 a〔m/s²〕は，

運動方程式　$ma = mg\sin\theta + kx_0$ …①

より，$a = g\sin\theta + \dfrac{kx_0}{m}$

振動の中心では力がつり合っているので，物体Bにはたらく力のつり合いの式は，

$$mg\sin\theta - kx_0 - ma = 0$$

①より，

$$mg\sin\theta - kx_0 - (mg\sin\theta + kx_0) = 0$$

$-2kx_0 = 0$　　よって，$x_0 = 0$

ばねが x〔m〕伸びているときを考える。物体Aに生じる加速度の大きさを a_1〔m/s²〕とすれば，運動方程式は，

$ma_1 = mg\sin\theta + kx$ …②

となるので，$a_1 = g\sin\theta + \dfrac{kx}{m}$

物体Bにはたらく力の合力 F〔N〕は，

$$F = mg\sin\theta - kx - ma_1$$

となるので，②を用いると，

$$F = mg\sin\theta - kx - (mg\sin\theta + kx)$$
$$= -2kx$$

これから，物体Bにはたらく力は変位 x に比例する復元力になっていることがわかり，物体Bは単振動を行う。物体Bの角振動数を ω〔rad/s〕とすれば，単振動の加速度は $-\omega^2 x$ であるから，運動方程式は，

$$m\cdot(-\omega^2 x) = -2kx$$

となるので，$\omega = \sqrt{\dfrac{2k}{m}}$

よって，振動の周期 T は，$T = 2\pi\sqrt{\dfrac{m}{2k}}$

物体A，物体Bの重心の加速度を A〔m/s²〕として，運動方程式をつくると，

$$2mA = 2mg\sin\theta$$

となり，$A = g\sin\theta$

1 振動したときの物体Aの移動距離 l〔m〕は重心の移動距離と等しくなるので，

$$l = \frac{1}{2}AT^2 = \frac{1}{2}\times g\sin\theta\times\left(2\pi\sqrt{\frac{m}{2k}}\right)^2$$

$= \mathbf{\dfrac{\pi^2 mg\sin\theta}{k}}$ …答

86 **解き方** 静止衛星は，赤道面上で地球の自転周期と同じ周期で等速円運動をする。衛星の軌道の高さを h とすると，円軌道の半径は $(R+h)$ であるから速さ v は，

$v = \dfrac{2\pi(R+h)}{T}$ …①

衛星の軌道上における重力加速度を g' とすると，衛星にはたらく重力(地球の引力)は地球の質量を M として，

$mg' = G\dfrac{mM}{(R+h)^2}$ …②

同様に地上での重力は，

$mg = G\dfrac{mM}{R^2}$ …③

衛星の円運動の運動方程式は，

$m\dfrac{v^2}{R+h} = mg'$ …④

①〜④より，

$h = \mathbf{\sqrt[3]{\dfrac{gR^2T^2}{4\pi^2}} - R}$，$v = \mathbf{\dfrac{2\pi}{T}\sqrt[3]{\dfrac{gR^2T^2}{4\pi^2}}}$

…答

〈87〉 **解き方** 第２宇宙速度とは，人工衛星が地球の引力を振り切って無限遠点に達するために地上で与えなければならない初速度である。人工衛星が地面から初速度 v で飛び出したときの力学的エネルギーは，

$$E=\frac{1}{2}mv^2+\left(-G\frac{mM}{R}\right) \quad \cdots①$$

また，地上における重力の大きさは，

$$mg=G\frac{mM}{R^2} \quad \cdots②$$

①，②から，G，M を消去すると，

$$E=\frac{1}{2}mv^2-mgR$$

人工衛星が無限遠点に達するためには，$E\geqq 0$ でなければならないから，

$$\frac{1}{2}mv^2-mgR\geqq 0 \quad \text{ゆえに，}\ v\geqq\sqrt{2gR}$$

第２宇宙速度は v の最小値にあたるから，

$$v_2=\sqrt{2gR} \quad \cdots\text{答}$$

〈88〉 **解き方** (1) 人工衛星の速さを v_0〔m/s〕，質量を m〔kg〕とすれば，円運動の運動方程式は，$m\dfrac{v_0{}^2}{r}=G\dfrac{Mm}{r^2}$ となるので，

$$v_0=\sqrt{\frac{GM}{r}} \quad \cdots\text{答}$$

(2) 人工衛星が無限遠方に達したときの速さを v_1〔m/s〕とすれば，人工衛星が無限遠方に飛び去るための条件は，$\dfrac{1}{2}mv_1{}^2\geqq 0$ である。加速直後の速さを v_2〔m/s〕とすれば，力学的エネルギー保存の法則より，

$$\frac{1}{2}mv_2{}^2-G\frac{Mm}{r}=\frac{1}{2}mv_1{}^2$$

となるので，人工衛星が無限遠方に飛び去るための条件は，$\dfrac{1}{2}mv_2{}^2-G\dfrac{Mm}{r}\geqq 0$

よって，$v_2\geqq\sqrt{\dfrac{2GM}{r}}$ $\cdots$答

〈89〉 **解き方** (1) 地球の自転周期を T_0 とすると，$T_0{}^2=kr^3$ $\cdots①$

静止衛星の速さを v_0 とすると，

$$v_0=\frac{2\pi r}{T_0} \quad \cdots②$$

静止衛星の円運動の運動方程式は，

$$m\frac{v_0{}^2}{r}=G\frac{mM}{r^2} \quad \cdots③$$

①〜③より，$k=\dfrac{4\pi^2}{GM}$ $\cdots$答

(2) ③より，$v_0=\sqrt{\dfrac{GM}{r}}$ $\cdots$答

(3) 扇形の面積を求めればよい。

$$S=\pi r^2\times\frac{v_0}{2\pi r}=\frac{1}{2}rv_0=\frac{\sqrt{GMr}}{2} \quad \cdots\text{答}$$

(4) (a) (3)の v_0 を v に変えて，$\dfrac{1}{2}rv$ $\cdots$答

(b) 地球に帰還したときの速さを v' とすると，$rv=Rv'$ より，$\dfrac{v'}{v}=\dfrac{r}{R}$ $\cdots$答

(c) 軌道Bを進む人工衛星に対して，力学的エネルギー保存則を適用すると，

$$\frac{1}{2}mv^2-G\frac{mM}{r}=\frac{1}{2}m(v')^2-G\frac{mM}{R}$$

これに(b)で求めた v' を代入して，

$$v=\sqrt{\frac{2GMR}{r(R+r)}}$$

(2)の結果を用いると，$\dfrac{v}{v_0}=\sqrt{\dfrac{2R}{R+r}}$ $\cdots$答

(5) 軌道Cの長半径を d，遠地点での速さを V とすると，$\dfrac{4}{3}v_0r=V(2d-r)$ $\cdots④$

また，軌道Cを進む人工衛星に対して力学的エネルギー保存則を適用すると，

$$\frac{1}{2}m\left(\frac{4}{3}v_0\right)^2-G\frac{mM}{r}=\frac{1}{2}mV^2-G\frac{mM}{2d-r} \quad \cdots⑤$$

⑤に④から得られる V と(2)で求めた v_0 を代入して，d を求めると，$d=\dfrac{9}{2}r$

軌道Cをまわる人工衛星の公転周期を T とすると，$T^2=kd^3=k\left(\dfrac{9}{2}r\right)^3$ $\cdots⑥$

①，⑥より，$\left(\dfrac{T}{T_0}\right)^2=\left(\dfrac{9}{2}\right)^3$

ゆえに，$\dfrac{T}{T_0}=\dfrac{27}{2\sqrt{2}}$ $\cdots$答

2 熱と気体

〈90〉 **解き方** 鉄のかたまりの熱容量をC〔J/K〕，水の熱容量をC'〔J/K〕とし，かまどの温度をt〔℃〕とすると，熱量保存により，

$C(t-45)=C'(45-20)$ …①

$C(100-20)=C'(20-15)$ …②

①を②で割って，C，C'を消去すると，

$t=$ **445 ℃** …**答**

〈91〉 **解き方** 金属が失った熱量Qは，

$Q=c\times100\times(80-23)$

高温の金属が失った熱は熱量計と低温の水に与えられたので，熱量保存の式をつくれば，

$$c\times100\times(80-23)$$
$$=4.2\times150\times(23-20)$$
$$+120\times(23-20)$$

両辺を計算して，$5700c=2250$

ゆえに，$c=\dfrac{2250}{5700}=0.394$ J/(g·K)

答 **0.39 J/(g·K)**

〈92〉 **解き方** 通じた水蒸気の質量をx〔g〕とすると，

$$2300x+4.2x(100-80)$$
$$=4.2\times100\times10^3\times(80-20)$$

ゆえに，$x=1.1\times10^4$ g $=11$ kg

水 11 kg が増えたので，その体積は **11 L**

…**答**

〈93〉 **解き方** 等温変化なのでボイルの法則が使える。変化後の気体の圧力をp〔Pa〕とすれば，ボイルの法則より，

$1.0\times10^5\times4.0\times10^{-3}=p\times2.0\times10^{-3}$

となるので，

$$p=\frac{1.0\times10^5\times4.0\times10^{-3}}{2.0\times10^{-3}}$$

$=$ **2.0×10^5 Pa** …**答**

〈94〉 **解き方** ピストンがなめらかに動けることから，定圧変化であることがわかるので，シャルルの法則を使うことができる。ピストンが移動した距離をΔl〔m〕として，シャルルの法則を用いると，

$$\frac{V}{T_0}=\frac{V+S\Delta l}{T}$$

$$V+S\Delta l=V\frac{T}{T_0}$$

$$S\Delta l=V\frac{T}{T_0}-V$$

ゆえに，$\Delta l=$ **$\dfrac{(T-T_0)V}{T_0S}$** …**答**

〈95〉 **解き方** 気体の温度がT〔K〕になったときの気体の密度をρ'〔kg/m^3〕とする。温度がT_0のとき，体積がVの気体が，温度がTになったとき，体積がV'〔m^3〕になったとすれば，気体の質量は変わらないので，

$\rho V=\rho'V'$ …①

シャルルの法則より，$\dfrac{V}{T_0}=\dfrac{V'}{T}$ …②

①，②より，$\rho'=\dfrac{V}{V'}\rho=\dfrac{T_0}{T}\rho$ …③

気球が浮き上がるための条件は，

$\rho Vg>\rho'Vg+Mg$

であるから，③より，

$$\rho Vg>\frac{T_0}{T}\rho Vg+Mg$$

$$\frac{T_0}{T}\rho Vg<\rho Vg-Mg$$

ゆえに，$T>$ **$\dfrac{\rho VT_0}{\rho V-M}$** …**答**

〈96〉 **解き方** 1.0 g の空気の 0 ℃，1 気圧での体積は，

$$V_0=\frac{1.0}{1.3\times10^{-3}}=7.7\times10^2\ \text{cm}^3$$
$$=7.7\times10^{-4}\ \text{m}^3$$

これが 100 ℃になったときの体積をVとすると，シャルルの法則より，

$$\frac{7.7\times10^{-4}}{273}=\frac{V}{273+100}$$

ゆえに，$V=10.5\times10^{-4}$ m^3

よって，増加した体積は，

$$\Delta V=V-V_0=(10.5-7.7)\times10^{-4}$$
$$=2.8\times10^{-4}\ \text{m}^3$$

よって，空気が外部にした仕事は，

$$W=p\Delta V=1.0\times10^5\times2.8\times10^{-4}$$

$=$ **28 J** …**答**

〈97〉 **解き方** (1) シリンダー内の気体の圧力を p_1〔Pa〕とすれば，ピストンにはたらく力のつり合いの式は，$p_1S=p_0S$

よって，$p_1=\boldsymbol{p_0}$ …答

(2) シリンダー内の気体の圧力を p_2〔Pa〕とすれば，ピストンにはたらく力のつり合いの式は，$p_2S=p_0S+Mg$

よって，$p_2=\boldsymbol{p_0+\dfrac{Mg}{S}}$ …答

(3) シリンダー内の気体の体積を V〔m^3〕とすれば，ボイル・シャルルの法則より，

$$\frac{p_0SL}{T_0}=\frac{\left(p_0+\dfrac{Mg}{S}\right)V}{T}$$

よって，$V=\boldsymbol{\dfrac{p_0S^2LT}{(p_0S+Mg)T_0}}$ …答

(4) 気体の体積減少量を ΔV〔m^3〕とすれば，

$$\begin{aligned}\Delta V&=SL-V\\&=SL-\frac{p_0S^2LT}{(p_0S+Mg)T_0}\\&=\left(1-\frac{p_0ST}{(p_0S+Mg)T_0}\right)SL\\&=\frac{MgT_0-p_0S(T-T_0)}{(p_0S+Mg)T_0}SL\end{aligned}$$

シリンダー内の気体のされた仕事 W〔J〕は，外気がした仕事 $p_0\Delta V$ とおもりにはたらく重力がした仕事 $Mg\dfrac{\Delta V}{S}$ の和になるので，

$$\begin{aligned}W&=p_0\Delta V+Mg\frac{\Delta V}{S}\\&=\frac{p_0S+Mg}{S}\\&\quad\times\frac{MgT_0-p_0S(T-T_0)}{(p_0S+Mg)T_0}SL\\&=\boldsymbol{\left(Mg-p_0S\frac{T-T_0}{T_0}\right)L}\end{aligned}$$ …答

〈98〉 **解き方** 気体のした仕事は，p-V 図で囲まれた面積によって求められるので，A→B→C→A の変化で気体のした仕事 W は，

$$\begin{aligned}W&=\frac{1}{2}\times(3V_0-V_0)\times(3p_0-p_0)\\&=\boldsymbol{2p_0V_0}\end{aligned}$$ …答

〈99〉 **解き方** シリンダー内の気体の圧力は p_0〔Pa〕で一定であるから，気体のした仕事 W〔J〕は，$W=p_0S\Delta l$

気体の内部エネルギーの増加量を ΔU〔J〕とすれば，熱力学第 1 法則より，

$\Delta U=\boldsymbol{Q-p_0S\Delta l}$ …答

〈100〉 **解き方** A→B→C→D→A の 1 サイクルで気体のした仕事を W，内部エネルギーの増加量を ΔU とすれば，1 サイクルで元の状態に戻ると元の温度に戻るので，$\Delta U=0$ である。熱力学第 1 法則より，

$0=(Q_1-Q_3)-W$

これから，$W=Q_1-Q_3$

よって，この熱サイクルの熱効率 e は，

$e=\dfrac{W}{Q_1}=\boldsymbol{\dfrac{Q_1-Q_3}{Q_1}}$ …答

〈101〉 **解き方** 理想気体の物質量を n〔mol〕とすれば，状態方程式は，

$1.0\times10^5\times3.0\times10^{-2}=n\times8.3\times(273+27)$

となるので，

$$\begin{aligned}n&=\frac{1.0\times10^5\times3.0\times10^{-2}}{8.3\times(273+27)}\\&=1.20\ \mathrm{mol}\end{aligned}$$

答 **1.2 mol**

〈102〉 **解き方** 22.4 L を m^3 に直すと，

$22.4\ \mathrm{L}=2.24\times10^{-2}\ \mathrm{m^3}$

となるので，状態方程式は，

$1.01\times10^5\times2.24\times10^{-2}=1\times R\times273$

よって，

$$\begin{aligned}R&=\frac{1.01\times10^5\times2.24\times10^{-2}}{273}\\&=8.28\ \mathrm{J/(mol\cdot K)}\end{aligned}$$

答 **8.3 J/(mol·K)**

〈103〉 **解き方** 容器 A，B の容積を V，最初 A，B に入っていた気体の量を n_1，n_2〔mol〕，気体定数を R として，A，B それぞれの気体の状態方程式をつくると，

$1.0\times10^5V=n_1R\times273$ …①

$5.0\times10^4V=n_2R(273+40)$ …②

混合後の圧力を p とすると，状態方程式は，

$p\times2V=(n_1+n_2)R(273+15)$ …③

①～③より，$p=\boldsymbol{7.6\times10^4\ \mathrm{Pa}}$ …答

〈104〉 **解き方** ① 三平方の定理より，

$v^2 = \boldsymbol{v_x^2 + v_y^2 + v_z^2}$ …答

② $mv_x - (-mv_x) = \boldsymbol{2mv_x}$ …答

③ 分子は x 方向に $2l$ 進むごとに同じ壁に衝突するから，$\boldsymbol{\dfrac{v_x}{2l}}$ …答

④ $2mv_x \times \dfrac{v_x}{2l} \times N = \boldsymbol{\dfrac{mv_x^2}{l}N}$ …答

⑤ 壁が受ける平均の力を $\overline{F}$ とすると，1秒間に壁が受ける力積は，

$$\overline{F} \times 1 = \frac{mv_x^2}{l}N$$

ゆえに，$\overline{F} = \dfrac{mv_x^2}{l}N$

圧力は，力 / 面積 で表されるから，

$$p = \frac{\overline{F}}{l^2} = \boldsymbol{\frac{Nmv_x^2}{l^3}}$$ …答

⑥ ①の結果に，$v_x^2 = v_y^2 = v_z^2$ を代入すれば，

$v^2 = 3v_x^2 = 3v_y^2 = 3v_z^2$

ゆえに，$\overline{v_x^2} = \overline{v_y^2} = \overline{v_z^2} = \dfrac{1}{3}\overline{v^2}$　答 $\boldsymbol{\dfrac{1}{3}}$

⑦ ⑤の結果に，$v_x^2 = \dfrac{1}{3}\overline{v^2}$ と $l^3 = V$ を代入して，$p = \boldsymbol{\dfrac{Nm\overline{v^2}}{3V}}$ …答

⑧ ⑦の結果から，

$$pV = \boldsymbol{\frac{1}{3}Nm\overline{v^2}}$$ …答

〈105〉 **解き方** (1) 壁に垂直な方向の速度成分は $v\cos\theta$ であるから，衝突による分子の運動量変化は，

$$mv\cos\theta - (-mv\cos\theta) = 2mv\cos\theta$$

1回衝突してから次に衝突するまでに，分子が移動する距離は $2r\cos\theta$ である。時間 t の間に分子が移動する距離は vt なので，時間 t の間に壁に衝突する回数は，

$\dfrac{vt}{2r\cos\theta}$ である。

答 運動量変化：$\boldsymbol{2mv\cos\theta}$，

回数：$\boldsymbol{\dfrac{vt}{2r\cos\theta}}$

(2) 気体分子が時間 t の間に壁に加える力積 ft は，$ft = \dfrac{vt}{2r\cos\theta} \times 2mv\cos\theta = \dfrac{mv^2t}{r}$

となるので，N 個の気体分子が壁に加える力積 Ft は，$Ft = Nft = \dfrac{Nmv^2t}{r}$

よって，$F = \boldsymbol{\dfrac{Nmv^2}{r}}$ …答

(3) 容器の表面積は $4\pi r^2$ であるから，気体の圧力 P は，

$$P = \frac{F}{4\pi r^2} = \frac{\frac{Nmv^2}{r}}{4\pi r^2} = \frac{Nmv^2}{4\pi r^3}$$

気体の体積 V は，$V = \dfrac{4}{3}\pi r^3$ より，

$4\pi r^3 = 3V$ となるので，$P = \boldsymbol{\dfrac{Nmv^2}{3V}}$ …答

〈106〉 **解き方** ピストンに衝突する前の気体分子の x 軸方向の速度成分を v_x とすれば，衝突後の x 軸方向の速度成分 v_x' は，反発係数の式より，

$$1 = -\frac{v_x' - u}{v_x - u}$$

これから，$v_x' = -v_x + 2u$

1回の衝突での運動エネルギーの変化量 Δk は，

$$\Delta k = \frac{1}{2}m(v_x')^2 - \frac{1}{2}mv_x^2$$
$$= \frac{1}{2}m(-v_x + 2u)^2 - \frac{1}{2}mv_x^2$$
$$= \frac{1}{2}mv_x^2 - 2mv_xu + 2mu^2 - \frac{1}{2}mv_x^2$$

$u \ll v_x$ なので，u^2 の項を無視すれば，

$$\Delta k \fallingdotseq -2mv_xu$$

ピストンが ΔL 動く間に気体分子の速さはほとんど変わらないと考えられるので，気体分子がピストンに衝突する回数は，

$$\frac{v_x\frac{\Delta L}{u}}{2L} = \frac{v_x\Delta L}{2Lu}$$

よって，ピストンが ΔL 動く間に，気体分子1個の運動エネルギーの変化量 ΔK は

$$\Delta K = -2mv_xu \times \frac{v_x\Delta L}{2Lu} = -\frac{mv_x^2\Delta L}{L}$$

気体分子の速度を v とすれば，$v_x^2 = \dfrac{1}{3}v^2$ となることを用いると，

$$\Delta K = -\frac{mv^2\Delta L}{3L}$$

容器の断面積を S，体積を V，気体分子数を N とすれば，内部エネルギーの変化 ΔU は，

$$\Delta U = N\Delta K = -\frac{Nmv^2\Delta L}{3L} = -\frac{Nmv^2S\Delta L}{3SL} = -\frac{Nmv^2\Delta V}{3V}$$

類題105で求めた，$P=\dfrac{Nmv^2}{3V}$ を用いると，

$$\Delta U = -P\Delta V$$

であることがわかる。

〈107〉 **解き方** 気体が外部から加えられた仕事は，$W=-p\Delta V$

気体が外部から加えられた熱量は，温度上昇を ΔT とすると，$Q=n(C_V+R)\Delta T$

よって，内部エネルギーの増加 ΔU は，熱力学第1法則により，

$$\Delta U = Q+W = n(C_V+R)\Delta T - p\Delta V \quad \cdots①$$

気体に熱を加える前後の状態方程式は，最初の体積を V，温度を T とすると，

$$pV=nRT \quad \cdots②$$

$$p(V+\Delta V)=nR(T+\Delta T) \quad \cdots③$$

②，③より，$p\Delta V=nR\Delta T$ …④

①，④より，$\Delta U=\dfrac{\boldsymbol{C_V p\Delta V}}{\boldsymbol{R}}$ …**答**

〈108〉 **解き方** 気体分子1個のもつ平均のエネルギーは $\dfrac{1}{2}m(\sqrt{\overline{v^2}})^2$ である。気体1 mol の内部エネルギーは，これの N_A(アボガドロ定数)倍であるから，

$$\frac{1}{2}m(\sqrt{\overline{v^2}})^2\times N_A$$

$$=\frac{1}{2}\times 6.6\times 10^{-27}\times(1.4\times 10^3)^2 \times 6.0\times 10^{23}$$

$$=\boldsymbol{3.9\times 10^3\ \mathrm{J}}$$ …**答**

〈109〉 **解き方** Aの圧力を p_A，Bの圧力を p_B，Cの温度を T_C として，A，B，Cの状態方程式をつくると，

$$p_A V_0 = RT_0 \quad \cdots①$$

$$p_B\cdot\frac{1}{4}V_0 = RT_0 \quad \cdots②$$

$$\frac{7}{4}p_B\cdot\frac{1}{4}V_0 = RT_C \quad \cdots③$$

①〜③より，

$$p_A=\frac{RT_0}{V_0},\quad p_B=\frac{4RT_0}{V_0},\quad T_C=\frac{7}{4}T_0$$

直線CAの式は，

$$p-p_A=-\frac{8p_A}{V_0}V+8p_A \quad \cdots④$$

④と $pV=RT$ から V を消去すると，

$$\frac{8p_AR}{V_0}T=-p^2+9p_Ap = -\left(p-\frac{9}{2}p_A\right)^2+\frac{81}{4}p_A{}^2$$

となるから，$p=\dfrac{9}{2}p_A$ のとき，T は最大となり，その値は，

$$T=\frac{V_0}{8p_AR}\times\frac{81p_A{}^2}{4}=\frac{81p_AV_0}{32R}=\frac{81}{32}T_0$$

答 下図

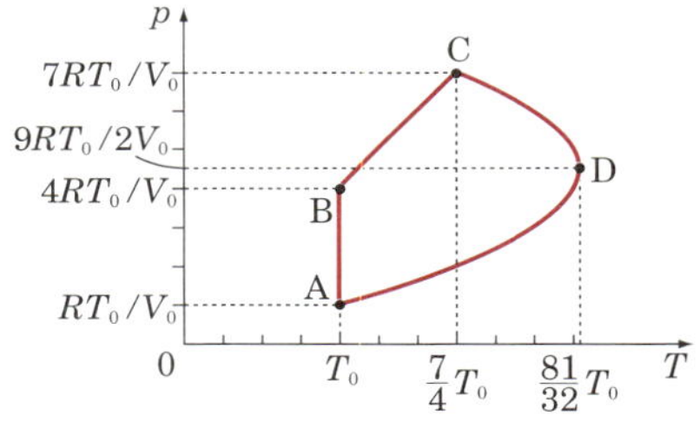

〈110〉 **解き方** 状態方程式 $pV=nRT$ より，

$p=\dfrac{nRT}{V}$ を，$pV^\gamma=$一定 に代入すると，

$nRTV^{\gamma-1}=$一定 となるが，n，R も定数なので，これを右辺の(一定)に含めてしまうと，

$$TV^{\gamma-1}=\text{一定} \quad \cdots①$$

定積変化で出入りする熱量は，

(モル数)×(定積モル比熱)×(温度変化)

で与えられる。

$$\mathrm{B}\to\mathrm{C}:Q_{BC}=nC_V(T_B-T_C)$$

$$\mathrm{D}\to\mathrm{A}:Q_{DA}=nC_V(T_A-T_D)$$

熱機関が1サイクルの間に外部にする仕事は，吸収した熱量と放出した熱量の差に等しいから，

$$W = Q_{DA} - Q_{BC}$$
$$= nC_V(T_A - T_D - T_B + T_C)$$

よって，熱効率は，

$$e = \frac{W}{Q_{DA}} = \frac{nC_V(T_A - T_D - T_B + T_C)}{nC_V(T_A - T_D)}$$
$$= 1 - \frac{T_B - T_C}{T_A - T_D} \quad \cdots②$$

一方，①を用いると，

$$T_A V_1^{\gamma-1} = T_B V_2^{\gamma-1} \quad \cdots③$$
$$T_D V_1^{\gamma-1} = T_C V_2^{\gamma-1} \quad \cdots④$$

③－④より，

$$(T_A - T_D) V_1^{\gamma-1} = (T_B - T_C) V_2^{\gamma-1}$$

ゆえに，$\dfrac{T_B - T_C}{T_A - T_D} = \left(\dfrac{V_1}{V_2}\right)^{\gamma-1}$ …⑤

②，⑤より，$e = \mathbf{1 - \left(\dfrac{V_1}{V_2}\right)^{\gamma-1}}$ …答

〈111〉 **解き方** 温度変化後のA，Bの体積を V_A，V_B，圧力は共通で，p とすると，ボイル・シャルルの法則より，

$$\frac{p_0 V_0}{T_0} = \frac{pV_A}{T_1} = \frac{pV_B}{T_2} \quad \cdots①$$

また，体積の関係より，

$$V_A + V_B = 2V_0 \quad \cdots②$$

①，②より，

$$V_A = \frac{2V_0T_1}{T_1 + T_2}$$
$$V_B = \frac{2V_0T_2}{T_1 + T_2}$$
$$p = \frac{p_0(T_1 + T_2)}{2T_0} \quad \cdots答$$

〈112〉 **解き方** (1) 気体Bの圧力を P_B として，ピストンにはたらく力のつり合いの式をつくると，

$$P_B \times 2S + P_0 \times S = P \times S + P_0 \times 2S$$

となるので，$2P_BS = PS + P_0S$ となり，

$$P_B = \frac{1}{2}(P + P_0) \quad \cdots答$$

(2) ピストンが x 右に動いたのだから，気体Aの体積は $V + xS$ となる。このときの圧力を P_A とすれば，ボイル・シャルルの法則より，$\dfrac{PV}{T} = \dfrac{P_A(V + xS)}{T_A}$ となるので，

$$P_A = \frac{PVT_A}{(V + xS)T} \quad \cdots答$$

(3) 気体Bの圧力を P_B' として，ピストンにはたらく力のつり合いの式をつくれば，

$$P_B' \times 2S + P_0 \times S = P_A \times S + P_0 \times 2S$$

となるので，$2P_B'S = P_AS + P_0S$ となり，

$$P_B' = \frac{1}{2}(P_A + P_0)$$
$$= \frac{1}{2}\left\{\frac{PVT_A}{(V + xS)T} + P_0\right\} \quad \cdots答$$

〈113〉 **解き方** (1) A室の気体の圧力を p_A〔Pa〕とすれば，ポアソンの式(pV^γ＝一定)より，$p_0V_0{}^\gamma = p_A(V_0 - Sx)^\gamma$ となるので，

$$p_A = \left(\frac{V_0}{V_0 - Sx}\right)^\gamma p_0$$
$$= \left(\frac{1}{1 - Sx/V_0}\right)^\gamma p_0$$
$$= \left(1 - \frac{Sx}{V_0}\right)^{-\gamma} p_0$$
$$\fallingdotseq \left(1 + \frac{\gamma Sx}{V_0}\right) p_0 \quad \cdots答$$

同様にして，B室の気体の圧力を p_B〔Pa〕とすれば，$p_0V_0{}^\gamma = p_B(V_0 + Sx)^\gamma$ となるので，

$$p_B = \left(\frac{V_0}{V_0 + Sx}\right)^\gamma p_0$$
$$= \left(1 + \frac{Sx}{V_0}\right)^{-\gamma} p_0$$
$$\fallingdotseq \left(1 - \frac{\gamma Sx}{V_0}\right) p_0 \quad \cdots答$$

(2) 単振動の角振動数を ω〔rad/s〕とすれば，加速度は $-\omega^2 x$ となるので，運動方程式は，

$$M \cdot (-\omega^2 x) = p_BS - p_AS$$

(1)の結果を代入して，

$$M \cdot (-\omega^2 x)$$
$$= \left(1 - \frac{\gamma Sx}{V_0}\right)p_0S - \left(1 + \frac{\gamma Sx}{V_0}\right)p_0S$$
$$= -\frac{2\gamma p_0 S^2 x}{V_0}$$

これから，$\omega = S\sqrt{\dfrac{2\gamma p_0}{MV_0}}$

よって，単振動の周期 T〔s〕は，

$$T = \frac{2\pi}{\omega} = \frac{2\pi}{S}\sqrt{\frac{MV_0}{2\gamma p_0}} \quad \cdots答$$

3 波

〈114〉 **解き方** (1) 山の高さを見ればよい。振幅は **0.40 m** …答

(2) 波長は山から次の山までの距離を見ればよい。$\lambda = 2.5 - 0.5 =$ **2.0 m** …答

(3) 0.50 s の間に波の山が 0.50 m 移動しているから，伝わる速さ v は，

$$v = \frac{0.50}{0.50} = \mathbf{1.0\ m/s}$$ …答

(4) 振動数 f は，

$$f = \frac{v}{\lambda} = \frac{1.0}{2.0} = \mathbf{0.50\ Hz}$$ …答

(5) 周期 T は，

$$T = \frac{1}{f} = \frac{1}{0.50} = \mathbf{2.0\ s}$$ …答

〈115〉 **解き方** 与えられた式を変形すると，

$$y = 2\sin\pi(100t - 4x)$$
$$= 2\sin 2\pi(50t - 2x)$$
$$= 2\sin 2\pi\left(\frac{t}{\frac{1}{50}} - \frac{x}{\frac{1}{2}}\right)$$

よって，振幅 $A =$ **2 m** …答

周期 $T = \frac{1}{50} =$ **0.020 s** …答

波長 $\lambda = \frac{1}{2} =$ **0.50 m** …答

伝わる速さ v は，

$$v = f\lambda = \frac{\lambda}{T} = \frac{1}{2} \times 50 = \mathbf{25\ m/s}$$ …答

〈116〉 **解き方** グラフから，波長 4 m，振幅 0.2 m であることがわかる。波は 4.0 s 間に 6 m 進んでいるから，速さは，

$$v = \frac{6}{4.0} = 1.5\ \text{m/s}$$

よって，周期 T は，

$$T = \frac{\lambda}{v} = \frac{4}{1.5} = \frac{8}{3}\ \text{s}$$

(1) グラフから，原点の媒質は時刻 0 では変位 0，それから正方向へ変位していったことがわかるから，原点の振動の式は，

$$y = 0.2\sin 2\pi\frac{t}{T} = 0.2\sin 2\pi\frac{3t}{8}$$
$$= \mathbf{0.2\sin\frac{3\pi}{4}t}$$ …答

(2) (1)で求めた式の t を $t - \frac{x}{v}$ に変えればよいから，

$$y = 0.2\sin\frac{3\pi}{4}\left(t - \frac{x}{v}\right)$$
$$= 0.2\sin\frac{3\pi}{4}\left(t - \frac{x}{1.5}\right)$$
$$= \mathbf{0.2\sin\frac{\pi}{4}(3t - 2x)}$$ …答

〈117〉 **解き方** 図の波形を式で表すと，

$$y = A\sin 2\pi\frac{x}{\lambda}$$

である。波は t 秒間で vt〔m〕伝わるので，時刻 t における位置 x での変位 y は，時刻 0 における位置 $x - vt$ での変位に等しい。

よって，

$$y = A\sin 2\pi\frac{x - vt}{\lambda}$$
$$= A\sin 2\pi\left(\frac{x}{\lambda} - \frac{vt}{\lambda}\right)$$
$$= \mathbf{A\sin 2\pi\left(\frac{x}{\lambda} - \frac{t}{T}\right)}$$ …答

〈118〉 **解き方** 密度の変化が最大の点は，半周期ごとに疎になったり密になったりする定常波の節である。 答 **a，c，e**

〈119〉 **解き方** 媒質Ⅱの中での波長と速さをそれぞれ λ_2，v_2 とすると，

$$\frac{\sin 30°}{\sin 60°} = \frac{1/2}{\sqrt{3}/2} = \frac{1}{\sqrt{3}} = \frac{20}{v_2} = \frac{4.0}{\lambda_2}$$

ゆえに，$v_2 =$ **35 m/s**，$\lambda_2 =$ **6.9 m** …答

次に臨界角を i_0 とすると，

$$\frac{\sin i_0}{\sin 90°} = \frac{\sin 30°}{\sin 60°} = \frac{1}{\sqrt{3}}$$

ゆえに，$\sin i_0 = 0.58$

よって，波が全反射するための条件は，

$\sin i > 0.58$ …答

〈120〉 **解き方** (1) AC と BC の距離の差は，

$$37.5 - 30 = 7.5\ \text{cm}$$

で，これは波長＋半波長の長さにあたるから，波は弱め合って，振幅は **0 cm** になる。 …答

(2) AC′ と BC′ の距離の差は，

$30-25=5\ \mathrm{cm}$

で，これは波長と等しいから，波は強め合って，振幅は，

$2.0\times2=$ **4.0 cm** …答

(3) 振動しない点をPとし，

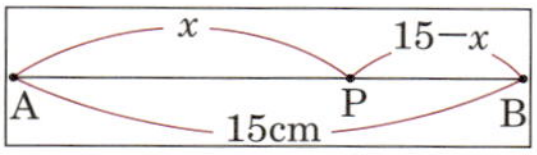

AP＝x〔cm〕とすると，

$$x-(15-x)=\left(m+\frac{1}{2}\right)\times5.0$$

（m は整数）

ゆえに，$x=\dfrac{5}{2}m+\dfrac{35}{4}$

$0\leqq x\leqq15$ であるから，

$$0\leqq\frac{5}{2}m+\frac{35}{4}\leqq15$$

ゆえに，$-3.5\leqq m\leqq2.5$

上式を満足する整数 m は 6 個ある。

答 **6 か所**

121 **解き方** (1) 線分 S_1S_2 上にできる定常波の図をかくとわかりやすい。波源 S_1 と S_2 の位相が等しいので，S_1 と S_2 の中点に腹ができる。定常波の図は下図のようになるので，節の数は 6 である。

答 **6 個**

(2) 線分 S_1S_2 の距離が $3\lambda_1$ であることがわかるので，波源 S_1 の位置は定常波の腹になる。隣どうしの腹と節の間隔は 4 分の 1 波長 $\dfrac{\lambda_1}{4}$，隣どうしの節と節の間隔は 2 分の 1 波長 $\dfrac{\lambda_1}{2}$ であるから，S_1 から節までの距離は，

$$\boldsymbol{(2m-1)\frac{\lambda_1}{4}}\quad(m=1,\ 2,\ 3,\ 4,\ 5,\ 6)$$

…答

(3) 波源 S_1 と S_2 の位相が等しいので，経路差が半波長の奇数倍の位置で弱め合う（節）。よって，節線の条件式は，

$$\boldsymbol{|S_1P-S_2P|=(2m-1)\frac{\lambda_1}{2}}$$

$(m=1,\ 2,\ 3,\ 4,\ 5,\ 6)$

…答

(4) Q点は，波源 S_1 からの波については谷の位置，波源 S_2 からの波につても谷の位置にあたるので，谷と谷が重なり，より深い谷となる。

答 **谷**

(5) Q点は波が強め合う点を結んだ線（腹線）上にあるので，腹線上を移動する。動く方向に関しては，現在の波面からわずかに時間がたったときの波面をかくとわかる。波は周期 T_1 で 1 波長 λ_1 伝わるので，現在の波面の 1 波長分外側の波面の位置まで移動する。よって，D点であることがわかる。

答 **D**

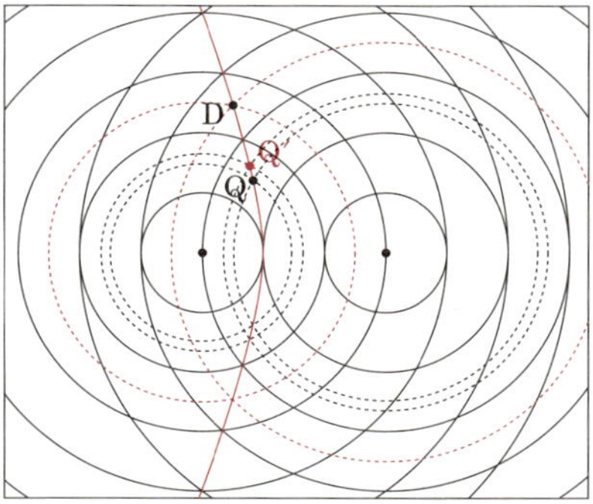

点Qはわずかに時間が経つとQ′に伝わる。
赤い破線が，1 周期 T_1 後の波面。

122 **解き方** (1) おんさに小さな物体をはりつけると，振動数は小さくなる。おんさの振動数を小さくしたほうがうなりの回数は減ったから，Bの振動数はAの振動数より小さいことがわかる。よって，Aの振動数は，

$$f=380+\frac{8}{5}=\boldsymbol{381.6\ \mathrm{Hz}}$$ …答

(2) 求める振動数 f' は　$f'=380\pm\dfrac{2}{3}$

ゆえに，$f'=$ **380.7 Hz** または **379.3 Hz**

…答

〈123〉 **解き方** この糸の線密度は，

$$\rho = \frac{0.20\times10^{-3}}{1.5} = 1.33\times10^{-4}\,\mathrm{kg/m}$$

弦の基本振動数は，(3·5)式の $m=1$ の場合であるから，

$$f = \frac{1}{2\times1.5}\sqrt{\frac{4.9}{1.33\times10^{-4}}} = \mathbf{64\,Hz}$$

…答

〈124〉 **解き方** A，Bの管の長さをそれぞれ l_A，l_B とし，A，Bの出す音の振動数をそれぞれ f_A，f_B とする。音速を V とすると，

$$f_A = \frac{V}{4l_A} \qquad f_B = \frac{V}{2l_B}$$

$f_B = 2f_A$ であるから，$\dfrac{V}{2l_B} = 2\times\dfrac{V}{4l_A}$

ゆえに，$l_A : l_B = \mathbf{1:1}$ …答

〈125〉 **解き方** 開管では，両端を腹とする定常波ができる。基本振動では，両端以外に腹はできないので，管の長さが半波長であることがわかる。定常波の波長を λ とすれば，$\dfrac{\lambda}{2} = L$ となり，$\lambda = \mathbf{2L}$ …答

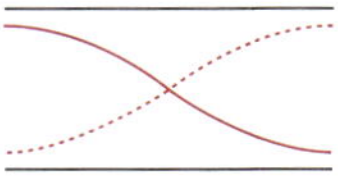

振動数を f とすれば，$V = f\lambda$ となるので，

$$f = \frac{V}{\lambda} = \mathbf{\frac{V}{2L}}$$

…答

〈126〉 **解き方** (1) 音源が音を発した位置から観測者までの距離が L であるから，伝わるのにかかる時間は $\dfrac{L}{V}$ である。音を発した時刻を0としたので，観測者に到達する時刻 t_1 は，$t_1 = \mathbf{\dfrac{L}{V}}$ …答

(2) 時間 t の間に音源は vt 移動する。このときの音源と観測者の距離は，$L-vt$ であるから，このとき発した音が観測者まで伝わるのにかかる時間は $\dfrac{L-vt}{V}$ である。音を発した時刻が t であるから，時刻 t に音源が発した音が観測者に到達する時刻 t_2 は，

$$t_2 = \mathbf{t + \frac{L-vt}{V}}$$

…答

(3) 時間 t の間に発した波の数は f_0t である。時間 t_2-t_1 の間に，音源が時間 t の間に発した波を観測するので，観測者が時間 t_2-t_1 の間に聞く波の数は f_0t である。観測者が観測する波の振動数が f なので，

$$f(t_2-t_1) = f_0t$$

よって，

$$f\left(t+\frac{L-vt}{V}-\frac{L}{V}\right) = f_0t$$

$$f\left(t+\frac{L}{V}-\frac{v}{V}t-\frac{L}{V}\right) = f_0t$$

$$f\left(t-\frac{v}{V}t\right) = f_0t$$

$$f\frac{V-v}{V}t = f_0t$$

となり，$f = \mathbf{\dfrac{V}{V-v}f_0}$ …答

〈127〉 **解き方** 観測者が観測する音の振動数 f〔Hz〕は，

$$f = \frac{340-(-10)}{340-(-20)}\times500 = 486.1$$

答 **486 Hz**

〈128〉 **解き方** (1) 観測者が観測する直接音の振動数 f_1〔Hz〕は，

$$f_1 = \frac{340}{340-5.0}\times400 = \frac{340}{335}\times400$$

$$= 405.9$$

答 **406 Hz**

(2) 観測者が観測する反射音の振動数 f_2〔Hz〕は，

$$f_2 = \frac{340}{340+5.0}\times400 = \frac{340}{345}\times400$$

$$= 394.2$$

答 **394 Hz**

(3) 観測者が観測する1秒間あたりのうなりの回数 N〔Hz〕は，$f_1 > f_2$ なので，

$$N = f_1 - f_2$$

$$= \frac{340}{335}\times400 - \frac{340}{345}\times400$$

$$= \frac{(345-335)\times340\times400}{335\times345}$$

$$= 11.7$$

答 **12回**

〈129〉 **解き方** 船の速さを v〔m/s〕とする。氷壁上で観測される汽笛の振動数 f〔Hz〕は，

$$f=\frac{334}{334-v}\times 94 \qquad \cdots①$$

氷壁は振動数fの音を反射するから，船上で観測する反射音の振動数f'〔Hz〕は，

$$f'=\frac{334+v}{334}f=\frac{334+v}{334-v}\times 94 \qquad \cdots②$$

うなりの回数より，$2.0=f'-94$ …③

②，③より，$v=$ **3.5 m/s** …答

130 **解き方** (1) 音源も観測者も静止しているので，ドップラー効果は起こらない。よって，観測者が観測する直接音の振動数f_1〔Hz〕は，$f_1=$ **345 Hz** …答

(2) 反射板上で観測する振動数f〔Hz〕は

$$f=\frac{340-5.0}{340}\times 345$$

観測者が観測する反射音の振動数f_2〔Hz〕は，

$$f_2=\frac{340}{340+5.0}f=\textbf{335 Hz} \qquad \cdots 答$$

(3) 観測者が観測する 1 秒間あたりのうなりの回数Nは，$f_1>f_2$なので，

$N=345-335=$ **10 回** …答

131 **解き方** 飛行機（振動数f_0）の進行方向と観測者がθの角度のときに出した音を，観測者が聞くときの振動数fは，音速をVとすれば，$f=\dfrac{V}{V-v\cos\theta}f_0$

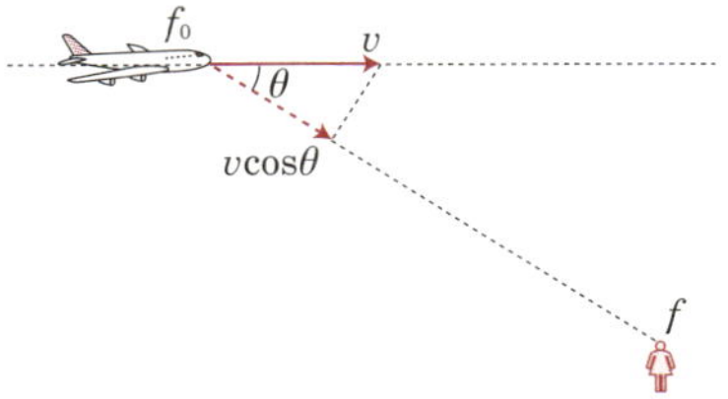

最初に東の遠くのほうから聞こえ始めた音の振動数f_1は，

$$f_1=\frac{V}{V-v\cos 0°}f_0=\frac{V}{V-v}f_0 \qquad \cdots①$$

飛行機が西のほうへ遠く飛び去っていく際の音の振動数f_2は，

$$f_2=\frac{V}{V-v\cos 180°}f_0=\frac{V}{V+v}f_0 \qquad \cdots②$$

飛行機が西のほうへ遠く飛び去っていく際の音の振動数は，最初に東のほうから聞こえ始めた音の振動数の$\dfrac{1}{3}$であったので，$\dfrac{f_2}{f_1}=\dfrac{1}{3}$

より，$3f_2=f_1$ …③

①，②，③より

$$3\times\frac{V}{V+v}f_0=\frac{V}{V-v}f_0$$

$$3(V-v)=V+v$$

$$2V=4v$$

となるので，

$$v=\frac{1}{2}V=\frac{1}{2}\times 340=170\ \text{m/s} \qquad \cdots④$$

振動数が最初の振動数の$\dfrac{2}{3}$になる音を出したときのθがθ_1であるとすれば，そのとき観測する振動数f_3は，

$$f_3=\frac{V}{V-v\cos\theta_1}f_0 \qquad \cdots⑤$$

また，$\dfrac{f_3}{f_1}=\dfrac{2}{3}$ より，$3f_3=2f_1$ …⑥

よって，①，⑤，⑥より，

$$3\times\frac{V}{V-v\cos\theta_1}f_0=2\times\frac{V}{V-v}f_0$$

$$3(V-v)=2(V-v\cos\theta_1)$$

④を用いて，$\cos\theta_1=\dfrac{1}{2}$

これから，$\theta_1=60°$

振動数が最初の振動数の$\dfrac{1}{2}$になる音を出したときのθがθ_2であるとすれば，そのとき観測する振動数f_4は，

$$f_4=\frac{V}{V-v\cos\theta_2}f_0 \qquad \cdots⑦$$

また，$\dfrac{f_4}{f_1}=\dfrac{1}{2}$ より，$2f_4=f_1$ …⑧

よって，①，⑦，⑧より，

$$2\times\frac{V}{V-v\cos\theta_2}f_0=\frac{V}{V-v}f_0$$

$$2(V-v)=V-v\cos\theta_2$$

④を用いて，$\cos\theta_2=0$

これから，$\theta_2=90°$

以上より，飛行機の位置と観測者までの距離との関係が次図のようになるので，飛行機が

移動するのにかかる時間と音が伝わるのにかかる時間を考えて,

$$\left(\frac{h/\sqrt{3}}{170}+\frac{h}{340}\right)-\frac{2h/\sqrt{3}}{340}=3.0$$

これから, $h=340\times3.0=1020\text{ m}$

答 $\boldsymbol{v=170\text{ m/s}}$, $\boldsymbol{h=1020\text{ m}}$

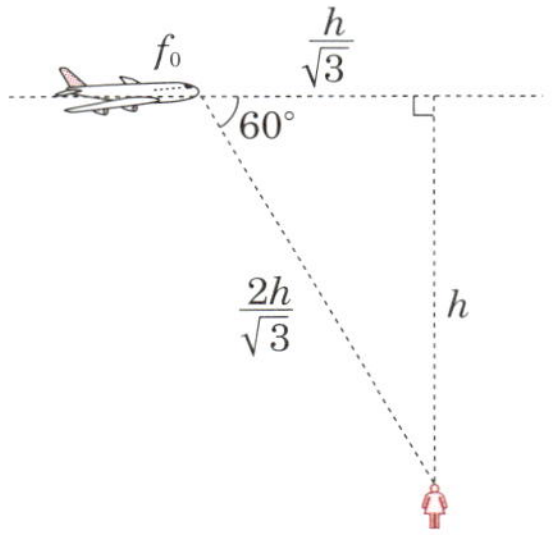

〈132〉 **解き方** $AC=333\times1.5=500\text{ m}$

$BC=333\times0.9=300\text{ m}$

であるから,

$AB=\sqrt{500^2-300^2}=400\text{ m}$

よって, 列車の速さは,

$$v=\frac{400}{20}=20\text{ m/s}$$

列車の速度のAC方向の成分は,

$$20\cos\angle BAC=20\times\frac{400}{500}=16\text{ m/s}$$

であるから, 汽笛の振動数をf_0〔Hz〕とすると, A点から聞こえる汽笛の振動数は,

$$\frac{333}{333-16}f_0=1.05f_0$$

B点から聞こえる汽笛の振動数は, ドップラー効果を生じないから, f_0〔Hz〕である。

よって, 答えは, **105 %** …**答**

〈133〉 **解き方** 観測者から見た音の伝わる速さは, $340+5.0=345\text{ m/s}$であるから, 求める振動数は,

$$\frac{345}{345-10}\times670=\boldsymbol{690\text{ Hz}}$$ …**答**

〈134〉 **解き方** 風による空気の流れの中を音が伝わるとき, 風の速度と音の伝わる速度を合成した速度で音が伝わる。音源から観測者に向かって音が伝わるためには, 図のような速度の合成が考えられるので, 観測者に伝わる音の速さは, $\sqrt{C^2-w^2}$である。

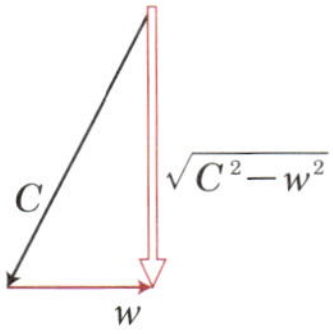

よって, $f_1=\boldsymbol{\dfrac{\sqrt{C^2-w^2}}{\sqrt{C^2-w^2}-v}f_0}$ …**答**

〈135〉 **解き方** 透明物質の屈折率をnとすると, 透明物質は$\dfrac{17.53}{n}$ cmの厚さに見え,

ガラス板は$\dfrac{16.82}{1.54}$ cmの厚さに見える。

よって,

$$\frac{17.53}{n}=\frac{16.82}{1.54}$$

ゆえに, $n=\boldsymbol{1.61}$ …**答**

〈136〉 **解き方** (1) 屈折角をrとすると,

$$n_1=\frac{\sin\theta}{\sin r}$$

ゆえに, $\sin r=\boldsymbol{\dfrac{\sin\theta}{n_1}}$ …**答**

(2) 光が媒質Ⅰから媒質Ⅱへ出るときの臨界角をi_0とすると,

$$\sin i_0=\frac{n_2}{n_1} \quad \cdots①$$

光が境界面で全反射されるためには, 入射角$(90°-r)$がi_0より大きければよいから,

$\sin(90°-r)>\sin i_0$ …②

$\sin(90°-r)=\cos r=\sqrt{1-\sin^2 r}$ …③

(1)の結果と①〜③より, $\sqrt{1-\dfrac{\sin^2\theta}{{n_1}^2}}>\dfrac{n_2}{n_1}$

両辺を2乗して, 整理すると,

$\boldsymbol{\sin^2\theta<{n_1}^2-{n_2}^2}$ …**答**

〈137〉 **解き方** ① **屈折**　② **$\triangle B_2A_2O$**

③ **A_2B_2**　④ **$\triangle B_2A_2F_1$**

⑤ **A_2B_2** …①〜⑤の**答**

⑥ 相似形になっている三角形の辺の比を分数形で表すと,

$$\frac{OA_2}{OA_1}=\frac{A_2B_2}{A_1B_1},\quad \frac{A_2F_1}{OF_1}=\frac{A_2B_2}{OR}$$

ここで，$A_2F_1 = OA_2 - OF_1$ であるから，この2式は，$\dfrac{OA_2}{OA_1} = \dfrac{OA_2 - OF_1}{OF_1}$ となる。

この式の両辺を OA_2 で割ると，

$$\frac{1}{OA_1} = \frac{1}{OF_1} - \frac{1}{OA_2}$$

ゆえに，$\boldsymbol{\dfrac{1}{OA_1} + \dfrac{1}{OA_2}} = \dfrac{1}{OF_1}$ …答

⑦ $\boldsymbol{\dfrac{A_2O}{A_1O}}$ …答

〈138〉 **解き方** (1) 像の位置をレンズの中心から b〔cm〕の点とすると，

$$\frac{1}{15} + \frac{1}{b} = -\frac{1}{30}$$

ゆえに，$b = -10\text{cm}$

答 **レンズの左側(前方)10 cm の位置**

(2) 倍率は，

$$m = \left|\frac{b}{a}\right| = \frac{10}{15} = \mathbf{0.67\ 倍}$$ …答

〈139〉 **解き方** スリット間の間隔を d，スリットとスクリーンの距離を l，光の波長を λ とすると，明線の間隔は $\dfrac{l\lambda}{d}$ で表される(例題参照)。よって，

$$1.0 \times 10^{-3} = \frac{1.0 \times \lambda}{0.60 \times 10^{-3}}$$

ゆえに，$\lambda = 0.60 \times 10^{-6}\ \text{m} = \mathbf{600\ nm}$ …答

〈140〉 **解き方** (1) S_0S_2P の経路長は $l_2 + l_4$，S_0S_1P の経路長は $l_1 + l_3$ である。よって，P 点で明線が観測される条件式は，

$$\boldsymbol{(l_1 + l_3) - (l_2 + l_4) = m\lambda_0}$$ …答

(2) (1)の条件式は，$(l_1 - l_2) + (l_3 - l_4) = m\lambda_0$ となる。l_1 は三平方の定理より，

$$l_1 = \sqrt{l^2 + \left(a + \frac{b}{2}\right)^2}$$
$$= l\sqrt{1 + \frac{(a + b/2)^2}{l^2}}$$
$$\fallingdotseq l\left(1 + \frac{1}{2}\cdot\frac{(a + b/2)^2}{l^2}\right)$$
$$= l + \frac{1}{2l}\left(a + \frac{b}{2}\right)^2$$

同様にして，

$$l_2 \fallingdotseq l + \frac{1}{2l}\left(a - \frac{b}{2}\right)^2$$
$$l_3 \fallingdotseq l + \frac{1}{2l}\left(x + \frac{b}{2}\right)^2$$
$$l_4 \fallingdotseq l + \frac{1}{2l}\left(x - \frac{b}{2}\right)^2$$

となるので，

$$l_1 - l_2 = \left\{l + \frac{1}{2l}\left(a + \frac{b}{2}\right)^2\right\} - \left\{l + \frac{1}{2l}\left(a - \frac{b}{2}\right)^2\right\}$$
$$= \frac{ab}{l}$$
$$l_3 - l_4 = \left\{l + \frac{1}{2l}\left(x + \frac{b}{2}\right)^2\right\} - \left\{l + \frac{1}{2l}\left(x - \frac{b}{2}\right)^2\right\}$$
$$= \frac{xb}{l}$$

したがって，明線が観測される条件式は，

$$\frac{ab}{l} + \frac{xb}{l} = m\lambda_0$$

よって，$x = \boldsymbol{\dfrac{ml\lambda_0}{b} - a}$ …答

〈141〉 **解き方** (1) 屈折の法則より，

$$\boldsymbol{n = \frac{\sin\alpha}{\sin\beta}}$$ …答

(2) AB の長さは，$AB = \dfrac{d}{\cos\beta}$

BC の長さは，$BC = \dfrac{d}{\cos\beta}$

であるから，

$$ABC = AB + BC = \frac{d}{\cos\beta} + \frac{d}{\cos\beta}$$
$$= \frac{2d}{\cos\beta}$$

A′C の長さを求めるために，AC の長さを求めると，$AC = 2d\tan\beta$ となるので，

$$A'C = AC\sin\alpha = 2d\tan\beta\sin\alpha$$

(1)の結果より，$\sin\alpha = n\sin\beta$ となるので，

$$A'C = 2d\tan\beta \times n\sin\beta$$
$$= 2nd\frac{\sin^2\beta}{\cos\beta}$$

経路 ABC を光学距離に直すと，

$$\mathrm{ABC} = n \times \frac{2d}{\cos\beta} = 2nd\frac{1}{\cos\beta}$$

となるので，光路差は

$$2nd\frac{1}{\cos\beta} - 2nd\frac{\sin^2\beta}{\cos\beta}$$
$$= 2nd\frac{1-\sin^2\beta}{\cos\beta}$$
$$= 2nd\frac{\cos^2\beta}{\cos\beta}$$
$$= \mathbf{2nd\cos\beta} \qquad \cdots 答$$

〈142〉 **解き方** 上のガラス板の下面で反射した光と下のガラス板の上面で反射した光とが干渉する。ガラスの交線から x〔cm〕の点の空気層の厚さを d〔cm〕，紙Pの厚さを D〔cm〕とすると，

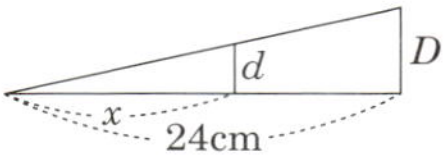

$$\frac{d}{x} = \frac{D}{24} \qquad ゆえに，d = \frac{Dx}{24}$$

上のガラス板の下面で反射する光は位相が変化しないが，下のガラス板の上面で反射する光は位相が π だけずれているので，ガラスの交線から x〔cm〕の位置に暗線ができる条件は，m を整数として，

$$2d = 2 \times \frac{Dx}{24} = m\lambda$$

ゆえに，$x = \dfrac{12m\lambda}{D}$

よって，暗線間の間隔 Δx は，

$$\Delta x = \frac{12(m+1)\lambda}{D} - \frac{12m\lambda}{D} = \frac{12\lambda}{D}$$

$\Delta x = 0.20\ \mathrm{cm}$，$\lambda = 590 \times 10^{-7}\ \mathrm{cm}$ を上式に代入して，D を求めると，

$$D = \mathbf{3.5 \times 10^{-3}\ cm} \qquad \cdots 答$$

〈143〉 **解き方** これは，一度も反射せずにレンズとガラスを透過した光と，レンズを透過した後ガラス面で反射し，もう一度レンズ面で反射してガラスを透過した光との干渉である。後者は二度の反射で位相が π ずつ変化するので，明るい干渉環のできる条件は，例題の場合とちがって，

$$\frac{x^2}{10} = m \times 600 \times 10^{-9}$$

となる。一番内側の明るい干渉環は $m=1$ の場合で，

$$\frac{x^2}{10} = 600 \times 10^{-9}$$

ゆえに，$x = \mathbf{2.4 \times 10^{-3}\ m}$ …答

〈144〉 **解き方** 回折格子の隣どうしのスリットを通る光の経路差は $d\sin\theta$ である。回折格子からスクリーンまでの間にできる直角三角形から，$\tan\theta = \dfrac{x}{L}$ となる。

θ はきわめて小さいので，

$$\sin\theta \fallingdotseq \tan\theta$$

と近似すると，

$$d\sin\theta \fallingdotseq d\tan\theta = \frac{dx}{L}$$

よって，スクリーン上で明線ができる条件は，

$$\frac{dx}{L} = m\lambda \quad (m\ は整数) \qquad \cdots ①$$

この式は，Oから m 番目の明線ができる条件を表しているので，$m+1$ 番目の明線ができる条件は，

$$\frac{d(x+\Delta x)}{L} = (m+1)\lambda \qquad \cdots ②$$

②−①より，

$$\frac{d\Delta x}{L} = \lambda$$

よって，$\Delta x = \mathbf{\dfrac{L\lambda}{d}}$ …答

4 電気と磁気

〈145〉 **解き方** (1) P，Qの電荷が点Rにつくる電場の強さをE_P，E_Qとすると，

$E_P = E_Q$
$= 9.0\times10^9 \times \dfrac{6.0\times10^{-6}}{0.40^2}$
$= 3.38\times10^5$ N/C

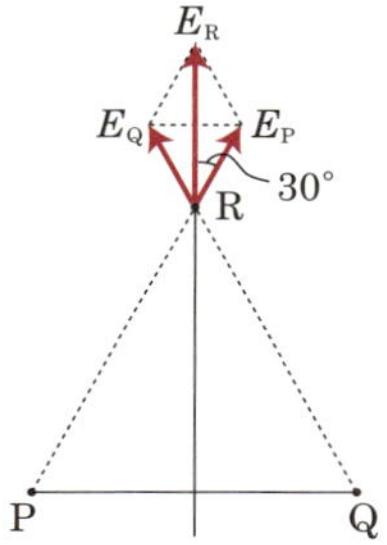

点Rにおける電場$\overrightarrow{E_R}$は$\overrightarrow{E_P}$と$\overrightarrow{E_Q}$のベクトル和であるから向きは**＋y方向**で，その大きさは，

$$E_R = 2E_P\cos30° = 2\times3.38\times10^5\times\frac{\sqrt{3}}{2} = 5.84\times10^5 \fallingdotseq \mathbf{5.8\times10^5\ N/C}$$ …答

(2) P，Qの電荷による点Rの電位をそれぞれ，V_P，V_Q〔V〕とすると，

$$V_P = V_Q = 9.0\times10^9\times\frac{6.0\times10^{-6}}{0.40} = 1.35\times10^5\ \mathrm{V}$$

点Rの電位V_RはV_PとV_Qの和だから，

$$V_R = V_P + V_Q = 2\times1.35\times10^5 = \mathbf{2.7\times10^5\ V}$$ …答

(3) $F = qE = 3.0\times10^{-6}\times5.84\times10^5 = \mathbf{1.8\ N}$

力の向きは**電場の向き（＋y方向）**と同じ。 …答

〈146〉 **解き方** (1) 電場の強さが0になる，x軸上の点の座標をxとおけば，

$$k\frac{9.0\times10^{-6}}{x^2} = k\frac{3.0\times10^{-6}}{(4-x)^2}$$

となればよい。この式から，

$3(4-x)^2 = x^2$　　$x^2 - 12x + 24 = 0$

よって，$x = 6\pm2\sqrt{3}$

電場の向きが逆になるのは，$x<0$，$x>4$のときであるから，$x = \mathbf{6+2\sqrt{3}}$ …答

(2) 電位が0になる，x軸上の点の座標をxとおけば，$0<x<4$なので，

$$k\frac{9.0\times10^{-6}}{x} + k\frac{-3.0\times10^{-6}}{4-x} = 0$$

この式から，$3(4-x) - x = 0$

よって，$x = \mathbf{3}$ …答

〈147〉 **解き方** 求める電荷をq〔C〕とすると，

$$q = \frac{W}{V} = \frac{10}{5.0} = \mathbf{2.0\ C}$$ …答

〈148〉 **解き方** 点Oの電位V_Oは，

$$V_O = k\frac{Q}{3} + k\frac{Q}{3} = \frac{2}{3}kQ$$

点Cの電位V_Cは，

$$V_C = k\frac{Q}{5} + k\frac{Q}{5} = \frac{2}{5}kQ$$

よって，点OC間の電位差V_{OC}は，

$$V_{OC} = \frac{2}{3}kQ - \frac{2}{5}kQ = \frac{4}{15}kQ$$

原点Oにある，電気量-2.0×10^{-6}Cの点電荷を点Cまで移動させる仕事Wは，

$$W = qV_{OC} = 2.0\times10^{-6}\times\frac{4}{15}\times9.0\times10^9\times4.0\times10^{-6} = 1.92\times10^{-2}\ \mathrm{J}$$

答 $\mathbf{1.9\times10^{-2}\ J}$

〈149〉 **解き方** 電場に沿って2.0m離れた2点間の電位差Vは，

$V = Ed = 5.0\times2.0 = 10$ V

よって，求める仕事Wは，

$W = qV = 8.0\times10 = \mathbf{80\ J}$ …答

〈150〉 **解き方** (1) 一様な電場なので，電場の強さEは，$E = \dfrac{100}{1.2} = 83.3$ V/m

(2) AC間の電場方向の距離lは，三平方の定理から，$l = \sqrt{0.50^2 - 0.40^2} = 0.30$ m

となるので，AC間の電位差Vは，

$$V = El = \frac{100}{1.2}\times0.30 = 25\ \mathrm{V}$$

(3) AB間の電位差が100Vであるから，電場がした仕事Wは，

$$W = 2.0\times10^{-6}\times100 = 2.0\times10^{-4}\ \mathrm{J}$$

(4) B点に達したときの速さをvとすれば，エネルギーの原理より，

$$\frac{1}{2}\times1.0\times10^{-2}\times v^2=2.0\times10^{-4}$$

となるので，

$$v=\sqrt{4.0\times10^{-2}}=2.0\times10^{-1}\ \mathrm{m/s}$$

答 (1) **83 V/m** (2) **25 V**
(3) **2.0×10^{-4} J** (4) **2.0×10^{-1} m/s**

151 **解き方** (1) コンデンサーの電気容量C〔F〕は，$C=\varepsilon\dfrac{S}{d+\Delta d}$であるから，蓄えられる電荷$Q$〔C〕は，

$$Q=CV=\boldsymbol{\frac{\varepsilon SV}{d+\Delta d}}$$ …**答**

(2) スイッチを開くと，電荷はQのまま極板に残る。極板の間隔を元にもどすと，電気容量は，$C_0=\varepsilon\dfrac{S}{d}$になるから，電位差は，

$$V'=\frac{Q}{C_0}=\frac{C}{C_0}V=\boldsymbol{\frac{d}{d+\Delta d}V}$$ …**答**

152 **解き方** 8.0 μF 2個の直列合成容量C_1は，

$$\frac{1}{C_1}=\frac{1}{8.0}+\frac{1}{8.0}$$

ゆえに，$C_1=4.0\ \mu\mathrm{F}$
次にC_1と4.0 μFの並列合成容量をC_2とすると，

$$C_2=C_1+4.0=8.0\ \mu\mathrm{F}$$

よって，全体の合成容量をCとすると，

$$\frac{1}{C}=\frac{1}{12}+\frac{1}{C_2}=\frac{1}{12}+\frac{1}{8.0}$$

ゆえに，$C=4.8\ \mu\mathrm{F}$
よって，全体で蓄える電荷Qは，

$$Q=CV=4.8\times10^{-6}\times200$$
$$=9.6\times10^{-4}\ \mathrm{C}$$

12 μFのコンデンサーは1つだけ他と直列になっているから，9.6×10^{-4} Cの電荷を蓄えている。よって，AB間の電位差は，

$$V=\frac{Q}{C}=\frac{9.6\times10^{-4}}{12\times10^{-6}}=\mathbf{80\ V}$$ …**答**

153 **解き方** (1) 誘電体の厚さと極板間隔が等しくないので，誘電体と極板の間にすきまがあり，そこにもコンデンサーが形成される。その電気容量をC_1，誘電体の部分の電気容量をC_2とすると，全体の容量はC_1とC_2の直列合成容量に等しい。

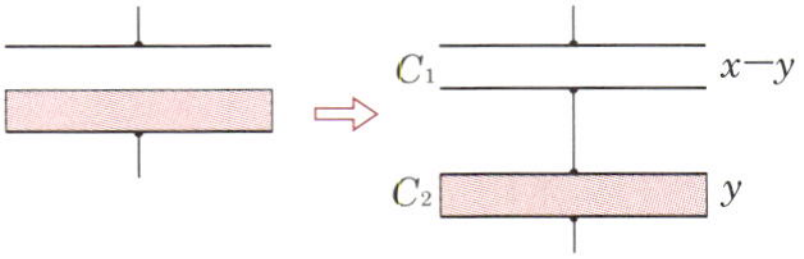

$$C_1=\varepsilon_0\frac{a^2}{x-y}\qquad C_2=\varepsilon\frac{a^2}{y}$$

であるから，全体の電気容量をCとすると，

$$\frac{1}{C}=\frac{1}{C_1}+\frac{1}{C_2}=\frac{x-y}{\varepsilon_0a^2}+\frac{y}{\varepsilon a^2}$$
$$=\frac{\varepsilon(x-y)+\varepsilon_0y}{\varepsilon\varepsilon_0a^2}$$

ゆえに，$C=\boldsymbol{\dfrac{\varepsilon_0\varepsilon a^2}{\varepsilon(x-y)+\varepsilon_0y}}$ …**答**

(2) これは下図のような3つのコンデンサーC_3，C_4，C_5の合成電気容量と考えればよい。

$$C_3=\varepsilon_0\frac{ab}{x}\qquad C_4=\varepsilon_0\frac{a(a-b)}{x-y}$$

$$C_5=\varepsilon\frac{a(a-b)}{y}$$

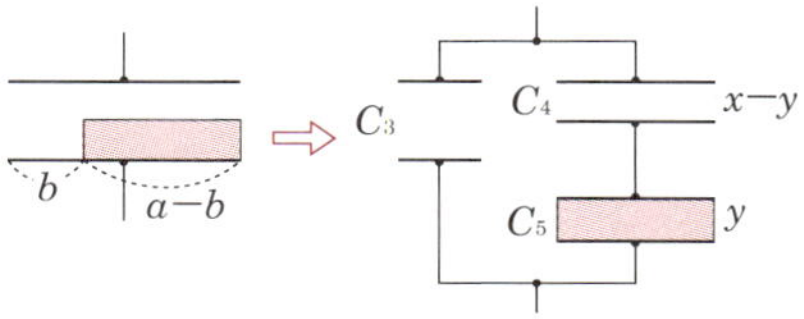

C_4とC_5の直列容量をC_{45}とすると，

$$\frac{1}{C_{45}}=\frac{1}{C_4}+\frac{1}{C_5}$$
$$=\frac{x-y}{\varepsilon_0a(a-b)}+\frac{y}{\varepsilon a(a-b)}$$
$$=\frac{\varepsilon(x-y)+\varepsilon_0y}{\varepsilon\varepsilon_0a(a-b)}$$

ゆえに，$C_{45}=\dfrac{\varepsilon\varepsilon_0a(a-b)}{\varepsilon(x-y)+\varepsilon_0y}$

全体の電気容量は，

$$C_3+C_{45}=\frac{\varepsilon_0ab}{x}+\frac{\varepsilon\varepsilon_0a(a-b)}{\varepsilon(x-y)+\varepsilon_0y}$$
$$=\boldsymbol{\frac{\varepsilon_0a\{\varepsilon ax+(\varepsilon_0-\varepsilon)by\}}{x\{\varepsilon(x-y)+\varepsilon_0y\}}}$$ …**答**

154 **解き方** (1) 蓄えられた電気量 Q は，

$$Q = CV = 0.0010 \times 10^{-6} \times 330$$
$$= \mathbf{3.3 \times 10^{-7}\,C} \quad \cdots 答$$

(2) 電源を切っても，電荷 Q はそのまま極板に残っている。極板間にパラフィンを入れたときの電気容量 C' は，

$$C' = \frac{Q}{V'} = \frac{3.3 \times 10^{-7}}{150} = 2.2 \times 10^{-9}\,\mathrm{F}$$
$$= \mathbf{2.2 \times 10^{-3}\,\mu F} \quad \cdots 答$$

パラフィンの比誘電率は，

$$\varepsilon_r = \frac{C'}{C} = \frac{2.2 \times 10^{-3}}{1.0 \times 10^{-3}} = \mathbf{2.2} \quad \cdots 答$$

155 **解き方** (1) スイッチ S_1，S_3 のみを閉じると，C_1 と C_2 が直列になり，両端に 200 V の電圧が加わる。C_1 と C_2 の直列合成容量 C〔μF〕は，$\dfrac{1}{C} = \dfrac{1}{3.0} + \dfrac{1}{2.0}$ より，

$$C = 1.2\,\mu\mathrm{F}$$

直列に接続されたコンデンサーの 1 つに蓄えられる電荷は，合成容量に蓄えられる電荷に等しいから，C_1 に蓄えられる電荷は，

$$Q = CV = 1.2 \times 10^{-6} \times 200$$
$$= \mathbf{2.4 \times 10^{-4}\,C} \quad \cdots 答$$

C_1 の電圧 V_1〔V〕は，

$$V_1 = \frac{Q}{C_1} = \frac{2.4 \times 10^{-4}}{3.0 \times 10^{-6}} = \mathbf{80\,V} \quad \cdots 答$$

(2) スイッチ S_2 を閉じると，C_1 に 100V，C_2 に 100V が加わる。したがって，C_1 の負極板と C_2 の正極板に蓄えられる電荷の和は，

$$-3.0 \times 10^{-6} \times 100 + 2.0 \times 10^{-6} \times 100$$
$$= -1.0 \times 10^{-4}\,\mathrm{C}$$

スイッチ S_2 を閉じる前は，C_1 の負極板と C_2 の正極板の電荷の和は 0 であったから，**1.0×10^{-4} C** の電荷が M → N の向きに流れた。 …答

(3) A と B を短絡すると，C_1 の A 側と C_2 の B 側の極板が正極，C_1，C_2 の M 側の極板は負極となる。それぞれに蓄えられる電荷を Q_1'，Q_2' とする。C_1 と C_2 の極板間の電圧は等しくなるので，これを V' とすると，

$$Q_1' = 3.0 \times 10^{-6} V' \quad \cdots ①$$
$$Q_2' = 2.0 \times 10^{-6} V' \quad \cdots ②$$

電荷が保存することから，

$$Q_1' + Q_2'$$
$$= (3.0 - 2.0) \times 10^{-6} \times 100 \quad \cdots ③$$

①〜③より，$V' =$ **20 V** …答

156 **解き方** (1) スイッチ S_2 を開いた状態で，スイッチ S_1 を B 側に接続したとき，コンデンサー C_2 に蓄えられた電荷 Q〔C〕は，

$$Q = 2.0 \times 10^{-6} \times 70$$
$$= 1.4 \times 10^{-4}\,\mathrm{C} \quad \cdots ①$$

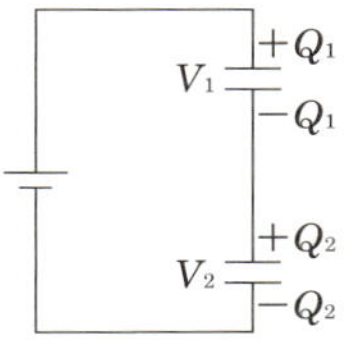

次に，スイッチ S_1 を A 側に接続したときのコンデンサー C_1，C_2 にかかる電圧をそれぞれ V_1，V_2〔V〕，蓄えられる電荷をそれぞれ Q_1，Q_2〔C〕とし，極板の正負を図のように決めると，

$$Q_1 = 1.0 \times 10^{-6} \times V_1 \quad \cdots ②$$
$$Q_2 = 2.0 \times 10^{-6} \times V_2 \quad \cdots ③$$

C_1 の負極板と C_2 の正極板は他から絶縁されているので，電荷保存により，

$$Q = -Q_1 + Q_2 \quad \cdots ④$$

電圧の関係から，$70 = V_1 + V_2$ …⑤

①〜⑤より，

$$Q_1 = \mathbf{0\,C}, \quad Q_2 = \mathbf{1.4 \times 10^{-4}\,C} \quad \cdots 答$$

(2) スイッチ S_1 を開き，スイッチ S_2 を閉じたとき，コンデンサー C_1，C_2，C_3 にかかる電圧をそれぞれ V_3，V_4，V_5，蓄えられる電荷をそれぞれ Q_3，Q_4，Q_5〔C〕とし，極板の正負を図のように決めると，

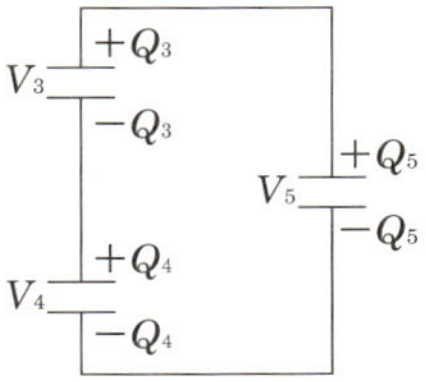

$$Q_3 = 1.0 \times 10^{-6} \times V_3 \quad \cdots ⑥$$
$$Q_4 = 2.0 \times 10^{-6} \times V_4 \quad \cdots ⑦$$
$$Q_5 = 0.50 \times 10^{-6} \times V_5 \quad \cdots ⑧$$

C_1 の正極板と C_3 の正極板は他から絶縁されているので，電荷保存により，

$$Q_3+Q_5=Q_1 \qquad \cdots⑨$$

C_1 の負極板と C_2 の正極板も他から絶縁されているので，電荷保存により，

$$-Q_3+Q_4=-Q_1+Q_2 \qquad \cdots⑩$$

電圧の関係より，$V_3+V_4=V_5$ …⑪

⑥～⑪および(1)の結果を用いて，

$$Q_3=-2.0\times10^{-5}\,\mathrm{C}$$
$$Q_4=1.2\times10^{-4}\,\mathrm{C}$$
$$Q_5=2.0\times10^{-5}\,\mathrm{C}$$

答 C_1：**2.0×10^{-5} C**
C_2：**1.2×10^{-4} C**
C_3：**2.0×10^{-5} C**

〈157〉 **解き方** (1) 極板の間隔が d のときの電気容量 C は，$C=\varepsilon\dfrac{S}{d}$ であるから，V〔V〕で充電したときに蓄えられる電荷 Q は，

$$Q=CV=\varepsilon\frac{S}{d}V=\frac{\varepsilon SV}{d}〔\mathrm{C}〕$$

このときの静電エネルギー U_1〔J〕は，

$$U_1=\frac{1}{2}CV^2=\frac{1}{2}\cdot\frac{\varepsilon S}{d}V^2=\frac{\varepsilon SV^2}{2d}〔\mathrm{J}〕$$

電源を切り離しても，電荷 Q はそのまま極板に残る。極板を $2d$ にすると，その電気容量 C' は，$C'=\varepsilon\dfrac{S}{2d}$ になるから，このときの静電エネルギー U_2〔J〕は，

$$U_2=\frac{1}{2}\cdot\frac{Q^2}{C'}=\frac{1}{2}\left(\frac{\varepsilon SV}{d}\right)^2\frac{2d}{\varepsilon S}=\frac{\varepsilon SV^2}{d}$$

よって，静電エネルギーの増加量は，

$$\Delta U=U_2-U_1=\boldsymbol{\frac{\varepsilon SV^2}{2d}} \qquad \cdots答$$

(2) 電源につないだまま極板の間隔を変えると，電圧が一定で，電荷が変化する。静電エネルギーの増加量は，

$$\Delta U=\frac{1}{2}C'V^2-\frac{1}{2}CV^2$$
$$=\frac{1}{2}\left(\frac{\varepsilon S}{2d}-\frac{\varepsilon S}{d}\right)V^2$$
$$=\boldsymbol{-\frac{\varepsilon SV^2}{4d}} \qquad \cdots答$$

〈158〉 **解き方** (1) コンデンサーの電気容量 C_0〔F〕は，$C_0=\varepsilon_0\dfrac{S}{d}$ であるから，コンデンサーに蓄えられる電荷 Q は，

$$Q=C_0V=\boldsymbol{\frac{\varepsilon_0 SV}{d}} \qquad \cdots答$$

(2) コンデンサーに蓄えられる静電エネルギー U_0 は，

$$U_0=\frac{1}{2}C_0V^2=\boldsymbol{\frac{\varepsilon_0 SV^2}{2d}} \qquad \cdots答$$

(3) 誘電体を挿入した後の電気容量 C_1〔F〕は，$C_1=\varepsilon_r\varepsilon_0\dfrac{S}{d}$ になる。スイッチを開いているので，コンデンサーに蓄えられている電荷 Q は変化しない。コンデンサーに蓄えられている静電エネルギー U_1 は，

$$U_1=\frac{Q^2}{2C_1}=\frac{\left(\dfrac{\varepsilon_0 SV}{d}\right)^2}{2\varepsilon_r\varepsilon_0\dfrac{S}{d}}=\boldsymbol{\frac{\varepsilon_0 SV^2}{2\varepsilon_r d}} \qquad \cdots答$$

(4) スイッチを閉じると極板間の電圧が V になるので，

$$U_2=\frac{1}{2}C_1V^2=\boldsymbol{\frac{\varepsilon_r\varepsilon_0 SV^2}{2d}} \qquad \cdots答$$

〈159〉 **解き方** (1) 極板を移動する前の電気容量 C_0〔F〕は，$C_0=\varepsilon\dfrac{S}{d}$

極板を移動した後の電気容量 C〔F〕は，

$$C=\varepsilon\frac{S}{d+\Delta d}=\varepsilon\frac{S}{d}\cdot\frac{1}{1+\dfrac{\Delta d}{d}}$$
$$\fallingdotseq\varepsilon\frac{S}{d}\left(1-\frac{\Delta d}{d}\right)$$

であるから，静電エネルギーの増加量 ΔU は，

$$\Delta U=\frac{1}{2}CV^2-\frac{1}{2}C_0V^2$$
$$=\frac{1}{2}\times\varepsilon\frac{S}{d}\left(1-\frac{\Delta d}{d}\right)\times V^2$$
$$-\frac{1}{2}\times\varepsilon\frac{S}{d}\times V^2$$
$$=-\frac{\varepsilon SV^2}{2d}\times\frac{\Delta d}{d}$$
$$=\boldsymbol{-\frac{\varepsilon SV^2\Delta d}{2d^2}} \qquad \cdots答$$

(2) コンデンサーに蓄えられる電荷の増加量 ΔQ は,

$$\Delta Q=\varepsilon\frac{S}{d}\left(1-\frac{\Delta d}{d}\right)\times V-\varepsilon\frac{S}{d}\times V$$
$$=-\frac{\varepsilon SV\Delta d}{d^2}$$

電源のした仕事 W_E は,

$$W_E=\Delta QV=-\frac{\varepsilon SV^2\Delta d}{d^2}$$ …**答**

(3) 外力がした仕事を W とすれば, エネルギー保存則より, $\Delta U=W_E+W$ となるので,

$$W=\Delta U-W_E$$
$$=-\frac{\varepsilon SV^2\Delta d}{2d^2}-\left(-\frac{\varepsilon SV^2\Delta d}{d^2}\right)$$
$$=\frac{\varepsilon SV^2\Delta d}{2d^2}$$ …**答**

(4) 極板間にはたらく力の大きさを F〔N〕とすれば, $W=F\Delta d$ であるから,

$$F\Delta d=\frac{\varepsilon SV^2\Delta d}{2d^2}$$

よって, $F=\dfrac{\varepsilon SV^2}{2d^2}$ …**答**

160 **解き方** ばねが x〔m〕伸びたとすると, ばねは, $F=kx$〔N〕の力で極板を右向きに引っぱる。一方極板間隔は $d-x$ になるから, 極板間にはたらく引力は,

$$F'=\frac{QV}{2(d-x)}$$

である。極板のつり合いより,

$$kx=\frac{QV}{2(d-x)}$$

ゆえに, $2kx^2-2kdx+QV=0$

この 2 次方程式を解いて,

$$x=\frac{kd\pm\sqrt{(kd)^2-2kQV}}{2k}$$

最初につり合うのは, x の小さい値のときであるから, 複号の負号のほうをとって,

$$x=\frac{1}{2}\left(d-\sqrt{d^2-\frac{2QV}{k}}\right)$$ …**答**

161 **解き方** R_2 と R_4 の合成抵抗 R_{24} は,

$\dfrac{1}{R_{24}}=\dfrac{1}{20}+\dfrac{1}{30}$ より, $R_{24}=12\,\Omega$

R_3 と R_5 の合成抵抗 R_{35} は,

$\dfrac{1}{R_{35}}=\dfrac{1}{30}+\dfrac{1}{60}$ より, $R_{35}=20\,\Omega$

よって, 回路を流れる電流 I は,

$$I=\frac{120}{8.0+12+20}=3.0\,\text{A}$$

R_2 を流れる電流は, 3.0A を 30：20 の比に分けて, $3.0\times\dfrac{30}{30+20}=$ **1.8 A** …**答**

R_5 の両端の電位差 V_5 は,

$$V_5=R_{35}I=20\times3.0=\mathbf{60\,V}$$ …**答**

162 **解き方** ① 抵抗値は長さに比例するので, LR …**答**

② オームの法則より, $V=LRI$

ゆえに, $I=\dfrac{V}{LR}$ …**答**

③ 抵抗値 LR の抵抗を N 個並列に接続したときの合成抵抗 R' は,

$$\frac{1}{R'}=\frac{1}{LR}+\frac{1}{LR}+\cdots+\frac{1}{LR}=\frac{N}{LR}$$

ゆえに, $R'=\dfrac{LR}{N}$ …**答**

(1) ACB 間の合成抵抗 R' は,

$$R'=R+R=2R$$

AB 間の合成抵抗 R_1 は,

$$\frac{1}{R_1}=\frac{1}{R'}+\frac{1}{R}=\frac{1}{2R}+\frac{1}{R}=\frac{3}{2R}$$

ゆえに, $R_1=\dfrac{2}{3}R$ …**答**

(2) CB 間の抵抗値は $\dfrac{2}{3}R$, BE 間の抵抗値も $\dfrac{2}{3}R$ であるから, 合成抵抗 R_2 は,

$$R_2=\frac{2}{3}R+\frac{2}{3}R=\frac{4}{3}R$$ …**答**

163 **解き方** (1) 100 V 用, 300 W のヒーターの抵抗値 R を求めるために, 電力 P と電圧 V, 抵抗 R の関係式を求めると,

$P=IV=\dfrac{V^2}{R}$ となるので,

$$R=\frac{V^2}{P}=\frac{100^2}{300}=\frac{100}{3}=\mathbf{33\,\Omega}$$ …**答**

(2) ヒーターを直列に接続したときの合成抵抗 R' は，

$$R' = \frac{100}{3} + \frac{100}{3} = \frac{200}{3}$$

となるので，2 個のヒーターの全体の消費電力 P は，

$$P = \frac{V^2}{R'} = \frac{100^2}{\frac{200}{3}} = \mathbf{150\ W}$$ …答

(3) 2 個のヒーターを並列に接続したときの合成抵抗 R'' は，

$$\frac{1}{R''} = \frac{1}{\frac{100}{3}} + \frac{1}{\frac{100}{3}} = \frac{6}{100}$$

ゆえに，$R'' = \frac{100}{6}$

2 個のヒーターの全体の消費電力 P は，

$$P = \frac{V^2}{R''} = \frac{100^2}{\frac{100}{6}} = \mathbf{600\ W}$$ …答

〈164〉 **解き方** (1) 回路の各点に下図のように A，B，…，F の記号をつけ，各部を流れる電流を図のように仮定して，キルヒホッフの第 2 法則を用いる。

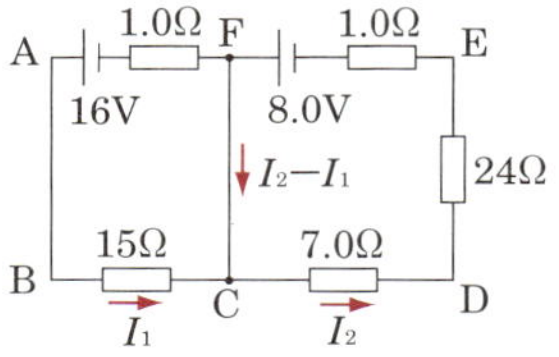

閉回路 A → B → C → F → A について，

$16 = 15I_1 + 1.0I_1$ …①

閉回路 F → C → D → E → F について，

$8.0 = 7.0I_2 + 24I_2 + 1.0I_2$ …②

①，②より，

$I_1 = \mathbf{1.0\ A}$，$I_2 = \mathbf{0.25\ A}$ …答

(2) R_3 の両端の電位差 V_3 は，

$V_3 = R_3I_2 = 24 \times 0.25 = \mathbf{6.0\ V}$ …答

〈165〉 **解き方** 回路に流れる電流を次図のように仮定して，キルヒホッフの第 2 法則を用いる。

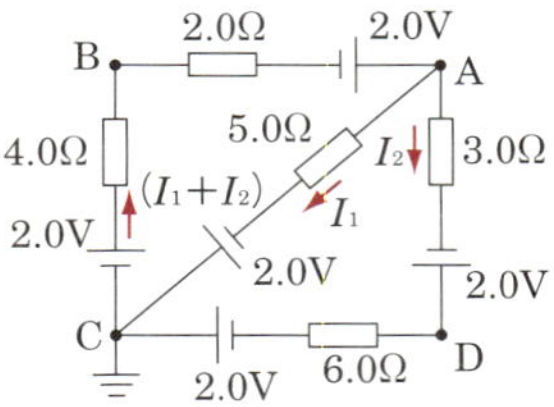

閉回路 A → C → B → A について，

$2.0 + 2.0 + 2.0 = 5.0I_1 + 4.0(I_1 + I_2) + 2.0(I_1 + I_2)$ …①

閉回路 A → D → C → A について，

$2.0 + 2.0 - 2.0 = 3.0I_2 + 6.0I_2 - 5.0I_1$ …②

①，②より，$I_1 = 0.325$，$I_2 = 0.403$ となり，

$I_1 = \mathbf{0.33\ A}$，$I_2 = \mathbf{0.40\ A}$ …答

よって，$I_1 + I_2 = 0.325 + 0.403 = 0.728$

$= \mathbf{0.73\ A}$ …答

C 点の電位が 0 だから，A 点の電位 V_A は，

$V_A = -2.0 + 5.0I_1 = \mathbf{-0.37\ V}$ …答

B 点の電位 V_B は，

$V_B = 2.0 - 4.0 \times 0.728 = \mathbf{-0.91\ V}$ …答

〈166〉 **解き方** 電池の起電力を E〔V〕，内部抵抗を r〔kΩ〕とする。スイッチを A 側に接続したとき，電池を流れる電流を I〔mA〕とすると，このときの回路は右図のようになる。

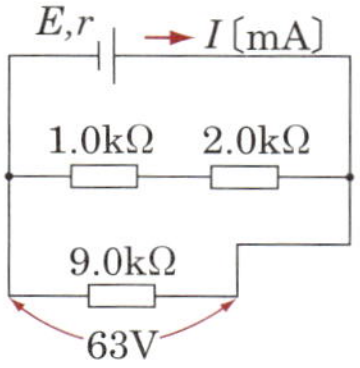

R_1 と R_2 の合成抵抗 R_{12} は，

$R_{12} = 1.0 + 2.0 = 3.0\ \text{k}\Omega$

であるから，R_{12} とⓋとの合成抵抗 R は，

$\frac{1}{R} = \frac{1}{3.0} + \frac{1}{9.0}$ より $R = 2.25\ \text{k}\Omega$

ゆえに，回路の全抵抗は $(2.25 + r)\ \text{k}\Omega$ となるから，$E = (2.25 + r)I$ …①

また，$E - rI = 63$ …②

次に，スイッチを B 側に接続したとき，電池を流れる電流を I'〔mA〕とすると，この回路は右図のようになる。R_1 とⓋとの合成抵抗 R_{1V} は，

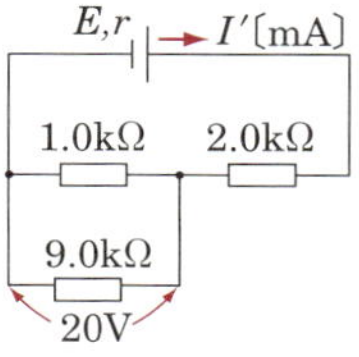

$$\frac{1}{R_{1V}}=\frac{1}{1.0}+\frac{1}{9.0}$$

より，$R_{1V}=0.90\,\mathrm{k\Omega}$ となるから，回路の全抵抗 R' は，

$$R'=0.90+2.0+r=2.9+r\,〔\mathrm{k\Omega}〕$$

となる。したがって，

$$E=(2.9+r)I' \quad \cdots③$$

また，$E-(2.0+r)I'=20$ …④

①〜④より，

$$E=\mathbf{70\,V},\ r=\mathbf{0.24\,k\Omega} \quad \cdots答$$

〈167〉 **解き方** 起電力はグラフと V 軸との交点の値を読み取ればよい。

$$V=\mathbf{1.5\,V} \quad \cdots答$$

内部抵抗は，グラフの傾きの絶対値だから，

$$r=\frac{1.50-1.30}{1.0}=\mathbf{0.20\,\Omega} \quad \cdots答$$

〈168〉 **解き方** AN＝40 cm のとき，AN 間の抵抗 R_{AN} は，$R_{AN}=60\times\frac{40}{120}=20\,\Omega$

NB 間の抵抗 R_{NB} は，

$$R_{NB}=60-R_{AN}=60-20=40\,\Omega$$

である。検流計Ⓖに電流が流れないから，ホイートストンブリッジの関係より，

$$\frac{100}{20}=\frac{R}{40}$$

ゆえに，$R=\mathbf{200\,\Omega}$ …答

〈169〉 **解き方** どちらの場合もⒼに電流が流れないから，AB 間を流れる電流 I は変わらない。AB の 1 cm あたりの抵抗を r〔Ω〕とすると，

$$1.02=51.0rI \quad \cdots①$$

$$E_x=74.0rI \quad \cdots②$$

①，②より，$E_x=\mathbf{1.48\,V}$ …答

〈170〉 **解き方** (1) 1 個の電球にかかる電圧を V〔V〕，電球を流れる電流を I〔A〕とすると，4 Ω の抵抗には $2I$〔A〕の電流が流れるから，

$$6=4\times 2I+V=8I+V$$

この直線をグラフにかき込んで，特性曲線との交点の電流の値を読み取ると，

$$I=0.5\,\mathrm{A}$$

ゆえに，電池を流れる電流は，

$$2I=2\times 0.5=\mathbf{1.0\,A} \quad \cdots答$$

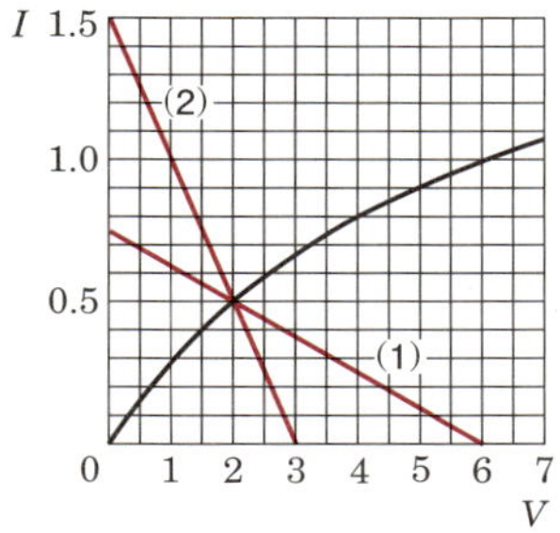

(2) 1 個の電球にかかる電圧を V〔V〕，電球を流れる電流を I〔A〕とする。

$6=4I+2V$ となるので，この直線をグラフにかき込んで，その交点の電流の値を読み取ると，

$$I=\mathbf{0.5\,A} \quad \cdots答$$

〈171〉 **解き方** ① スイッチ S_1 を閉じた直後は，コンデンサーに電荷が蓄えられていないから，コンデンサーの電圧は0。よって，回路を流れる電流を I〔A〕とすると，キルヒホッフの法則より，

$$V=R_1I+R_2I+rI$$

ゆえに，$I=\frac{V}{R_1+R_2+r}$

よって，R_1 の両端の電位差 V_1 は，

$$V_1=R_1I=\mathbf{\frac{R_1V}{R_1+R_2+r}} \quad \cdots答$$

②，③ R_1 を通過した電荷の総量 Q は，コンデンサーに蓄えられる電荷 Q に等しいから，$Q=\mathbf{CV}$ …③の答

このときのコンデンサーが蓄える静電エネルギー U は，$U=\frac{1}{2}CV^2$

また，このとき電池がする仕事 W は，

$$W=QV=CV^2$$

したがって，回路全体で発生するジュール熱 P〔J〕は，

$$P=W-U=CV^2-\frac{1}{2}CV^2=\frac{1}{2}CV^2$$

直列に接続された抵抗で発生するジュール

熱は，各抵抗の抵抗値に比例するから，R_1 で発生するジュール熱 P_1〔J〕は，

$$P_1=\frac{R_1}{R_1+R_2+r}\times\frac{1}{2}CV^2$$
$$=\frac{CR_1V^2}{2(R_1+R_2+r)}$$ …②の答

〈172〉 **解き方** 回路を流れる電流 I〔A〕は，

$$I=\frac{110}{50+350+700}=0.10\text{ A}$$

(1) 次の図のPQ間の電位差は，

$$0.10\times(350+700)=105\text{ V}$$

であるから，3.0 μFと4.0 μFのコンデンサーの電位差をそれぞれ，V_1，V_2〔V〕，電荷を Q〔C〕とすると，

$$V_1+V_2=105$$ …①
$$Q=3.0\times10^{-6}V_1=4.0\times10^{-6}V_2$$ …②

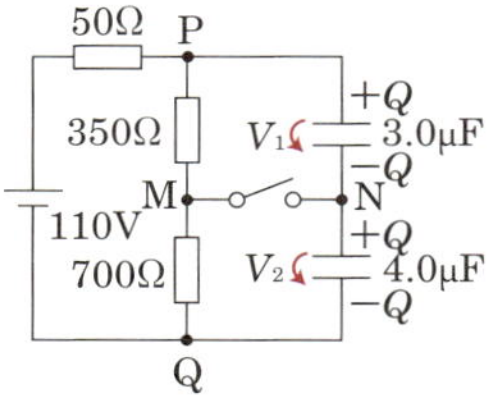

①，②より，$V_1=60$ V，$V_2=45$ V

よって，N点の電位は，$V_N=45$ V

M点の電位 V_M は，

$$V_M=700\times0.10=70\text{ V}$$

であるから，M，N間の電位差 V_{MN} は，

$$V_{MN}=V_M-V_N=70-45=\mathbf{25\ V}$$ …答

(2) スイッチKを閉じると，3.0 μFのコンデンサーの電位差はPM間の電位差に等しくなり，4.0 μFはQM間の電位差に等しくなる。

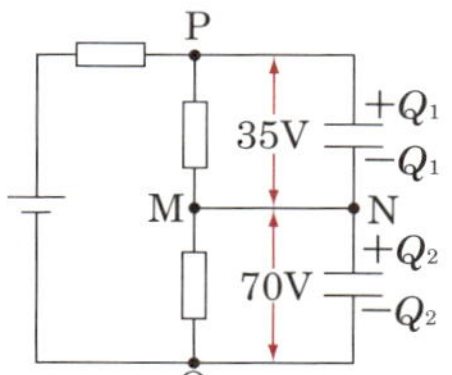

QM間の電位差が70 Vであるから，PM間の電位差は，105−70＝35 Vである。

3.0 μFと4.0 μFのコンデンサーに蓄えられる電荷をそれぞれ Q_1，Q_2〔C〕とすると，

$$Q_1=3.0\times10^{-6}\times35=1.05\times10^{-4}\text{ C}$$
$$Q_2=4.0\times10^{-6}\times70=2.80\times10^{-4}\text{ C}$$

ゆえに，2つのコンデンサーのN側の極板に蓄えられる電荷の和は，

$$-Q_1+Q_2=1.75\times10^{-4}\text{ C}$$

はじめこれらの極板に蓄えられていた電荷の和は0であったから，**1.8×10^{-4} C** の電荷がM→Nの向きに流れ込んだことになる。 …答

〈173〉 **解き方** (1) 電流 I_1 がQ点，R点につくる磁場の向きは紙面に垂直で表から裏に向かう向きであるから，力の向きをフレミングの左手の法則を用いて求めると，

Q点は **Q→R**，R点は **R→Q** …答

(2) 辺ADと辺BCが受ける力は大きさが等しく，向きが反対なので，つり合う。辺ABが受ける力は，

$$F_{AB}=I_2B_{AB}a=4\pi\times10^{-7}I_2H_{AB}a$$
$$=4\pi\times10^{-7}\times I_2\times\frac{I_1}{2\pi d}\times a$$

$\overrightarrow{F_{AB}}$ の向きはA→Dの向き。

辺CDが受ける力は，同様に，

$$F_{CD}=4\pi\times10^{-7}\times I_2\times\frac{I_1}{2\pi(d+b)}\times a$$

$\overrightarrow{F_{CD}}$ の向きは $\overrightarrow{F_{AB}}$ と反対であるから，合力は，

$$F_{AB}-F_{CD}=2\times10^{-7}I_1I_2a\left(\frac{1}{d}-\frac{1}{d+b}\right)$$
$$=\frac{2\times10^{-7}I_1I_2ab}{d(d+b)}$$ …答

〈174〉 **解き方** (1) 点Aを流れる電流が点Cにつくる磁場の強さ H_A は，AC間の距離が $\sqrt{2}a$ であるから，

$$H_A=\frac{I}{2\pi\times\sqrt{2}a}=\frac{I}{2\sqrt{2}\pi a}$$

磁場の向きは右ねじの法則から，次図のようになる。

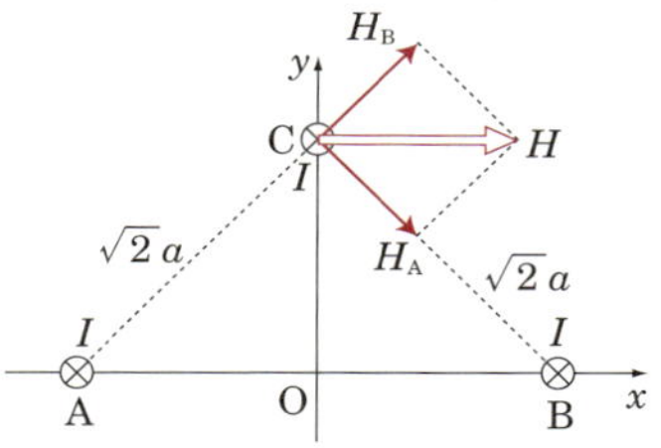

点Bを流れる電流が点Cにつくる磁場の強さ H_B は，$H_B=\dfrac{I}{2\sqrt{2}\pi a}$

磁場の向きは上図のようになる。

点Cの磁場は H_A と H_B の合成によって求められる。H_A と H_B によってできる平行四辺形は正方形であることがわかるので，点Cにできる磁場の強さ H は，

$$H=\sqrt{2}H_A=\frac{I}{2\pi a}$$

となり，向きは x 軸の正方向である。

(2) 点Cでの磁束密度 B は，$B=\mu H=\dfrac{\mu I}{2\pi a}$

であるから，導線Cに流れる電流が単位長さあたりに受ける力の大きさ F は，

$$F=I\times B\times 1=I\times\frac{\mu I}{2\pi a}=\frac{\mu I^2}{2\pi a}$$

である。力の向きはフレミングの左手の法則より，y 軸の負方向である。

答 (1) 強さ：$\dfrac{I}{2\pi a}$，向き：**x 軸の正方向**

(2) 大きさ：$\dfrac{\mu I^2}{2\pi a}$，向き：**y 軸の負方向**

〈175〉 **解き方** ① ローレンツ力は，

qvB …**答**

② 円運動の運動方程式より，$m\dfrac{v^2}{r}=qvB$

ゆえに，$r=\dfrac{mv}{qB}$ …**答**

③ θ の補角を 2α とおくと，$2\alpha+\theta=180°$

ゆえに，$\alpha=90°-\dfrac{\theta}{2}$

$$\tan\alpha=\frac{r}{r_0}$$

ゆえに，

$$r=r_0\tan\left(90°-\frac{\theta}{2}\right)=\frac{r_0}{\tan\dfrac{\theta}{2}}$$ …**答**

④ ②と③の結果から，

$$\frac{mv}{qB}=\frac{r_0}{\tan\dfrac{\theta}{2}}$$

ゆえに，$\dfrac{q}{m}=\dfrac{v}{Br_0}\tan\dfrac{\theta}{2}$ …**答**

〈176〉 **解き方** (1) 初速度の x 成分は，

$$v_x=v\sin\theta$$

xy 平面内では，$+y$ 方向のローレンツ力を受けて，図の向きに等速円運動をする。円軌道の半径を r とすると，円運動の運動方程式より，

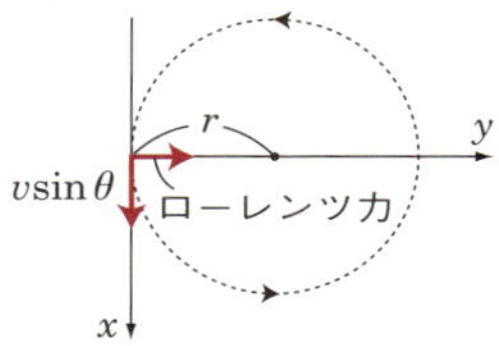

$$m\frac{(v\sin\theta)^2}{r}=qvB\sin\theta$$

ゆえに，$r=\dfrac{mv\sin\theta}{qB}$

中心の座標は，$\left(0,\ \dfrac{mv\sin\theta}{qB}\right)$ …**答**

(2) この時間は円運動の周期にあたるから，

$$T=\frac{2\pi r}{v\sin\theta}=\frac{2\pi m}{qB}$$ …**答**

粒子は電場 E から静電気力 qE を受けるので，$+z$ 方向に等加速度運動をする。加速度を a とすると運動方程式より，

$ma=qE$　　ゆえに，$a=\dfrac{qE}{m}$

$+z$ 方向の初速度は $v\cos\theta$ であるから，$t=T$ のときの $+z$ 方向の速さは，

$$v_1=v\cos\theta+aT=v\cos\theta+\frac{2\pi E}{B}$$

よって，求める運動エネルギーは，

$$\frac{1}{2}m\{(v\sin\theta)^2+v_1{}^2\}$$

$$=\frac{1}{2}m\left\{(v\sin\theta)^2+\left(v\cos\theta+\frac{2\pi E}{B}\right)^2\right\}$$

$$=\frac{1}{2}m\left(v^2+\frac{4\pi Ev\cos\theta}{B}+\frac{4\pi^2E^2}{B^2}\right)$$

…**答**

(3) $t=nT$ における z 方向の変位を求めればよい。

$$z=v\cos\theta\cdot nT+\frac{1}{2}a(nT)^2$$

$$=\frac{2\pi mn}{qB}\left(v\cos\theta+\frac{\pi nE}{B}\right)$$ …答

〈177〉 **解き方** 半導体に流れる電流 I は，電荷の速さを v とすると，$I=ewhNv$ …①

キャリアが受けるローレンツ力の大きさは evB であり，このローレンツ力によって流れる電流がかたよるため，半導体内に電場が生じる。このとき，電場の強さは $\frac{V_H}{w}$ であるから，電場から受ける力の大きさは $e\frac{V_H}{w}$ である。磁場から受けるローレンツ力と電場から受ける電気力がつり合っているので，

$evB=e\frac{V_H}{w}$ より，$v=\frac{V_H}{wB}$ …②

①，②より，$I=ewhN\frac{V_H}{wB}$

よって，$N=\frac{BI}{ehV_H}$ …答

また，フレミングの左手の法則より，電流が磁場から受ける力の向きはR→Qの向きである。よって，電流はQ面側を流れると考えられる。面Qの電位が高いことから，電流の担い手(キャリア)は正の電荷をもつ粒子(ホール)であると考えられるので，**p型半導体**であることがわかる。 …答

〈178〉 **解き方** (1) 棒PQの速度の磁場に垂直な成分は $v\cos\theta$ であるから，棒PQに生じる誘導起電力は，

$$V=Blv\cos\theta$$

よって，電流は，

$$I=\frac{V}{R}=\frac{Blv\cos\theta}{R}$$ …答

電磁力は，

$$F=IBl=\frac{B^2l^2v\cos\theta}{R}$$ …①答

(2) 電磁力は速さが大きくなるにつれて大きくなり，棒にはたらく重力と電磁力との斜面方向の成分がつり合ったとき，終端速度に達する。

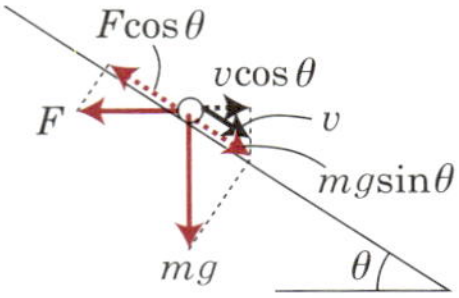

よって，

$$F\cos\theta=mg\sin\theta$$ …②

①，②より，

$$v=\frac{mgR\tan\theta}{B^2l^2\cos\theta}$$ …答

〈179〉 **解き方** 金属円板の半径部分が時間 Δt の間に横切る磁束 $\Delta\Phi$ は，

$$\Delta\Phi=\pi r^2\times\frac{\omega\Delta t}{2\pi}\times B=\frac{1}{2}Br^2\omega\Delta t$$

であるから，金属円板の回転によって生じる誘導起電力 V は，$V=\frac{\Delta\Phi}{\Delta t}=\frac{1}{2}Br^2\omega$

となり，抵抗に流れる電流の大きさ I は，

$$I=\frac{V}{R}=\frac{Br^2\omega}{2R}$$

である。電流の向きは，誘導電流が金属円板の回転を妨げる方向に流れることから，フレミングの左手の法則より，抵抗の部分を図の左向きに流れる。

答 大きさ：$\frac{Br^2\omega}{2R}$，向き：図の左向き

〈180〉 **解き方** aが原点を通過してからbが y 軸を横切るまでの時間は $\frac{l}{v}$ であり，cが y 軸を横切るまでの時間は $\frac{2l}{v}$ である。

$0\leqq t\leqq\frac{l}{v}$ では，磁束を横切るのは辺abと辺daである。時刻 t において，辺abの磁束を横切る部分の長さは $\sqrt{2}vt$ であるが，磁束を垂直に横切る長さは vt となるので，辺abに生じる誘導起電力の大きさ $V_1(t)$ は，

$$V_1(t)=vBvt=v^2Bt$$

同様に，辺daに生じる誘導起電力の大きさ $V_2(t)$ は，

$$V_2(t)=vBvt=v^2Bt$$

起電力は同じ方向に電流を流す向きに生じるので，

$$E(t)=V_1(t)+V_2(t)=2v^2Bt$$

$\dfrac{l}{v}\leqq t\leqq\dfrac{2l}{v}$ では，磁束を横切るのは辺ab，辺bc，辺cd，辺daである。辺abに生じる誘導起電力の大きさ $V_3(t)$ は，

$$V_3(t)=vBl$$

辺daに生じる誘導起電力の大きさ $V_4(t)$ は，

$$V_4(t)=vBl$$

辺bcに生じる誘導起電力の大きさ $V_5(t)$ は，

$$V_5(t)=vBv\left(t-\frac{l}{v}\right)=v^2Bt-vBl$$

辺cdに生じる誘導起電力の大きさ $V_6(t)$ は，

$$V_6(t)=vBv\left(t-\frac{l}{v}\right)=v^2Bt-vBl$$

起電力 $V_3(t)$，$V_4(t)$ が電流を流す向きと，$V_5(t)$，$V_6(t)$ が電流を流す向きが逆向きなので，

$$\begin{aligned}E(t)&=V_3(t)+V_4(t)-V_5(t)-V_6(t)\\&=vBl+vBl\\&\quad-(v^2Bt-vBl)-(v^2Bt-vBl)\\&=4vBl-2v^2Bt\end{aligned}$$

答 $0\leqq t\leqq\dfrac{l}{v}$：$E(t)=2v^2Bt$

$\dfrac{l}{v}\leqq t\leqq\dfrac{2l}{v}$：$E(t)=4vBl-2v^2Bt$

（別解） $0\leqq t\leqq\dfrac{l}{v}$ では，時刻 t にコイルを貫く磁束 $\Phi(t)$ は，

$$\Phi(t)=\frac{1}{2}\times2vt\times vt\times B=v^2Bt^2$$

時刻 $t+\Delta t$ にコイルを貫く磁束 $\Phi(t+\Delta t)$ は，

$$\begin{aligned}\Phi(t+\Delta t)&=\frac{1}{2}\times2v(t+\Delta t)\\&\qquad\times v(t+\Delta t)\times B\\&=v^2B(t+\Delta t)^2\end{aligned}$$

時間 Δt の間の磁束の変化量 $\Delta\Phi$ は，

$$\begin{aligned}\Delta\Phi&=\Phi(t+\Delta t)-\Phi(t)\\&=v^2B(t+\Delta t)^2-v^2Bt^2\\&=2v^2Bt\Delta t+v^2B(\Delta t)^2\\&\fallingdotseq 2v^2Bt\Delta t\end{aligned}$$

となるので，

$$E(t)=\frac{\Delta\Phi}{\Delta t}=2v^2Bt$$

同様にして，$\dfrac{l}{v}\leqq t\leqq\dfrac{2l}{v}$ では，

$$\begin{aligned}\Delta\Phi&=[2l^2-\{2l-v(t+\Delta t)\}^2]B\\&\quad-\{2l^2-(2l-vt)^2\}B\\&=4lvB\Delta t-2v^2Bt\Delta t-v^2B(\Delta t)^2\\&\fallingdotseq 4lvB\Delta t-2v^2Bt\Delta t\end{aligned}$$

となるので，

$$E(t)=\frac{\Delta\Phi}{\Delta t}=4vBl-2v^2Bt$$

181 **解き方** (1) AB，CDまでの距離はそれぞれ $r-a$，$r+a$ だから，

$$H_1=\frac{I}{2\pi(r-a)},\quad H_2=\frac{I}{2\pi(r+a)}$$

…**答**

(2) 磁束はCDの側で $\Delta\Phi_2$ 増加し，ABの側で $\Delta\Phi_1$ 減少すると考えると，

$$\begin{aligned}\Delta\Phi&=\Delta\Phi_2-\Delta\Phi_1\\&=\mu_0H_2\times2av\Delta t-\mu_0H_1\times2av\Delta t\\&=2\mu_0av\Delta t(H_2-H_1)\\&=\frac{\mu_0avI\Delta t}{\pi}\left(\frac{1}{r+a}-\frac{1}{r-a}\right)\\&=-\frac{2\mu_0a^2vI\Delta t}{\pi(r^2-a^2)}\end{aligned}$$

…**答**

(3) 回路ABCDに生じる誘導起電力は，

$$V=-\frac{\Delta\Phi}{\Delta t}=\frac{2\mu_0a^2vI}{\pi(r^2-a^2)}$$

求める電流は，オームの法則により，

$$i=\frac{V}{R}=\frac{2\mu_0a^2vI}{\pi R(r^2-a^2)}$$

…**答**

(4) 力 F を加えて速度 v で動かすときの仕事率 Fv によって，コイルABCDに電力 iV が生じると考えると，

$$Fv=iV$$

ゆえに，

$$F=\frac{iV}{v}=\frac{4\mu_0{}^2a^4vI^2}{\pi^2R(r^2-a^2)^2}$$

…**答**

182 **解き方** 磁束密度が変化をはじめてから，時間 t 後の磁束密度 B は，$B=bt$ で与えられるので，コイルを貫く磁束 $\Phi(t)$ は，

$$\Phi(t)=Bl^2=l^2bt$$

時間 Δt 間での時速の変化量 $\Delta\Phi$ は,

$$\Delta\Phi=\Phi(t+\Delta t)-\Phi(t)$$
$$=l^2b(t+\Delta t)-l^2bt$$
$$=l^2b\Delta t$$

コイルに発生する誘導起電力 V は,

$$V=\frac{\Delta\Phi}{\Delta t}=l^2b$$

となるので, $I=\frac{V}{R}=\frac{l^2b}{R}$

紙面表向きの磁束が増えるので, 磁束の変化を妨げる向きに誘導電流が流れる。この誘導電流によってできる磁場の向きは紙面裏向きである。右ねじの法則より, コイルに流れる電流の向きは, P→S→R→Qである。

答 大きさ: $\boldsymbol{\frac{l^2b}{R}}$, 向き: **P→S→R→Q**

〈183〉 **解き方** コイルAに電流 I が流れているとき, コイルAの内部にできる磁場の強さ H は, $H=\frac{N}{l}I$ である。鉄しん内の磁束密度 B は,

$$B=a\mu_0H=\frac{a\mu_0NI}{l}$$

である。コイルBを貫く磁束 Φ は,

$$\Phi=BS=\frac{a\mu_0NSI}{l}$$

コイルAを流れる電流が ΔI だけ増加したとき, コイルBを貫く磁束の変化 $\Delta\Phi$ は,

$$\Delta\Phi=\frac{a\mu_0NS(I+\Delta I)}{l}-\frac{a\mu_0NSI}{l}$$
$$=\frac{a\mu_0NS\Delta I}{l}$$

であるから, コイルBに生じる誘導起電力 V は, ファラデーの電磁誘導の法則より,

$$V=-N'\frac{\Delta\Phi}{\Delta t}=-\frac{a\mu_0NN'S\Delta I}{l\Delta t}$$

相互誘導による起電力の式 $V=-M\frac{\Delta I}{\Delta t}$ より,

$$-\frac{a\mu_0NN'S\Delta I}{l\Delta t}=-M\frac{\Delta I}{\Delta t}$$

となるので, $M=\boldsymbol{\frac{a\mu_0NN'S}{l}}$ …**答**

〈184〉 **解き方** ① KLは半径 $\frac{b}{2}$ の円周上を等速円運動するから,

$$v=\frac{b}{2}\omega=\boldsymbol{\frac{1}{2}b\omega}$$ …**答**

② MNの速度の磁場に垂直な成分は,

$$v\sin\theta=\boldsymbol{\frac{1}{2}b\omega\sin\theta}$$ …**答**

③ $\theta=\boldsymbol{\omega t}$ …**答**

④ コイルKLMNの磁場に垂直な面への射影の面積は,

$$S=ab\cos\omega t$$

であるから, 磁束は,

$$\Phi=BS=\boldsymbol{Bab\cos\omega t}$$ …ⓐ**答**

⑤ 時刻 t から微小時間 Δt 経過する間に磁束が $\Delta\Phi$ 変化するとすれば,

$$\Phi+\Delta\Phi=Bab\cos\omega(t+\Delta t)$$
$$=Bab(\cos\omega t\cdot\cos\omega\Delta t$$
$$-\sin\omega t\cdot\sin\omega\Delta t)$$

ここで, $\omega\Delta t$ は小さな角なので, 近似的に,

$$\cos\omega\Delta t\fallingdotseq 1,\ \sin\omega\Delta t\fallingdotseq\omega\Delta t$$

とすると,

$$\Phi+\Delta\Phi=Bab(\cos\omega t-\omega\Delta t\sin\omega t)$$ …ⓑ

ⓐ, ⓑより,

$$\Delta\Phi=-Bab\omega\Delta t\sin\omega t$$

よって, 起電力は,

$$V=-\frac{\Delta\Phi}{\Delta t}=\boldsymbol{Bab\omega\sin\omega t}$$ …**答**

〈185〉 **解き方** ①, ② 三角関数の公式により,

$$I=I_0\sin(\omega t-\alpha)$$
$$=I_0(\sin\omega t\cos\alpha-\cos\omega t\sin\alpha)$$ …ⓐ

時刻 t より Δt 経過して, 電流が ΔI 変化したとすると,

$$I+\Delta I=I_0\sin\{\omega(t+\Delta t)-\alpha\}$$
$$=I_0\{\sin\omega(t+\Delta t)\cos\alpha$$
$$-\cos\omega(t+\Delta t)\sin\alpha\}$$
$$=I_0\{(\sin\omega t\cos\omega\Delta t+\cos\omega t\sin\omega\Delta t)$$
$$\times\cos\alpha-(\cos\omega t\cos\omega\Delta t$$
$$-\sin\omega t\sin\omega\Delta t)\sin\alpha\}$$

ここで, $\omega\Delta t$ は微小な角であるから,

$$\cos\omega\Delta t\fallingdotseq 1,\ \sin\omega\Delta t\fallingdotseq\omega\Delta t$$

と近似すると,

$$I+\Delta I\fallingdotseq I_0\{(\sin\omega t+\omega\Delta t\cos\omega t)\cos\alpha$$
$$-(\cos\omega t-\omega\Delta t\sin\omega t)\sin\alpha\}$$ …ⓑ

ⓑ－ⓐより，
$\Delta I = I_0\omega\Delta t(\cos\omega t\cos\alpha + \sin\omega t\sin\alpha)$
ゆえに，
$\dfrac{\Delta I}{\Delta t} = I_0\omega(\cos\omega t\cos\alpha + \sin\omega t\sin\alpha)$ …ⓒ

ⓐ，ⓒと $V = V_0\sin\omega t$ を与えられた式に代入すると，
$V_0\sin\omega t - LI_0\omega(\cos\omega t\cos\alpha + \sin\omega t\sin\alpha) = RI_0(\sin\omega t\cos\alpha - \cos\omega t\sin\alpha)$
上式を整理すると，
$\sin\omega t\times\underline{\{\boldsymbol{V_0 - I_0(\omega L\sin\alpha + R\cos\alpha)}\}}$ ①の答
$+ I_0\cos\omega t\times\underline{(\boldsymbol{R\sin\alpha - \omega L\cos\alpha})} = 0$ ②の答

③，④ 任意の瞬間にこの式がなりたつためには，t の値にかかわらず，
$V_0 - \boldsymbol{I_0(\omega L\sin\alpha + R\cos\alpha)} = 0$ …③の答
$\boldsymbol{R\sin\alpha - \omega L\cos\alpha} = 0$ …④の答
がなりたてばよい。

186 **解き方** (1) 定常状態では，コンデンサーには電流が流れず，コイルは抵抗0になっているから，消費電力は，
$$P = \frac{V^2}{R} = \frac{12^2}{1.0\times10^3} = \mathbf{1.4\times10^{-1}\,W}$$ …答

(2) Sを開く直前は，コンデンサーの極板間の電圧は0であるから，電気は蓄えられていない。 答 **0**

(3) Sを開くと，コイルに電流を流し続けようとする向きの起電力が生じるので，A→L→Bの向きに電流が流れ，Bに正電荷，Aに負電荷が蓄えられる。したがって，**Bの電位が高くなる**。 …答

(4) Sを開くと，LとCの回路に電気振動が起こる。その周期は，
$$T = \frac{1}{f} = 2\pi\sqrt{LC}$$
$$= 2\times3.14\times\sqrt{10\times10^{-3}\times5.0\times10^{-6}}$$
$$= \mathbf{1.4\times10^{-3}\,s}$$ …答

5 原子と原子核

187 **解き方** 荷電粒子が電場からされた仕事の量 qV だけ粒子の運動エネルギーが増えるから，求める速さを v〔m/s〕とすると，
$$\frac{1}{2}mv^2 - \frac{1}{2}mv_0{}^2 = qV$$
ゆえに，$v = \boldsymbol{\sqrt{v_0{}^2 + \dfrac{2qV}{m}}}$ …答

188 **解き方** 極板間の電場の強さ E は，$E = \dfrac{V}{d}$ であるから，電子が電場から受ける力は，$eE = \dfrac{eV}{d}$ である。したがって，電子の加速度を a とすると，運動方程式は，
$$ma = \frac{eV}{d} \qquad よって，a = \frac{eV}{md}$$
電子が電極間を通りぬけるのに要する時間 t は，$t = \dfrac{l}{v}$ であり，この時間の間の電子の電場方向の変位 $\dfrac{1}{2}at^2$ が $\dfrac{d}{2}$ より小さければ，電子は極板に衝突しない。よって，
$$\frac{1}{2}at^2 = \frac{1}{2}\cdot\frac{eV}{md}\left(\frac{l}{v}\right)^2 < \frac{d}{2}$$
ゆえに，$\boldsymbol{V < \dfrac{md^2v^2}{el^2}}$ …答

189 **解き方** (1) 電気力 qE と空気による浮力 $\dfrac{4}{3}\pi r^3\rho g$ が鉛直上向きにはたらき，重力 mg が鉛直下向きにはたらいて，つり合う。よって，
$$qE + \frac{4}{3}\pi r^3\rho g = mg \qquad \cdots①$$
ゆえに，$E = \boldsymbol{\dfrac{g(3m - 4\pi r^3\rho)}{3q}}$ …答

(2) 重力と浮力は(1)と同じ。それに加えて電気力 qE' が鉛直上向きに，空気の抵抗力 kvr が鉛直下向きにはたらき，4つの力のつり合いとなるから，
$$qE' + \frac{4}{3}\pi r^3\rho g = mg + kvr \qquad \cdots②$$

①，②から，ρ，m を消去して，

$$q=\frac{\boldsymbol{kvr}}{\boldsymbol{E'-E}}$$ …答

〈190〉 **解き方** 波長 λ の光波の振動数は，

$c=\nu\lambda$ より，$\nu=\dfrac{c}{\lambda}$

λ はこの金属の光電限界波長であるから，この金属の仕事関数は，$W=h\nu=\dfrac{hc}{\lambda}$

波長 $\dfrac{\lambda}{2}$ の光を当てたときの光電子の運動エネルギーの最大値は，

$$\frac{1}{2}mv^2=h\frac{c}{\lambda/2}-W=\frac{2hc}{\lambda}-\frac{hc}{\lambda}=\frac{hc}{\lambda}$$

ゆえに，$v=\sqrt{\dfrac{\boldsymbol{2hc}}{\boldsymbol{m\lambda}}}$ …答

〈191〉 **解き方** 衝突後の光子の運動量を p'，電子の速度を v とすると，衝突の前後で運動量が保存されるから，p，p'，電子の運動量 mv のベクトルは下図のような関係になる。

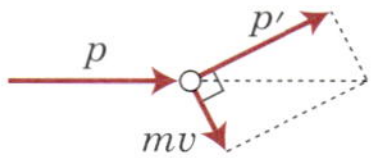

したがって，三平方の定理により，

$$p^2=(p')^2+(mv)^2$$ …①

弾性衝突であるから，エネルギー保存則もなりたつ。運動量 p のX線光子のエネルギーを E，波長を λ，プランク定数を h とすると，

$$p=\frac{h}{\lambda}\qquad E=h\frac{c}{\lambda}$$

であるから，E と p の間に，$E=pc$ という関係がなりたつ。これを用いてエネルギー保存則の式をつくると，

$$pc=p'c+\frac{1}{2}mv^2$$ …②

①，②から v を消去して，

$$p'=\boldsymbol{2mc-p}$$ …答

〈192〉 **解き方** 電子のもっているエネルギー eV がすべてX線光子のエネルギーになるとき，X線の波長は最も短くなるので，

$$eV=\frac{hc}{\lambda}$$

よって，

$$h=\frac{eV\lambda}{c}$$

$$=\frac{1.60\times10^{-19}\times V\times\dfrac{1.25}{V}\times10^{-6}}{3.00\times10^{8}}$$

$$=6.666\times10^{-34}\ \mathrm{J\cdot s}$$

答 $\boldsymbol{6.67\times10^{-34}\ \mathrm{J\cdot s}}$

〈193〉 **解き方** $\theta=\theta_1$ のときと $\theta=\theta_2$ のときとで，光路差が1波長ちがう。$\theta=\theta_1$ のときの光路差を波長の n 倍とすると，

$$2d\sin\theta_1=n\lambda$$ …①

$$2d\sin\theta_2=(n+1)\lambda$$ …②

②−①より，

$$2d(\sin\theta_2-\sin\theta_1)=\lambda$$

ゆえに，$d=\dfrac{\boldsymbol{\lambda}}{\boldsymbol{2(\sin\theta_2-\sin\theta_1)}}$ …答

〈194〉 **解き方** ① 円軌道の周の長さが，電子にともなう波（物質波）の波長 λ の整数倍になるのであるから，

$$2\pi a=\boldsymbol{n\lambda}$$ …ⓐ答

② 電子の運動量は mv であるから，

$$\lambda=\frac{\boldsymbol{h}}{\boldsymbol{mv}}$$ …ⓑ答

③ 式ⓐ，ⓑより，$2\pi a=n\dfrac{h}{mv}$

となるので，$mva=n\times\dfrac{\boldsymbol{h}}{\boldsymbol{2\pi}}$ …答

④ クーロンの法則の比例定数を誘電率 ε_0 を用いて表すと $\dfrac{1}{4\pi\varepsilon_0}$ であるから，円軌道上の電場の強さ E は，

$$E=\frac{1}{4\pi\varepsilon_0}\times\frac{e}{a^2}=\frac{\boldsymbol{e}}{\boldsymbol{4\pi\varepsilon_0a^2}}$$ …答

⑤ $F=qE$ より，軌道上にある電子にはたらく力 F は，

$$F=e\times\frac{e}{4\pi\varepsilon_0a^2}=\frac{\boldsymbol{e^2}}{\boldsymbol{4\pi\varepsilon_0a^2}}$$ …答

⑥ 遠心力の大きさは $\dfrac{mv^2}{a}$ であるが，電子が電場から受ける力と逆向きにはたらくの

で，$-\dfrac{mv^2}{a}$ となる。 …答

⑦ 量子条件から求めた式

$$mva = n \times \frac{h}{2\pi}$$

と，力のつり合いの式

$$\frac{e^2}{4\pi\varepsilon_0 a^2} - \frac{mv^2}{a} = 0$$

より，v を消去すれば，

$$\frac{e^2}{4\pi\varepsilon_0 a^2} = \frac{n^2h^2}{4\pi^2 ma^3}$$

となるので，$a = \dfrac{\varepsilon_0 n^2 h^2}{\pi m e^2}$ …答

⑧ 陽子がつくる半径 a の円軌道上の電位 V は，$V = \dfrac{1}{4\pi\varepsilon_0} \times \dfrac{e}{a} = \dfrac{e}{4\pi\varepsilon_0 a}$ …答

⑨ 軌道上の電子の位置エネルギー E_P は，

$$E_P = -e \times \frac{e}{4\pi\varepsilon_0 a} = -\frac{e^2}{4\pi\varepsilon_0 a}$$ …答

⑩ 力のつり合いの式より，$mv^2 = \dfrac{e^2}{4\pi\varepsilon_0 a}$ となるので，

$$E = \frac{1}{2}mv^2 - \frac{e^2}{4\pi\varepsilon_0 a}$$
$$= \frac{1}{2} \times \frac{e^2}{4\pi\varepsilon_0 a} - \frac{e^2}{4\pi\varepsilon_0 a}$$
$$= -\frac{e^2}{8\pi\varepsilon_0 a}$$ …答

195 解き方 質量数の変化は，α 崩壊のみで起こる。1 回の α 崩壊で質量数は 4 減少するので，α 崩壊の回数は，

$$\frac{232-208}{4} = 6$$

6 回の α 崩壊で原子番号は $6 \times 2 = 12$ 減少するが，原子番号は，実際には $90-82=8$ しか減少していない。この差は β 崩壊による。原子番号が増加するのは β 崩壊で，1 回の β 崩壊で原子番号は 1 増加するので，β 崩壊の回数は，$12-8=4$

答 α 崩壊：**6 回**，β 崩壊：**4 回**

196 解き方 質量数の変化は，α 崩壊のみで起こる。1 回の α 崩壊で質量数は 4 減少するので，α 崩壊の回数は，

$$\frac{235-207}{4} = 7$$

7 回の α 崩壊で原子番号は $7 \times 2 = 14$ 減少するが，原子番号は，実際には $92-82=10$ しか減少していない。原子番号が増加するのは β 崩壊で，1 回の β 崩壊で原子番号は 1 増加するので，β 崩壊の回数は，$14-10=4$

答 α 崩壊：**7 回**，β 崩壊：**4 回**

197 解き方 (1) 核反応によって減少した質量 Δm は，

$$\Delta m = 1.672 \times 10^{-27} + 11.650 \times 10^{-27} - 2 \times 6.6465 \times 10^{-27}$$
$$= 0.029 \times 10^{-27}$$
$$= 2.9 \times 10^{-29}\ \mathrm{kg}$$ …答

(2) 減少した質量をエネルギーに換算すると，

$$\Delta mc^2 = 2.9 \times 10^{-29} \times (3.00 \times 10^8)^2$$
$$= 2.6 \times 10^{-12}\ \mathrm{J}$$ …答

(3) 1.10×10^6 eV の単位を J に直すと，

$$1.10 \times 10^6 \times 1.60 \times 10^{-19}$$
$$= 1.76 \times 10^{-13}\ \mathrm{J}$$

となるので，α 粒子の速さを v とすれば，エネルギー保存則より，

$$1.76 \times 10^{-13} + 2.6 \times 10^{-12}$$
$$= 2 \times \frac{1}{2} \times 6.6465 \times 10^{-27} \times v^2$$

よって，$v = 2.0 \times 10^7\ \mathrm{m/s}$ …答

198 解き方 (1) ^{235}U の現在量を N_0，$n \times 7.5 \times 10^8$ 年後の量を N とすると，

$$N = N_0 \left(\frac{1}{2}\right)^{\frac{n \times 7.5 \times 10^8}{7.5 \times 10^8}}$$

ゆえに，$\dfrac{N}{N_0} = \left(\dfrac{1}{2}\right)^n$ 倍 …答

(2) 4.5×10^9 年前の ^{238}U と ^{235}U の原子数をそれぞれ N_8，N_5 とし，現在のそれぞれの原子数を N_8'，N_5' とすると，

$$N_8' = N_8 \left(\frac{1}{2}\right)^{\frac{4.5 \times 10^9}{4.5 \times 10^9}}$$ …①

$$N_5' = N_5 \left(\frac{1}{2}\right)^{\frac{4.5 \times 10^9}{7.5 \times 10^8}}$$ …②

$$\frac{N_8'}{N_5'} = 139$$ …③

①〜③より，$N_8 : N_5 = $ **139：32** …答

■ 練習問題の解答

1 力と運動

1 **解き方** (1) v-t グラフでは面積が移動距離を表すので，物体が原点を通過したあと 4.0 s までの間に進んだ距離 x_1 は，

$$x_1 = 4.0 \times 4.0 = \mathbf{16\ m}$$ …答

(2) 速さが変わらないので，等速直線運動であることがわかる。　答　**等速直線運動**

(3) v-t グラフの傾きが加速度を表すので，4.0 s から 8.0 s までの加速度 a は，

$$a = \frac{0-4.0}{8.0-4.0} = \mathbf{-1.0\ m/s^2}$$ …答

(4) 4.0 s から 8.0 s までの間に進んだ距離 x_2 は，

$$x_2 = \frac{1}{2} \times (8.0-4.0) \times 4.0$$
$$= \mathbf{8.0\ m}$$ …答

(5) $t = 8.0$ s での物体の x 座標は，

$$x = x_1 + x_2 = 16 + 8.0 = \mathbf{24\ m}$$ …答

(6) 8.0 s 間の平均の速さ $\overline{v}$ は，

$$\overline{v} = \frac{24}{8.0} = \mathbf{3.0\ m/s}$$ …答

2 **解き方** (1) 初速度の鉛直成分は，

$$9.8 \times \sin 30° = 4.9\ \mathrm{m/s}$$

最高点では，鉛直方向の速さが 0 になる。よって，小石を投げてから最高点に達するまでの時間を t_1 とすれば，

$$0 = 4.9 - 9.8 \times t_1$$

となるので，

$$t_1 = \frac{4.9}{9.8} = \mathbf{0.50\ s}$$ …答

(2) 小石を投げてから 1 秒後の小石の水平方向の速さ v_x は，

$$v_x = 9.8 \times \cos 30° = 4.9\sqrt{3}$$

鉛直方向の速さ v_y は，

$$v_y = 4.9 - 9.8 \times 1 = -4.9$$

よって，1 秒後の小石の速さ v は，

$$v = \sqrt{v_x^2 + v_y^2}$$
$$= \sqrt{(4.9\sqrt{3})^2 + 4.9^2}$$
$$= \mathbf{9.8\ m/s}$$ …答

(3) 地面の高さは −29.4 m と考えられるので，点 O から 29.4 m 下の地面に着くまでの時間を t_2 とすれば，

$$-29.4 = 4.9 \times t_2 - \frac{1}{2} \times 9.8 \times t_2^2$$

これは，次のように変形できる。

$$4.9t_2^2 - 4.9t_2 - 29.4 = 0$$
$$t_2^2 - t_2 - 6 = 0$$
$$(t_2 - 3)(t_2 + 2) = 0$$

よって，$t_2 = \mathbf{3.0\ s}$ …答

(4) 水平方向は等速直線運動なので，地面に達する直前の水平方向の速さ v_x' は，

$$v_x' = 4.9\sqrt{3} = 8.33\ \mathrm{m/s}$$

答　**8.3 m/s**

(5) 点 O から小石が着地したところまでの水平距離 X は，

$$X = 8.33 \times 3 = 24.99\ \mathrm{m}$$

答　**25 m**

3 **解き方** (1) B を飛び出した後の物体の運動では，重力のみがはたらくので，水平方向は等速直線運動，鉛直方向は等加速度直線運動になる。

答　水平方向：**等速直線運動**，
鉛直方向：**等加速度直線運動**

(2) B から C に落ちるまでに，鉛直方向に落下した距離は h_0 であることから，

$$h_0 = \frac{1}{2} g T_1^2$$

となるので，

$$T_1 = \sqrt{\frac{2h_0}{g}}$$ …答

水平方向は等速直線運動であるから，

$$L_0 = v_0 T_1 = v_0\sqrt{\frac{2h_0}{g}}$$ …答

(3) 物体が C に達したときの鉛直方向の速さ v_y は，

$$v_y = gT_1 = g\sqrt{\frac{2h_0}{g}} = \sqrt{2gh_0}$$

$\theta = 60°$ であるから，$\tan 60° = \dfrac{v_y}{v_0}$

$\tan 60° = \sqrt{3}$ であることを用いて，

$$v_0 = \frac{v_y}{\sqrt{3}} = \sqrt{\frac{2gh_0}{3}}$$ …答

4 **解き方** (1) 船Aの速度と船Bの速度を図に表すと，下図のようになるので，船Aから見た船Bの速度は図のベクトル(色の矢印)で示すことができる。図の矢印による三角形は直角二等辺三角形であるから，船Aから見た船Bの速さは，

$$10\sqrt{2}=14\,\mathrm{m/s}$$

で，向きは南向きである。

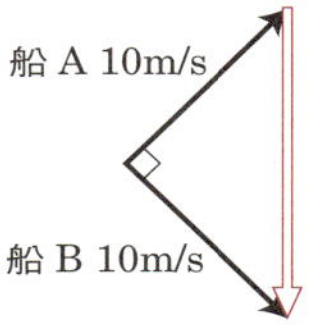

(2) 船Aで観測される風が 14 m/s の北風(南向き)であるので，実際の風の向きは船Bと同じ向きで同じ速さであることがわかる。よって，実際の風は北西の風 10 m/s であることがわかる。

(3) 船Bと風は同じ向きに同じ速さで動くことがわかるので，船Bで観測される風の速さは 0 m/s である。

答 (1) **14 m/s，南向き**
(2) **北西の風 10 m/s** (3) **0 m/s**

5 **解き方** (1) ばねAは L_A-L 伸びた状態なので，ばねAがおもりに及ぼす力の大きさは $k_A(L_A-L)$ で，向きは上向きである。

答 **上向きに $k_A(L_A-L)$**

(2) ばねBは $L-L_B$ 縮んだ状態なので，ばねBがおもりに及ぼす力の大きさは $k_B(L-L_B)$ で，向きは上向きである。

答 **上向きに $k_B(L-L_B)$**

(3) おもりにはたらく力のつり合いの式は，

$$k_A(L_A-L)+k_B(L-L_B)=mg$$ …**答**

(4) つり合いの式を変形すると，

$$k_AL_A-k_BL_B=mg+(k_A-k_B)L$$ …①

長さの関係から，

$$L_A+L_B=2L$$ …②

① $+k_B\times$ ②より，

$$(k_A+k_B)L_A=mg+(k_A+k_B)L$$

よって，

$$L_A=L+\frac{mg}{k_A+k_B}$$ …**答**

① $-k_A\times$ ②より，

$$L_B=L-\frac{mg}{k_A+k_B}$$ …**答**

6 **解き方** (1) 小球Pにはたらく力の，鉛直方向のつり合いの式は，

$$T_1\cos\alpha+T_2\cos\beta=mg$$ …①

となるので，

$$T_1=\frac{mg-T_2\cos\beta}{\cos\alpha}$$ …**答**

(2) 小球Pにはたらく，水平方向の力のつり合いの式は，$T_1\sin\alpha=T_2\sin\beta$

となるので，

$$\frac{T_1}{T_2}=\frac{\sin\beta}{\sin\alpha}$$ …②**答**

(3) ②より，$T_2=\dfrac{\sin\alpha}{\sin\beta}T_1$ となるので，①に代入して，

$$T_1\cos\alpha+\frac{\sin\alpha}{\sin\beta}T_1\cos\beta=mg$$

$$\frac{\sin\alpha\cos\beta+\cos\alpha\sin\beta}{\sin\beta}T_1=mg$$

$$\frac{\sin(\alpha+\beta)}{\sin\beta}T_1=mg$$

ゆえに，$T_1=\dfrac{\sin\beta}{\sin(\alpha+\beta)}mg$ …**答**

7 **解き方** (1) 円柱が水に浮くためには，円柱が完全に沈んだときに，円柱の受ける浮力の大きさが，円柱にはたらく重力の大きさより大きければよい。

よって，$\rho_wAhg>\rho Ahg$

これから，$\rho_w>\rho$ …**答**

(2) 水に沈んでいる円柱部分の高さは $h-h_0$ であるから，円柱にはたらく力のつり合いより，

$$\rho_wA(h-h_0)g=\rho Ahg$$ …①

となるので，$h-h_0=\dfrac{\rho}{\rho_w}h$

よって，$h_0=\left(1-\dfrac{\rho}{\rho_w}\right)h$ …**答**

(3) 水に沈んでいる円柱部分の高さは $h-h_0+x$ であるから，円柱にはたらく力

のつり合いより，

$$\rho_w A(h-h_0+x)g+\rho_w V_0 g$$
$$=\rho Ahg+Mg$$

これから，

$$\rho_w V_0=\rho Ah+M-\rho_w A(h-h_0+x)$$

①を用いると，

$$\rho_w V_0=M-\rho_w Ax$$

ゆえに，$V_0=\dfrac{M}{\rho_w}-Ax$ …答

8 解き方 (1) 静止摩擦力は，加えられた力に応じて変化するが，最大摩擦力以上には大きくなれない。はしごがすべらないためには，$F_A \leqq \mu_A N_A$ …①答

(2) 鉛直方向にはたらく力は，重力と床からの垂直抗力である。鉛直方向の力のつり合いの式は，$N_A=Mg$ …②答

(3) 水平方向にはたらく力は，壁からの垂直抗力と，床からの摩擦力である。水平方向の力のつり合いの式は，

$$N_B=F_A$$ …③答

(4) A点のまわりの力のモーメントのつり合いの式は，

$$Mg\times a\cos\theta=N_B\times 2a\sin\theta$$ …④答

(5) ③と④から，Aが床から受ける静止摩擦力の大きさ F_A は，

$$F_A=\frac{Mg\cos\theta}{2\sin\theta}=\frac{Mg}{2\tan\theta}$$

となるので，①と②を用いて，

$$\frac{Mg}{2\tan\theta}\leqq\mu_A Mg$$

これから，$\tan\theta\geqq\dfrac{1}{2\mu_A}$ となるので，

$$\tan\theta_1=\frac{1}{2\mu_A}$$ …答

9 解き方 (1) 糸の張力を T_0 とすれば，物体Aの力のつり合いの式は，

$$T_0=\mu_0 m_A g$$

物体Bの力のつり合いの式は，

$$\frac{3}{4}m_A g=T_0$$

となるので，$\dfrac{3}{4}m_A g=\mu_0 m_A g$

よって，$\mu_0=\dfrac{3}{4}$ …答

(2) 物体Aの運動方程式は，

$$m_A a=T-\frac{1}{3}m_A g$$ …①

物体Bの運動方程式は，

$$\frac{3}{4}m_A a=\frac{3}{4}m_A g-T$$ …②

①＋②より，$\dfrac{7}{4}m_A a=\dfrac{5}{12}m_A g$

よって，$a=\dfrac{5}{21}g$ …答

(3) $\dfrac{3}{4}\times$①－②より，$0=\dfrac{7}{4}T-m_A g$

となるので，$T=\dfrac{4}{7}m_A g$ …答

(4) 物体は等加速度直線運動を行うので，

$$v_B{}^2=2\times\frac{5}{21}g\times h$$

よって，$v_B=\sqrt{\dfrac{10gh}{21}}$ …答

(5) 物体Bが床に達した後は糸がたるむので，物体Aにはたらく力は動摩擦力だけになる。このときの物体Aに生じる加速度を a' とおけば，運動方程式は，

$$m_A a'=-\frac{1}{3}m_A g$$

となるので，$a'=-\dfrac{1}{3}g$

物体Bが床に達してから，物体Aが運動した距離を l' とすれば，等加速度直線運動の式より，

$$0^2-v_B{}^2=2\times\left(-\frac{1}{3}g\right)\times l'$$

これから，$\dfrac{10}{21}gh=\dfrac{2}{3}gl'$

となるので，$l'=\dfrac{5}{7}h$

よって，Aがはじめ静止していた位置からの動いた距離 l は，

$$l=h+l'=h+\frac{5}{7}h=\frac{12}{7}h$$ …答

10 解き方 (1) 物体Aの運動方程式は，

$$3ma=F-f_1$$ …①答

物体Bの運動方程式は，

$ma = f_1 - f_2$ …② 答

物体Cの運動方程式は，

$2ma = f_2$ …③ 答

(2) ①＋②＋③より，$6ma = F$

よって，$a = \dfrac{F}{6m}$ …④ 答

(3) ④を①に代入すると，$3m \times \dfrac{F}{6m} = F - f_1$
となるので，

$f_1 = F - \dfrac{1}{2}F = \dfrac{1}{2}F$ …答

④を③に代入して，

$f_2 = 2m \times \dfrac{F}{6m} = \dfrac{1}{3}F$ …答

(4)，(5) 加えた力の大きさをF'，物体AB間の糸の張力の大きさをT_1，物体BC間の糸の張力の大きさをT_2とすれば，物体Aの運動方程式は，

$3m \cdot \dfrac{g}{4} = T_1 - 0.5 \times 3mg$ …⑤

物体Bの運動方程式は，

$m \cdot \dfrac{g}{4} = T_2 - T_1 - 0.5 \times mg$ …⑥

物体Cの運動方程式は，

$2m \cdot \dfrac{g}{4} = F' - T_2 - 0.5 \times 2mg$ …⑦

⑤＋⑥＋⑦より，$6m \cdot \dfrac{g}{4} = F' - 0.5 \times 6mg$
となるので，

$F' = \dfrac{3}{2}mg + 3mg = \dfrac{9}{2}mg$ …⑧ 答

⑤より，

$T_1 = \dfrac{3}{4}mg + \dfrac{3}{2}mg = \dfrac{9}{4}mg$ …答

⑧と⑦より，

$T_2 = \dfrac{9}{2}mg - mg - \dfrac{1}{2}mg$

$= 3mg$ …答

11 解き方 (1) 物体Bがh上がったとすれば，物体Aは$2h$下がることになる。(物体Bが下がり，物体Aが上がるとしてもよい。)この移動にかかった時間をtとし，物体Aの加速度をa_A，物体Bの加速度をa_Bとすれば，等加速度直線運動の式より，

物体Aに関して，$-2h = \dfrac{1}{2}a_A t^2$ …①

物体Bに関して，$h = \dfrac{1}{2}a_B t^2$ …②

②÷①より，

$\dfrac{a_B}{a_A} = -\dfrac{1}{2}$ 答 $\dfrac{1}{2}$倍

(2) 糸の張力の大きさをTとすれば，物体Aの運動方程式は，

$m_1 a_A = T - m_1 g$ …③

物体Bの運動方程式は，

$m_2 \times \left(-\dfrac{1}{2}a_A\right) = 2T - m_2 g$ …④

2×③－④より，

$\left(2m_1 + \dfrac{1}{2}m_2\right)a_A = (m_2 - 2m_1)g$

よって，$a_A = \dfrac{2(m_2 - 2m_1)}{4m_1 + m_2}g$ …答

m_2×③＋$2m_1$×④より，

$0 = (4m_1 + m_2)T - 3m_1 m_2 g$

よって，$T = \dfrac{3m_1 m_2}{4m_1 + m_2}g$ …答

12 解き方 (1) 斜面に垂直な方向の力のつり合いより，$N = Mg\cos\theta$ …答

(2) 物体の運動方程式は，

$Ma_1 = Mg\sin\theta - \mu' Mg\cos\theta - T_1$ …①

おもりの運動方程式は，

$m_1 a_1 = T_1 - m_1 g$ …②

①＋②より，

$(M + m_1)a_1 = Mg\sin\theta - \mu' Mg\cos\theta - m_1 g$

となるので，

$a_1 = \dfrac{M(\sin\theta - \mu'\cos\theta) - m_1}{M + m_1}g$ …答

m_1×①－M×②より，

$0 = Mm_1 g(\sin\theta - \mu'\cos\theta + 1) - (M + m_1)T_1$

となるので，

$T_1 = \dfrac{Mm_1(\sin\theta - \mu'\cos\theta + 1)}{M + m_1}g$ …答

(3) 物体の運動方程式は，

$$Ma_2 = T_2 - Mg\sin\theta - \mu' Mg\cos\theta \quad \cdots③$$

おもりの運動方程式は，

$$m_2a_2 = m_2g - T_2 \quad \cdots④$$

③＋④より，

$$(M+m_2)a_2 = \{m_2 - M(\sin\theta + \mu'\cos\theta)\}g$$

となるので，

$$a_2 = \frac{m_2 - M(\sin\theta + \mu'\cos\theta)}{M+m_2}g \quad \cdots 答$$

$m_2\times③ - M\times④$より，

$$0 = (M+m_2)T_2 - Mm_2(\sin\theta + \mu'\cos\theta + 1)g$$

となるので，

$$T_2 = \frac{Mm_2(\sin\theta + \mu'\cos\theta + 1)}{M+m_2}g \quad \cdots 答$$

13 **解き方**

(1) 答　右図

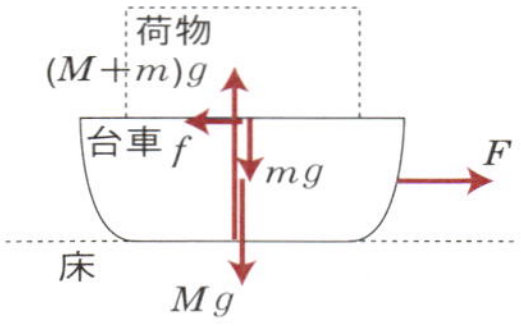

(2) 荷物の運動方程式は，

$$ma = f \quad \cdots① 答$$

台車の運動方程式は，

$$Ma = F - f \quad \cdots② 答$$

(3) $M\times① - m\times②$より，

$$0 = Mf - mF + mf$$

よって，$f = \dfrac{m}{M+m}F$　…答

(4) 荷物が滑り出す条件は，$f > \mu mg$であるから，$\dfrac{m}{M+m}F > \mu mg$

これから，$F > \mu(M+m)g$となるので，

$$F_1 = \mu(M+m)g \quad \cdots 答$$

14 **解き方**　(1) 物体Aを点Pから点Qまで移動させる間に，力Fが物体Aにした仕事W_Fは，$W_F = 13.8\times 20.0 = 276\,\mathrm{J}$

(2) 物体Aを点Pから点Qまで移動させる間に，重力が物体Aにした仕事W_Gは，

$$W_G = -2.0\times 9.8\times 20.0\times \sin 30° = -196\,\mathrm{J}$$

(3) 物体Aを点Pから点Qまで移動させる間に，垂直抗力が物体Aにした仕事W_Nは，

$$W_N = 2.0\times 9.8\times\cos 30° \times 20.0\times\cos 90° = 0\,\mathrm{J}$$

(4) 物体Aが点Qに到達したときの速さをvとすれば，エネルギーの原理より，

$$\frac{1}{2}\times 2.0\times v^2 - \frac{1}{2}\times 2.0\times 1.0^2 = 276 - 196$$

となるので，

$$v = \sqrt{276-196+1} = 9.0\,\mathrm{m/s}$$

答　(1) **280 J**　(2) **−200 J**　(3) **0 J**　(4) **9.0 m/s**

15 **解き方**　(1) 力学的エネルギー保存の法則より，$0 = K + \dfrac{1}{2}kx^2 - mgx$

となるので，$K = mgx - \dfrac{1}{2}kx^2$　…① 答

(2) ①を平方完成すると，

$$\begin{aligned}K &= -\frac{1}{2}k\left(x^2 - 2\cdot\frac{mg}{k}x\right)\\ &= -\frac{1}{2}k\left\{x^2 - 2\cdot\frac{mg}{k}x + \left(\frac{mg}{k}\right)^2\right\} + \frac{1}{2}k\left(\frac{mg}{k}\right)^2\\ &= -\frac{1}{2}k\left(x - \frac{mg}{k}\right)^2 + \frac{m^2g^2}{2k} \quad \cdots②\end{aligned}$$

となるので，下図のようなグラフになる。

答　下図

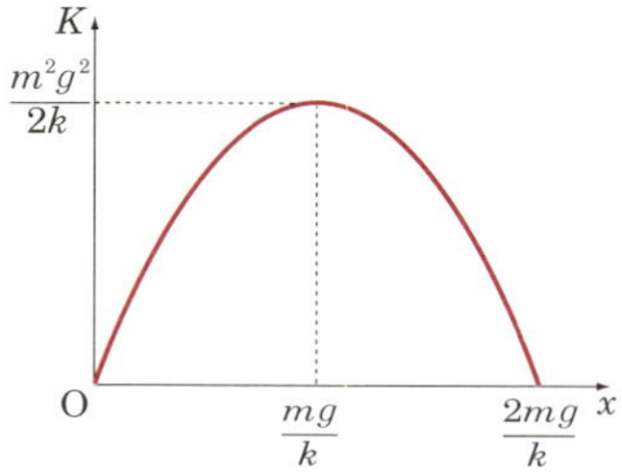

(3) ②より，運動エネルギーが最大になるときのおもりの位置は，

$$x = \frac{mg}{k} \quad \cdots 答$$

16 **解き方** ① ばねはx伸びているので，ばねに蓄えられている弾性力による位置エネルギーUは，

$$U=\frac{1}{2}kx^2$$ …答

② 物体Aと物体Bの運動エネルギーの和Kは，

$$K=\frac{1}{2}Mv^2+\frac{1}{2}mv^2$$
$$=\frac{1}{2}(M+m)v^2$$ …答

③ 物体Aの高さは変わらないが，物体Bの高さはx低くなるので，物体Aと物体Bの重力による位置エネルギーの和Pは，

$$P=-mgx$$ …答

④ 力学的エネルギー保存の法則より，

$$0=\frac{1}{2}kx^2-mgx$$

となるので，

$$0=x\left(\frac{1}{2}kx-mg\right)$$

よって，$x=\dfrac{2mg}{k}$ …答

17 **解き方** (1) 面との垂直抗力の大きさをN〔N〕とすれば，面に垂直な方向の力のつり合いを考えると，$N=mg$
よって，物体が受ける動摩擦力の大きさFは，$F=\mu mg$ …答
動摩擦力が物体にした仕事W〔J〕は，

$$W=\mu mg\times l\times\cos 180°=-\mu mgl$$

物体は保存力以外のした仕事の分だけ力学的エネルギーが増加するので，仕事をされる前の力学的エネルギーをE_0〔J〕，仕事をされた後の力学的エネルギーをE〔J〕とすれば，$E=E_0+W$ …①
失われた力学的エネルギーΔE〔J〕は，

$$\Delta E=E_0-E$$
$$=E_0-(E_0+W)$$
$$=-W$$
$$=\mu mgl$$ …答

(2) B点での物体の速さをv〔m/s〕とすれば，①より，$\dfrac{1}{2}mv^2=\dfrac{1}{2}mv_0{}^2+(-\mu mgl)$
となるので，

$$v=\sqrt{v_0{}^2-2\mu gl}$$ …答

(3) CB間では力学的エネルギーが保存されるので，B点での物体の運動エネルギーをK_B〔J〕とすれば，K_BはC点での位置エネルギーに等しい。
よって，$K_B=mgr$ …答

(4) AB間で摩擦力のする仕事は，物体の運動の向きに関係なく$-\mu mgl$であるから，A点での物体の運動エネルギーをK_A〔J〕とすれば，エネルギーの原理より，

$$K_A-K_B=-\mu mgl$$
$$K_A=K_B-\mu mgl=mgr-\mu mgl$$

物体がA点を通過するためには，$K_A>0$であればよいので，

$$mgr-\mu mgl>0$$

よって，$r>\mu l$ …答

18 **解き方** ① 発射前のボールの速さは0なので，運動量も0である。
② ボールは速度vで打ち出されたのであるから，発車後のボールの運動量はmvである。
③ ボールは加えられた力積だけ運動量が増えるので，$\overline{F}\Delta t=mv$
④ 台車に加えられた力積は$-\overline{F}\Delta t$であるから，台車に加えられた平均の力は$-\overline{F}$となる。
$-\overline{F}\Delta t=-mv$ より，$-\overline{F}=-\dfrac{mv}{\Delta t}$

答 ① 0 ② mv ③ mv ④ $-\dfrac{mv}{\Delta t}$

19 **解き方** ① 物体は等加速度直線運動を行うので，時刻$t=t_1$における物体Aの速度v'は，$v'=v-gt_1$ …答
② 時刻$t=t_1$における物体Aの地面からの高さh'は，$h'=vt_1-\dfrac{1}{2}gt_1{}^2$ …答
③ 最高点では速さが0になるので，最高点に達する時刻をt_2とすれば，$0=v-gt_2$より，$t_2=\dfrac{v}{g}$ …答
④ 最高点の高さをh_mとすれば，

$$0^2-v^2=2\times(-g)\times h_m$$

となるので，$h_m=\dfrac{v^2}{2g}$ …答

⑤ 1回目の衝突後の速さを v_1 とすれば，このときの最高点の高さが h_1 であることから，

$$0^2-v_1{}^2=2\times(-g)\times h_1$$

これから，$v_1=\sqrt{2gh_1}$

よって，反発係数 e は，

$$e=\frac{v_1}{v}=\frac{\sqrt{2gh_1}}{v}$$ …答

⑥ 2回目の衝突後の物体Aの速さを v_2 とすれば，$e=\dfrac{v_2}{v_1}=\dfrac{v_2}{ev}$

であるから，$v_2=e^2v$

2回目の衝突後に物体Aが達する最高点の高さを h_2 とすれば，

$$0^2-v_2{}^2=2\times(-g)\times h_2$$

となるので，$h_2=\dfrac{v_2{}^2}{2g}=\dfrac{e^4v^2}{2g}$ …答

20 解き方 (1) なめらかな壁に衝突しても，鉛直方向の速さは変わらないので，PからQに達するまでの時間を t_1 とすれば，

$$h-\frac{3}{4}h=\frac{1}{2}gt_1{}^2$$

となるので，$t_1=\sqrt{\dfrac{h}{2g}}$

PからDに達するまでの時間は t_1+t_2 であるから，$h=\dfrac{1}{2}g(t_1+t_2)^2$

これから，$t_1+t_2=\sqrt{\dfrac{2h}{g}}$

よって，

$$t_2=\sqrt{\frac{2h}{g}}-t_1=\sqrt{\frac{2h}{g}}-\sqrt{\frac{h}{2g}}$$
$$=2\sqrt{\frac{h}{2g}}-\sqrt{\frac{h}{2g}}$$
$$=\sqrt{\frac{h}{2g}}$$ …答

(2) Qで衝突直後の水平方向の速さを v_x とすれば，$e=\dfrac{v_x}{v_0}$ となるので，$v_x=ev_0$

水平方向は衝突後，速さ ev_0 で等速直線運動を行うので，

$$L_2=v_xt_2=ev_0\sqrt{\frac{h}{2g}}$$ …答

21 解き方 (1) x 方向の運動量保存の式は，

$$mv=mv'\cos\alpha+MV'\cos\beta$$ …①答

y 方向の運動量保存の式は，

$$0=mv'\sin\alpha-MV'\sin\beta$$ …②答

(2) 答 衝突の前後で位置エネルギーは変わらないので，力学的エネルギー保存の式は，

$$\frac{1}{2}mv^2=\frac{1}{2}m(v')^2+\frac{1}{2}M(V')^2$$ …③

$\dfrac{m}{M}=X$ とおけば，①は，

$$Xv=Xv'\cos\alpha+V'\cos\beta$$ …④

②は，$0=Xv'\sin\alpha-V'\sin\beta$ …⑤

③は，$Xv^2=X(v')^2+(V')^2$ …⑥

④×$\sin\beta$＋⑤×$\cos\beta$ より，

$$Xv\sin\beta=Xv'(\sin\beta\cos\alpha+\cos\beta\sin\alpha)$$
$$=Xv'\sin(\alpha+\beta)$$

となるので，$v'=\dfrac{\sin\beta}{\sin(\alpha+\beta)}v$ …⑦

④×$\sin\alpha$－⑤×$\cos\alpha$ より，

$$Xv\sin\alpha=V'(\sin\alpha\cos\beta+\cos\alpha\sin\beta)$$
$$=V'\sin(\alpha+\beta)$$

となるので，

$$V'=\frac{\sin\alpha}{\sin(\alpha+\beta)}Xv$$ …⑧

⑦，⑧を⑥に代入すると，

$$Xv^2=X\left(\frac{\sin\beta}{\sin(\alpha+\beta)}v\right)^2+\left(\frac{\sin\alpha}{\sin(\alpha+\beta)}Xv\right)^2$$

となるから，

$$1=\left(\frac{\sin\beta}{\sin(\alpha+\beta)}\right)^2+\left(\frac{\sin\alpha}{\sin(\alpha+\beta)}\right)^2X$$

よって，

$$X=\frac{\sin^2(\alpha+\beta)-\sin^2\beta}{\sin^2\alpha}$$ …⑨

(3) 答 $\alpha+\beta=90°$ を⑨に代入すると，

$$X=\frac{\sin^2 90°-\sin^2\beta}{\sin^2(90°-\beta)}$$
$$=\frac{1-\sin^2\beta}{\cos^2\beta}=\frac{\cos^2\beta}{\cos^2\beta}=1$$

となるので，$m=M$であることがわかる。

(4) Bが受けた力積は，

$$MV'=M\times\frac{\sin\alpha}{\sin(\alpha+\beta)}Xv$$
$$=\frac{\sin\alpha}{\sin(\alpha+\beta)}mv$$

作用反作用の法則より，Aの受けた力積は，Bの受けた力積と大きさは等しく，向きは反対である。

答 向き：**Bの運動方向と逆向き**

大きさ：$\boldsymbol{\frac{\sin\alpha}{\sin(\alpha+\beta)}mv}$

22 解き方 (1) エネルギー保存の式は，

$$\frac{1}{2}mv_A{}^2+\frac{1}{2}mv_B{}^2=\frac{1}{2}m(v_A{}')^2+\frac{1}{2}m(v_B{}')^2 \quad \cdots①\text{答}$$

運動量保存の式は，

$$mv_A+mv_B=mv_A{}'+mv_B{}' \quad \cdots②\text{答}$$

①は，$v_A{}^2+v_B{}^2=(v_A{}')^2+(v_B{}')^2$

となるので，

$$v_A{}^2-(v_A{}')^2=(v_B{}')^2-v_B{}^2 \quad \cdots③$$

②は，$v_A+v_B=v_A{}'+v_B{}' \quad \cdots④$

となるので，

$$v_A-v_A{}'=v_B{}'-v_B \quad \cdots⑤$$

③÷⑤より，

$$v_A+v_A{}'=v_B{}'+v_B \quad \cdots⑥$$

⑤+⑥より，$2v_A=2v_B{}'$

よって，$v_B{}'=\boldsymbol{v_A}$ …答

⑥−⑤より，$2v_A{}'=2v_B$

よって，$v_A{}'=\boldsymbol{v_B}$ …答

(2) Bに対するAの相対速度はv_A-v_Bである。ひもが張るまでに，AはBに対して$\frac{l}{2}$移動することになるので，

$$\frac{l}{2}=(v_A-v_B)T_0$$

よって，$T_0=\boldsymbol{\frac{l}{2(v_A-v_B)}}$ …答

ひもが張った後は，AとBの速度が入れ替わるので，Aに対するBの相対速度v_A-v_Bで近づいてくる。AとBが衝突するまでに，BはAに対してl移動することになるので，その時間をtとすれば，

$$l=(v_A-v_B)t$$

よって，$t=\frac{l}{v_A-v_B}=2T_0$

AとBの衝突でも，運動量保存の法則と力学的エネルギー保存の法則が成り立つので，AとBで速度が入れ替わり，この運動をくり返すことになる。よって，グラフは下図のようになる。 答 **下図**

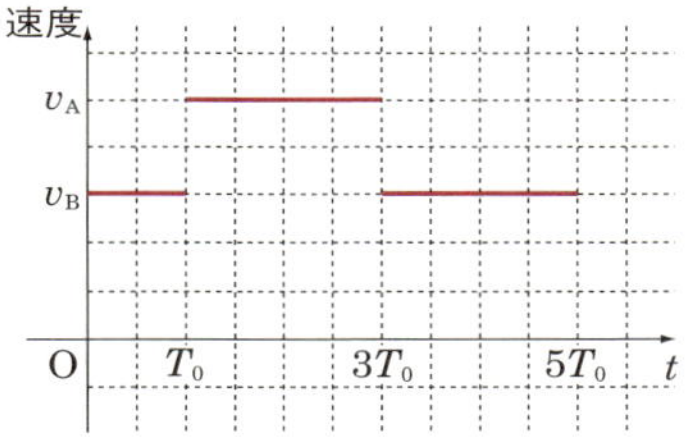

23 解き方 (1) エレベーターが静止しているときの，力のつり合いの式は，

$$1.0\times9.8=k\times0.0245$$

となるので，

$$k=\frac{1.0\times9.8}{0.0245}=\mathbf{400\ N/m} \quad \cdots\text{答}$$

エレベーターが一定の加速度で上昇しているとき，エレベーター内で観測している人から見ると小球は静止しているので，力のつり合いの式は，

$$1.0\times9.8+1.0\times a=400\times0.0285$$

よって，

$$a=400\times0.0285-1.0\times9.8$$
$$=\mathbf{1.6\ m/s^2} \quad \cdots\text{答}$$

(2) 小球が切り落とされた後，エレベーター内の観測者から見た小球の加速度をβとすれば，小球の運動方程式は，

$$1.0\times\beta=1.0\times9.8+1.0\times1.6$$

よって，$\beta=11.4\ \mathrm{m/s^2}$

小球が床に着くまでの時間をt〔s〕とすれば，

$$1.425=\frac{1}{2}\times11.4\times t^2$$

となるので，

$$t=\sqrt{\frac{2\times1.425}{11.4}}=\sqrt{0.25}=\mathbf{0.50\ s} \quad \cdots\text{答}$$

24 **解き方** (1) 台Pは水平な床の上を，水平方向に運動するので，水平方向にはたらく力を考える。台Pにはたらく水平方向の力は，小物体Qからの垂直抗力の水平成分だけなので，小物体Qからの垂直抗力の大きさを N とすれば，台Pの運動方程式は，

$$Ma_1 = N\sin 30° \quad \cdots①$$

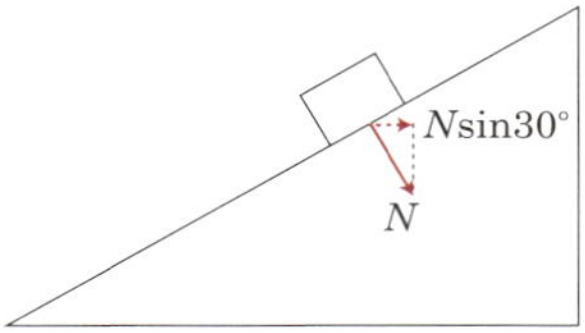

台Pの上に乗って小物体Qを見れば，小物体Qは台Pの斜面に沿って運動するので，斜面に垂直な方向の力はつり合っている。斜面に垂直な方向の力のつり合いの式は，

$$N + ma_1\sin 30° = mg\cos 30° \quad \cdots②$$

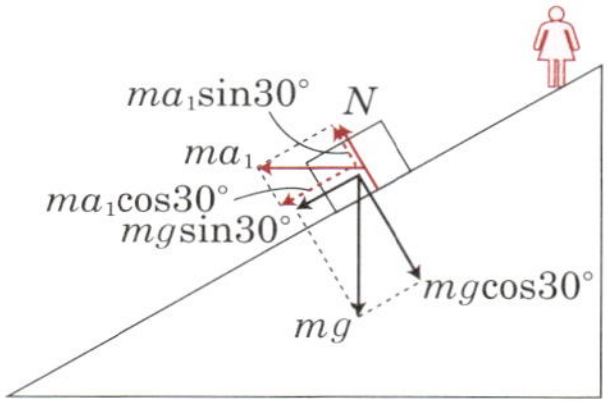

①より，

$$N = 2Ma_1 \quad \cdots③$$

となるので，③を②に代入して，

$$2Ma_1 + \frac{1}{2}ma_1 = \frac{\sqrt{3}}{2}mg$$

よって，$a_1 = \boldsymbol{\frac{\sqrt{3}m}{4M+m}g}$ …**答**

小物体Qは斜面上を運動するので，運動方程式をつくれば，

$$ma_1' = mg\sin 30° + ma_1\cos 30°$$

となるので，

$$a_1' = \frac{1}{2}g + \frac{\sqrt{3}}{2}\cdot\frac{\sqrt{3}m}{4M+m}g$$

$$= \boldsymbol{\frac{2(M+m)}{4M+m}g} \quad \cdots\textbf{答}$$

(2) 小物体Qは斜面上を $\frac{h}{\sin 30°} = 2h$ 移動する。

小物体は等加速度直線運動をするので，

$$2h = \frac{1}{2}\times\frac{2(M+m)}{4M+m}g\times t_1{}^2$$

よって，$t_1 = \boldsymbol{\sqrt{\frac{2(4M+m)h}{(M+m)g}}}$ …**答**

25 **解き方** (1) 小物体Bにはたらく力は，重力と垂直抗力，動摩擦力の3力である。面に垂直な方向の力はつり合っているので，垂直抗力を N とすれば，$N = mg$ となり，動摩擦力の大きさ F は，

$$F = \mu' mg$$

小物体Bの加速度を a_B とすれば，小物体Bの運動方程式は，

$$ma_B = -\mu' mg$$

よって，$a_B = \boldsymbol{-\mu' g}$ …**答**

物体Aの加速度を a_A とすれば，物体Aの運動方程式は，

$$Ma_A = \mu' mg$$

よって，$a_A = \boldsymbol{\frac{\mu' mg}{M}}$ …**答**

(2) 物体Aに乗っている観測者から小物体Bを観察すると，初速度 v_0 で運動している物体が，動摩擦力と慣性力がはたらいているもとで運動することになる。物体Aに乗っている観測者から見た小物体Bの加速度を β とすれば，小物体Bの運動方程式は，

$$m\beta = -\mu' mg - ma_A$$

$$= -\mu' mg - m\frac{\mu' mg}{M}$$

$$= -\mu' mg\left(1 + \frac{m}{M}\right)$$

となるので，

$$\beta = -\mu' g\frac{M+m}{M} = -\frac{\mu'(M+m)g}{M}$$

小物体Bは，物体Aの上で加速度 $-\frac{\mu'(M+m)g}{M}$ の等加速度直線運動を行うので，

$$0 = v_0 - \frac{\mu'(M+m)g}{M}T$$

よって，$T = \boldsymbol{\frac{Mv_0}{\mu'(M+m)g}}$ …**答**

(3) 小物体Bが物体Aの上を滑り始めてから滑らなくなるまでの床に対するBの移動

距離 l_1 は，

$$l_1 = v_0 T + \frac{1}{2}\times(-\mu' g)\times T^2$$
$$= \frac{Mv_0^2}{\mu'(M+m)g} - \frac{\mu' g}{2}\left(\frac{Mv_0}{\mu'(M+m)g}\right)^2$$
$$= \frac{Mv_0^2}{\mu'(M+m)g} - \frac{M^2 v_0^2}{2\mu'(M+m)^2 g}$$
$$= \boldsymbol{\frac{M(M+2m)v_0^2}{2\mu'(M+m)^2 g}}$$ …答

(4) 小物体 B が物体 A の上を滑り始めてから滑らなくなるまでの物体 A に対する B の移動距離 l_2 は，

$$0^2 - v_0^2 = 2\times\left(-\frac{\mu'(M+m)g}{M}\right)\times l_2$$

よって，$l_2 = \boldsymbol{\frac{Mv_0^2}{2\mu'(M+m)g}}$ …答

26 **解き方** (1) 物体 B が物体 A から受ける垂直抗力の大きさを N_B とすれば，斜面に垂直な方向の力のつり合いの式は，

$$N_B = m_B g\cos\theta$$

よって，物体 A が物体 B から受ける動摩擦力 F_B は，

$$F_B = \boldsymbol{\mu_B' m_B g\cos\theta}$$ …答

物体 A が斜面から受ける垂直抗力の大きさを N_A とすれば，斜面に垂直な方向の力のつり合いの式は，

$$N_A = m_A g\cos\theta + N_B$$
$$= m_A g\cos\theta + m_B g\cos\theta$$
$$= (m_A + m_B)g\cos\theta$$

よって，物体 A が斜面から受ける動摩擦力 F_A は，

$$F_A = \boldsymbol{-\mu_A'(m_A+m_B)g\cos\theta}$$ …答

(2) 物体 A に生じる加速度を a とすれば，物体 A の運動方程式は，

$$m_A a = m_A g\sin\theta + \mu_B' m_B g\cos\theta - \mu_A'(m_A+m_B)g\cos\theta$$

となるので，

$$a = g\sin\theta + \frac{\mu_B' m_B - \mu_A'(m_A+m_B)}{m_A}g\cos\theta$$

物体 A に乗っている観測者から物体 B を見たときの加速度を β とすれば，物体 B の運動方程式は，

$$m_B\beta = m_B g\sin\theta - \mu_B' m_B g\cos\theta - m_B a$$
$$= m_B g\sin\theta - \mu_B' m_B g\cos\theta - m_B\left(g\sin\theta + \frac{\mu_B' m_B - \mu_A'(m_A+m_B)}{m_A}g\cos\theta\right)$$
$$= -\mu_B' m_B g\cos\theta - m_B\frac{\mu_B' m_B - \mu_A'(m_A+m_B)}{m_A}g\cos\theta$$
$$= -\left\{\mu_B' + \frac{\mu_B' m_B - \mu_A'(m_A+m_B)}{m_A}\right\}\times m_B g\cos\theta$$
$$= \frac{(\mu_A' - \mu_B')(m_A+m_B)}{m_A}m_B g\cos\theta$$

となるので，

$$\beta = \frac{(\mu_A' - \mu_B')(m_A+m_B)}{m_A}g\cos\theta$$

よって，

$$x_B - x_A = \frac{1}{2}\beta t_2^2$$
$$= \boldsymbol{\frac{(\mu_A' - \mu_B')(m_A+m_B)}{2m_A}gt_2^2\cos\theta}$$ …答

27 **解き方** (1) 周期 T は 1 回転する時間であるから，

$$T = \frac{60}{10} = \boldsymbol{6.0\ \mathrm{s}}$$ …答

角速度 ω は，

$$\omega = \frac{2\pi}{T} = \frac{2\pi}{6.0} = \boldsymbol{\frac{\pi}{3}\ [\mathrm{rad/s}]}$$ …答

(2) 円盤の回転軸から距離 r の位置にあるので，

$$v = r\omega = \boldsymbol{\frac{\pi r}{3}\ [\mathrm{m/s}]}$$ …答

(3) 円盤に乗った観測者から見た場合，小物体にはたらく力は，重力，垂直抗力，最大摩擦力，遠心力の 4 力である。 答 下図

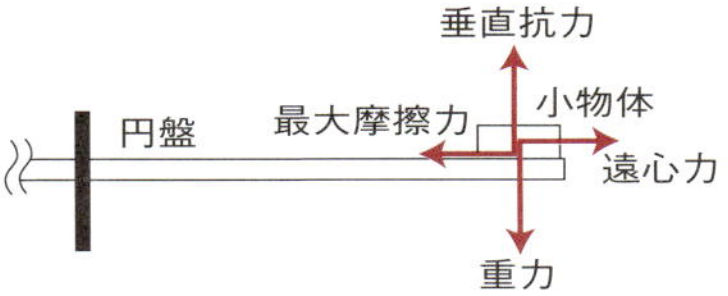

鉛直方向の力のつり合いを考えると，垂直抗力の大きさNは，

$$N=mg$$

水平方向の力のつり合いの式は，

$$mr\omega_0{}^2=\mu mg \quad \cdots①$$

よって，$\mu=\dfrac{r\omega_0{}^2}{g}$ …答

(4) 小物体にはたらく，回転外向きの力が最大になるのは，小物体が最も低い位置に来たときである。

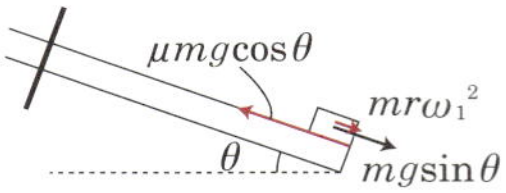

角速度をω_1として，小物体が最も低い位置に来たときの，円盤に乗った観測者から見た力のつり合いの式をつくると，

$$mr\omega_1{}^2+mg\sin\theta=\mu mg\cos\theta$$

となるので，

$$mr\omega_1{}^2=\mu mg\cos\theta-mg\sin\theta \quad \cdots②$$

②÷①より，

$$\frac{\omega_1{}^2}{\omega_0{}^2}=\frac{\mu\cos\theta-\sin\theta}{\mu}$$

となるから，

$$\frac{\omega_1}{\omega_0}=\sqrt{\frac{\mu\cos\theta-\sin\theta}{\mu}} \quad \cdots答$$

28 解き方 (1) 糸の張力の大きさをSとすれば，エレベーターの運動方程式は，

$$M_2a=F-S\cos\theta-M_2g \quad \cdots①$$

おもりの鉛直方向の運動方程式は，

$$M_1a=S\cos\theta-M_1g \quad \cdots②$$

①＋②より，

$$(M_1+M_2)a=F-M_1g-M_2g$$

よって，$a=\dfrac{F}{M_1+M_2}-g$ …答

(2) $M_1\times①-M_2\times②$より，

$$0=M_1F-(M_1+M_2)S\cos\theta$$

となるので，

$$S=\frac{M_1F}{(M_1+M_2)\cos\theta} \quad \cdots答$$

(3) 張力の水平方向の分力が向心力になるので，

$$f=S\sin\theta$$
$$=\frac{M_1F\sin\theta}{(M_1+M_2)\cos\theta}$$
$$=\frac{M_1F\tan\theta}{M_1+M_2} \quad \cdots答$$

(4) 円運動の角速度をωとすれば，円運動の加速度は

$$(L\sin\theta)\omega^2=L\omega^2\sin\theta$$

となるので，円運動の運動方程式は，

$$M_1L\omega^2\sin\theta=\frac{M_1F\tan\theta}{M_1+M_2}$$

これから，

$$\omega^2=\frac{F}{(M_1+M_2)L\cos\theta}$$

$$\omega=\sqrt{\frac{F}{(M_1+M_2)L\cos\theta}}$$

よって，

$$T=\frac{2\pi}{\omega}$$
$$=2\pi\sqrt{\frac{(M_1+M_2)L\cos\theta}{F}} \quad \cdots答$$

29 解き方 (1) 答 下図

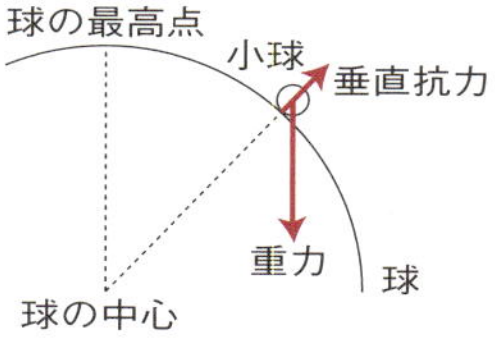

(2) 微小時間Δtでの速度の変化を考える。微小時間では速さは変わらないと考えると，半径Rで速さがvのときの角速度は$\dfrac{v}{R}$で与えられる。速度ベクトルの回転角は$\dfrac{v}{R}\Delta t$であるから，このときの速度の変化量Δvは，

$$\Delta v=v\times\frac{v}{R}\Delta t=\frac{v^2}{R}\Delta t$$

加速度の大きさaは

$$a=\frac{\Delta v}{\Delta t}=\frac{\frac{v^2}{R}\Delta t}{\Delta t}=\frac{v^2}{R}$$

加速度の向きは，次図からわかるように，円の中心方向である。

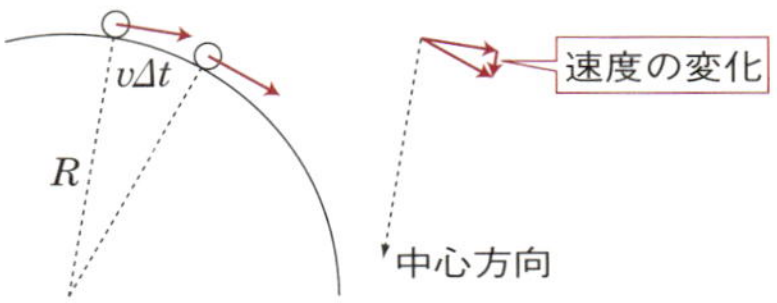

答 球の中心に向かう向きで大きさは $\dfrac{v^2}{R}$

(3) 力学的エネルギー保存の法則より，

$$\frac{1}{2}mv_0{}^2=\frac{1}{2}mv^2-mgR(1-\cos\theta)$$

となるので，

$$v^2=v_0{}^2+2gR(1-\cos\theta)$$

よって，

$$v=\sqrt{v_0{}^2+2gR(1-\cos\theta)} \quad \cdots\text{答}$$

(4) 角度 θ の位置まで滑り落ちたとき，小球にはたらく垂直抗力の大きさを N とすれば，円運動の運動方程式は，

$$m\frac{v^2}{R}=mg\cos\theta-N$$

となるので，

$$N=mg\cos\theta-m\frac{v^2}{R}$$
$$=mg\cos\theta-m\frac{v_0{}^2+2gR(1-\cos\theta)}{R}$$
$$=mg(3\cos\theta-2)-\frac{mv_0{}^2}{R}$$

$N=0$ になったとき小球は球面から離れるので，そのときの回転角を θ_1 とすれば，

$$mg(3\cos\theta_1-2)-\frac{mv_0{}^2}{R}=0$$

$$\cos\theta_1=\frac{1}{3}\left(\frac{v_0{}^2}{gR}+2\right)$$

よって，小球が球面から離れる位置の，地面からの高さ H は，

$$H=R+R\cos\theta_1$$
$$=R+R\times\frac{1}{3}\left(\frac{v_0{}^2}{gR}+2\right)$$
$$=\frac{1}{3}\left(\frac{v_0{}^2}{g}+5R\right) \quad \cdots\text{答}$$

(5) $\theta=0$ で $N<0$ であればよいので，

$$mg(3\cos 0-2)-\frac{mv_1{}^2}{R}<0$$

$$mg-\frac{mv_1{}^2}{R}<0$$

よって，$v_1>\sqrt{gR}$ …答

30 **解き方** (1) ① 重力の斜面最大傾斜方向の分力の大きさは $mg\sin\alpha$ であるから，

$$S_A=mg\sin\alpha \quad \cdots\text{答}$$

② 斜面に垂直な方向の力のつり合いの式より，

$$N_A=mg\cos\alpha \quad \cdots\text{答}$$

③ 円運動の運動方程式をつくれば，

$$m\frac{v_A{}^2}{L}=T_A-mg\sin\alpha$$

となるので，

$$T_A=m\frac{v_A{}^2}{L}+mg\sin\alpha \quad \cdots\text{答}$$

(2) ① 斜面に垂直な方向から見ると，斜面の最大傾斜方向に $mg\sin\alpha$ の力がはたらいているので，重力の CB 方向の成分 S_B は，

$$S_B=mg\sin\alpha\cos\theta \quad \cdots\text{答}$$

② 斜面に垂直な方向の力のつり合いの式より，

$$N_B=mg\cos\alpha \quad \cdots\text{答}$$

③ 力学的エネルギー保存の法則より，

$$\frac{1}{2}mv_B{}^2+mg\sin\alpha\cdot L(1-\cos\theta)$$

$=\dfrac{1}{2}mv_A{}^2$ となるので，

$$v_B{}^2=v_A{}^2-2gL\sin\alpha(1-\cos\theta)$$

よって，

$$v_B=\sqrt{v_A{}^2-2gL\sin\alpha(1-\cos\theta)}$$
…答

④ 円運動の運動方程式をつくれば，

$$m\frac{v_B{}^2}{L}=T_B-mg\sin\alpha\cos\theta$$

となるので，

$$T_B=m\frac{v_B{}^2}{L}+mg\sin\alpha\cos\theta$$
$$=m\frac{v_A{}^2-2gL\sin\alpha(1-\cos\theta)}{L}+mg\sin\alpha\cos\theta$$
$$=m\frac{v_A{}^2}{L}+mg\sin\alpha(3\cos\theta-2)$$
…答

⑤ ④の結果から，張力が最小になるのは，$\cos\theta=-1$ のときであることがわかる。

よって，$\theta=\pi$ …答

張力の最小値 T_{min} は，

$$T_{min}=m\frac{v_A{}^2}{L}+mg\sin\alpha\times(-3-2)$$

$$=m\frac{v_A{}^2}{L}-5mg\sin\alpha$$ …答

⑥ 糸がたるむことなく小球Pが円運動をするためには，$T_{min}\geqq 0$ であればよいので，

$$m\frac{v_A{}^2}{L}-5mg\sin\alpha\geqq 0$$

よって，$v_A\geqq\sqrt{5gL\sin\alpha}$ …答

31 **解き方** (1) つり合いの位置が振動の中心になるので，力のつり合いの式は，

$$k(L-x_0)=mg\sin\theta$$

$$L-x_0=\frac{mg}{k}\sin\theta$$

よって，$x_0=L-\dfrac{mg}{k}\sin\theta$ …答

(2) 振動の中心からの変位を X，角振動数を ω とすれば，運動方程式は，

$$m\cdot(-\omega^2X)$$

$$=k(L-x_0-X)-mg\sin\theta$$

$$=k(L-x_0)-kX-mg\sin\theta$$

$$=-kX$$

となるので，

$$\omega^2=\frac{k}{m}\qquad\omega=\sqrt{\frac{k}{m}}$$

よって，$T=\dfrac{2\pi}{\omega}=2\pi\sqrt{\dfrac{m}{k}}$ …答

(3) 単振動の速さが最大になるのは，つり合いの位置を通過するときであるから，速さの最大値を v_{max} とすれば，力学的エネルギー保存の法則より，

$$\frac{1}{2}mv_{max}{}^2+\frac{1}{2}k(L-x_0)^2$$

$$=mg(L-x_0)\sin\theta$$

$mg\sin\theta=k(L-x_0)$ を用いると，

$$\frac{1}{2}mv_{max}{}^2=\frac{1}{2}k(L-x_0)^2$$

となるので，

$$v_{max}=(L-x_0)\sqrt{\frac{k}{m}}$$

$$=\frac{mg}{k}\sin\theta\times\sqrt{\frac{k}{m}}$$

$$=g\sin\theta\sqrt{\frac{m}{k}}$$ …答

(別解) 単振動の速さの最大値 v_{max} は，振幅を A としたとき $A\omega$ で与えられるので，

$$A=L-x_0=\frac{mg}{k}\sin\theta$$

であることを用いると，

$$v_{max}=\frac{mg}{k}\sin\theta\times\sqrt{\frac{k}{m}}$$

$$=g\sin\theta\sqrt{\frac{m}{k}}$$

32 **解き方** AP間は長さ r の単振り子になるので，その周期 T_1 は，

$$T_1=2\pi\sqrt{\frac{r}{g}}$$

PB間は長さ l の単振り子になるので，その周期 T_2 は，

$$T_2=2\pi\sqrt{\frac{l}{g}}$$

AからPの時間は $\dfrac{T_1}{4}$，PからBへ行ってPに戻る時間は $\dfrac{T_2}{2}$，PからAの時間は $\dfrac{T_1}{4}$ であるから，AからBへ行ってAに戻る時間 T は，

$$T=\frac{T_1}{4}+\frac{T_2}{2}+\frac{T_1}{4}$$

$$=\frac{\pi}{2}\sqrt{\frac{r}{g}}+\pi\sqrt{\frac{l}{g}}+\frac{\pi}{2}\sqrt{\frac{r}{g}}$$

$$=\pi\sqrt{\frac{r}{g}}+\pi\sqrt{\frac{l}{g}}$$

$$=\pi\left(\sqrt{\frac{r}{g}}+\sqrt{\frac{l}{g}}\right)$$ …答

33 **解き方** ① 円柱の沈んでいる部分の体積は SH であるから，円柱にはたらく浮力の大きさ F は，

$$F=\rho SHg$$ …答

② 円柱にはたらく力のつり合いの式は，

$$(M+m)g=\rho SHg$$ …ⓐ

よって，$H=\dfrac{M+m}{\rho S}$ …答

③ 手にかかる力の大きさを F' とすれば，力のつり合いの式は，

$$F'+(M+m)g=\rho S(H+A)g$$

となるので，

$F' = \rho S(H + A)g - (M + m)g$
$= \rho SHg + \rho SAg - (M + m)g$

ⓐ式を用いれば,

$F' = \boldsymbol{\rho SAg}$ …答

④ 角振動数を ω として，手をはなした瞬間の運動方程式をつくれば,

$(M + m)(-\omega^2 A) = -\rho SAg$

となるので，$\omega = \sqrt{\dfrac{\rho Sg}{M + m}}$

よって，$T = \dfrac{2\pi}{\omega} = \boldsymbol{2\pi\sqrt{\dfrac{M + m}{\rho Sg}}}$ …答

⑤ 単振動の振幅は A であるから，円柱の速さの最大値 $v_{\max}$ は,

$v_{\max} = A\omega = \boldsymbol{A\sqrt{\dfrac{\rho Sg}{M + m}}}$ …答

34 解き方 (1) 力学的エネルギー保存の法則より，$\dfrac{1}{2}Mv_1{}^2 = Mgh$

よって，$v_1 = \boldsymbol{\sqrt{2gh}}$ …答

(2) 運動量保存の法則より,

$Mv_1 = (M + m)v_2$

となるので,

$v_2 = \dfrac{Mv_1}{M + m} = \boldsymbol{\dfrac{M\sqrt{2gh}}{M + m}}$ …答

(3) 衝突によって失われた小球と板のもつ力学的エネルギー ΔE は,

$\Delta E = Mgh - \dfrac{1}{2}(M + m)\left(\dfrac{M\sqrt{2gh}}{M + m}\right)^2$

$= \boldsymbol{\dfrac{Mmgh}{M + m}}$ …答

(4) 振動の中心はつり合いの位置であるから，力のつり合いの式は，$(M + m)g = kx_1$

よって，$x_1 = \boldsymbol{\dfrac{(M + m)g}{k}}$ …答

(5) 振動の中心からの変位を x，角振動数を ω とすれば，運動方程式は,

$(M + m)(-\omega^2 x)$
$= k(x_1 - x) - (M + m)g$
$= kx_1 - kx - (M + m)g$
$= -kx$

となるので，$\omega = \sqrt{\dfrac{k}{M + m}}$

よって，$T = \dfrac{2\pi}{\omega} = \boldsymbol{2\pi\sqrt{\dfrac{M + m}{k}}}$ …答

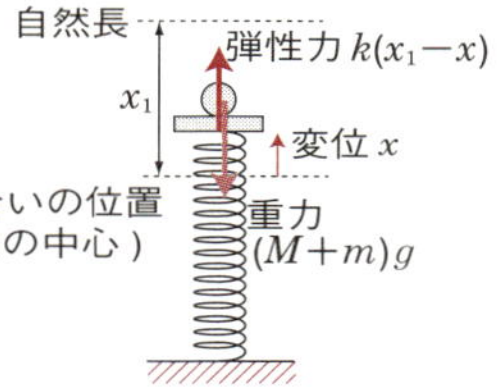

35 解き方 (1) 衝突した直後のAおよびBの速度をそれぞれ v_A，v_B とすれば，運動量保存の法則の式は,

$\dfrac{2}{3}mv_0 = \dfrac{2}{3}mv_A + mv_B$

反発係数の式は，$1 = -\dfrac{v_A - v_B}{v_0}$

この 2 式より，$v_A = -\dfrac{1}{5}v_0$，$v_B = \dfrac{4}{5}v_0$

答 A：**左向きに $\dfrac{1}{5}v_0$**，B：**右向きに $\dfrac{4}{5}v_0$**

(2) 物体B，Cが同じ速度になったとき，重心の速度 V と等しくなるので，運動量保存の法則より，$\dfrac{4}{5}mv_0 = (m + 3m)V$

よって，$V = \boldsymbol{\dfrac{1}{5}v_0}$ …答

(3) 重心のまわりの重力のモーメントはつり合うので，$mg \times l_B = 3mg \times l_C$

また，$l_B + l_C = l_0$

この 2 式より，$l_B = \boldsymbol{\dfrac{3}{4}l_0}$，$l_C = \boldsymbol{\dfrac{1}{4}l_0}$ …答

(4) 答 元のばねが x 伸びているとき，切断したとき l_B になったばねの伸び x_B は，切断されたばねの長さに比例するので,

$x : x_B = l_0 : l_B$

これから，$x_B = \dfrac{l_B}{l_0}x$

ばねにはたらく力は kx であるから，切断後のばね定数を k_B とすれば,

$kx = k_B \times \dfrac{l_B}{l_0}x$

よって，$k_B = \dfrac{l_0}{l_B}k$

(5) 重心からB側を見たとき，B側の角振動

数を ω_B とし，B 側のばねが x 伸びているときの運動方程式をつくれば，

$$m\cdot(-\omega_B{}^2x)=-\frac{l_0}{l_B}kx$$

となるので，$\omega_B=\sqrt{\frac{l_0k}{l_Bm}}=\sqrt{\frac{4k}{3m}}$

よって，周期 T_B は，

$$T_B=2\pi\sqrt{\frac{3m}{4k}}=\boldsymbol{\pi\sqrt{\frac{3m}{k}}}$$ …答

重心から C 側を見たとき，C 側の角振動数を ω_C とし，C 側のばねが x 伸びているときの運動方程式をつくれば，

$$3m\cdot(-\omega_C{}^2x)=-\frac{l_0}{l_C}kx$$

となるので，$\omega_C=\sqrt{\frac{l_0k}{3l_Cm}}=\sqrt{\frac{4k}{3m}}$

よって，周期 T_C は，

$$T_C=2\pi\sqrt{\frac{3m}{4k}}=\boldsymbol{\pi\sqrt{\frac{3m}{k}}}$$ …答

(別解)　ばねが x 伸びているとき，C の加速度を a とすれば，C の運動方程式は，

$$3ma=-kx$$

よって，$a=-\frac{kx}{3m}$

C に乗って B を観察すると，単振動を行うので，角振動数を ω とおけば，B の運動方程式は，

$$m\cdot(-\omega^2x)=-kx+ma$$
$$=-kx-m\cdot\frac{kx}{3m}$$
$$=-\frac{4}{3}kx$$

これから，$\omega=\sqrt{\frac{4k}{3m}}$

よって，単振動の周期 T は，

$$T=2\pi\sqrt{\frac{3m}{4k}}=\pi\sqrt{\frac{3m}{k}}$$

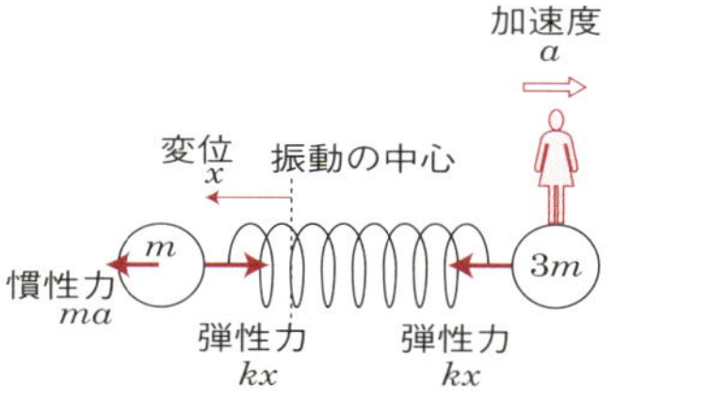

36　**解き方**　(1) 人工衛星の運動方程式をつくれば，$m\frac{v^2}{r}=G\frac{Mm}{r^2}$ となるので，

$$v=\boldsymbol{\sqrt{\frac{GM}{r}}}$$ …答

(2) 人工衛星の運動エネルギー K は，

$$K=\frac{1}{2}m\left(\sqrt{\frac{GM}{r}}\right)^2=\boldsymbol{\frac{GMm}{2r}}$$ …答

(3) 人工衛星の力学的エネルギー E は，

$$E=K-G\frac{Mm}{r}=\frac{GMm}{2r}-\frac{GMm}{r}$$
$$=\boldsymbol{-\frac{GMm}{2r}}$$ …答

(4) 人工衛星の円運動の角速度 ω は，

$$\omega=\frac{v}{r}=\frac{1}{r}\sqrt{\frac{GM}{r}}=\boldsymbol{\sqrt{\frac{GM}{r^3}}}$$ …答

(5) 人工衛星の円運動の周期 T は，

$$T=\frac{2\pi}{\omega}=\boldsymbol{2\pi\sqrt{\frac{r^3}{GM}}}$$ …答

(6) (5)の結果を 2 乗すれば，$T^2=4\pi^2\frac{r^3}{GM}$

となるので，$\frac{T^2}{r^3}=\boldsymbol{\frac{4\pi^2}{GM}}$ …答

37　**解き方**　(1) 衛星の質量を m，加速度の大きさを a とすれば，衛星の運動方程式は，

$$ma=G\frac{Mm}{R^2}$$

となるので，$a=\frac{GM}{R^2}$

地球との万有引力は，地球の中心に向かうので，加速度の向きも地球の中心に向かう。衛星の速さを v とすれば，衛星の加速度は $\frac{v^2}{R}$ と表されるから，$\frac{v^2}{R}=\frac{GM}{R^2}$

よって，$v=\sqrt{\frac{GM}{R}}$

答　加速度の向き：**地球の中心**，

加速度の大きさ：$\boldsymbol{\frac{GM}{R^2}}$，

速さ：$\boldsymbol{\sqrt{\frac{GM}{R}}}$

(2) 加速直後の速さを v' とし，無限遠の位置エネルギーを 0 とすれば，加速直後の力学的エネルギー E は，

$$E=\frac{1}{2}m(v')^2-G\frac{Mm}{R}$$

衛星が無限遠に飛び去らずに周回運動をするためには，$E<0$ であればよいので，

$$\frac{1}{2}m(v')^2-G\frac{Mm}{R}<0$$

よって，$\frac{1}{2}m(v')^2<G\frac{Mm}{R}$

ゆえに，$\boldsymbol{v'<\sqrt{\frac{2GM}{R}}}$ …答

(3) 衛星の点Pでの速さを v_P，点Qでの速さを v_Q とすれば，面積速度一定の法則より，

$$\frac{1}{2}v_P\times R=\frac{1}{2}v_Q\times 3R$$

よって，$v_P:v_Q=\mathbf{3:1}$ …① 答

(4) 力学的エネルギー保存の法則より，

$$\frac{1}{2}mv_P{}^2-G\frac{Mm}{R}=\frac{1}{2}mv_Q{}^2-G\frac{Mm}{3R}$$ …②

①より $v_Q=\frac{1}{3}v_P$ となるので，②に代入して，

$$\frac{1}{2}mv_P{}^2-G\frac{Mm}{R}$$
$$=\frac{1}{2}m\left(\frac{1}{3}v_P\right)^2-G\frac{Mm}{3R}$$
$$v_P{}^2-\left(\frac{1}{3}v_P\right)^2=\frac{2GM}{R}-\frac{2GM}{3R}$$
$$\frac{8}{9}v_P{}^2=\frac{4GM}{3R}$$

よって，$v_P=\boldsymbol{\sqrt{\frac{3GM}{2R}}}$ …答

38 **解き方** (1) ① 北極点における重力加速度を g_N とすれば，質量 m の物体にはたらく重力は，$mg_N=G\frac{Mm}{R^2}$

よって，$g_N=\boldsymbol{\frac{GM}{R^2}}$ …答

② 赤道における重力加速度を g_R とすれば，質量 m の物体にはたらく重力は，

$$mg_R=G\frac{Mm}{R^2}-mR\omega^2$$

よって，$g_R=\boldsymbol{\frac{GM}{R^2}-R\omega^2}$ …答

(2) ① 静止衛星の質量を m として，静止衛星の運動方程式をつくれば，

$$mL\omega^2=G\frac{Mm}{L^2}$$

となるので，$L^3=\frac{GM}{\omega^2}$

よって，$L=\boldsymbol{\sqrt[3]{\frac{GM}{\omega^2}}}$ …答

② 小物体が地表に到達したときの速さを v とすれば，力学的エネルギー保存則より，

$$-G\frac{Mm}{L}=-G\frac{Mm}{R}+\frac{1}{2}mv^2$$

となるので，

$$v=\boldsymbol{\sqrt{\frac{2GM(L-R)}{LR}}}$$ …答

39 **解き方** 円すいの高さと半径は比例関係にあるので，高さ h_m における半径 r_m は，

$$r:h=r_m:h_m$$

これから，$r_m=\frac{h_m}{h}r$

面積速度一定の法則より，$\frac{1}{2}vr=\frac{1}{2}v_m r_m$ となるので，

$$v_m=\frac{r}{r_m}v=\frac{h}{h_m}v=\frac{h}{h_m}\sqrt{\frac{gh}{3}}$$

力学的エネルギー保存の法則より，

$$\frac{1}{2}mv_m{}^2+mgh_m=\frac{1}{2}mv^2+mgh$$

となるので，

$$\left(\frac{h}{h_m}\sqrt{\frac{gh}{3}}\right)^2+2gh_m=\left(\sqrt{\frac{gh}{3}}\right)^2+2gh$$

を得る。これを次のように変形する。

$$h^3+6h_m{}^3=7hh_m{}^2$$
$$6h_m{}^3-7hh_m{}^2+h^3=0$$
$$6h_m{}^3-6hh_m{}^2-hh_m{}^2+h^3=0$$
$$6h_m{}^2(h_m-h)-h(h_m{}^2-h^2)=0$$
$$(h_m-h)\{6h_m{}^2-h(h_m+h)\}=0$$
$$(h_m-h)(3h_m+h)(2h_m-h)=0$$

よって，$h_m=\boldsymbol{\frac{1}{2}h}$ …答

また，$v_m=\frac{h}{\frac{1}{2}h}\sqrt{\frac{gh}{3}}=\boldsymbol{2\sqrt{\frac{gh}{3}}}$ …答

40 **解き方** (1) ① 地球の密度を ρ とすれば，

$M=\dfrac{4}{3}\pi\rho R^3$ となるので，$\rho=\dfrac{3M}{4\pi R^3}$

地球の中心から半径 r の内側の質量 M' は，

$$M'=\frac{4}{3}\pi\rho r^3=\frac{4}{3}\pi\times\frac{3M}{4\pi R^3}\times r^3$$

$$=\frac{r^3}{R^3}M$$

よって，トンネル内のP点にある質点にはたらく重力の大きさ F は，

$$F=G\frac{M'm}{r^2}=G\frac{\frac{r^3}{R^3}Mm}{r^2}=\boldsymbol{\frac{GMmr}{R^3}}$$

…答

② 質点は単振動をするので，角振動数を ω とすれば，P点での加速度は $-\omega^2r$ となる。よって，運動方程式は，

$$m\cdot(-\omega^2r)=-\frac{GMmr}{R^3}$$

これから，$\omega=\sqrt{\dfrac{GM}{R^3}}$

よって，周期 T は，

$$T=\frac{2\pi}{\omega}=\boldsymbol{2\pi\sqrt{\frac{R^3}{GM}}}$$ …答

(2) ③ $\angle\mathrm{POO'}=\theta$ とおけば，質点にはたらくトンネルに沿った方向の力の大きさ F' は，$F'=F\sin\theta=\dfrac{GMmr}{R^3}\sin\theta$

$\triangle\mathrm{POO'}$ から，$\sin\theta=\dfrac{x}{r}$

よって，

$$F'=\frac{GMmr}{R^3}\times\frac{x}{r}=\boldsymbol{\frac{GMmx}{R^3}}$$ …答

④ O′ を中心に単振動を行うので，角振動数を ω とすれば，P点での加速度は $-\omega^2x$ となるので，運動方程式は，

$$m\cdot(-\omega^2x)=-\frac{GMmx}{R^3}$$

これから，$\omega=\sqrt{\dfrac{GM}{R^3}}$

よって，周期 T' は，$T'=\dfrac{2\pi}{\omega}=2\pi\sqrt{\dfrac{R^3}{GM}}$

求めるのは反対側の地表に出るまでの時間なので，この半分となり，

$$\frac{T'}{2}=\boldsymbol{\pi\sqrt{\frac{R^3}{GM}}}$$ …答

2 熱と気体

41 **解き方** (1) それぞれグラフの状態から判断する。

答 **A–B 間**：**氷の温度が上昇している。**
B–C 間：**氷が融解して水に変わっている。**
C–E 間：**水の温度が上昇している。**
E–F 間：**水が沸騰して水蒸気に変わっている。**

(2) 100 Ω の抵抗に 10 V の電圧を加えているのであるから，抵抗での電力 P は，

$$P=\frac{V^2}{R}=\frac{10^2}{100}=1\ \mathrm{W}$$

よって，C–D 間にヒーターで発生した熱量 Q_1 は，

$Q_1=1\times(4756-3838)=\mathbf{918\ J}$ …答

(3) 熱量 Q_1 で，銅板と水の温度が 0 ℃から 20 ℃に上昇したのであるから，

$$918=10\times4.2\times(20-0)+C_0\times(20-0)$$

よって，

$C_0=\dfrac{918}{20}-10\times4.2=\mathbf{3.9\ J/K}$ …答

(4) A–B 間に，ヒーターで発生した熱量 Q_2 は，

$Q_2=1\times498=\mathbf{498\ J}$ …答

熱量 Q_2 で，銅板と氷の温度が -20 ℃から 0 ℃に上昇したのであるから，

$$498=10\times c\times\{0-(-20)\}+3.9\times\{0-(-20)\}$$

よって，

$c=\dfrac{498-20\times3.9}{200}=\mathbf{2.1\ J/(g\cdot K)}$

…答

(5) B–C 間にヒーターで発生した熱量 Q_3 は，

$Q_3=1\times(3838-498)=3340$

であり，この熱量で 10 g の氷がすべて融けるので，$3340=L\times10$

よって，$L=\dfrac{3340}{10}=\mathbf{334\ J/g}$ …答

(6) E–F 間にヒーターで発生した熱量 Q_4 は，

$Q_4=1\times22560=22560$

であり，この熱量で 10 g の水がすべて水

蒸気に変わるので，$22560 = h \times 10$

よって，$h = \frac{22560}{10} = $ **2256 J/g** …答

42 解き方 (1) 銅製の容器とかきまぜ棒の合計の熱容量 C は，

$$C = 85.0 \times c + 15.0 \times c = \mathbf{100c} \quad \cdots 答$$

(2) 熱量が保存するので，

$$60.0 \times c \times (98.5 - 28.5)$$
$$= (184.6 - 85.0) \times 4.2 \times (28.5 - 25.0)$$
$$+ 0.4 \times 4.2 \times (28.5 - 25.0)$$
$$+ 100c \times (28.5 - 25.0)$$

よって，

$$c = \frac{100 \times 4.2 \times 3.5}{3850} = 0.3818$$

答 **3.8×10^{-1} J/(g·K)**

43 解き方 (1) ピストンにはたらく力のつり合いの式をつくれば，$p_1S = p_0S + mg$

よって，$p_1 = \boldsymbol{p_0 + \frac{mg}{S}}$ …答

(2) 温度が ΔT 上昇したときピストンが Δh 上昇したとすれば，シャルルの法則を用いて，

$$\frac{Sh}{T_1} = \frac{S(h + \Delta h)}{T_1 + \Delta T} \text{ より，} \Delta h = \frac{\Delta T}{T_1}h$$

よって，求める仕事は，

$$W = p_1S\Delta h = \boldsymbol{\frac{p_1Sh\Delta T}{T_1}} \quad \cdots 答$$

44 解き方 ① 壁との衝突は弾性衝突なので，速さは変わらず向きだけが変わる。よって，衝突後の速度の x 成分は $-v_x$ である。

② 1 mol あたりの質量が M であるから，分子 1 個の質量は $\frac{M}{N_A}$ である。分子が壁から受ける力積だけ，分子の運動量が変化するので，分子が受けた力積は，

$$-\frac{M}{N_A}v_x - \frac{M}{N_A}v_x = -2\frac{M}{N_A}v_x$$

作用・反作用の法則より，壁には分子と逆向きの同じ大きさの力積が加わるので，壁の受けた力積は $\frac{2Mv_x}{N_A}$ である。

③ $x = 0$ の壁までの x 方向の距離は L であるから，$x = 0$ の壁に衝突するまでの時間は，$\frac{L}{v_x}$ である。

④ 壁が分子から受ける平均の力を $\overline{f}$ とすると，時間 Δt の間に $x = L$ の壁が受ける力積は $\overline{f}\Delta t$ である。また，時間 Δt の間に $x = L$ の壁に分子が衝突する回数は，

$$\frac{\Delta t}{2\frac{L}{v_x}} = \frac{v_x\Delta t}{2L}$$

であるから，

$$\overline{f}\Delta t = \frac{2Mv_x}{N_A} \times \frac{v_x\Delta t}{2L} = \frac{Mv_x^2\Delta t}{N_AL}$$

よって，$\overline{f} = \frac{Mv_x^2}{N_AL}$

⑤ nN_A 個の分子が壁に加える平均の力 $\overline{F}$ は，

$$\overline{F} = nN_A\overline{f} = \frac{nM\langle v_x^2\rangle}{L}$$

となるので，底面壁が気体から受ける圧力 P_1 は，

$$P_1 = \frac{\overline{F}}{\pi a^2} = \frac{nM\langle v_x^2\rangle}{\pi a^2L} \quad \cdots ⓐ$$

⑥ 分子の側面壁に垂直な方向の速さは $u\cos\theta$ であるから，衝突で分子が側面壁に与える力積の大きさは

$$2\frac{M}{N_A}u\cos\theta = \frac{2Mu}{N_A}\cos\theta$$

⑦ 分子は $2a\cos\theta$ 進むごとに側面壁に衝突するので，1 秒間に衝突する回数は $\frac{u}{2a\cos\theta}$ である。よって，側面壁がこの気体分子から受ける平均の力の大きさ $\overline{f'}$ は，

$$\overline{f'} = \frac{2Mu}{N_A}\cos\theta \times \frac{u}{2a\cos\theta} = \frac{Mu^2}{N_Aa}$$

⑧ $\langle u^2\rangle = \langle v_y^2\rangle + \langle v_z^2\rangle$ であるから，すべての気体分子が側面壁に加える平均の力 $\overline{F'}$ は，

$$\overline{F'} = nN_A \times f'$$
$$= \frac{nM\langle u^2\rangle}{a}$$
$$= \frac{nM(\langle v_y^2\rangle + \langle v_z^2\rangle)}{a}$$

よって，側面壁が気体から受ける圧力 P_2 は，

$$P_2 = \frac{\overline{F'}}{2\pi aL} = \frac{nM(\langle v_y^2\rangle + \langle v_z^2\rangle)}{2\pi a^2L} \quad \cdots ⓑ$$

⑨ ⓐ式に，$\langle v_x^2\rangle = \frac{1}{3}\langle v^2\rangle$ を代入して，

$$P_1=\frac{nM\langle v^2\rangle}{3\pi a^2L}$$

また，$\langle v_y{}^2\rangle+\langle v_z{}^2\rangle=2\times\frac{1}{3}\langle v^2\rangle=\frac{2}{3}\langle v^2\rangle$

となるので，ⓑ式に代入して，

$$P_2=\frac{nM\langle v^2\rangle}{3\pi a^2L}$$

答 ① $-\boldsymbol{v}_x$　② $\dfrac{2M\boldsymbol{v}_x}{N_A}$　③ $\dfrac{L}{\boldsymbol{v}_x}$

④ $\dfrac{M\boldsymbol{v}_x{}^2}{N_AL}$　⑤ $\dfrac{nM\langle \boldsymbol{v}_x{}^2\rangle}{\pi a^2L}$

⑥ $\dfrac{2Mu}{N_A}\cos\theta$　⑦ $\dfrac{Mu^2}{N_Aa}$

⑧ $\dfrac{nM(\langle \boldsymbol{v}_y{}^2\rangle+\langle \boldsymbol{v}_z{}^2\rangle)}{2\pi a^2L}$

⑨ $\dfrac{nM\langle v^2\rangle}{3\pi a^2L}$

45 **解き方** (1) ピストンにはたらく力のつり合いの式は，$P_1S=P_0S+Mg$ となるので，

$$P_1=P_0+\frac{Mg}{S}$$ …答

(2) 状態方程式は，$P_1Sh=nRT_1$ となるので，

$$(P_0S+Mg)h=nRT_1$$

よって，$h=\dfrac{nRT_1}{P_0S+Mg}$ …答

(3) 単原子分子理想気体なので，

$$\Delta U=\frac{3}{2}nR(T_2-T_1)$$ …答

ピストンが自由に動けるので，気体は定圧変化を行う。温度が T_1 から T_2 に上昇したときにピストンが動いた距離を Δh とすれば，状態方程式は，

$P_1Sh=nRT_1$ …①

$P_1S(h+\Delta h)=nRT_2$ …②

気体のした仕事 W は，$W=P_1S\Delta h$

であるから，②−①より，

$W=P_1S\Delta h=nR(T_2-T_1)$ …答

(4) 熱力学第 1 法則より，

$$\Delta U=Q_1-W$$

となるので，

$$Q_1=\Delta U+W$$
$$=\frac{3}{2}nR(T_2-T_1)+nR(T_2-T_1)$$
$$=\frac{5}{2}nR(T_2-T_1)$$ …答

③ 波

46 **解き方** (1) グラフの，隣どうしの山から山の距離を読み取って，

$\lambda=2.5-0.5=2.0\ \mathrm{m}$ …答

(2) 波の基本式から，

$$340=f\times 2.0$$

となるので，

$f=\dfrac{340}{2.0}=170\ \mathrm{Hz}$ …答

(3)，(4) y 軸の正方向の変位を x 軸の正方向に，y 軸の負方向の変位を x 軸の負方向に書き換えて，横波表示を縦波に直すと，下図のようになる。よって，空気の密度が最も密になっているのはB，空気の密度が最も疎になっているのはDであることがわかる。

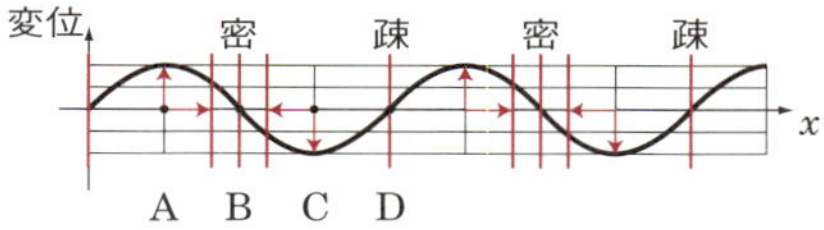

答 (3) B　(4) D

47 **解き方** ① 波がさえぎる板の裏に回り込むように広がっていく現象を**回折**という。

② 波と波が重なり合って，強め合ったり，弱め合ったりする現象を**干渉**という。

③ $PS_1=6\lambda$，$PS_2=5\lambda$ であるから，

$$PS_1-PS_2=6\lambda-5\lambda=\lambda$$

④ 干渉によって強め合う条件は，

$PS_1-PS_2=m\lambda$ （m は整数）

⑤ 干渉によって弱め合う条件は，

$QS_1-QS_2=(2m-1)\dfrac{\lambda}{2}$ （m は整数）

答 ① 回折　② 干渉　③ λ

④ $PS_1-PS_2=m\lambda$ （m は整数）

⑤ $QS_1-QS_2=(2m-1)\dfrac{\lambda}{2}$

（m は整数）

48 **解き方** (1) 時間 t の間に波が伝わる距離は vt である。波が x 軸の正方向に伝わるとき，時刻 t の座標 x における変位 y_1 は，

時刻 0 の座標 $x-vt$ の変位が伝わって来たものであるから,

$$y_1=A\sin\frac{2\pi}{\lambda}(x-vt)$$
$$=A\sin 2\pi\left(\frac{x}{\lambda}-\frac{vt}{\lambda}\right)$$
$$=\boldsymbol{A\sin 2\pi\left(\frac{x}{\lambda}-\frac{t}{T}\right)}\quad\cdots 答$$

(2) 波が x 軸の負方向に伝わるとき, 時刻 t の座標 x における変位 y_2 は, 時刻 0 の座標 $x+vt$ の変位が伝わって来たものであるから,

$$y_2=A\sin\frac{2\pi}{\lambda}(x+vt)$$
$$=A\sin 2\pi\left(\frac{x}{\lambda}+\frac{vt}{\lambda}\right)$$
$$=\boldsymbol{A\sin 2\pi\left(\frac{x}{\lambda}+\frac{t}{T}\right)}\quad\cdots 答$$

(3) 2 つの正弦波が重なり合って定常波が形成されるのであるから,

$$y_S=y_1+y_2$$
$$=A\sin 2\pi\left(\frac{x}{\lambda}-\frac{t}{T}\right)$$
$$+A\sin 2\pi\left(\frac{x}{\lambda}+\frac{t}{T}\right)$$
$$=2A\sin 2\pi\frac{x}{\lambda}\cdot\cos 2\pi\frac{t}{T}$$

答 ① $\boldsymbol{2\pi\frac{x}{\lambda}}$ ② $\boldsymbol{2\pi\frac{t}{T}}$

(4) 節は, 時間に関係なく変位が 0 になる場所であるから, $\sin 2\pi\frac{x}{\lambda}=0$ を満たす x の位置である。これから,

$$2\pi\frac{x}{\lambda}=m\pi\quad(m:整数)$$

であればよいので, $x=m\frac{\lambda}{2}$

よって, 節の位置の間隔は, $\boldsymbol{\frac{\lambda}{2}}$ …答

49 **解き方** (1) 弦が基本振動を行うとき, 弦の長さが半波長になるので, コマBの位置が $x=x_1$ のときの波長を λ_1 とすれば,

$$\frac{\lambda_1}{2}=x_1$$

よって, $\lambda_1=2x_1$

弦を伝わる波の速さは v であるから, $v=f_1\lambda_1$ となるので,

$$f_1=\frac{v}{\lambda_1}=\boldsymbol{\frac{v}{2x_1}}\quad\cdots ① 答$$

(2) コマBをフックAより遠ざかる方向に動かすと, $f_1>f_2$ となる。また, うなりの周期が単調に短くなることから, $f_1<f_0$ であることがわかる。

コマBの位置が $x=x_1$ のとき, うなりの周期は T_1 であったことから,

$$f_0-f_1=\frac{1}{T_1}\quad\cdots ②$$

位置 $x=x_2$ での振動数を f_2 とすれば,

$$f_2=\frac{v}{2x_2}\quad\cdots ③$$

コマBの位置が $x=x_2$ のとき, うなりの周期は T_2 であったことから,

$$f_0-f_2=\frac{1}{T_2}\quad\cdots ④$$

④−②より,

$$f_1-f_2=\frac{1}{T_2}-\frac{1}{T_1}$$

①, ③を用いると,

$$\frac{v}{2x_1}-\frac{v}{2x_2}=\frac{1}{T_2}-\frac{1}{T_1}$$

となるので,

$$v=\frac{2(T_1-T_2)x_1x_2}{T_1T_2(x_2-x_1)}\quad\cdots ⑤$$

⑤を①に代入すると,

$$f_1=\frac{1}{2x_1}\times\frac{2(T_1-T_2)x_1x_2}{T_1T_2(x_2-x_1)}$$
$$=\frac{(T_1-T_2)x_2}{T_1T_2(x_2-x_1)}$$

となるので, ②より,

$$f_0=f_1+\frac{1}{T_1}$$
$$=\frac{(T_1-T_2)x_2}{T_1T_2(x_2-x_1)}+\frac{1}{T_1}$$
$$=\boldsymbol{\frac{T_1x_2-T_2x_1}{T_1T_2(x_2-x_1)}}\quad\cdots ⑥ 答$$

(3) ⑥に数値を代入すれば,

$$f_0=\frac{2\times 40.1-1\times 40.0}{2\times 1\times(40.1-40.0)}=201\ \mathrm{Hz}$$

⑤に数値を代入して,

$$v=\frac{2\times(2-1)\times40.0\times40.1}{2\times1\times(40.1-40.0)}$$
$$=16040\ \mathrm{m/s}$$

答 f_0：**201 Hz**，v：**1.60×10^4 m/s**

(4) 振動数がf_0になったときのおもりの質量をmとすれば，弦を伝わる波の速さv_0は，弦の線密度をρとしたとき，

$$v_0=\sqrt{\frac{mg}{\rho}}$$

となるので，

$$f_0=\frac{1}{2x_2}\sqrt{\frac{mg}{\rho}}$$

うなりの周期が0.500 sになったときの，弦を伝わる波の速さをv_3とすれば，

$$v_3=\sqrt{\frac{amg}{\rho}}$$

このときの振動数をf_3とすれば，

$$f_3=\frac{1}{2x_2}\sqrt{\frac{amg}{\rho}}=\sqrt{a}f_0$$

$f_3-f_0=\dfrac{1}{0.500}$ より，

$$\sqrt{a}f_0-f_0=\frac{1}{0.500}$$

よって，

$$a=\left(1+\frac{2}{f_0}\right)^2=\left(1+\frac{2}{201}\right)^2=1.019$$

答 **1.02**

50 **解き方** (1)，(2) 共鳴が起こるのは，水面が節の位置に来たときであり，隣どうしの節と節の間隔が半波長$\dfrac{\lambda}{2}$になるので，

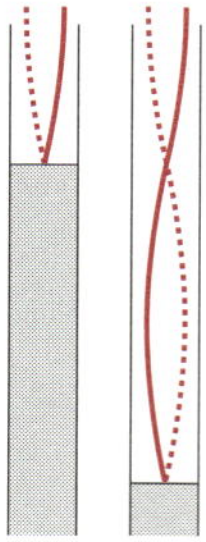

$$\frac{\lambda}{2}=74-23$$

よって，

$$\lambda=2(74-23)=102\ \mathrm{cm}$$

管口と腹との距離をΔlとすれば，

$$\Delta l=\frac{\lambda}{4}-23$$
$$=25.5-23=2.5\ \mathrm{cm}$$

(3) 気温が10℃のときの音速は，

$$331.5+0.6\times10=337.5\ \mathrm{m/s}$$

であるから，おんさの振動数fは，

$$f=\frac{337.5}{1.02}=330.88\ \mathrm{Hz}$$

(4) 気温が20℃のときの音速は，

$$331.5+0.6\times20=343.5\ \mathrm{m/s}$$

であるから，波長λ'は，

$$\lambda'=\frac{343.5}{\dfrac{337.5}{1.02}}=1.0381\ \mathrm{m}$$

(5) 気温が20℃のときの第1共鳴点までの距離l_1は，

$$l_1=\frac{\lambda}{4}-2.5$$
$$=\frac{103.8}{4}-2.5=23.45\ \mathrm{cm}$$

(6) 気柱の長さが23 cmのとき，基本振動の次に共鳴するのは3倍振動のときなので，そのときの音源の振動数は，

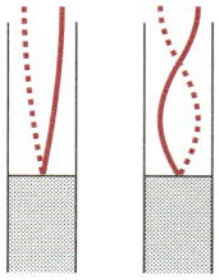

$$\frac{337.5}{1.02}\times3=992.6\ \mathrm{Hz}$$

答 (1) **2.5 cm** (2) **102.0 cm**
(3) **330.9 Hz** (4) **103.8 cm**
(5) **23.5 cm** (6) **992.6 Hz**

51 **解き方** (1) 音源Aから聞く音の振動数f_Aは，

$$f_A=\frac{C}{C-u_1}f \quad \cdots\text{答}$$

音源Bから聞く音の振動数f_Bは，

$$f_B=\frac{C}{C+u_2}f \quad \cdots\text{答}$$

(2) 観測者が1秒間に聞くうなりの回数Nは，$f_A>f_B$ より，

$$N=\frac{C}{C-u_1}f-\frac{C}{C+u_2}f$$
$$=\frac{C(u_1+u_2)}{(C-u_1)(C+u_2)}f \quad \cdots\text{答}$$

(3) うなりが消えたことから，観測者が右に動いたとすれば，

$$\frac{C-V}{C-u_1}f=\frac{C+V}{C+u_2}f$$

となるので，

$$V=\frac{(u_1+u_2)C}{2C-u_1+u_2}$$

$\dfrac{(u_1+u_2)C}{2C-u_1+u_2}>0$ であるから，観測者は右に動いたことがわかる。

答 右向きに $\dfrac{(u_1+u_2)C}{2C-u_1+u_2}$

(4) u_2 と V の大小を調べるために，u_2-V を計算する。

$$u_2-V=u_2-\frac{(u_1+u_2)C}{2C-u_1+u_2}$$
$$=\frac{(u_2-u_1)(C+u_2)}{2C-u_1+u_2}>0$$

よって，$u_2>V$

u_1 と V の大小を調べるために，$V-u_1$ を計算する。

$$V-u_1=\frac{(u_1+u_2)C}{2C-u_1+u_2}-u_1$$
$$=\frac{(u_2-u_1)(C-u_1)}{2C-u_1+u_2}>0$$

よって，$V>u_1$

以上より，

音源とすれ違うことはない。 …**答**

52 **解き方** (1) ABより上側の三角形を考える。

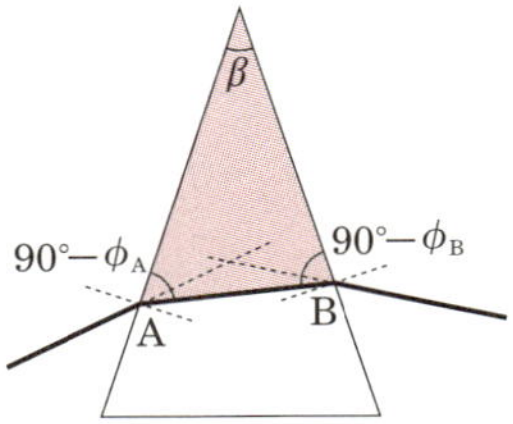

$\angle A=90°-\phi_A$

$\angle B=90°-\phi_B$

であるから，三角形の内角の和を考えると，

$$\beta+(90°-\phi_A)+(90°-\phi_B)=180°$$

よって，$\boldsymbol{\beta=\phi_A+\phi_B}$ …① **答**

(2) ABを底辺とする，点線の三角形において内角の和を考える。

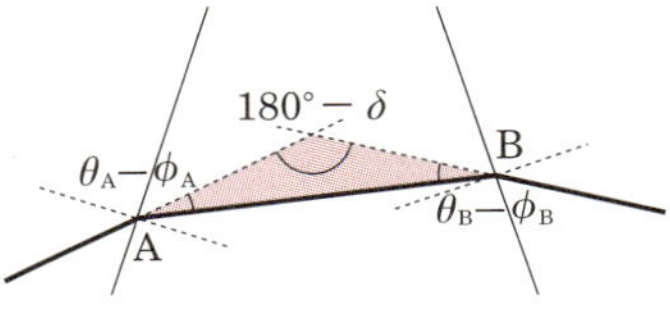

$$(\theta_A-\phi_A)+(\theta_B-\phi_B)+(180°-\delta)$$
$$=180°$$

となるので，

$$\boldsymbol{\delta=(\theta_A-\phi_A)+(\theta_B-\phi_B)} \quad \cdots② \text{答}$$

(3) 点Aにおいて屈折の法則を用いると，

$$n_1\sin\theta_A=n_2\sin\phi_A$$

点Bにおいて屈折の法則を用いると，

$$n_1\sin\theta_B=n_2\sin\phi_B$$

近似式を用いると，

$$n_1\theta_A\fallingdotseq n_2\phi_A \quad \cdots③$$
$$n_1\theta_B\fallingdotseq n_2\phi_B \quad \cdots④$$

となるので，②，③，④から，

$$\delta=\left(\frac{n_2}{n_1}\phi_A-\phi_A\right)+\left(\frac{n_2}{n_1}\phi_B-\phi_B\right)$$
$$=\left(\frac{n_2}{n_1}-1\right)(\phi_A+\phi_B)$$

①を用いて，$\boldsymbol{\delta=\left(\frac{n_2}{n_1}-1\right)\beta}$ …**答**

53 **解き方** (1) 2倍の像ができることから，レンズから像までの距離を $b\,(b>0)$ とすると，$\dfrac{b}{\mathrm{OP}}=2$ となるので，

$$b=2\cdot\mathrm{OP}$$

よって，像の位置がOPの2倍の位置になることと，レンズの中心Oを通る光が直進することを用いて，像が作図できる。Qから出て，光軸に平行に来た光は，像の先端から来るように進むので，下図のように作図することができる。 **答** 下図

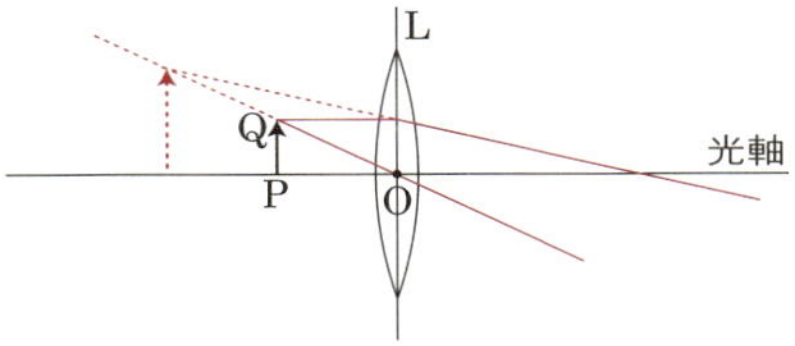

(2) $b=2\times5.0=10\,\mathrm{cm}$ であるから，虚像であることを考慮して写像公式(レンズの式)を用いると，

$$\frac{1}{5.0}-\frac{1}{10}=\frac{1}{f} \qquad \frac{1}{f}=\frac{1}{10}$$

よって，$f=$ **10 cm** …**答**

(3) 物体の位置を a とすれば，$\dfrac{b}{a}=m$

であるから，$a=\dfrac{b}{m}$

写像公式から，

$$\frac{1}{\frac{b}{m}} - \frac{1}{b} = \frac{1}{10} \qquad \frac{m-1}{b} = \frac{1}{10}$$

となるので，$m = \frac{1}{10}b + 1$

このグラフは，下図のようになる。

答　下図

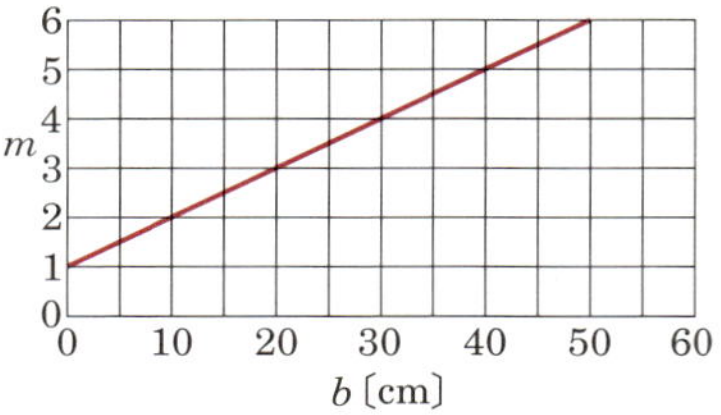

54 解き方　(1) 距離 S_1P を三平方の定理を用いて求めると，

$$S_1P = \sqrt{L^2 + \left(x - \frac{d}{2}\right)^2}$$

近似式を用いると，

$$S_1P = L\sqrt{1 + \frac{1}{L^2}\left(x - \frac{d}{2}\right)^2}$$

$$\fallingdotseq L\left\{1 + \frac{1}{2L^2}\left(x - \frac{d}{2}\right)^2\right\}$$

$$= L + \frac{1}{2L}\left(x - \frac{d}{2}\right)^2$$

同様に，距離 S_2P は，

$$S_2P = \sqrt{L^2 + \left(x + \frac{d}{2}\right)^2}$$

$$= L\sqrt{1 + \frac{1}{L^2}\left(x + \frac{d}{2}\right)^2}$$

$$\fallingdotseq L\left\{1 + \frac{1}{2L^2}\left(1 + \frac{d}{2}\right)^2\right\}$$

$$= L + \frac{1}{2L}\left(x + \frac{d}{2}\right)^2$$

以上の式から，S_1P と S_2P の距離の差は，

$$S_2P - S_1P$$

$$= \left\{L + \frac{1}{2L}\left(x + \frac{d}{2}\right)^2\right\}$$

$$- \left\{L + \frac{1}{2L}\left(x - \frac{d}{2}\right)^2\right\}$$

$$= \frac{1}{2L}\left\{\left(x + \frac{d}{2}\right)^2 - \left(x - \frac{d}{2}\right)^2\right\}$$

$$= \frac{dx}{L}$$ …答

(2) 干渉によって強め合う条件は，

$$\frac{dx}{L} = m\lambda \quad \cdots ⓐ$$

干渉縞の間隔を Δx とすれば，

$$\frac{d(x + \Delta x)}{L} = (m+1)\lambda \quad \cdots ⓑ$$

ⓑ－ⓐより，$\Delta x = \frac{L\lambda}{d}$ …答

(3) ① 距離 S_0P は，

$$S_0P = \sqrt{L^2 + x^2} = L\sqrt{1 + \frac{x^2}{L^2}}$$

$$\fallingdotseq L\left(1 + \frac{x^2}{2L^2}\right) = L + \frac{x^2}{2L}$$

S_2P と S_0P の距離の差は，

$$S_2P - S_0P$$

$$= \left\{L + \frac{1}{2L}\left(x + \frac{d}{2}\right)^2\right\} - \left(L + \frac{x^2}{2L}\right)$$

$$= \frac{1}{2L}\left(x + \frac{d}{2}\right)^2 - \frac{x^2}{2L}$$

$$= \frac{dx}{2L} + \frac{d^2}{8L}$$ …答

S_0P と S_1P の距離の差は，

$$S_0P - S_1P$$

$$= \left(L + \frac{x^2}{2L}\right) - \left\{L + \frac{1}{2L}\left(x - \frac{d}{2}\right)^2\right\}$$

$$= \frac{x^2}{2L} - \frac{1}{2L}\left(x - \frac{d}{2}\right)^2$$

$$= \frac{dx}{2L} - \frac{d^2}{8L}$$ …答

② d に比べて L がじゅうぶん大きいと見なせる領域では，$\frac{d^2}{8L}$ が無視できる。

したがって，

$$S_2P - S_0P = S_0P - S_1P = \frac{dx}{2L}$$

となるので，明線ができる条件は，

$$\frac{dx}{2L} = m\lambda \quad \cdots ⓒ$$

干渉縞の間隔を $\Delta x'$ とすれば，

$$\frac{d(x + \Delta x')}{2L} = (m+1)\lambda \quad \cdots ⓓ$$

ⓓ－ⓒより，$\Delta x' = \frac{2L\lambda}{d}$ …答

4 電気と磁気

55 **解き方** (1) AP 間の距離は，三平方の定理より，

$$AP=\sqrt{1+y_P{}^2}$$

であるから，点 A の電荷による点 P の電位 V_A は，

$$V_A=k\frac{Q}{\sqrt{1+y_P{}^2}}$$ …答

点 A の電荷が点 P につくる電場の強さ E_A は，

$$E_A=k\frac{Q}{1+y_P{}^2}$$

$\angle PAO=\theta$ とおけば，電場ベクトル $\vec{E_A}$ の x 成分 E_{Ax} は，

$$E_{Ax}=E_A\cos\theta$$

y 成分 E_{Ay} は，

$$E_{Ay}=E_A\sin\theta$$

△PAO より，

$$\sin\theta=\frac{y_P}{\sqrt{1+y_P{}^2}}$$

$$\cos\theta=\frac{1}{\sqrt{1+y_P{}^2}}$$

であるから，

$$E_{Ax}=k\frac{Q}{1+y_P{}^2}\times\frac{1}{\sqrt{1+y_P{}^2}}$$

$$=\frac{kQ}{\sqrt{(1+y_P{}^2)^3}}$$ …答

$$E_{Ay}=k\frac{Q}{1+y_P{}^2}\times\frac{y_P}{\sqrt{1+y_P{}^2}}$$

$$=\frac{kQy_P}{\sqrt{(1+y_P{}^2)^3}}$$ …答

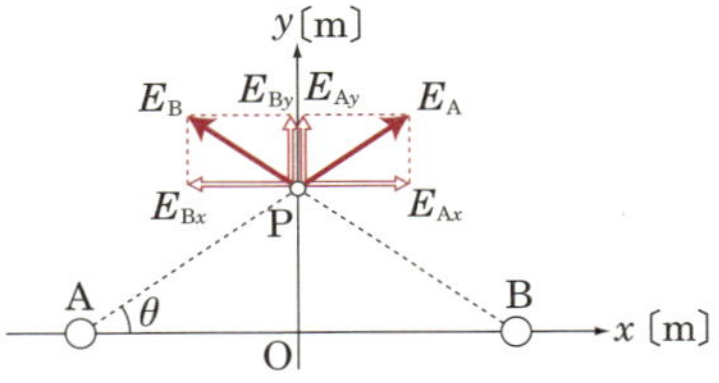

(2) BP 間の距離は，三平方の定理より，

$$BP=\sqrt{1+y_P{}^2}$$

であるから，点 B の電荷による点 P の電位 V_B は，

$$V_B=k\frac{Q}{\sqrt{1+y_P{}^2}}$$

であり，電位はスカラーなので，

$$V=V_A+V_B$$

$$=k\frac{Q}{\sqrt{1+y_P{}^2}}+k\frac{Q}{\sqrt{1+y_P{}^2}}$$

$$=\frac{2kQ}{\sqrt{1+y_P{}^2}}$$ …答

点 B の電荷が点 P につくる電場の強さ E_B は，

$$E_B=k\frac{Q}{1+y_P{}^2}$$

これから，x 成分 E_{Bx} は，

$$E_{Bx}=-\frac{kQ}{\sqrt{(1+y_P{}^2)^3}}$$

y 成分 E_{By} は，$E_{By}=\frac{kQy_P}{\sqrt{(1+y_P{}^2)^3}}$

よって，$\vec{E}$ の x 成分 E_x は，

$$E_x=E_{Ax}+E_{Bx}$$

$$=\frac{kQ}{\sqrt{(1+y_P{}^2)^3}}-\frac{kQ}{\sqrt{(1+y_P{}^2)^3}}$$

$$=0$$ …答

また，$\vec{E}$ の y 成分 E_y は，

$$E_y=E_{Ay}+E_{By}$$

$$=\frac{kQy_P}{\sqrt{(1+y_P{}^2)^3}}+\frac{kQy_P}{\sqrt{(1+y_P{}^2)^3}}$$

$$=\frac{2kQy_P}{\sqrt{(1+y_P{}^2)^3}}$$ …答

56 **解き方** (1) ① 点電荷 q から距離 r 離れた点での電場の強さ E は，

$$E=k\frac{q}{r^2}$$ …答

② 半径 r の球面の面積 S は，

$$S=4\pi r^2$$ …答

③ 球面を貫く電気力線の本数は，

$$4\pi r^2\times k\frac{q}{r^2}=4\pi kq$$ …答

(2) ④ 極板から出る電気力線の総数は，

$4\pi kQ$ …答

⑤ 単位面積あたりの電気力線の本数が電場の強さ E' であるから，

$$E'=\frac{4\pi kQ}{S}$$ …答

⑥ 極板間の電位差を V とすれば，一様な電場の強さ E' は，

$$E' = \frac{V}{d}$$

となるので，

$$\frac{4\pi kQ}{S} = \frac{V}{d}$$

これから，$Q = \dfrac{S}{4\pi kd}V$

$Q = CV$ より，$C = \mathbf{\dfrac{S}{4\pi kd}}$ …答

(3) ⑦ 極板間隔を Δd だけ広げたときの電気容量 C' は，

$$C' = \frac{S}{4\pi k(d + \Delta d)}$$

静電エネルギーの変化 ΔU は，

$$\Delta U = \frac{Q^2}{2C'} - \frac{Q^2}{2C}$$

$$= \frac{Q^2}{2}\left\{\frac{4\pi k(d + \Delta d)}{S} - \frac{4\pi kd}{S}\right\}$$

$$= \mathbf{\frac{4\pi kQ^2\Delta d}{2S}}$$ …答

⑧ 外力の大きさを F とすれば，外力のした仕事は $F\Delta d$ であるから，

$$F\Delta d = \frac{4\pi kQ^2\Delta d}{2S}$$

よって，$F = \mathbf{\dfrac{4\pi kQ^2}{2S}}$ …答

57 **解き方** (1) コンデンサー2に蓄えられている電気量を q'，極板間の電位差を V' とすれば，上側の極板は正に，下側の極板は負に帯電すると考えられる。電気量が保存することより，$0 = -q + q'$ となるので，

$$q = q'$$

よって，コンデンサー1とコンデンサー2には同じ電気量が蓄えられることがわかる。

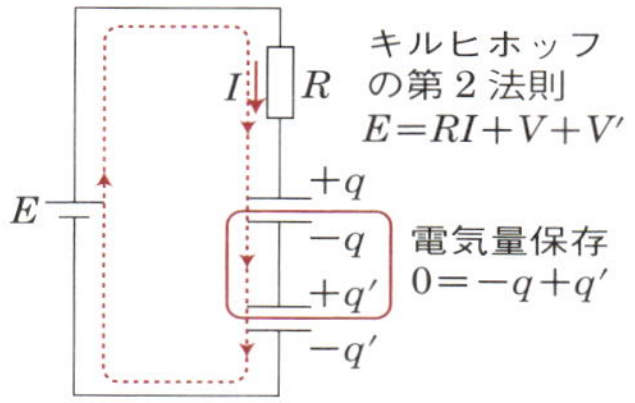

また，キルヒホッフの第2法則より，

$$E = RI + V + V'$$ …①

各コンデンサーに関して $Q = CV$ の式をつくると，

$$q = C_1V$$ …②

$$q = C_2V'$$ …③

②より，

$$V = \frac{q}{C_1}$$ …④

③より，

$$V' = \frac{q}{C_2}$$ …⑤

④，⑤を①に代入して，

$$E = RI + \frac{q}{C_1} + \frac{q}{C_2}$$

$$q\left(\frac{1}{C_1} + \frac{1}{C_2}\right) = E - RI$$

よって，

$$q = \mathbf{\frac{C_1C_2(E - RI)}{C_1 + C_2}}$$ …⑥答

⑥を④に代入して，

$$V = \frac{1}{C_1} \times \frac{C_1C_2(E - RI)}{C_1 + C_2}$$

$$= \mathbf{\frac{C_2(E - RI)}{C_1 + C_2}}$$ …⑦答

(2) コンデンサーの充電が完了した後，回路を流れる電流は0になるので，⑥，⑦の I に0を代入すればよい。よって，

$$Q_0 = \mathbf{\frac{C_1C_2E}{C_1 + C_2}}$$ …答

$$V_0 = \frac{C_2E}{C_1 + C_2}$$

となるので，

$$U_0 = \frac{1}{2}Q_0V_0$$

$$= \frac{1}{2} \times \frac{C_1C_2E}{C_1 + C_2} \times \frac{C_2E}{C_1 + C_2}$$

$$= \mathbf{\frac{C_1C_2{}^2E^2}{2(C_1 + C_2)^2}}$$ …答

(3) コンデンサー3に蓄えられた電気量を Q_3'，かかる電圧を V_3，コンデンサー1にかかる電圧を V_1 とすれば，電気量が保存することより，

$$Q_0 = Q_1 + Q_3'$$ …⑧

キルヒホッフの第 2 法則より，

$0=-V_1+V_3$ …⑨

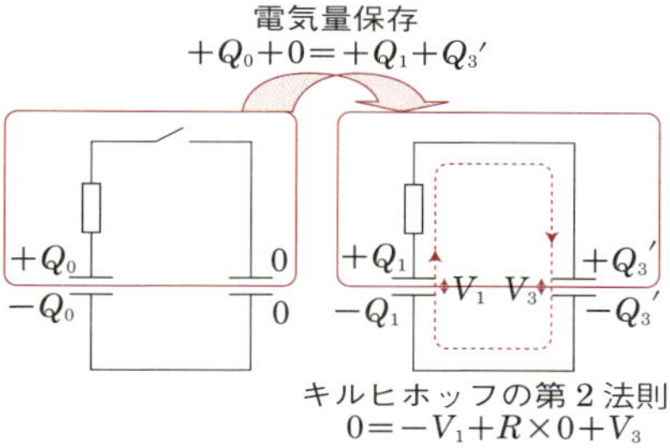

コンデンサー1，3 に関して $Q=CV$ の式をつくると，

$Q_1=C_1V_1$ …⑩

$Q_3'=C_3V_3$ …⑪

⑨より，$V_1=V_3$ となるので，⑪に代入して⑩とあわせて⑧に代入すると，

$Q_0=C_1V_1+C_3V_1$

これから，

$$V_1=\frac{Q_0}{C_1+C_3} \quad \cdots⑫$$

⑫を⑩に代入して，

$$Q_1=C_1\times\frac{Q_0}{C_1+C_3}=\boldsymbol{\frac{C_1Q_0}{C_1+C_3}} \quad \cdots答$$

(4) コンデンサー1 と 3 に蓄えられているエネルギーの和 U は，

$$U=\frac{1}{2}C_1V_1{}^2+\frac{1}{2}C_3V_1{}^2$$
$$=\frac{1}{2}(C_1+C_3)\left(\frac{Q_0}{C_1+C_3}\right)^2$$
$$=\frac{Q_0{}^2}{2(C_1+C_3)}$$

また，

$$U_0=\frac{1}{2}Q_0V_0=\frac{1}{2}Q_0\times\frac{Q_0}{C_1}=\frac{Q_0{}^2}{2C_1}$$

よって，

$$U_0-U=\frac{Q_0{}^2}{2C_1}-\frac{Q_0{}^2}{2(C_1+C_3)}$$
$$=\boldsymbol{\frac{C_3Q_0{}^2}{2C_1(C_1+C_3)}} \quad \cdots答$$

(5) 誘電体を満たした後のコンデンサー3 の電気容量を C_3' とすれば，

$C_3'=\varepsilon_rC_3$

となるので，コンデンサー3 の極板間の電位差 V_3' は，

$$V_3'=\boldsymbol{\frac{Q_0}{C_1+\varepsilon_rC_3}} \quad \cdots答$$

よって，

$$Q_3=\varepsilon_rC_3\times\frac{Q_0}{C_1+\varepsilon_rC_3}$$
$$=\boldsymbol{\frac{\varepsilon_rC_3Q_0}{C_1+\varepsilon_rC_3}} \quad \cdots答$$

58 **解き方** (1) 金属棒の両端の電位差が V で，金属棒の長さが L であるから，金属棒の内部にできる一様な電場の強さ E は，

$$E=\frac{V}{L}$$

また，接続されている電源の向きから，電場の向きは図の右向きであることがわかる。

答 図の右向きに $\boldsymbol{\frac{V}{L}}$

(2) 自由電子が電場から受ける力の大きさ F は，

$$F=e\times\frac{V}{L}=\boldsymbol{\frac{eV}{L}} \quad \cdots答$$

(3) 自由電子の平均の速さを v とすれば，抵抗力の大きさは αv となる。自由電子は等速で運動していると考えればよいので，自由電子にはたらく力はつり合う。

よって，$\alpha v=\dfrac{eV}{L}$

これから，$v=\boldsymbol{\dfrac{eV}{\alpha L}}$ …答

(4) 1 秒間に自由電子の動く距離は $\dfrac{eV}{\alpha L}$ であるから，金属棒の長さ $\dfrac{eV}{\alpha L}$ の中に入っている自由電子が断面Pを通過することになる。よって，断面Pを 1 秒間に通過する自由電子の数 N は，

$$N=nS\times\frac{eV}{\alpha L}=\boldsymbol{\frac{neSV}{\alpha L}} \quad \cdots答$$

(5) 自由電子 1 個のもっている電荷は e であり，1 秒間に断面を通過する電荷が電流 I であるから，

$$I=eN=\boldsymbol{\frac{ne^2SV}{\alpha L}} \quad \cdots答$$

(6) 金属棒の抵抗値を R とすれば，オームの法則は $V=RI$ で表されるので，

$$I=\frac{ne^2S}{\alpha L}\times RI$$

よって，$R=\boldsymbol{\frac{\alpha L}{ne^2S}}$ …答

59 **解き方** (1) ① スイッチSが開いている状態では，抵抗 R_1 と R_3 に流れる電流は等しいので，この電流を I_1 とおけば，キルヒホッフの第2法則より，

$$E=R_1I_1+R_3I_1$$

よって，$I_1=\frac{E}{R_1+R_3}$

同様に，抵抗 R_2 と R_4 に流れる電流は等しいので，この電流を I_2 とおけば，キルヒホッフの第2法則より，

$$E=R_2I_2+R_4I_2$$

よって，$I_2=\frac{E}{R_2+R_4}$

電池に流れる電流 I は，キルヒホッフの第1法則より，

$$I=I_1+I_2$$
$$=\frac{E}{R_1+R_3}+\frac{E}{R_2+R_4}$$
$$=\boldsymbol{\frac{R_1+R_2+R_3+R_4}{(R_1+R_3)(R_2+R_4)}E}$$ …答

② スイッチSが閉じている状態では，抵抗 R_1 と R_2 が並列に，R_3 と R_4 が並列に接続されていると考えられるので，抵抗 R_1 と R_2 の合成抵抗を R_{12} とすれば，

$$\frac{1}{R_{12}}=\frac{1}{R_1}+\frac{1}{R_2}=\frac{R_1+R_2}{R_1R_2}$$

となり，

$$R_{12}=\frac{R_1R_2}{R_1+R_2}$$

抵抗 R_3 と R_4 の合成抵抗を R_{34} とすれば，

$$\frac{1}{R_{34}}=\frac{1}{R_3}+\frac{1}{R_4}=\frac{R_3+R_4}{R_3R_4}$$

となり，

$$R_{34}=\frac{R_3R_4}{R_3+R_4}$$

電池に流れる電流を I' とすれば，キルヒホッフの第2法則より，

$$E=\frac{R_1R_2}{R_1+R_2}I'+\frac{R_3R_4}{R_3+R_4}I'$$
$$=\frac{R_1R_2(R_3+R_4)+R_3R_4(R_1+R_2)}{(R_1+R_2)(R_3+R_4)}I'$$

よって，

$$I'=\boldsymbol{\frac{(R_1+R_2)(R_3+R_4)}{R_1R_2(R_3+R_4)+R_3R_4(R_1+R_2)}E}$$ …答

(2) ③ AB間の電圧は電池の電圧に等しいので，

$V_{ACB}=\boldsymbol{E}$ …答

④ 抵抗 R_1 と R_3 が直列に接続されているので，

$R_{ACB}=\boldsymbol{R_1+R_3}$ …答

⑤ オームの法則より，

$$V_{ACB}=R_{ACB}\cdot I_{ACB}$$

となるので，

$I_{ACB}=\boldsymbol{\frac{E}{R_1+R_3}}$ …答

⑥ オームの法則より，

$V_{CB}=R_3\cdot I_{ACB}=\boldsymbol{\frac{R_3E}{R_1+R_3}}$ …答

⑦ ADBに流れる電流 I_{ADB} は，

$$I_{ADB}=\frac{E}{R_2+R_4}$$

であるから，

$V_{DB}=R_4\cdot I_{ADB}=\boldsymbol{\frac{R_4E}{R_2+R_4}}$ …答

⑧ CD間の電圧 V_{CD} は，

$$V_{CD}=\left|\frac{R_3E}{R_1+R_3}-\frac{R_4E}{R_2+R_4}\right|$$
$$=\boldsymbol{\frac{|R_2R_3-R_1R_4|}{(R_1+R_3)(R_2+R_4)}E}$$ …答

⑨ $V_{CD}=0$ より，

$\boldsymbol{R_2R_3-R_1R_4=0}$ …答

⑩ ⑧の結果に，

$$R_1=R+\Delta R,\ \ R_2=R_3=R_4=R$$

を代入して，

$$V_{CD}=\frac{R\Delta R}{2R(2R+\Delta R)}E$$
$$=\boldsymbol{\frac{\Delta R}{2(2R+\Delta R)}E}$$ …答

60 **解き方** (1) グラフより，0.1 Aのときの端子電圧は **1.4 V** …答

(2) キルヒホッフの第2法則より，

$$E=V+rI$$

となるので，

$V = E - rI$ …① **答**

(3)，(4)グラフより，0.4 A のときの端子電圧は 0.9 V である。①に，(1)の結果とこれを当てはめると，

$1.4 = E - r \times 0.1$ …②

$0.9 = E - r \times 0.4$ …③

②×0.4−③×0.1 より，

$1.4 \times 0.4 - 0.9 \times 0.1 = 0.3E$

よって，

$$E = \frac{0.56 - 0.09}{0.3} = \frac{47}{30} = 1.56\ \mathrm{V}$$

また，②−③より，$0.5 = 0.3r$

よって，$r = \dfrac{5}{3} = 1.66\ \Omega$

答 (3) **1.6 V** (4) **1.7 Ω**

61 **解き方** (1) 荷電粒子にはたらく力はローレンツ力であるから，力の大きさ f は，

$f = qvB$ …**答**

(2) 荷電粒子は等速円運動を行うので，半径を r とすれば，運動方程式は，

$$m\frac{v^2}{r} = qvB$$

これから，$r = \dfrac{mv}{qB}$

荷電粒子が領域 2 に出て行かないためには，$r < d$ であればよいので，$\dfrac{mv}{qB} < d$ となり，

$v < \dfrac{qBd}{m}$ …**答**

(3) 領域 1 内で荷電粒子が半周して OP 間の距離が最大になるのは，半径が d のときであるから，

$v_{\mathrm{m}} = \dfrac{qBd}{m}$ …**答**

62 **解き方** ① 金属の断面積は dh であるから，金属を流れる電流の大きさ I は，

$I = endhv$ …ⓐ

② フレミングの左手の法則より，x 軸の正方向に力が加わるので，面 Q 側に自由電子がよることになる。

③ 金属内は電気的に中性であるから，面 Q 側に自由電子がかたよることによって，面 P は正の電荷を帯びる。

④ 面 Q は自由電子により負の電荷を帯びる。

⑤ 自由電子にはたらくローレンツ力の大きさは evB である。

⑥ 自由電子にはたらく力については，ローレンツ力と電場から受ける電気力がつり合うので，電場の強さを E とすれば，

$eE = evB$ となり，

$E = vB$ …ⓑ

⑦ PQ 間の電位差は $|V_{\mathrm{H}}|$ であるから，電場の強さ E は，

$$E = \frac{|V_{\mathrm{H}}|}{d}$$

また，ⓐより，$v = \dfrac{I}{endh}$

これを，ⓑに代入すると，

$$E = \frac{I}{endh} \times B = \frac{IB}{endh}$$

以上より，

$$\frac{|V_{\mathrm{H}}|}{d} = \frac{IB}{endh}$$

となるので，

$$|V_{\mathrm{H}}| = d \times \frac{IB}{endh} = \frac{IB}{enh}$$

P の電位を基準にとるので，$V_{\mathrm{H}} = -\dfrac{IB}{enh}$

⑧ ⑦の結果から，$\dfrac{V_{\mathrm{H}}h}{IB} = -\dfrac{1}{en}$

⑨ ⑧の結果から，

$$n = \frac{1}{-e\dfrac{V_{\mathrm{H}}h}{IB}}$$

$$= \frac{1}{1.6 \times 10^{-19} \times 3.0 \times 10^{-11}}$$

$$= 2.08 \times 10^{29}$$

答 ① **$endhv$** ② **Q** ③ **正** ④ **負** ⑤ **evB** ⑥ **vB** ⑦ **$-\dfrac{IB}{enh}$** ⑧ **$-\dfrac{1}{en}$** ⑨ **2.1×10^{29}**

63 **解き方** (1) A の位置での磁場の強さ H_{A} は，

$$H_{\mathrm{A}} = \frac{I}{2\pi d}$$

磁場の向きは，右ねじの法則より，y 軸の正方向である。

(2) ① 辺ABの位置での磁束密度 B_A は，

$$B_A=\mu_0 H_A=\frac{\mu_0 I}{2\pi d}$$

であるから，直線電流が辺ABに及ぼす力の大きさ F_{AB} は，

$$F_{AB}=iB_A a=\frac{\mu_0 Iia}{2\pi d}$$

力の向きは，フレミングの左手の法則より，x 軸の正方向である。

② 辺CDの位置での直線電流による磁場の強さ H_C は，

$$H_C=\frac{I}{2\pi(d+a)}$$

であるから，辺CDの位置での磁束密度 B_C は，

$$B_C=\mu_0 H_C=\frac{\mu_0 I}{2\pi(d+a)}$$

よって，直線電流が辺CDに及ぼす力の大きさ F_{CD} は，

$$F_{CD}=iB_C a=\frac{\mu_0 Iia}{2\pi(d+a)}$$

力の向きは，フレミングの左手の法則より，x 軸の負方向である。

③ $F_{AB}>F_{CD}$ であるから，直線電流がコイル全体に及ぼす力の大きさ F は，

$$F=F_{AB}-F_{CD}$$
$$=\frac{\mu_0 Iia}{2\pi d}-\frac{\mu_0 Iia}{2\pi(d+a)}=\frac{\mu_0 Iia^2}{2\pi d(d+a)}$$

力の向きは x 軸の正方向である。

答 (1) $\frac{I}{2\pi d}$，y 軸の正方向

(2) ① $\frac{\mu_0 Iia}{2\pi d}$，x 軸の正方向

② $\frac{\mu_0 Iia}{2\pi(d+a)}$，$x$ 軸の負方向

③ $\frac{\mu_0 Iia^2}{2\pi d(d+a)}$，$x$ 軸の正方向

64 **解き方** (1) おもりの下降速度は一定となったので，おもりにはたらく力はつり合っている。ひもの張力の大きさを T とすれば，おもりにはたらく力のつり合いの式から，

$T=Mg$ …**答**

(2) 回路に流れる電流の大きさを I とすれば，導体棒にはたらく力のつり合いの式は，

$IBl=T$

(1)より，$IBl=Mg$ となるので，

$I=\frac{Mg}{Bl}$ …①

導体棒PQの運動によって，acPQの1回りの回路を貫く上向きの磁束が増えるので，レンツの法則より，下向きの磁場ができるような誘導電流が流れる。右ねじの法則を用いると，導体棒に流れる電流の向きはQ→Pであることがわかる。

答 大きさ：$\frac{Mg}{Bl}$，向き：Q→P

(3) おもりの下降速度の大きさを v とすれば，導体棒に生じる誘導起電力の大きさ V は，

$V=vBl$

導体棒に流れる電流 I は，$I=\frac{vBl}{R}$

となるので，①より，$\frac{vBl}{R}=\frac{Mg}{Bl}$

よって，$v=\frac{MgR}{B^2l^2}$ …**答**

65 **解き方** (1) 時間 Δt の間に，角度 $\omega\Delta t$ 回転する。角度 $\omega\Delta t$ の扇形の面積 ΔS は，

$$\Delta S=\pi r^2\times\frac{\omega\Delta t}{2\pi}=\frac{1}{2}r^2\omega\Delta t$$

であるから，時間 Δt の間にコイルを貫く磁束の増加量 $\Delta\Phi$ は，

$$\Delta\Phi=B\Delta S=\frac{1}{2}Br^2\omega\Delta t$$

ファラデーの電磁誘導の法則より，コイルに発生する誘導起電力の大きさ V は，

$V=\frac{\Delta\Phi}{\Delta t}=\frac{1}{2}Br^2\omega$ …**答**

(2) $0<\omega t<\pi$ のとき，コイルを貫く紙面裏向きの磁束が増えるので，コイルには紙面表向きの磁場ができるような誘導電流が流れる。右ねじの法則より，O→Qの向きに電流が流れる。

$\pi<\omega t<2\pi$ のとき，コイルを貫く紙面裏向きの磁束が減少するので，コイルには紙面裏向きの磁場ができるような誘導電流が

流れる。右ねじの法則より，Q→Oの向きに電流が流れる。単位時間あたりの磁束の変化は，$0<\omega t<\pi$ のときと変わらないので，コイルに発生する誘導起電力の大きさは変わらない。

コイルに流れる電流の大きさ I は，

$$I=\frac{\frac{1}{2}Br^2\omega}{R}=\frac{Br^2\omega}{2R}$$

となるので，コイルに流れる電流の時間変化を表すグラフは，下図のようになる。

答 下図

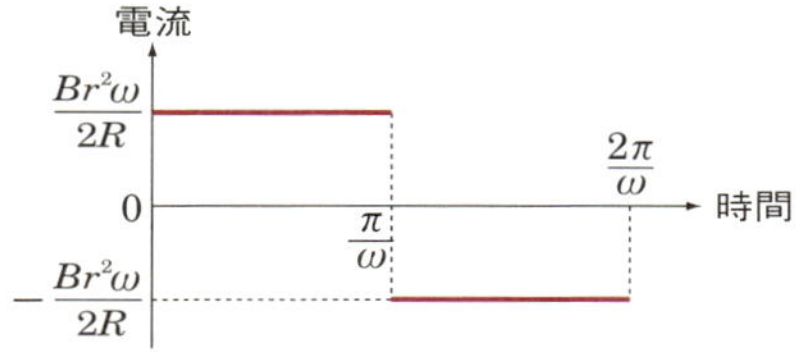

(3) 発生するジュール熱は，電流の向きに関係ないので，1秒間あたりに発生するジュール熱は，

$$IV=\frac{Br^2\omega}{2R}\times\frac{1}{2}Br^2\omega=\frac{B^2r^4\omega^2}{4R}$$

コイルが1回転する時間は $\frac{2\pi}{\omega}$ であるから，コイルが1回転する間に発生するジュール熱の大きさ Q は，

$$Q=\frac{B^2r^4\omega^2}{4R}\times\frac{2\pi}{\omega}=\boldsymbol{\frac{\pi B^2r^4\omega}{2R}}$$ …**答**

(4) コイルのOP間を流れる電流が磁場から受ける，OPに垂直な力の大きさ F は，

$$F=IBr=\frac{Br^2\omega}{2R}Br=\boldsymbol{\frac{B^2r^3\omega}{2R}}$$ …**答**

66 **解き方** ① コンデンサーには

$$V=V_0\cos\omega t$$

の電圧が加わるので，P_2 に対する P_1 の電位を V とすると，時刻 t におけるコンデンサーの P_1 側の極板に蓄えられる電荷 Q は，

$$Q=CV=CV_0\cos\omega t$$

② 時間 Δt 後にコンデンサーに蓄えられる電荷 $Q+\Delta Q$ は，

$$Q+\Delta Q=CV_0\cos\omega(t+\Delta t)$$

となるので，

$$\begin{aligned}\Delta Q&=CV_0\cos\omega(t+\Delta t)-CV_0\cos\omega t\\&=CV_0(\cos\omega t\cos\omega\Delta t\\&\quad-\sin\omega t\sin\omega\Delta t)-CV_0\cos\omega t\\&\fallingdotseq CV_0\cos\omega t-CV_0\omega\Delta t\sin\omega t\\&\quad-CV_0\cos\omega t\\&=-CV_0\omega\Delta t\sin\omega t\end{aligned}$$

よって，$I=\frac{\Delta Q}{\Delta t}=-CV_0\omega\sin\omega t$

③ ②の結果から，$I=CV_0\omega\cos\left(\omega t+\frac{\pi}{2}\right)$

となるので，電流の位相は電圧の位相より $\frac{\pi}{2}$ だけ進んでいることがわかる。

④ コイルの自己誘導の式から，$V'=-L\frac{\Delta I}{\Delta t}$

⑤ キルヒホッフの第2法則から，$V+V'=0$ となるので，

$$V-L\frac{\Delta I}{\Delta t}=0 \qquad \text{よって，}\ V=L\frac{\Delta I}{\Delta t}$$

⑥ 電流を $I=I_0\cos(\omega t+\phi)$ と表すと，$t+\Delta t$ のときの電流は，

$$\begin{aligned}I+\Delta I&=I_0\cos\{\omega(t+\Delta t)+\phi\}\\&=I_0\{\cos(\omega t+\phi)\cos\omega\Delta t\\&\quad-\sin(\omega t+\phi)\sin\omega\Delta t\}\\&\fallingdotseq I_0\cos(\omega t+\phi)\\&\quad-I_0\omega\Delta t\sin(\omega t+\phi)\end{aligned}$$

となるので，$\Delta I=-I_0\omega\Delta t\sin(\omega t+\phi)$

よって，

$$\begin{aligned}V&=L\frac{\Delta I}{\Delta t}\\&=-I_0L\omega\sin(\omega t+\phi)\\&=I_0L\omega\cos\left(\omega t+\phi+\frac{\pi}{2}\right)\end{aligned}$$

I と V の式をくらべると，電流の位相は電圧の位相より $\frac{\pi}{2}$ だけ遅れていることがわかる。

答 ① $\boldsymbol{CV_0\cos\omega t}$ ② $\boldsymbol{-CV_0\omega\sin\omega t}$
③ **進んで** ④ $\boldsymbol{-L\frac{\Delta I}{\Delta t}}$ ⑤ $\boldsymbol{L\frac{\Delta I}{\Delta t}}$
⑥ **遅れて**

5 原子と原子核

67 **解き方** (1) x 軸方向の運動量保存の式は，

$$\frac{h}{\lambda}=mv\cos\theta+\frac{h}{\lambda'}\cos\phi \quad \cdots①\ 答$$

y 軸方向の運動量保存の式は，

$$0=mv\sin\theta-\frac{h}{\lambda'}\sin\phi \quad \cdots②\ 答$$

(2) エネルギー保存の式は，

$$\frac{hc}{\lambda}=\frac{1}{2}mv^2+\frac{hc}{\lambda'} \quad \cdots③\ 答$$

(3) ①より，

$$mv\cos\theta=\frac{h}{\lambda}-\frac{h}{\lambda'}\cos\phi \quad \cdots④$$

②より，

$$mv\sin\theta=\frac{h}{\lambda'}\sin\phi \quad \cdots⑤$$

となるので，$④^2+⑤^2$ より，

$$(mv)^2=\left(\frac{h}{\lambda}-\frac{h}{\lambda'}\cos\phi\right)^2+\left(\frac{h}{\lambda'}\sin\phi\right)^2$$

$$=\frac{h^2}{\lambda^2}-\frac{2h^2}{\lambda\lambda'}\cos\phi+\frac{h^2}{(\lambda')^2} \quad \cdots⑥$$

③より，

$$\frac{1}{2}mv^2=\frac{hc}{\lambda}-\frac{hc}{\lambda'} \quad \cdots⑦$$

となるので，$⑥-2m\times⑦$ より，

$$0=\frac{h^2}{\lambda^2}-\frac{2h^2}{\lambda\lambda'}\cos\phi+\frac{h^2}{(\lambda')^2}-2m\left(\frac{hc}{\lambda}-\frac{hc}{\lambda'}\right)$$

これを変形して，

$$2m\left(\frac{hc}{\lambda}-\frac{hc}{\lambda'}\right)=\frac{h^2}{\lambda^2}-\frac{2h^2}{\lambda\lambda'}\cos\phi+\frac{h^2}{(\lambda')^2}$$

この両辺を $\lambda\lambda'$ 倍すると，

$$2mhc(\lambda'-\lambda)=h^2\left(\frac{\lambda'}{\lambda}-2\cos\phi+\frac{\lambda}{\lambda'}\right)$$

$$\fallingdotseq 2h^2(1-\cos\phi)$$

よって，

$$\lambda'-\lambda=\frac{h}{mc}(1-\cos\phi) \quad \cdots 答$$

68 **解き方** (1) 電子は加速電圧 V で eV の仕事をされる。エネルギーの原理より，

$$\frac{1}{2}mv_1{}^2=eV$$

となるので，$v_1=\sqrt{\dfrac{2eV}{m}}$ …答

(2) 陽極Tに衝突するときに電子のもっているエネルギーがすべてX線光子のエネルギーになる場合に，X線の波長は最短になる。よって，$eV=\dfrac{hc}{\lambda_0}$ となるので，

$$\lambda_0=\frac{hc}{eV} \quad \cdots 答$$

(3) 点BからADにおろした垂線とADとの交点をEとする。2本の反射X線の経路差は AB－AE になる。

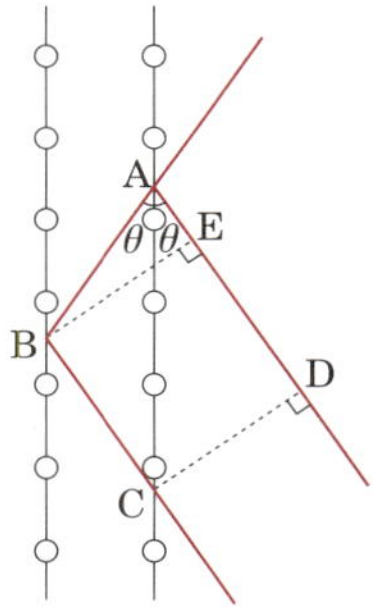

$AE=AB\cos 2\theta$

であり，

$$AB=\frac{d}{\sin\theta}$$

であるから，

$$AB-AE=AB-AB\cos 2\theta$$

$$=\frac{d}{\sin\theta}(1-\cos 2\theta)$$

$$=\frac{d}{\sin\theta}\times 2\sin^2\theta$$

$$=2d\sin\theta$$

よって，反射X線が強め合う条件は，

$$2d\sin\theta=N\lambda \quad \cdots 答$$

69 **解き方** (1) 荷電粒子は，重力と空気抵抗によって等速運動をしているので，重力と空気抵抗はつり合う。よって，$Mg=kv_1$ となるので，$M=\dfrac{kv_1}{g}$ …① 答

(2) 荷電粒子は，重力と空気抵抗，電気力によって等速運動をしているので，重力と空気抵抗，電気力はつり合う。よって，

$$Mg+kv_2=qE$$

となるので，$Mg=qE-kv_2$

$$M=\frac{qE-kv_2}{g}$$ …②答

(3) ①と②より，$\frac{qE-kv_2}{g}=\frac{kv_1}{g}$

となるので，$qE=kv_1+kv_2$

よって，$q=\frac{k(v_1+v_2)}{E}$ …答

(4) 表から，測定された電荷の差を求める。

$|q_1-q_2|=8.01-4.82=3.19$
$|q_2-q_3|=4.82-3.20=1.62$
$|q_3-q_4|=6.45-3.20=3.25$
$|q_4-q_5|=9.70-6.45=3.25$
$|q_5-q_6|=12.88-9.70=3.18$
$|q_6-q_1|=12.88-8.01=4.87$
$|q_3-q_4|-|q_2-q_3|=3.25-1.62$
$=1.63$

のように，測定値の差をとると，最小値が約1.6になることがわかる。そこで，$e\fallingdotseq1.6$と考えて，各測定値が1.6のおよそ何倍になるかを求める。

$8.01\fallingdotseq5e$ …①
$4.82\fallingdotseq3e$ …②
$3.20\fallingdotseq2e$ …③
$6.45\fallingdotseq4e$ …④
$9.70\fallingdotseq6e$ …⑤
$12.88\fallingdotseq8e$ …⑥

となるので，①＋②＋③＋④＋⑤＋⑥より，

$45.06\fallingdotseq28e$

よって，$e=\frac{45.06}{28}=1.609$

答 1.61×10^{-19} C

70 解き方 (1) 金属板Kから飛び出した光電子が，PK間の電圧によって減速され，**最も速い速さで飛び出した光電子も電極Pに到達できなくなった。** …答

(2) 光子のもっていたエネルギー$h\nu$が，金属から電子が飛び出すために必要なエネルギー(仕事関数)Wと電子の運動エネルギーに変わるとき，電子の運動エネルギーは最大eV_0となる。この関係を式で表すと，$h\nu=W+eV_0$となり，

$W=h\nu-eV_0$ …答

(3) 波長λの光子のエネルギーは$\frac{hc}{\lambda}$で与えられるので，

$$W=\frac{hc}{\lambda}-eV_0$$
$$=\frac{6.6\times10^{-34}\times3.0\times10^{8}}{4.5\times10^{-7}}-1.6\times10^{-19}\times0.82$$

このときの単位はJなので，eVの単位で求めるために，1.6×10^{-19}で割ると，

$$W=\frac{6.6\times10^{-34}\times3.0\times10^{8}}{4.5\times10^{-7}\times1.6\times10^{-19}}-0.82$$
$$=1.93\text{ eV}$$

答 1.9 eV

71 解き方 (1) 電子の運動方程式は，

$$m\frac{v^2}{r}=k\frac{e^2}{r^2}$$ …①答

(2) ボーアの量子条件は，電子波の波長$\frac{h}{mv}$が定常波をつくる場合だけであることを示しているので，電子軌道の円周の長さが電子波の波長の整数倍になる。よって，

$$2\pi r=n\frac{h}{mv}$$ …②答

(3) ①より，$mv^2=\frac{ke^2}{r}$ …③

②より，$mv=\frac{nh}{2\pi r}$

この2つの式から，$m\frac{ke^2}{r}=\left(\frac{nh}{2\pi r}\right)^2$

よって，$r=\frac{n^2h^2}{4\pi^2mke^2}$ …④答

(4) 電子の運動エネルギーは，③を用いると，

$$\frac{1}{2}mv^2=\frac{ke^2}{2r}$$

となるから，

$$E_n=\frac{ke^2}{2r}-\frac{ke^2}{r}=-\frac{ke^2}{2r}$$

④を代入して，

$$E_n=-\frac{ke^2}{2\frac{n^2h^2}{4\pi^2mke^2}}$$
$$=-\frac{2\pi^2mk^2e^4}{n^2h^2}$$ …⑤答

(5) ボーアの振動数条件は，電子がエネル

ギー準位の違う軌道に移るとき，そのエネルギー差にあたるエネルギーをもった光子を放出し，エネルギーが保存することを表している。エネルギー準位E_nの電子軌道から$E_{n'}$の電子軌道に移ったとき，振動数νの光子を放出したとすれば，

$$E_n - E_{n'} = h\nu \quad \cdots⑥ \text{答}$$

(6) 光の波長をλとすれば，光子のもつエネルギーは$\dfrac{hc}{\lambda}$で与えられるので，⑥は，

$$E_n - E_{n'} = \frac{hc}{\lambda}$$

⑤を用いると，

$$\frac{hc}{\lambda} = \left(-\frac{2\pi^2 mk^2e^4}{n^2h^2}\right) - \left(-\frac{2\pi^2 mk^2e^4}{(n')^2h^2}\right)$$

$$= \frac{2\pi^2 mk^2e^4}{h^2}\left(\frac{1}{(n')^2} - \frac{1}{n^2}\right)$$

となるので，

$$\frac{1}{\lambda} = \frac{2\pi^2 mk^2e^4}{ch^3}\left(\frac{1}{(n')^2} - \frac{1}{n^2}\right)$$

よって，$R = \dfrac{2\pi^2 mk^2e^4}{ch^3}$ …答

72 解き方 (1) ^{4}Heの質量欠損Δmは，

$$\Delta m = 2 \times 1.0073 + 2 \times 1.0087 - 4.0015 = 0.0305\ \text{u}$$

(2) ^{4}Heの1核子あたりの結合エネルギーは，

$$\frac{\Delta mc^2}{4} = \frac{0.0305 \times 1.66 \times 10^{-27} \times (3.0 \times 10^8)^2}{4} = 1.13 \times 10^{-12}\ \text{J}$$

(3) この核反応で減少した質量Δmは，

$$\Delta m = (3.0149 + 1.0087) - 4.0015 = 0.0221\ \text{u}$$

であるから，この核反応で放出されるエネルギーは，

$$\Delta mc^2 = 0.0221 \times 1.66 \times 10^{-27} \times (3.0 \times 10^8)^2 = 3.30 \times 10^{-12}\ \text{J}$$

答 (1) **0.031 u** (2) **1.1×10^{-12} J** (3) **3.3×10^{-12} J**

73 解き方 ① α線の実体であるα粒子はヘリウム原子核であるから，正の電荷をもっている。正の電荷の運動方向に電流が流れると考えて，フレミングの左手の法則より，α線の軌跡はアであることがわかる。

②，③ α崩壊では，ヘリウム原子核が出て行くので，中性子が2個，陽子が2個減少する。その結果，崩壊によってできる原子核は，質量数が4減少し，原子番号が2減少する。よって，質量数は$A-4$，原子番号は$Z-2$となる。

④ 放射性崩壊で，質量数が変化するのはα崩壊だけである。1回のα崩壊で質量数は4減少するので，α崩壊の回数は，

$$\frac{226-206}{4} = 5\ \text{回}$$

⑤ 原子番号の変化は$88-82=6$である。

1回のα崩壊では原子番号は2減少するので，α崩壊だけなら$2\times5=10$減少するが，実際には6しか減少していない。その差は，β崩壊による。β崩壊では，1回で原子番号が1増加するので，β崩壊の回数は，$10-6=4$回

⑥ 時間tの後に崩壊しないで残っている原子核の数Nは，

$$N = N_0\left(\frac{1}{2}\right)^{\frac{t}{T}} \quad \cdots ⓐ$$

⑦ ⓐ式より，$\dfrac{N}{N_0} = \left(\dfrac{1}{2}\right)^{\frac{t}{T}}$

$\dfrac{N}{N_0} = \dfrac{1}{10}$であるから，$\dfrac{1}{10} = \left(\dfrac{1}{2}\right)^{\frac{t}{T}}$

両辺の対数をとれば，

$$\log_{10}\frac{1}{10} = \log_{10}\left(\frac{1}{2}\right)^{\frac{t}{T}}$$

$$-1 = -\frac{t}{T}\log_{10}2$$

よって，

$$t = \frac{T}{\log_{10}2} = \frac{1.60 \times 10^3}{0.301} = 5.315 \times 10^3\ \text{年}$$

答 ① **ア** ② **$A-4$** ③ **$Z-2$** ④ **5** ⑤ **4** ⑥ **$N_0\left(\frac{1}{2}\right)^{\frac{t}{T}}$** ⑦ **$5.3 \times 10^3$**

③